DE VERBORGEN
PRINSES

LYNN FLEWELLING

DE VERBORGEN PRINSES

Oorspronkelijke titel: The Bone Doll's Twin
Vertaling: Jet Matla
Omslagbeeld: George Underwood

Eerste druk: april 2004

ISBN 90 225 3826 5 / NUR 334

Voor l.e. en de kinderen knapp
op de magische trap van lang geleden

Het Skalaanse Jaar

I. WINTERZONNEWENDE – Rouwnacht en Festival van Sakor; plechtigheid van de langste nacht en viering van het lengen der dagen dat dan ingaat.

1. Sarisin: Kalveren
2. Dostin: Heggen en greppels controleren en bijwerken. Erwten en bonen zaaien voor veevoer.
3. Klesin: Haver zaaien, tarwe, gerst (voor het mouten).

II. LENTENACHTEVENING – Bloemenfeest in Mycena. Voorbereiding voor het planten, vruchtbaarheidsriten.

4. Lithion: Boter karnen, kaas maken (liefst van schapenmelk). Hennep en vlas zaaien.
5. Nythin: Braakland ploegen.
6. Gorathin: Graanvelden wieden. Schapen wassen, scheren.

III. ZOMERZONNEWENDE

7. Shemin: Begin van de maand: maaien, hooien. Eind/Lenthin: graanoogst op gang.
8. Lenthin: Graanoogst.
9. Rhythin: Oogst opslaan. Velden ploegen en beplanten met wintertarwe of rogge.

IV. OOGST IN HUIS – Laatste graan binnen, dankfeest voor het gewas.

10. Erasin: Varkens de bossen in voor eikels en beukennootjes.
11. Kemmin: Nogmaals omploegen. Ossen, varkens slachten en roken. Storm op zee. Eind visseizoen.
12. Cinrin: Verstelwerk binnen; dorsen.

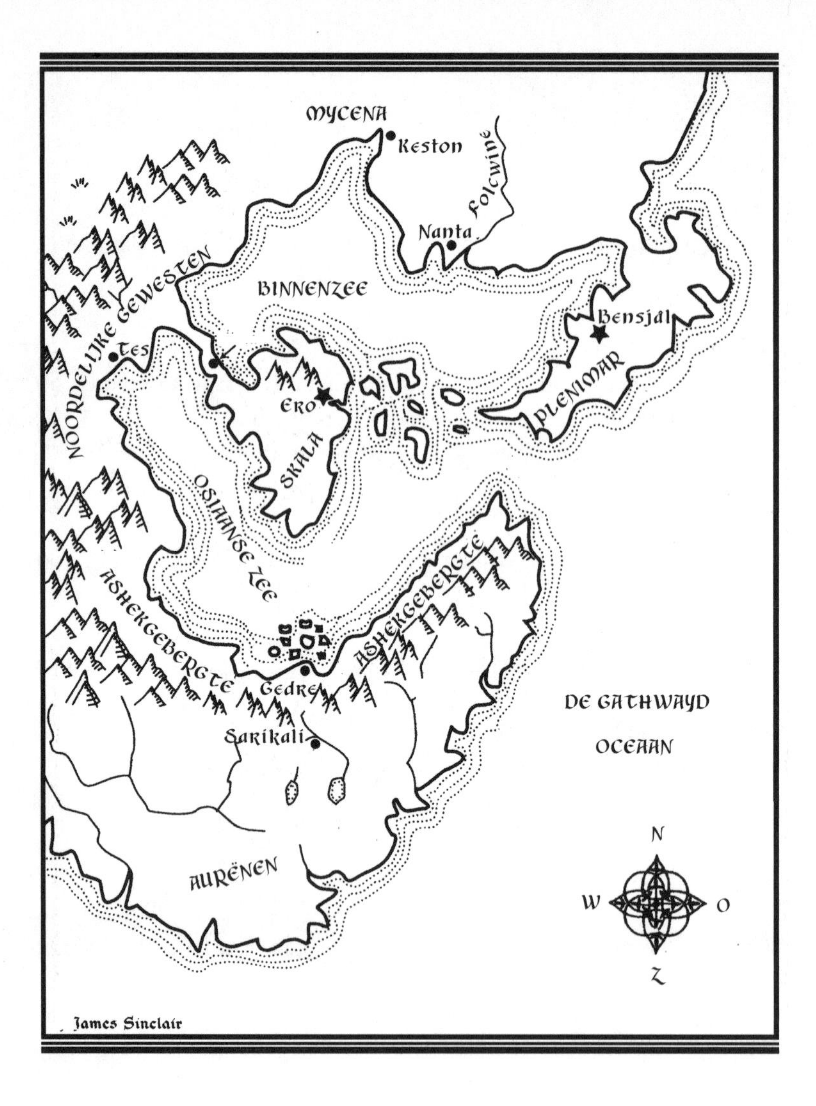

MYCENA
Keston
Folcwine
Nanta
BINNENZEE
Bensjal
NOORDELIJKE GEWESTEN
Tes
Ero
PLENIMAR
SKALA
OSIAANSE ZEE
ASHEKGEBERGTE
ASHEKGEBERGTE
Gedre
Sarikali
DE GATHWAYD
OCEAAN
AURËNEN
N
W
O
Z
James Sinclair

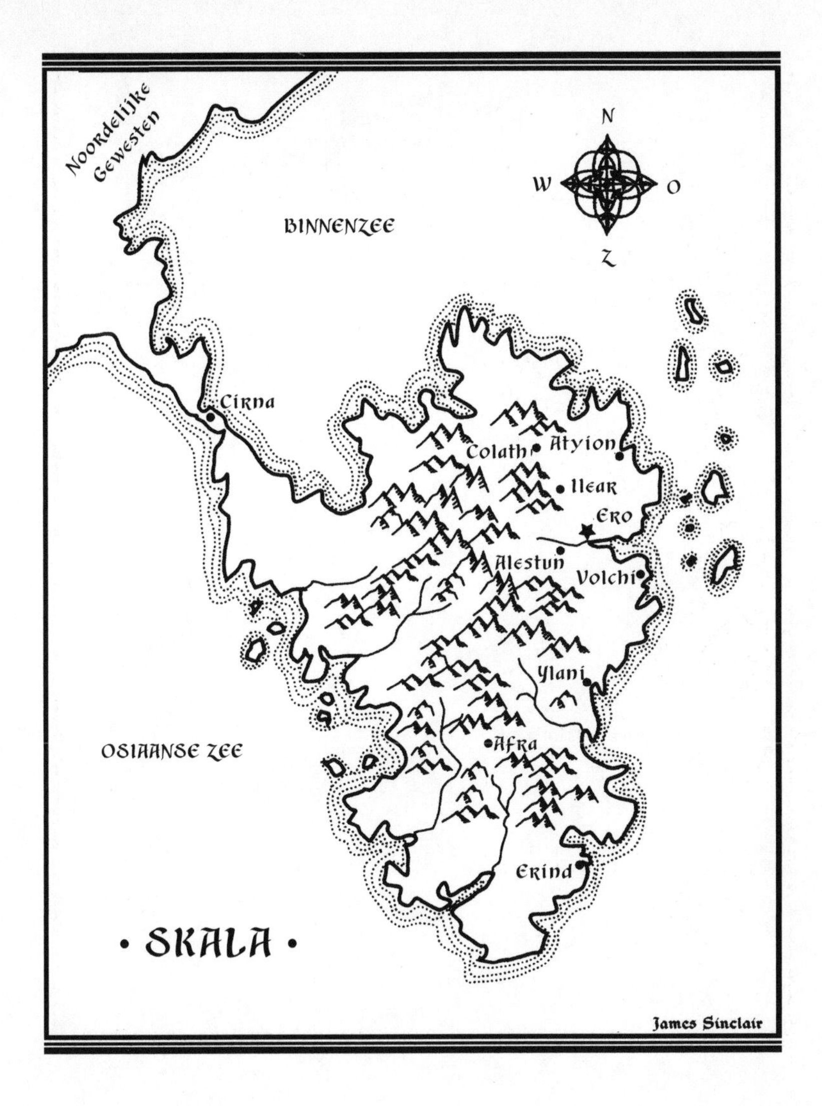
Noordelijke Gewesten
BINNENZEE
N
W
O
Z
Cirna
Colath
Atyion
Ilear
Ero
Alestun
Volchi
Ylani
Afra
Erind
OSIAANSE ZEE
• SKALA •
James Sinclair

DEEL I

Fragment gevonden in de Oostelijke Toren van het Orëskahuis

Een oude man kijkt me aan vanuit de spiegel. Zelfs te midden van de andere tovenaars hier in Rhíminee, ben ik een relikwie uit tijden van weleer.

Mijn nieuwe leerling, de kleine Nysander, kan zich niet voorstellen hoe het geweest moet zijn om tijdens het Tweede Orëska als vrije tovenaar door het leven te gaan. Toen Nysander geboren werd stond deze schitterende stad al twee eeuwen aan haar diepe haven. Toch zal het voor mij altijd de 'nieuwe hoofdstad' blijven.

Toen ik jong was, zou een hoerenjong als Nysander geen scholing gehad hebben. Als hij geluk had werd hij weervoorspeller of waarzegger. Maar waarschijnlijk zou hij iemand per ongeluk hebben gedood en gestenigd zijn als heks. Alleen de Lichtdrager weet hoeveel kinderen met de gave van god verloren zijn gegaan voor het Derde Orëska aanbrak.

Voor deze stad gebouwd werd, voor dit fantastische studiecentrum door zijn stichter aan ons geschonken was, regelden wij magiërs van het Tweede Orëska alles zelf en leefden we volgens onze eigen wetten.

Nu, als dank voor dienst aan de Kroon hebben we dit Huis, met bibliotheken, archieven en volksgeschiedenis. Ik ben de enige levende ziel die nog weet wat de prijs voor dit alles was.

Twee eeuwen. Vele generaties voor de meeste mensen; een seizoen voor hen die de gave van de Lichtdrager ontvangen hebben. 'Wij tovenaars zijn anders, Arkoniël,' zei mijn eigen lerares, Iya, tegen me toen ik iets ouder was dan Nysander nu. 'We zijn stenen langs de oever van de rivier en zien het leven langs ons heen stromen.'

Toen ik op de drempel van Nysanders kamer stond en keek hoe de jongen sliep, leek het net of Iya's geest naast me stond en even leek het of ik mijn jongere ik daar in dat bed zag liggen – een onopvallende, verlegen adellijke knaap die dieren leek te betoveren. Toen ze mijn vaders gast was, merkte Iya de magie in me op en vertelde dat mijn familie. Ik huilde toen ik de volgende dag met haar mee moest weg van huis.

Het zou makkelijk zijn om die tranen als voorteken te zien – iets wat je tegenwoordig vaak in toneelstukken verwerkt ziet. Maar ik heb eigenlijk nooit in het lot geloofd, ondanks al die voorspellingen en orakels die mijn leven bepaald hebben. Je hebt altijd een keuze, waarin dan ook. Ik heb te vaak gezien hoe mensen hun eigen toekomst door de vriendelijkheden en wreedheden van alledag lieten bepalen.

Ik koos ervoor om met Iya mee te gaan.

Later koos ik ervoor om te geloven in de visioenen die het Orakel mij en haar liet zien.

Het was mijn keuze de kracht van dit sterke land weer te herstellen, en ik kan dus zeggen dat ik mijn steentje heb bijgedragen aan de oprichting van de blanke torens van Rhíminee tegen de blauwe westelijke lucht.

Maar die paar nachten dat ik diep slaap, waar droom ik dan van?

Het huilen van een baby, die gesmoord wordt.

Je zou toch zeggen dat het na al die jaren toch wel makkelijker wordt om het te accepteren; dat die ene noodzakelijke wreedheid de loop van de geschiedenis zo kan veranderen, zoals een aardbeving de loop van een rivier verandert. Maar die daad, die kreet, is de basis voor al het goeds dat daarna kwam, als een zandkorrel in het hart van een parel.

Ik alleen draag de herinnering aan dat gejammer van die boreling, al die jaren geleden.

Ik alleen ken de vuile zandkorrel in het hart van deze parel.

I

Iya trok haar strooien reizigershoed met een ruk af en waaierde zich koelte toe terwijl haar paard moeizaam het rotsachtige pad naar Afra beklom. De zon stond recht boven hun hoofd, stralend tegen het wolkeloze blauw. Het was nog maar de eerste week van Gorathin, veel te vroeg om nu al zo heet te zijn. Het zag ernaar uit dat de droogte nog een seizoen zou aanhouden.

Er glinsterde nog steeds sneeuw op de toppen daarboven. Zo nu en dan waaide er een vlaag wit naar het felle blauw van de hemel, waardoor je de kwellende illusie van koelte kreeg, terwijl er hier, in de nauwe bergpas, nog geen zuchtje wind te bespeuren viel. Overal elders zou Iya wel een briesje te voorschijn getoverd hebben, maar op een dagrit van Afra was magie helaas verboden.

Voor haar uit schommelde Arkoniël in zijn zadel als een haveloze, langbenige ooievaar. De linnen tuniek van de jonge tovenaar was doorweekt van het zweet en zag er goor uit na een week rijden over stoffige wegen. Niet dat hij klaagde; zijn enige concessie aan de hitte was het afscheren van zijn slordige zwarte baard geweest die hij sinds zijn eenentwintigste verjaardag, afgelopen Erasin, had laten staan.

Arme knul, dacht Iya met warmte; de gisteren geschoren huid was nu al zwaar verbrand.

Hun bestemming, het Orakel van Afra, lag precies in het midden van Skala's bergachtige centrum en het was afzien om er te komen, in welk seizoen je er ook naartoe ging. Iya had de lange pelgrimstocht al tweemaal eerder gemaakt, maar nog nooit in de zomer.

De muren van de pas stonden nu wel akelig dicht langs het pad en eeuwen van zoekenden hadden hier hun naam en smeekbede tot Illior Lichtdrager in de ruwe steen gekrast.

Sommigen hadden gewoon het smalle maansikkeltje van de god met iets scherps ingekrast, waardoor er langs de hele route een lange rij scheve glimlachjes ontstond. Arkoniël had er eerder op de morgen een van eigen hand aan toegevoegd, ter herinnering aan zijn eerste bezoek.

Iya's paard struikelde en de reden voor hun tocht bonkte hard tegen haar dij. In de versleten leren tas die aan de zadelknop was vastgemaakt, dik ingepakt in lappen en magie, zat een asymmetrische, ruw geboetseerde kom van aardewerk. Er was niets bijzonders aan, op de heftige kwaadaardige uitstraling na wanneer hij niet goed weggeborgen was. Ze had de voorgaande jaren al vaak op het punt gestaan hem van een klif te laten vallen of hem in een rivier te smijten, maar dat had ze evenmin kunnen doen als haar eigen arm afhakken. Zij was de Hoeder; de inhoud van de tas was al meer dan een eeuw onder haar hoede geweest.

Tenzij het Orakel daar een andere mening over had. Nadat ze haar dunne, grijzende haar weer tot een knotje boven op haar hoofd had gedraaid en vastgezet, wuifde ze haar bezwete nek weer wat koelte toe.

Arkoniël keerde zich om in zijn zadel en keek haar bezorgd aan. Zijn verwarde zwarte krullen dropen van het zweet onder de slappe rand van zijn hoed. 'Je hebt een hoofd als een boei. We moeten maar weer even stoppen om te rusten.'

'Nee, we zijn er nu bijna.'

'Drink dan op zijn minst nog een slokje water. En zet je hoed op!'

'Ik voel me stokoud als je zo praat. Ik ben nog maar tweehonderddertig hoor.'

'Tweehonderdtweeëndertig,' corrigeerde hij haar met een wrang glimlachje. Het was een oud spelletje.

Ze trok een lang gezicht. 'Wacht maar tot jij in je derde tijdperk zit, jongen. Dan wordt het lastiger om alles bij te houden.'

Eerlijk gezegd vermoeide de zware tocht haar meer dan toen ze voor in de honderd was geweest, al zou ze dat voor geen goud toegeven. Ze nam een flinke slok uit haar waterzak en liet haar schouders hangen. 'Wat ben je trouwens stil vandaag. Heb je je vraag nou al?'

'Ik geloof het wel. Ik hoop dat het Orakel hem de moeite waard vindt.'

Iya glimlachte om dat eerlijke antwoord. Voor Arkoniël was deze tocht gewoon een van de vele lessen. Ze had hem de ware reden niet verteld.

De leren zak bonkte tegen haar dij als een zeurend kind. Vergeef me, Agazhar, dacht ze, want ze wist dat haar lang geleden gestorven leraar, de eerste Hoeder, het niet zou goedkeuren.

Het laatste stuk van de route was het meest verraderlijk. De rotswand aan hun rechterkant maakte plaats voor een ravijn en op bepaalde plekken moesten ze zo dicht tegen de linkerwand rijden dat hun knieën schaafwonden kregen.

Arkoniël verdween achter een scherpe bocht en riep over zijn schouder: 'Ik zie Illiors Sleutelgat, precies zoals je het beschreef!'

Terwijl ze dezelfde hoek omsloeg zag Iya de poort als een opzichtige verschijning die in spreidstand over het pad stond. Gestileerde draken fonkelden in rood, blauw en goud rond de smalle opening, die net wijd genoeg was om één ruiter te paard door te laten. Afra was nu nog maar een kleine mijl rijden.

Zweet prikte in Iya's ogen, en ze knipperde onophoudelijk. Het had gesneeuwd, die eerste keer dat zij hier met Agazhar gekomen was.

Iya was later dan de meesten begonnen met de kunst van het toveren. Haar vader was pachter, en ze was opgegroeid op een boerderij bij de grens van Skala's grondgebied op het vasteland. De dichtstbijzijnde marktstad lag aan de overzijde van de rivier de Keela in Mycena en daar werden de producten van de boerderij dan ook verhandeld. Zoals zoveel mensen uit het grensgebied, was haar vader met een Myceense getrouwd en offerde hij aan Dalna de Schepper, en niet aan Illior of Sakor.

Toen bleek dat Iya magische gaven bezat, werd ze over de rivier gebracht om te gaan studeren bij een oude Dalnische priester die haar tot drysiaanse heelster probeerde op te leiden. Iedereen prees haar kruidengeneeskunst, maar zodra de ietwat onnozele oude heer erachter kwam dat ze vuur kon maken door eraan te denken, bond hij een heksenamulet rond haar pols en stuurde haar naar huis.

Met die smet maakte ze haar familie te schande, en ook de rest van het dorp meed haar zodat een echtgenoot er al helemaal niet in zat.

Ze was een ongehuwde vrouw van vierentwintig toen Agazhar haar toevallig op het marktplein passeerde. Later vertelde hij haar dat de heksenamulet hem was opgevallen, toen ze aan het marchanderen was over de prijs van haar geiten.

Ze had geen aandacht aan hem geschonken, ze dacht dat het de zoveelste oude soldaat was, die naar huis terugkeerde na in de eindeloze oorlogen elders gevochten te hebben. Agazhar was er in zijn lompen en met zijn holle wangen net zo aan toe als zij, en de linkermouw van zijn tuniek bungelde leeg naar beneden.

Iya bekeek hem met andere ogen toen hij recht op haar af kwam lopen, haar hand greep en een warme glimlach van herkenning zich over zijn gezicht verspreidde. Na een kort gesprek verkocht ze snel haar geiten en volgde de oude tovenaar zonder ook maar één keer om te kijken. Als iemand de moeite had genomen nog een spoor van haar te vinden, had hij alleen de heksenamulet tussen het onkruid bij de stadspoort aangetroffen.

Agazhar had niet de spot met haar gedreven omdat ze vuur kon maken. Hij legde uit dat het het eerste teken was dat zij een van hen was die door Illior waren aangeraakt. Toen leerde hij haar haar onbekende kracht om te vormen tot de machtige magie van de Orëska-magiërs.

Agazhar was een vrije tovenaar, hij had geen verplichtingen. Hij meed het comfortabele leven van een verbintenis met één hof, hij kon gaan en staan waar hij wilde, en was welkom in zowel deftige huizen als nederige stulpjes. Samen met Iya reisde hij door de Drie Landen en verder, zeilde westwaarts naar Aurënen, waar zelfs de gewoonste lieden net zo lang leefden als wijze tovenaars en eveneens magische krachten bezaten. Hier leerde ze dat de Aurënfaiers van het Eerste Orëska waren; hun bloed vermengd met dat van Iya's ras had geleid tot magische gaven bij de uitverkorenen van Skala en Plenimar.

Deze gave had een prijs. Menselijke tovenaars konden geen kinderen dragen noch verwekken, maar Iya vond dat geen slechte ruil: ze bezat magie en later kreeg ze studenten, die net zo begaafd en goed gezelschap waren als Arkoniël.

Agazhar had haar ook meer geleerd over de Grote Oorlog dan haar vaders balladen en legenden, want hij had meegevochten binnen de groep tovenaars die onder koningin Ghërilains banier voor Skala op de bres stonden.

'Nooit eerder was er een oorlog als deze, en bid tot Sakor dat er ook nooit meer een zoals deze zal zijn,' zei hij terwijl hij in het kampvuurtje staarde alsof hij daarin zijn gevallen kameraden ontwaarde. 'In die schitterende tijd stonden tovenaars zij aan zij met de strijders, om de zwarte tovenaars van Plenimar te verslaan.'

Alle verhalen uit die tijd bezorgden Iya nachtmerries. De demon van een van die zwarte tovenaars – een *dyrmagnos*, noemde hij hem – had zijn linkerarm afgerukt.

Maar hoe gruwelijk die verhalen ook waren, Iya zou ze nooit vergeten, want alleen hierdoor had Agazhar een hint gegeven waar de vreemde kom ontstaan moest zijn.

In die dagen droeg Agazhar hem nog; in al die jaren had hij hem nooit even naast zich neergelegd. 'Oorlogsbuit,' zei hij met een duister lachje, de eerste keer dat hij de tas geopend had om hem aan haar te laten zien.

Maar verder wilde hij er haar niets over vertellen, behalve dat de kom niet vernietigd kon worden en dat het bestaan ervan alleen onthuld mocht worden aan de volgende Hoeder. Wel kreeg ze een uitputtende opleiding in het ingewikkelde web van spreuken en bezweringsformules die hem beschermden, en die liet hij haar vervlechten en weer ongedaan maken tot ze dat zonder nadenken foutloos kon.

'Jij zult de Hoeder zijn als ik er niet meer ben,' bracht hij haar in herinnering wanneer ze genoeg kreeg van al die geheimzinnigdoenerij. 'Dan zul je het begrijpen. Zorg ervoor dat je zelf ook een goede opvolger kiest.'

'Maar hoe zal ik dan weten wie ik moet kiezen?'

Hij had geglimlacht en haar hand vastgehouden zoals toen ze elkaar op de markt ontmoet hadden. 'Vertrouw maar op de Lichtdrager. Je zult het weten.'

En zo was het gegaan.

Eerst bleef ze maar aandringen om haar er meer over te vertellen – waar hij hem gevonden had, wie hem gemaakt had en waarom, maar Agazhar was niet te vermurwen. 'Ik zeg niets tot de tijd aanbreekt dat jij hem helemaal onder je hoede neemt. Pas dan vertel ik je alles wat je erover moet weten.'

Helaas had die dag hen compleet overvallen. In Ero was Agazhar dood op straat neergevallen, op een mooie lentedag in haar eerste eeuw. Het ene moment oreerde hij nog over de schoonheid van een nieuwe transformatiespreuk die hij had verzonnen; het volgende klapte hij tegen de grond met één hand tegen zijn borst geklemd en een lichtelijk verbaasde blik in zijn starende dode ogen.

Nog maar net in haar tweede tijdperk beland was Iya Hoeder geworden van iets waarvan ze niet wist wat het voorstelde of waarom ze het moest beschermen. Ze hield haar eed die ze gezworen had en wachtte op Illior die haar opvolger zou aanwijzen. Ze wachtte twee tijdperken, en veelbelovende leerlingen kwamen en gingen, en ze vertelde hen niets over de tas en de geheime inhoud.

Maar zoals Agazhar haar had beloofd, herkende ze Arkoniël zodra ze hem zo'n vijftien jaar geleden in de boomgaard van zijn vader zag spelen. Hij kon al een appeltje in de lucht laten rondwervelen en een kaarsvlam doven door eraan te denken.

Al was hij nog jong, ze leerde hem het weinige wat ze over de kom te weten was gekomen. Later, toen hij sterk genoeg was, leerde ze hem de beschermingsspreuken weven. Toch bleef ze de kom zelf dragen, zoals Agazhar bevolen had.

In de loop der tijd was Iya de kom als hoogstens een heilige last gaan beschouwen, maar daar kwam een maand geleden verandering in toen dat ellendige ding in haar dromen was verschenen. De doodenge ingewikkelde nachtmerries, levendiger dan ze ze ooit had meegemaakt, waren er de oorzaak van dat ze zich nu hier bevond, want ze zag de kom in al haar dromen, hoog geheven boven een slagveld door een monsterlijk zwart persoon van wie ze de naam niet kende.

'Iya? Iya? Alles goed met je?' vroeg Arkoniël.

Iya schudde haar hoofd om de dagdroom kwijt te raken en ze glimlachte hem geruststellend toe. 'Aha, we zijn dus eindelijk aangekomen.'

Weggekropen in een diepe rotsspleet kon Afra nauwelijks een dorp worden genoemd en het bestond dan ook alleen maar voor het orakel en de pelgrims die het kwamen bezoeken. Een herberg en de kamers van de priesters en priesteressen waren als zwaluwnestjes aan beide zijden van het kleine geplaveide pleintje in de rotsen uitgehouwen. Hun deuren en ingezette ramen waren versierd met houtsnijwerk en zuiltjes van een oud ontwerp. Het plein was nu verlaten, maar er wuifden een paar mensen naar hen vanuit beschaduwde ramen.

Midden op het plein stond een rode stèle van jaspis, zo lang als Arkoniël. Bij de voet ervan ontsprong een fonteintje waarvan het water in een stenen bak en een trog uitvloeide.

'Bij het Licht!' Arkoniël stapte af en liet zijn paard meteen naar de trog lopen; hijzelf begon de stèle te bekijken. Hij liet zijn handpalm zacht over de in vier talen gestelde inscriptie glijden en las de woorden die de loop van de geschiedenis van Skala drie eeuwen geleden veranderd hadden.

Zolang er een dochter
uit het geslacht van Thelátimos
heerst en verdedigt,
zal Skala nimmer onderworpen worden.

Hij schudde verbaasd zijn hoofd. 'Dit is toch het origineel?'

Iya knikte droef. 'Koningin Ghërilain heeft hem vlak na de oorlog hoogstpersoonlijk als dankoffer neer laten zetten. De Orakelkoningin, noemden ze haar.'

In de donkere dagen van de oorlog, toen het erop leek dat Plenimar Skala en Mycena op zou slokken, had Thelátimos, de Skalaanse koning, het slagveld verlaten om het orakel te raadplegen. Toen hij terugkeerde naar de strijd nam hij zijn dochter Ghërilain mee, destijds een meisje van zestien. Gehoor gevend aan de woorden van het orakel, zalfde hij haar voor het oog van zijn uitgeputte leger en gaf haar zijn kroon en zwaard.

Volgens Agazhar hadden de generaals niet veel op met die beslissing van hun vorst. Maar vanaf het begin bleek het meisje een door de goden begenadigd strijder en ze bracht haar legers binnen een jaar naar de overwinning door in haar eentje de Plenimaraanse opperheerser bij de slag van Isil te doden. Ook in vredestijd was ze een prima koningin die meer dan vijftig jaar regeerde. Agazhar behoorde tot degenen die om haar rouwden.

'Deze zuilen stonden toch overal in Skala?' vroeg Arkoniël.

'Ja, op elke belangrijke kruising. Jij lag nog in de wieg toen koning Erius ze allemaal omver liet werpen.' Iya steeg af en raakte de stèle eerbiedig aan. Hij voelde heet aan en was nog steeds zo glad als op de dag dat hij de steenhouwerij verlaten had. 'Zelfs Erius waagde het niet deze met een vinger aan te raken.'

'Hoezo?'

'Toen hij bevel gaf deze neer te halen, weigerden de priesters. Zijn zin doordrijven betekende een invasie in Afra, de heiligste grond van heel Skala. Dus trok Erius het bevel in en stelde zich er tevreden mee de rest in zee te laten dumpen. Er bestond ook een gouden tableau met de inscriptie in de troonzaal van het Oude Paleis. Ik vraag me af wat daarmee gebeurd is...'

Maar de jonge tovenaar had andere zorgen. Met een hand boven zijn ogen tegen de zon bekeek hij het klif van top tot teen. 'Waar is het heiligdom van het Orakel eigenlijk?'

'Dieper de kloof in. Drink zoveel je kunt, want we moeten de rest van het pad lopen.'

Ze lieten hun rijdieren rusten bij de herberg en volgden een ingesleten pad de kloof in. Hoe verder ze kwamen, hoe steiler en onbegaanbaarder het pad werd. Er waren geen bomen die een beetje schaduw wierpen, geen vocht dat het witte stof op de grond kon houden in de hete middagzon. Na een tijdje versmalde het pad zich tot een geul tussen de rotsblokken en over de stenen die diep ingesleten waren en spekglad door de duizenden pelgrimsvoeten die zo hun sporen hadden nagelaten.

Ze ontmoetten twee andere groepjes zoekenden die de tegenovergestelde kant op gingen. Een paar jonge soldaten lachten en praatten op dappere toon, op een jongeman na die met de doodsangst nog in zijn ogen een eindje achter zijn maten aan liep. De tweede groep liep dicht opeengepakt rond een oude koopmansvrouw die stilletjes weende terwijl haar reisgenoten haar ondersteunden.

Verontrust keek Arkoniël hen na. Iya wachtte tot de kooplieden om de hoek verdwenen waren en ging vervolgens op een rotsblok zitten om even uit te rusten. Het pad was hier nauwelijks breed genoeg om twee mensen te laten passeren en de hitte bleef tussen de stenen hangen als in een oven. Ze nam een slokje uit de waterzak die Arkoniël gevuld had bij de bron. Het water was zo koud dat haar ogen er pijn van deden.

'Is het nog ver?' vroeg hij.

'Een klein eindje nog.' Door zichzelf een koel bad in het vooruitzicht te stellen stond Iya op en vervolgde haar weg.

'Je kende de moeder van de koning toch?' vroeg Arkoniël, achter haar aan strompelend. 'Was ze zo slecht als men vertelt?'

De zuil moest hem aan het denken hebben gezet. 'In het begin niet, ze werd ooit Agnalain de Goede genoemd. Maar ze had een duister trekje dat verergerde naarmate ze ouder werd. Sommigen zeggen dat het haar vaders bloed was. Anderen dat het kwam door de ellende die ze bij haar zwangerschappen had gehad. De eerste keer kreeg ze twee zonen, toen leek ze jarenlang onvruchtbaar te zijn en geleidelijk aan nam haar interesse in jongere minnaars en openbare executies toe. Erius' vader stuurde ze naar het blok wegens hoogverraad. Daarna was niemand meer veilig. Bij de Vier, ik kan nóg de stank ruiken die er uit de lijkenkooien langs de wegen rond Ero sloeg! De kraaien werden moddervet. We hoopten allemaal dat ze weer wat normaler zou worden wanneer ze eenmaal een dochter had, maar daar was geen sprake van. Ze werd alleen maar waanzinniger.'

Het was een fluitje van een cent geweest voor Agnalains oudste zoon, prins Erius – een gevierd strijder en lieveling van het volk – om te verkondigen dat de woorden van het Orakel verdraaid waren, dat de profetie alleen op Thelátimos' dochter had geslagen, en niet op een matrilineaire opvolging. Vanzelfsprekend was die dappere prins Erius een betere troonopvolger dan de enige directe vrouwelijke erfgenaam – zijn halfzusje Ariani was net drie jaar geworden.

Het deed er niet toe dat Skala onder de koninginnen een ongeëvenaarde welvaart had gekend, of dat de enige andere man die de troon ooit had opgeëist – Pelis, Ghërilains zoon – tijdens zijn korte regeringsperiode weer een dodelijke epidemie en droogte teweeg had gebracht. Pas toen zijn zuster hem vervangen had op de troon was Illior het land weer gunstig gezind geweest zoals het Orakel had beloofd.

Tot nu toe.

Toen Agnalain zo plotseling stierf deed het gerucht de ronde dat prins Erius en zijn broer, Aron, daar de hand in hadden gehad. Maar men fluisterde het eerder met opluchting dan met afwijzing; iedereen wist dat Erius de laatste jaren tijdens zijn moeders aftakeling het land officieus had geregeerd. Het opnieuw weerklinkende rumoer bij de grens met Plenimar klonk te luid om een burgeroorlog om de gepasseerde kindkoningin te riskeren. Zonder protest kon Erius de kroon aanvaarden. Plenimar viel datzelfde jaar de zuidelijke havens aan en Erius dreef de aanvallers de zee weer op waar hij hun zwarte schepen in de fik stak. Dit leek genoeg om de profetie in de doofpot te stoppen.

Tot men moest erkennen dat er in de afgelopen negentien jaar meer plantenziekten en lange perioden van droogte waren voorgekomen dan zelfs de oudste tovenaars zich konden heugen. De huidige droogte duurde in sommige delen van het land nu al drie jaar, en er waren hele dorpen verdwenen die al gedecimeerd waren door bosbranden en golven van pestilentie die via de noordelijke handelsroutes verspreid waren. Arkoniëls ouders waren een paar jaar geleden tijdens zo'n epidemie gestorven. Een kwart van de bevolking van Ero was in een paar maanden omgekomen, inclusief prins Aron, Erius' vrouw, beide dochters, en twee van zijn drie zonen, zodat hij nu alleen de middelste jongen nog over had, Korin. Sinds die tijd kon men hier en daar de woorden van het Orakel weer horen fluisteren.

Iya had haar eigen redenen om Erius' coup te betreuren. Zijn zuster Ariani was voorbestemd om Iya's mecenas te huwen, de machtige hertog Rhius van Atyion. Het paar verwachtte hun eerste kind in de herfst.

Beide tovenaars zweetten en snakten naar adem tegen de tijd dat ze het smalle doodlopende steegje bereikten waar het heiligdom zich bevond.

'Niet echt wat ik ervan verwacht had,' mompelde Arkoniël, terwijl hij naar de stenen put keek.

Iya grinnikte. 'Oordeel niet te snel.'

Twee stevige priesters in stoffige rode gewaden en met zilveren maskers op zaten in de schaduw van twee afdakjes naast de put. Iya nam plaats naast een van hen. 'Ik heb tijd nodig om mijn gedachten op een rijtje te krijgen,' zei ze tegen Arkoniël. 'Ga jij maar eerst.'

De priesters droegen een rol dik touw naar de put en wenkten Arkoniël naderbij. Hij grijnsde nerveus naar Iya terwijl zij een lus om zijn heupen legden. Zwijgend gebaarden ze dat hij zich via de neerwaartse stenen gang naar de ingang van de Orakelruimte moest begeven. Het was een stenen gat in de grond met een diameter van krap vier voet.

Het was een afschrikwekkende stap, want het was een kwestie van geloof en overgave, zeker de eerste keer. Maar Arkoniël aarzelde niet. Hij liet zijn benen over de rand bungelen, greep het touw en knikte naar de priesters dat ze hem mochten laten zakken. Hij glipte uit het zicht en de priesters legden het touw neer toen het slap geworden was.

Iya bleef onder het afdakje zitten en probeerde haar bonzende hart te kalmeren. Ze had haar best gedaan niet te veel na te denken over wat haar te doen stond. Nu ze hier was, had ze opeens spijt van haar besluit. Ze sloot haar ogen en probeerde haar angst te analyseren, maar zag er eigenlijk geen reden voor. Ja, ze gehoorzaamde niet aan de instructie van haar meester, maar daar lag het niet aan. Hier op de drempel van het Orakel had ze een voorgevoel van iets duisters dat niet al te ver weg verscholen zat. Ze bad in stilte om kracht om onder ogen te zien wat Illior voor haar in petto had, want ze mocht zich er niet van afwenden.

Arkoniëls rukje aan het touw kwam sneller dan ze verwacht had en de priesters haalden hem op. Hij haastte zich naar Iya toe en viel totaal verbluft voor haar voeten neer.

'Iya, het was ongelooflijk...' begon hij, maar ze hield waarschuwend haar hand op.

'Straks is vroeg genoeg,' zei ze tegen hem, want als ze nu niet ging, zou ze nooit gaan, wist ze.

Ze nam plaats in het tuig, haalde diep adem en ging op de rand van het gat zitten. Ze greep de leren tas in haar ene hand en het touw in de andere, knikte naar de priesters en begon aan de afdaling.

Ze voelde het bekende gefladder in haar buik terwijl ze de koele duisternis binnengleed. Het was haar nooit gelukt de ware afmetingen van de onderaardse tempel te schatten; de stilte en de zwakke verplaatsing van lucht tegen haar gezicht deden een uitgestrekte ruimte vermoeden. Toen het zonlicht de stenen bodem raakte, zag ze de zachte welvingen van de stenen die door een onderaardse rivier gevormd waren.

Na een paar tellen kreeg ze vaste grond onder haar voeten en ze stapte uit het tuigje van touw en tegelijkertijd uit de vlek zonlicht. Terwijl haar ogen zich aanpasten aan de duisternis, kon ze een flauwe gloed ontdekken waar ze naartoe stapte. Dat lichtje scheen elke keer dat ze hier kwam uit een andere hoek. Maar toen ze het Orakel uiteindelijk bereikte, was alles weer zoals ze het zich herinnerde.

Een kristallen bol op een zilveren driepoot verspreidde een wijde lichtcirkel. Het Orakel zat er vlak naast op een laag ivoren stoeltje dat in de vorm van een hurkende draak was gesneden.

Wat een jonkie! dacht Iya, en werd onverklaarbaar triest. De laatste twee Orakels waren oude vrouwen geweest, met een witte huid, gebleekt door het lange bivakkeren in de duistere grot. Het meisje was zeker niet ouder dan veertien, maar ook zij was vrij bleek. Ze was gekleed in het simpele linnen gewaad dat de armen en voeten vrijliet, en liet haar handpalmen op haar knieën rusten. Haar gezichtje was rond en onopvallend, haar ogen leeg. Evenmin als de tovenaars kwamen de sibillen van Afra er zonder kleerscheuren vanaf wanneer ze de gave van Illior ontvingen.

Iya knielde aan haar voeten. Een gemaskerde priester stapte met een groot zilveren dienblad de lichtcirkel binnen. De stilte van de ruimte absorbeerde Iya's zucht, terwijl ze de kom uit de tas nam en hem op het presenteerblad zette.

De priester hield hem het meisje voor, dat de kom op haar knieën plaatste. Haar gezicht verried niets.

Iya vroeg zich af of je het kwaad niet voelde dat het ding uitstraalde. Nu de kom onbedekt was kreeg Iya hoofdpijn van de kracht die ervan uitging.

Eindelijk verroerde het meisje zich en keek ze in de kom. Alsof ze in een stralenkrans gehuld werd begonnen haar hoofd en schouders een zilveren licht uit te zenden. Iya voelde zich verstijven van ontzag. Illior was in haar getreden.

'Ik zie demonen die zich te goed doen aan de doden. Ik zie de God Wiens Naam Niet Uitgesproken Mag Worden,' zei het Orakel zacht.

Iya's hart versteende in haar borst, want haar bangste vermoedens waren bewaarheid. Dit was Seriamaius, de duistere god van zwarte kunst die aanbeden werd door de Plenimaranen die Skala in de Grote Oorlog bijna vernietigd hadden. 'Ik heb hierover gedroomd. Oorlog en rampspoed, erger dan Skala ooit heeft meegemaakt.'

'U ziet te ver vooruit, tovenares.' Het Orakel tilde de kom met beide handen op en door de bijzondere lichtval leek het wel of haar ogen zwarte gaten in haar gezicht waren geworden. De priester was nergens te bekennen, al had Iya hem niet horen vertrekken.

Het meisje draaide de kom langzaam om in haar handen. 'Zwart maakt wit. Vuil maakt zuiver. Uit Kwaad komt Goedheid voort. Vanuit Plenimar komt eerst verlossing en vervolgens gevaar. Dit is een zaadkorrel die met bloed begoten moet worden. Maar u ziet te ver vooruit.'

Het Orakel kantelde de kom naar voren en felrood bloed plensde op de grond in een mate die niet bij de kleine kom paste. Het vormde een ronde plas aan de voeten van het Orakel. Toen ze erin keek, zag Iya een vrouwengezicht, het vizier van haar bebloede oorlogshelm opgeslagen. Twee intens blauwe ogen staarden haar aan, en ze zag een vastberaden mond boven een wat puntige kin. Het ene moment stond het gezicht streng, het volgende bezorgd, en het kwam haar zo bekend voor dat het haar hart pijn deed, al kon ze met geen mogelijkheid zeggen aan wie die ogen haar deden denken. Vlammen reflecteerden in de helm en ver weg hoorde Iya het rumoer van een slagveld.

Stapje voor stapje verdween de verschijning; hij werd vervangen door een schitterend wit paleis op een hoge witte klif. Het had een glanzende koepel en een toren op elk van de vier hoeken.

'Aanschouw het Derde Orëska,' fluisterde het Orakel. 'Daar kunt u uw last afleggen.'

Iya boog zich voorover en zuchtte van ontzag. Het paleis had honderden ramen en bij elk venster stond een tovenaar, die haar aankeek. In het bovenste raam van de dichtstbijzijnde toren zag ze Arkoniël, met een blauwe mantel om en de kom in zijn handen. Een kind met dikke blonde krullen stond naast hem.

Ze kon Arkoniël nu goed onderscheiden, al was ze nog zo ver van hem verwijderd. Hij was nu een oude man, met een diep gegroefd en dodelijk vermoeid gelaat. Maar haar hart vulde zich desondanks met vreugde omdat ze hem zag.

'Vraag het,' fluisterde het Orakel.

'Wat betekent de kom?' riep ze naar Arkoniël.

'Dat gaat ons niets aan, maar hij zal het weten,' antwoordde Arkoniël haar en gaf de kom aan het jongetje. Het kind keek Iya aan met oudemannetjesogen en glimlachte naar haar.

'Alles is met elkaar verweven, Hoeder,' sprak het Orakel terwijl het visioen in iets donkerders veranderde. 'Dit is de nalatenschap voor u en uw soort. Eén met de ware koningin. Eén met Skala. U zult op de proef worden gesteld met vuur.'

Iya zag het symbool van haar gilde – de smalle sikkel van Illiors maan – tegen een ring van vuur en het getal 222 dat er vlak onder opgloeide in cijfers van wit vuur, zo fel dat het pijn deed aan haar ogen.

Toen lag Ero voor haar uitgespreid onder een gezwollen maan, brandend van de haven tot de citadel. Een leger onder de vlag van Plenimar had de stad omsingeld, ontelbare manschappen. Iya kon de hitte van de vlammen tegen haar wangen voelen toen Erius met zijn leger tegen hen optrok. Maar zijn soldaten vielen dood achter hem neer en het vlees viel in lappen van de botten van zijn strijdros. De Plenimaranen omringden de koning als wolven en spoedig was hij niet meer te zien. Het visioen trok duizelingwekkend samen en toen ze weer scherp kon zien, ontwaarde Iya de Skalaanse kroon, verbogen en vertrapt, op een kaal en modderig veld.

'Zolang er een dochter uit het geslacht van Thelátimos heerst en het verdedigt, zal Skala nimmer onderworpen worden,' fluisterde het Orakel.

'Ariani?' vroeg Iya, maar terwijl ze het vroeg wist ze al dat het niet háár gezicht was geweest dat ze onder die helm had gezien.

Het Orakel begon heen en weer te wiegen en te weeklagen. Ze hief de kom en goot de eindeloze stroom bloed over haar hoofd als een plengoffer, ze kreeg een masker van bloed. Terwijl ze op haar knieën viel, greep ze Iya's hand vast en een verblindende wervelwind nam hen mee.

Gierende winden omcirkelden Iya, drongen haar hoofd binnen en doken haar kern in. Beelden vlogen voorbij als bladeren op de wind; het vreemde nummer op het schild, en de gehelmde vrouw in vele gedaanten: oud, jong, in vodden, gekroond, naakt hangend aan de galg, met bloemslingers versierd door brede, onbekende straten rijdend. Iya zag haar heel duidelijk nu, haar gezicht, de blauwe ogen, het zwarte haar en lange ledematen, net als Ariani. Maar het was de prinses niet.

De stem van het Orakel klonk boven de chaos uit. 'Dit is uw koningin, tovenares, deze ware dochter van Thelátimos. Ze zal haar gezicht naar het westen wenden.'

Plotseling voelde Iya dat er een bundeltje in haar armen werd gelegd en ze keek naar het dode kind dat het Orakel haar toegespeeld had.

'Anderen zien, maar alleen door rook en duisternis,' zei het Orakel. 'Door Illiors wil kwam de kom bij u terecht; het is de last van uw erflijn, Hoeder, en zwaar is hij. Maar in deze generatie zal het kind komen dat de basis legt voor wat zal komen. Ze is uw nalatenschap. Twee kinderen, één koningin gebrandmerkt met het bloed van overgang.'

Het dode kind keek met zwarte starende blik naar Iya op en een snijdende pijn doortrok haar borst. Ze wist van wie dit kind was.

Toen was het visioen verdwenen en met de ongeopende tas in haar armen zat Iya weer voor het Orakel geknield. Er was geen dode baby, geen bloed op de vloer. Het Orakel zat op haar stoel, gewaad en gezicht onbevlekt.

'Twee kinderen, één koningin,' fluisterde het Orakel terwijl ze Iya met de felle witte ogen van Illior aanstaarde.

Iya beefde voor die blik, en probeerde alles wat ze gezien en gehoord had vast te houden. 'De anderen die dromen van dit kind – o Eerbiedwaardige – wensen die haar goed of kwaad toe? Zullen zij me helpen haar groot te brengen?'

Maar de god was verdwenen en het meisje dat ingezakt in haar stoel zat had geen antwoorden.

Het zonlicht verblindde Iya toen ze uit de grot tevoorschijn kwam. De hitte benam haar de adem en haar benen weigerden haar te dragen. Arkoniël ving haar op toen ze tegen de stenen wand aan dreigde te vallen. 'Iya, wat is er gebeurd? Wat is er aan de hand?'

'Laat me... laat me even bijkomen,' zei ze hees, de tas tegen haar borst geklemd.

Een zaadkorrel die met bloed begoten moet worden.

Arkoniël tilde haar zonder moeite op en droeg haar naar een plek in de schaduw. Hij bracht de waterzak aan haar lippen en zwaar tegen hem aanleunend dronk Iya gretig. Het duurde een tijd eer ze zich weer sterk genoeg voelde om naar de herberg terug te gaan. Arkoniël hield een arm om haar middel geslagen en ze verdroeg zijn hulp zonder een woord. In het zicht van de stèle viel ze flauw.

Toen ze haar ogen weer opsloeg, lag ze op een bed in een koele, beschaduwde kamer in de herberg. Zonlicht viel door een barst in een van de stoffige luiken naar binnen en wierp schaduwen op de met houtsnijwerk versierde wand naast het bed. Arkoniël zat bezorgd naast haar.

'Wat gebeurde er bij het Orakel?' vroeg hij.

Illior had gesproken en haar vraag was beantwoord, dacht ze verbitterd. Had ze nou maar naar Agazhar geluisterd.

Ze nam zijn hand in de hare. 'Later, als ik me wat sterker voel. Vertel me jouw visioen maar eens. Kreeg je een antwoord?'

Haar antwoord zat hem niet lekker, maar hij wist dat het geen zin had om aan te dringen. 'Ik weet het eigenlijk niet,' zei hij. 'Ik vroeg wat voor soort tovenaar ik zou worden, welke weg ik moest nemen. Ze liet me een visioen zien, maar ik zag alleen maar een beeld van mezelf met een jongetje dat ik vasthield.'

'Had hij blond haar?' vroeg ze en ze dacht aan het kind in de witte toren.

'Nee, zwart. Eerlijk gezegd was ik nogal teleurgesteld. Maak je zo'n enorme tocht, en dan is dat alles. Ik zal wel de verkeerde vraag gesteld hebben.'

'Soms duurt het even voor de betekenis tot je doordringt.' Iya draaide zich af van het ernstige jonge gezicht, en ze wou dat de Lichtdrager haar zo'n antwoord gegeven had. De zon brandde nog aan de hemel op het plein buiten de herberg, maar Iya zag alleen de zwarte weg naar Ero voor zich, en het duistere einde ervan.

2

Die negentiende nacht van Erasin overdekte de volle herfstmaan de slapende hoofdstad met een driedimensionaal mozaïek van licht en schaduw. De Bochelstad, werd Ero genoemd. Hij was gebouwd op een grillige heuvel en zag uit over de eilanden van de Binnenzee; de straatjes spreidden zich als slecht geklost kant uit van de muren van de Palatijnse Ring naar de kaden, de scheepswerven en de armetierige sloppen beneden. Arm en rijk leefden vlak naast elkaar, en ieder huis in de buurt van de haven had in elk geval één raam gericht op het oosten, op Plenimar, als een wakend oog.

De priesters zeiden dat de Dood door de westelijke deur binnentrad, dacht Arkoniël neerslachtig toen hij achter Iya en de heks de westpoort binnenreed. Vannacht zou de nachtmerrie die vijf maanden geleden in Afra was begonnen een hoogtepunt bereiken.

De twee vrouwen reden zwijgend door, hun gezichten verborgen in hun kap. Hij voelde zich beroerd als hij dacht aan de taak die hem wachtte, en Arkoniël wenste dat Iya zou spreken, dat ze van gedachten veranderd was en om zou draaien, maar ze sprak niet en hij kon haar ogen in de duisternis niet zien. Zijn halve leven was ze lerares, mentor en tweede moeder voor hem geweest. Maar sinds Afra was ze als een huis waarvan alle deuren gesloten waren.

Ook Lhel was stil geworden. Haar soort was nooit erg welkom geweest, al generaties lang. Ze rimpelde haar neus toen de stank van de stad hen overspoelde. 'Jullie grote dorp? Ha! Grijselijk.'

'Niet zo hard!' siste Arkoniël en hij keek nerveus om zich heen. Zwerftovenaars werden ook niet meer zo hartelijk ontvangen als vroeger. En het maakte het er niet beter op dat ze samen met een heuvelheks rondtrokken.

'Stinkt als *tok*,' gromde Lhel.

Iya deed haar capuchon af en verraste Arkoniël met een mager glimlachje. 'Ze zegt dat het hier naar stront ruikt, en geef haar eens ongelijk.'

Dat moest Lhel nodig zeggen, dacht Arkoniël. Sinds ze haar ontmoet hadden had hij gezorgd dat de wind niet zijn kant opwoei.

Na hun vreemde bezoek aan Afra waren ze direct doorgereden naar Ero waar ze te gast waren bij de hertog en zijn charmante, tengere echtgenote. Overdag reden ze of gingen op jacht. 's Nachts sprak Iya in het geheim met de hertog.

De rest van die hete, afmattende zomer hadden Iya en hij de afgelegen bergen en valleien van de noordelijke provincie uitgekamd op zoek naar een heks die hen kon helpen, want geen Orëska-magiër was krachtig genoeg voor de taak die Illior hen had opgedragen. Toen ze er eindelijk eentje vonden, kleurden de randen van de essenbladeren al goudgeel.

Al sedert de eerste invallen van de Skalaanse kolonisten waardoor de kleine, donkergetinte heuvelmensen uit de vruchtbare laaglanden verdreven werden, hielden ze zich schuil in hun hooggelegen valleien en reizigers waren er niet welkom. Wanneer Iya en Arkoniël een nederzetting naderden, begonnen de honden aan te slaan, en haalden moeders hun kinderen binnen; als ze eenmaal voor de huisjes stonden zagen ze slechts een handjevol gewapende mannen. Deze mannen bedreigden hen niet, maar gastvrij waren ze evenmin.

Dat Lhel hen welkom had geheten was een hele verrassing voor hen toen ze op haar hutje gestuit waren. Ze vroeg hen niet alleen hartelijk binnen en zette de tafel vol water, cider en kaas, maar ze liet zelfs doorschemeren dat ze hen verwacht had.

Iya sprak de taal van de heks, en Lhel had hier en daar een paar woordjes Skalaans opgepikt. Voorzover hij hun gesprek kon volgen leek de heks niet erg verwonderd over hun verzoek. Ze zei dat haar maangodin haar in een droom alles over hen had verteld.

Arkoniël voelde zich op zijn zachtst gezegd niet op zijn gemak bij de vrouw. Ze straalde een magie uit die net zo sterk was als haar muskusachtige lichaamsgeur, maar er was nog iets anders aan de hand. Lhel was een vrouw in de bloei van haar leven. Haar zwarte haar hing in een warrige, krullende waterval tot haar heupen en haar losgebreide wollen jurk verborg de welvingen van boezem en heupen niet, wanneer ze in haar hutje rondscharrelde om hem van eten of spullen voor een kermisbed te voorzien. Hij had geen tolk nodig om te begrijpen dat ze Iya vroeg om met hem in één bed te mogen slapen, of om te zien dat ze zowel beledigd als geamuseerd was toen Iya haar uitlegde dat tovenaars als zij gezworen hadden celibatair te leven. Tovenaars als zij staken al hun energie in hun magie.

Arkoniël was bang dat de heks zich daarom zou bedenken, maar de volgende ochtend troffen ze haar al wachtend buiten aan; een bundeltje bagage was achter het zadel van haar ruwharige pony gebonden.

De lange reis terug naar Ero was de jongeman zwaar gevallen. Lhel was er dol op hem te plagen, door zich ervan te verzekeren dat hij alles goed kon zien wanneer ze haar rokken opbond om zich van onderen te wassen, en door elke kans aan te grijpen om tegen hem op te botsen, 's nachts wanneer ze een kamp opsloegen, of wanneer ze met haar knobbelige, vuile vingers de jonge knoppen uit de kruiden plukte. De eed die hij gezworen had kon niet beletten dat hij bloosde bij bepaalde dingen die ze toonde, en soms had hij een raar gevoel in zijn buik.

Maar als hun taak in Ero er vannacht opzat, zou hij haar nooit meer zien en dat zou een hele opluchting zijn.

Toen ze een plein op reden, wees Lhel op de rode maan en klakte met haar tong. 'Babylokmaan, dik en bloederig. Wij haasten. Geen *shaimari.*'

Ze bracht twee vingers met een gracieus gebaar naar haar neusvleugels en deed net of ze langzaam iets opsnoof. Arkoniël huiverde.

Iya legde een hand over haar ogen en Arkoniël voelde een glimpje hoop. Misschien zou ze er toch van afzien. Maar ze had slechts een innerlijke blik op de Palatijnse Heuvel voor hen gericht.

Even later schudde ze het hoofd. 'Nee. We hebben de tijd.'

Een kille, zilte bries liet hun mantels wapperen toen ze de zeewaartse kant van de citadel naar de Palatijnse Poort op reden. Arkoniël haalde diep adem, en probeerde het benauwde gevoel in zijn borst kwijt te raken. Een stelletje drinkebroers passeerde hen en bij het licht van de wiebelende lantaarns wierp Arkoniël nog een blik op Iya. Haar bleke, strakke gelaat verried niets.

Het was Illiors wil, herhaalde Arkoniël in gedachten. Er was geen weg terug.

Sinds de dood van de enige vrouwelijke erfgenaam van de koning stierven vrouwen en meisjes die ook maar een druppel koninklijk bloed in zich droegen bij bosjes. Niemand in de stad durfde er hardop over te spreken, maar het was meestal niet de pest of de honger waardoor ze door de poort van Bilairy gedragen werden.

De nicht van de koning werd ziek na een banket en werd de volgende ochtend niet meer wakker. Een ander familielid was op raadselachtige wijze zomaar uit het raam van haar torenkamer gevallen. Zijn twee kleine nichtjes, de dochtertjes van zijn broer, verdronken terwijl ze op een stralende zomerdag een boottochtje maakten. Baby'tjes van verdere bloedverwanten, werden, als het een meisje betrof, opeens dood in hun wiegje gevonden. Hun voedsters fluisterden over kwade geesten. En terwijl potentiële vrouwelijke rechthebbenden op de troon stuk voor stuk van de aardbodem verdwenen, wierpen de inwoners van Ero bange blikken op de halfzuster van de koning en haar ongeboren kind.

Haar echtgenoot, hertog Rhius, was vijftien jaar ouder dan zijn knappe jonge vrouw en was eigenaar van diverse kastelen en vele landerijen, waarvan het meest uitgestrekte in Atyion lag, een halve dag rijden ten noorden van de stad. Sommigen meenden dat het een gearrangeerd huwelijk was om de landerijen van de hertog met de koninklijke schatkist te verbinden, maar Iya dacht er anders over.

Het paar woonde in het grote kasteel in Atyion wanneer Rhius niet aan het hof hoefde te zijn. Toen prinses Ariani zwanger werd waren ze in haar vroegere huis naast het Oude Paleis in Ero getrokken. Iya gokte dat het eerder zijn dan haar keuze was geweest, en Ariani had dat tijdens haar bezoek eerder die zomer bevestigd.

'Moge Illior en Dalna ons een zoon schenken,' verzuchtte ze terwijl ze met Iya in de beschutte tuin van haar huis zat, met haar handen om haar zwellende buik.

Als jong meisje was Ariani stapelgek geweest op haar knappe oudere broer, die zich als een vader tegenover haar gedroeg. Nu begreep ze maar al te goed dat ze nog leefde omdat hij het verkoos, maar dat kon zo omslaan; in deze onzekere tijden was elk meisje dat ook maar een druppel van Ghërilains bloed in zich droeg een bedreiging voor de nieuwe mannelijke troonopvolger, zeker wanneer het gilde van Illior de uitspraak van de heilige autoriteit van Afra weer in ere wilde herstellen.

En met iedere nieuwe aanval van hongersnood of ziekte nam de twijfel over de koning bij de bevolking hand over hand toe.

In een donker steegje buiten de Palatijnse Poort hulde Iya zichzelf en Lhel in onzichtbaarheid, en Arkoniël liep op de wachters toe alsof hij in zijn eentje was.

Er was nog heel wat volk op de been, maar het hoofd van de wachters merkte de zilveren amulet van Arkoniël op en riep hem bij zich.

'Wat komt u hier zo laat nog doen, magiër?'

'Ik heb een afspraak. Met mijn beschermheer, hertog Rhius.'

'Naam?'

'Arkoniël van Rhemair.'

Een klerk noteerde dit op een wastafeltje en Arkoniël stapte het labyrint van steegjes met huisjes en tuintjes in waarmee deze kant van de Palatijnse Heuvel bedekt was. Aan zijn rechterhand doemde het enorme gevaarte van het Nieuwe Paleis op, waaraan koningin Agnalain begonnen was en waaraan haar zoon de laatste hand liet leggen. Aan zijn linkerhand lag het krakkemikkige Oude Paleis.

Iya's magie was zo groot dat zelfs Arkoniël niet kon zeggen of zij en de heks nog in de buurt waren, maar hij waagde het niet zich om te draaien en hen iets toe te fluisteren.

Ariani's magnifieke huis was omringd door muren en binnenplaatsen; Arkoniël kwam door de poort aan de voorzijde binnen en sloot hem achter zich toen hij voelde dat Iya hem aanraakte. Hij keek zenuwachtig om zich heen, met het vage idee dat zich achter de beelden of de kale bomen een soldaat van de Koninklijke Garde verschool, of de bekende gezichten van de persoonlijke wachters van de hertog. Maar er was niemand te bekennen. De tuin was stil, de lucht bezwangerd van de laatste sterke herfstbloemen.

Iya en de heks verschenen naast hem en samen doorkruisten ze de binnenplaats naar de hoofdingang. Ze hadden nog geen drie stappen gezet toen een ooruil langs hen heen roetsjte en een jonge rat greep die nog geen twee voet van hen vandaan had rondgescharreld. Fladderend om zijn balans niet te verliezen, kneep hij de laatste adem uit het piepende knaagdier en keek hen aan met ogen als gouden sestertiummunten. Dit soort vogels waren niet ongewoon in deze streek, maar Arkoniël werd vervuld van ontzag; ze werden als de boodschappers van Illior beschouwd.

'Een gunstig voorteken,' mompelde Iya terwijl het dier wegvloog en de dode rat voor hen liet liggen.

De hofmeester van de hertog, Mynir, opende toen ze aanklopte. Een mager, ernstig mannetje met een bochel – hij had Arkoniël altijd aan een krekel doen denken. Hij was een van de weinigen die de last van zijn meester de komende jaren zou helpen dragen.

'De Schepper zij gedankt!' fluisterde de oude man, en hij greep Iya's hand. 'De hertog is de waanzin nabij...' Hij zweeg abrupt toen hij Lhel zag staan.

Arkoniël kon raden wat de man dacht: heks, onrein, gaat met doden om, doet aan zwarte kunst en roept demonen en geesten op.

Iya raakte zijn schouder aan. 'Het is goed, Mynir, je meester weet ervan. Waar is hij?'

'Boven, vrouwe. Ik zal hem halen.'

Iya hield hem tegen. 'En kapitein Tharin?'

Tharin, de edelman aan het hoofd van Rhius' garde, week vrijwel geen moment van de zijde van de hertog. Illior had het niet over hem gehad, maar Iya en Rhius hadden ook niet besproken hoe hij buiten de gebeurtenissen van deze nacht gehouden moest worden.

'De hertog heeft hem en de manschappen naar Atyion gestuurd om de pacht op te halen.' Mynir leidde hen naar de verduisterde audiëntiezaal. 'De vrouwen zijn allemaal naar het paleis gestuurd om daar te slapen, zodat ze de prinses niet kunnen storen bij de bevalling. Alleen uw Nari en ik zijn er dus vannacht bij, vrouwe. Ik haal de hertog.'

Hij haastte zich de lange trap op.

De grote open haard aan de andere kant van de zaal was aangestoken, maar meer licht was er niet. Arkoniël liep langzaam rond en probeerde het bekende meubilair en de draperieën te onderscheiden. Dit huis was altijd zo gezellig geweest, muziek en vrolijkheid maakten er deel van uit. Vanavond leek het echter wel een graftombe.

'Ben jij dat, Iya?' klonk een zware stem. Rhius kwam de trap af om hen te begroeten. Hij was bijna veertig, een knappe breedgeschouderde strijder, met armen en handen die gewend waren aan een leven waarin hij of het zwaard of de teugels vasthield. Vanavond zag zijn huid er grauw uit achter zijn zwarte baard en zijn korte tuniek was doorweekt van het zweet alsof hij net nog een paar mijl hardgelopen of gereden had. Al was hij een soldaat, hij stonk naar angst.

Hij staarde naar Lhel en leek ineen te zakken. 'Je hebt er een gevonden.'

Iya gaf haar mantel aan de hofmeester. 'Natuurlijk, mijn heer.'

Een schrille kreet weerklonk boven hun hoofd. Rhius klemde zijn vuist tegen zijn hart. 'We hadden de kruiden om de weeën op te wekken niet nodig. Vanochtend braken de vliezen al. Sinds zonsopgang is ze zoals nu. En ze blijft maar smeken om haar eigen hofdames...'

Lhel mompelde iets tegen Iya die de vraag voor de hertog vertaalde.

'Ze vraagt of de vrouwe al gebloed heeft?'

'Nee. Die vrouw van jou houdt maar vol dat alles normaal is, maar...'

Boven gilde Ariani het weer uit van pijn en Arkoniëls maag draaide zich om. De arme vrouw wist niet wie er deze nacht in haar huis waren. Iya had het paar plechtig beloofd dat ze elke dochter die in dit huis geboren werd zou beschermen tegen de koning; ze had de moeder van het kind echter niet verteld welke middelen de Lichtdrager haar daartoe gegeven had. Alleen Rhius wist ervan. Ambitieus als hij was, had ook hij toestemming gegeven.

'Kom, het is zover.' Iya liep naar de trap, maar Rhius greep haar bij de arm.

'Weet je zeker dat dit de enige manier is? Kun je er niet gewoon eentje doden?'

Iya keek hem koel aan. Ze stond twee treden boven hem en in dit licht had ze opeens veel weg van een stenen beeld. 'De Lichtdrager wil een koningin. Jij wil dat jouw kind zal regeren. Dit is de prijs. Illior keurt dit goed en steunt ons hierin.'

Rhius liet haar los en slaakte een diepe zucht. 'Ga dan maar; het kan maar beter achter de rug zijn.' Rhius volgde de twee vrouwen en Arkoniël liep met lood in zijn schoenen achter hem aan. Hij kon nog net horen hoe de hertog mompelde: 'Er komen nog genoeg andere baby's.'

Het was heet en benauwd in prinses Ariani's slaapkamer. De anderen liepen naar het bed, maar Arkoniël bleef op de drempel staan, overweldigd door de sterke geur in de verloskamer.

Dit deel van het huis had hij nog niet gezien. Onder andere omstandigheden had hij het een fraaie kamer gevonden. De muren en het bed van houtsnijwerk waren behangen met mooie draperieën, die geborduurd waren met zeetaferelen, en in de marmeren schoorsteenmantel waren dolfijnen uitgehakt. Een bekend handwerkmandje lag op een stoel bij de ramen met luiken ervoor; een hoofdje en armpje van stof staken onder het deksel uit – een van de handgemaakte poppen van de prinses, nog niet helemaal af. Ariani stond bekend om haar kunstige poppen en alle dames van Ero bezaten er een.

Maar op dit moment kreeg Arkoniël het koud bij de aanblik ervan.

Door de halfgeopende gordijnen van het hemelbed zag hij de opbollende curve van Ariani's buik met een vuist waarvan de vingers met kostbare ringen waren gesierd. Een mollig dienstmeisje stond bij Ariani's hoofdeinde en praatte zachtjes tegen haar terwijl ze het gezicht van de barende vrouw afsponste. Dit was Nari, een familielid van Iya. Ze was weduwe en was als min aangenomen. Het was Iya's plan geweest om Nari's eigen baby mee te laten brengen als vriendje voor het kind van Ariani, maar de goden hadden anders beslist. Een paar weken terug was Nari's kind aan longontsteking gestorven. Al was ze overmand door verdriet, Nari bleef de melk afkolven om de vloed niet te laten stoppen voor Ariani's baby er was. De voorkant van haar losse gewaad was dan ook doorweekt.

Lhel toog meteen aan het werk. Ze legde de spullen die ze nodig had klaar aan het voeteneind: bundeltjes kruiden, een dun zilveren mes, benen naalden en een streng uiterst fijne zijde.

Ariani kwam met een ruk overeind terwijl haar weer een steunende kreet ontsnapte en Arkoniël ving een glimp op van haar gezicht, met haar door pijnstillende kruiden glazige ogen achter een lok van haar weelderige zwarte haar.

De prinses was niet veel ouder dan hijzelf en hoewel hij het zichzelf niet echt toestond om erover na te denken, was hij heimelijk een beetje verliefd op haar, sinds haar huwelijk met Rhius hem met haar in contact had gebracht. Ariani was de mooiste vrouw die hij ooit gezien had en ze had hem altijd goed behandeld. Hij schaamde zich rot: zo werd haar goedheid nu beloond.

Veel te vroeg wendde Iya zich tot hem en gebaarde dat hij naar haar toe moest komen bij het bed. 'Kom Arkoniël, we hebben je nodig.'

Hij en Nari hielden Ariani's voeten vast terwijl de heks haar tussen haar dijen betastte. Ariani kreunde en probeerde zich zwakjes om te draaien. Met een kop als een boei hield Arkoniël zijn ogen afgewend tot Lhel klaar was met haar onderzoek en maakte zich toen snel uit de voeten.

Lhel waste haar handen in een kom water en boog zich voorover om Arkoniël op de wang te kloppen. 'Is goed, *kiesa*.'

'Het zijn... het zijn er twee, ja toch, vroedvrouw?' hijgde Ariani fluisterend.

Arkoniël wierp een verontruste blik op Iya, maar die haalde haar schouders op. 'Een vrouw heeft geen vroedvrouw nodig om haar te vertellen hoeveel baby's ze in haar buik heeft.'

Nari maakte een drankje van een aantal kruiden die Lhel had meegebracht en hielp Ariani het te drinken. Na een minuut of drie begon ze rustiger te ademen en leek ze te ontspannen. Lhel klom op het bed en begon Ariani's buik te masseren, terwijl ze haar de hele tijd op een sussende, zangerige manier toesprak.

'Het eerste kind moet gedraaid worden opdat het andere kan volgen,' vertaalde Iya voor Rhius die nu doodstil bij het hoofdeind stond.

Lhel schoof naar achteren tot ze tussen Ariani's knieën zat, terwijl ze haar buik bleef masseren. Even later slaakte de heks een zacht triomfantelijk kreetje. Vanuit zijn ooghoek zag Arkoniël hoe ze een nat hoofdje met een hand ondersteunde. Met de andere hield ze de neusvleugels en de mond van het kindje dicht tot ook de rest tevoorschijn was gekomen.

'Meisje, *kiesa*,' verkondigde ze en ze nam haar hand van het gezichtje.

Arkoniël liet een zucht van verlichting ontsnappen toen het meisje voor de eerste keer haar longetjes met lucht volzoog. Dit was de *shaimari*, de 'zielenadem', waarover de heks zich zo druk had gemaakt.

Lhel sneed de navelstreng met haar zilveren mes door en hield het kind omhoog zodat iedereen het kon zien. Alles zat erop en eraan, en onder het slijm en het bloed bleek een dik kopje met zwart haar te zitten.

'De Lichtdrager zij dank!' riep Rhius uit en hij leunde voorover om het voorhoofd van zijn slapende vrouw te kussen. 'Een meisje als eerstgeborene, precies zoals het Orakel voorspelde!'

'En kijk,' zei Nari terwijl ze vooroverboog om een klein rood moedervlekje op haar linker onderarmpje aan te wijzen. 'Ze heeft het teken van een uitverkorene, net een klein rozenknopje.'

Iya glimlachte even triomfantelijk naar Arkoniël. 'Dit is je toekomstige koningin, jongen.'

Tranen van vreugde vertroebelden Arkoniëls blik en maakten het hem moeilijk te slikken, maar tegelijkertijd drong het tot hem door dat het werk nog niet gedaan was.

Terwijl Nari het kindje haar eerste bad gaf, begon Lhel de andere helft van de tweeling te voorschijn te lokken. Ariani's hoofd rolde krachteloos om op het kussen. Rhius trok zich terug bij de haard, een grimmige blik in zijn ogen.

Tranen van een ander soort rolden vervolgens over Arkoniëls wangen. *Vergeef ons, lieve vrouwe*, bad hij, en hij kon zijn ogen niet afwenden.

Ondanks alle moeite die Lhel zich getroostte, kwam het tweede kind in stuitligging ter wereld, met de billen eerst. In haar eigen taal mompelend, werkte Lhel een voor een de beentjes eruit tot het rompje tevoorschijn kwam.

'Jongen, *kiesa*,' zei Lhel zacht, met de hand klaar om er het gezichtje mee te bedekken wanneer het naar buiten kwam, om ervoor te zorgen dat de ziel zich zou hechten aan het lichaam en niet aan de uiterst belangrijke eerste adem die naar buiten vloog.

Plotseling weerklonk er een luid hoefgetrappel op straat buiten de poort en men hoorde: 'Doe open, in naam van de koning!'

Lhel was net zo verbijsterd als de rest van het gezelschap en in die ene seconde van afleiding gleed het hoofdje uit het moederlijk lichaam en het jochie ademde luid en duidelijk in.

'Bij het Licht!' siste Iya die zich snel naar de heks omdraaide. Lhel schudde het hoofd en boog zich over het wriemelende wezentje. Arkoniël deed snel een stap achteruit om niet aan te hoeven zien wat nu zou volgen. Hij kneep zijn ogen zo stevig dicht dat hij lichtflitsen achter zijn oogleden zag, maar dat verhinderde niet dat hij het luide geschreeuw van het kind kon horen, en de manier waarop het plotseling gesmoord werd. De stilte die volgde maakte hem misselijk.

Wat er toen gebeurde leek eindeloos te duren, al nam het in totaal maar enkele minuten in beslag. Lhel nam het levende kind van Nari over en legde haar op het bed naast haar dode tweelingbroertje. Vreemde klanken zingend begon ze patronen in de lucht te tekenen en het levende kind hield op met huilen. Toen Lhel haar mes en naald opnam, moest Arkoniël zich weer afwenden. Achter zich hoorde hij Rhius zachtjes snikken.

Toen kwam Iya naast hem staan en ze duwde hem zacht de gang op. 'Ga naar beneden en probeer de koning hiervandaan te houden. Houd hem zo lang mogelijk tegen! Ik stuur Nari wel naar beneden als alles veilig is.'

'Hem tegenhouden? Hoe dan?'

De deur sloeg voor zijn neus dicht en hij hoorde hoe de sleutel in het slot werd omgedraaid.

'Op hoop van zegen.' Arkoniël droogde zijn gezicht met zijn wijde mouw en liet zijn vingers door zijn haar glijden. Boven aan de trap stopte hij even en keerde zijn gezicht in de richting van de maan om een stil gebed naar Illior te sturen. *Help mijn stamelende tong, Lichtdrager. Of versluier de ogen van de koning. Of allebei, als het niet te veel gevraagd is.*

Hij wou dat kapitein Tharin hier was geweest om hem te helpen. De lange, rustige ridder kon iedereen op zijn gemak stellen. Met een leven vol jagen, vechten en hofintriges achter zich, was hij stukken beter opgewassen tegen de taak om Erius af te leiden dan een groen tovenaartje.

Mynir had de bronzen lampen aangestoken die tussen de beschilderde stenen pilaren in de hal hingen en had het vuur opgestookt met cederhout en van zoete hars doordrenkte takken om het lekker te laten ruiken. Erius stond naast de haard, een grote, vreesaanjagende gestalte in het flakkerende licht. Arkoniël boog diep voor hem. Net als Rhius was de koning gevormd door een leven vol strijd, maar zijn gezicht was nog knap en straalde een goedgehumeurdheid uit die zelfs een jeugd aan het troosteloze hof van zijn moeder niet had kunnen wegnemen. De laatste jaren echter, terwijl de koninklijke graftombe zich vulde met de lichamen van zijn vrouwelijke familieleden, hadden sommigen het idee gekregen dat dat levenslustige uiterlijk een masker was voor een duister hart, een hart dat de lessen van zijn moeder blijkbaar toch had opgenomen.

Zoals Arkoniël al verwacht had was de koning niet alleen gekomen. Zijn hofmagiër, heer Niryn, was er ook, en deze verliet zijn plek aan 's konings zijde geen moment. Hij was een onopvallende verschijning, rond zijn tweede eeuw, maar zijn bijzondere gaven hadden hem hoog en snel in de vaart der volkeren opgestoten. Jarenlang had Erius net als zijn moeder geen enkele behoefte aan tovenaars gehad, maar sinds de dood van zijn vrouw en kinderen was Niryn de ster van het hof geworden. Hij had zijn dikke rode baard in twee punten laten knippen en kleedde zich in kostbare witte gewaden die met zilverdraad geborduurd waren.

Hij groette Arkoniël met een zuinig knikje en de jonge tovenaar maakte een respectvolle buiging.

Erius had bovendien een priester van Sakor meegebracht, en een stuk of vijf mannen uit zijn eigen garde, met hun gepunte sporen en gouden insignes.

Arkoniëls maag kneep zich even samen toen hij de glinstering van maliën onder de rode tunieken zag, en de lange messen die ze aan hun riem droegen. Een eigenaardig gezelschap om bij zo'n gelegenheid naar je familie mee te nemen.

Hij dwong zijn mond tot een beleefde glimlach en vroeg zich grimmig af wie Erius gewaarschuwd zou kunnen hebben. Een van de meiden misschien? Het was duidelijk dat Erius zich ondanks het late uur op dit bezoek had voorbereid. Zijn grijzende baard en zwarte krullen waren netjes gekamd. Zijn fluwelen kleren zagen er zo fris uit alsof hij op weg was geweest naar de troonzaal. Het Zwaard van Ghërilain, het symbool van heerschappij over Skala, hing op zijn heup.

'Mijn koning,' en Arkoniël boog nogmaals. 'Uw geëerde zuster ligt nog in barensweeën. Hertog Rhius zendt u zijn complimenten en vroeg me u te ontvangen tot hij gereed is u te woord te staan.'

Erius trok verbaasd een wenkbrauw op. 'Arkoniël? Wat doe jij hier in 's hemelsnaam? Ik wist niet dat jij of je meesteres je in de verloskunde had bekwaamd.'

'Nee, mijn koning, ik was hier vanavond toevallig te gast en ben blij dat ik me nuttig kan maken.' Arkoniël werd zich opeens bewust van de starende blik van de andere tovenaar. Niryns barnsteenkleurige ogen waren nogal bol waardoor hij een eeuwig verbaasde oogopslag had. Arkoniël voelde zich er onbehaaglijk onder. Hij versluierde zijn geest, en hoopte maar dat hij sterk genoeg was om Niryn de weg tot zijn gedachten te ontzeggen zonder dat deze het in de gaten had.

'Uw geëerde zuster is over de helft van een zware bevalling, vrees ik, maar als alles goed blijft gaan zal het kind spoedig geboren worden,' vervolgde hij en hij wou maar dat hij niet zo kletste. De koning had de geboorte van al zijn kinderen bijgewoond. Als Erius besloot om naar boven te gaan, was er niets wat hij kon doen om het te beletten, op wat tovenarij na.

En met Niryn in de buurt zou zelfs dat geen optie zijn.

Misschien had Illior zijn gebed toch verhoord, want Erius haalde zijn schouders op en ging aan een speeltafeltje bij de haard zitten. 'En hoe handig ben je met de dobbelstenen?' vroeg hij en hij gebaarde naar de stoel tegenover hem. 'Die bevallingen duren meestal veel langer dan je denkt, zeker de eerste. We kunnen net zo goed een spelletje doen, dan gaat de tijd wat sneller.' Arkoniël hoopte dat hij zijn opluchting niet al te zeer liet blijken en stuurde Mynir op pad om wat wijn en hapjes te halen, en nam tegenover Erius plaats om zo goed als hij kon te verliezen.

Niryn ging naast hem zitten, alsof hij zich in het spel verdiepte, maar Arkoniël voelde nog steeds dat de blik meer op zijn innerlijk gericht was. Zweetdruppels vormden zich onder zijn oksels en op zijn rug. Wat moest die man toch? Wist hij meer dan hij liet blijken?

Hij liet de stenen haast op de grond kletteren toen Niryn opeens vroeg: 'Droom je wel eens, jongeman?'

'Nee, heer,' antwoordde Arkoniël. 'Misschien heel soms, maar dan weet ik niet meer wat ik gedroomd heb wanneer ik wakker word.'

Dit was nog waar ook; hij droomde zelden op de normale manier, en voorspellende dromen lagen vooralsnog buiten zijn bereik. Hij wachtte tot Niryn op de vraag zou doorgaan, maar die leunde achterover en streelde verveeld de punten van zijn gevorkte baard.

Arkoniël was midden in het derde spelletje toen Nari naar beneden kwam.

'Hertog Rhius laat u groeten, Uwe Majesteit,' zei ze en ze maakte een revérence. 'Hij laat vragen of hij u uw nieuwe neefje kan laten brengen?'

'Onzin!' riep Erius uit en hij schoof de stenen terzijde. 'Zeg je meester dat zijn broeder met alle plezier naar hem zal komen.'

Alweer vond Arkoniël dat het leek alsof de koning daar meer mee bedoelde dan het klonk.

Dat gevoel werd sterker toen zowel Niryn als de priester meegingen de trap op. Nari keek Arkoniël even snel aan en knikte haast onmerkbaar; Iya en Lhel waren dus vast veilig naar een andere kamer gevlucht. Toen Arkoniël de kamer binnenging voelde hij geen spoor van magie, van Orëska- of andere oorsprong.

Hertog Rhius stond aan de andere kant van het bed en hield de hand van zijn vrouw vast. De prinses lag nog steeds in diepe rust, ongetwijfeld dankzij het kruidendrankje. Met haar zwarte haar naar achteren gekamd en een blos op haar wangen leek ze net op een van haar eigen poppen.

Rhius tilde het ingebakerde kind van het bed en bracht het naar de koning. Hij had zich voldoende hersteld om dit met waardigheid te doen.

'Uw neef, mijn vorst,' zei hij en hij legde de baby in Erius' armen. 'Met uw permissie zal hij Tobin Erius Akandor genoemd worden, om uw voorvaderen te eren.'

'Een zoon, Rhius!' Erius wikkelde het kind met geoefende hand uit de doeken.

Arkoniël hield zijn adem in en maakte zijn geest leeg toen Niryn en de priester hun handen over het slapende kindje uitstaken. Geen van beiden leek op te merken dat er iets niet klopte. Lhels toverkunst had alle sporen van de gruwelijkheden die ze het lichaampje had toegebracht uitgewist. En wie zou er in de slaapkamer van de zuster van de koning aan de magie van een heuvelheks denken?

'Een flinke jongen, Rhius, zeker met zo'n naam,' zei Erius. De moedervlek ontging hem niet. 'En kijk eens aan, een geluksteken. Nog wel op zijn linkerarm. Niryn, jij kent daar vast de betekenis van. Vertel eens?'

'Wijsheid, Uwe Majesteit,' zei de tovenaar. 'Een uiterst wenselijke karaktereigenschap in de toekomstige kameraad van uw zoon.'

'En of,' zei de koning. 'Je hebt mijn permissie, mijn broeder, en mijn zegen natuurlijk. En ik heb een priester meegenomen om een offer voor onze kleine strijder te brengen.'

'Aanvaard mijn dank, broeder,' zei Rhius.

De priester liep naar de haard en begon zijn gebeden op te dreunen, wierp hars en wassen offerbeeldjes in de vlammen.

'Bij de Vlam, over een jaar of wat zal hij een prima speelkameraadje zijn voor mijn Korin,' ging de koning voort. 'Stel je die twee eens voor, hoe ze samen leren jagen en het zwaard hanteren wanneer jouw Tobin de Gezellen komt versterken. Net als jij en ik, hè? Maar was het geen tweeling trouwens?'

Ja, dacht Arkoniël, de spionnen van de koning waren erg grondig te werk gegaan.

Nari boog zich voorover en tilde een ander bundeltje vanachter het bed vandaan. Met haar rug naar de prinses bracht ze het naar de koning. 'Een lief klein meisje, mijn koning. Haalde geen adem.'

Erius en de anderen onderzochten het dode baby'tje net zo zorgvuldig als het levende, bewogen de koude ledematen heen en weer, bekeken haar geslacht en voelden de borst en de nek voor enig teken van leven. Vanuit zijn ooghoeken zag Arkoniël hoe de koning zijn magiër een snelle, vragende blik toewierp.

Ze wisten wat. Ze zochten iets, dacht Arkoniël duizelig. Niryns vraag over dromen leek opeens niet zo vreemd meer. Had de man zelf een visioen gehad, een beeld van dit kind? Als dat zo was, dan werkte Lhels magie uitzonderlijk goed, want de tovenaar schudde heel even zijn hoofd. Wat ze ook zochten, ze hadden het hier niet gevonden. Arkoniël keek de andere kant op, voor iemand de opluchting van zijn gezicht kon lezen.

De koning overhandigde het lijkje aan Nari en greep Rhius bij de schouders. 'Het is zwaar, een kind verliezen. Sakor weet dat ik nog altijd rouw om de kleintjes die mij ontvallen zijn, en hun lieve moeder natuurlijk. Het is een schrale troost, maar het is beter zo, voor jullie aan haar gehecht waren geraakt.'

'Jij kunt het weten,' antwoordde Rhius zacht.

Terwijl hij Rhius een broederlijke klap op de schouders gaf, liep Erius naar het bed en kuste zijn zuster teder op het voorhoofd.

De aanblik hiervan liet Arkoniëls hart bonzen als hij dacht aan de soldaten beneden in de hal. Deze usurpator, deze moordenaar van meisjes en vrouwen, hield dan misschien genoeg van zijn kleine zus om haar leven te sparen, maar zoals de Lichtdrager had laten zien, zou dat niet voor haar kinderen gegolden hebben. Hij bleef naar de vloer staren terwijl de koning en zijn raadslieden naar buiten liepen, en stelde zich voor hoe anders deze scène zou hebben uitgepakt wanneer hij hier een levend dochtertje had gevonden.

Zodra de deur achter hen dichtviel, begonnen Arkoniëls knieën te trillen en hij liet zich in een stoel vallen.

Maar de beproeving was nog niet voorbij. Ariani sloeg haar ogen open en zag het dode kind in Nari's handen. Ze duwde zich omhoog tegen de peluw en stak haar armen naar hem uit. 'Dank zij het Licht! Ik wist dat ik een tweede kreet gehoord had, maar ik kreeg zo'n afschuwelijke droom...'

De voedster wisselde een blik met Rhius en Ariani's glimlach zonk weg. 'Wat is er? Geef me mijn kind.'

'De tweede werd doodgeboren, liefste,' zei Rhius. 'Zo zij het. Kijk, we hebben een perfecte zoon!'

'Nee, ik hoorde het huilen!' hield Ariani vol.

Rhius bracht de kleine Tobin naar haar toe, maar ze negeerde hem en bleef naar het kind in de armen van de min staren. 'Geef dat kind, voedster! Ik beveel het!'

Ze was niet op andere gedachten te brengen. Ze lette niet op het zachte huilen van het levende kind, ze nam het dode in haar armen en haar gezicht werd nog bleker dan het al was.

Arkoniël snapte meteen dat Lhels magie niet in staat was een moeder te bedriegen, ook al waren alle anderen erin getrapt. Hij probeerde uit alle macht via haar ogen te kijken en ontdekte een glimp van de reepjes huid die Lhel uit de borst van ieder kindje had gesneden, verwisseld en met haarfijne steekjes over het hart van de ander weer vastgenaaid. Met deze ruil van lichamelijk materiaal was de transformatie bezegeld. Het meisje zou een mannelijk voorkomen houden tot Iya het niet meer nodig vond, en haar broertje had vrouwelijke kenmerken gekregen om de koning te bedriegen.

'Wat heb je gedaan?' vroeg Ariani schor en ze keek Rhius strak aan.

'Later, liefste, nu moet je eerst rusten. Geef die nu maar aan Nari en neem je zoon eens op. Zie je hoe sterk hij is? En hij heeft jouw blauwe ogen...'

'Zoon! Dat is geen zoon!' Ariani viel hem met een giftige blik in haar ogen in de rede. Niets kon haar daar vanaf brengen. Rhius probeerde het dode kind uit haar armen te nemen, maar ze sprong uit bed, vluchtte naar de hoek van de kamer en dook ineen met het kleine lijkje tegen haar met bloed besmeurde nachthemd gedrukt.

'Dit is te gek om los te lopen!' fluisterde Arkoniël. Hij liep naar de uitzinnige vrouw toe en knielde voor haar neer.

Ze keek hem verrast aan. 'Arkoniël? Kijk, ik heb een zoon. Is hij niet mooi?'

Ariani probeerde te glimlachen. 'Ja, hoogheid, hij is... hij is perfect.'

Hij raakte haar voorhoofd aan, benevelde haar geest en liet haar wederom in een diepe roes wegzinken. 'Vergeef me.'

Hij strekte zijn hand uit naar het lichaampje en verstijfde van angst.

De ogen van het dode kind waren open. Het blauw als van een jong katje veranderde plotseling in pikzwart en er lag een beschuldigende blik in besloten. Er ging een onmiskenbare kilte van het lichaampje uit die de tovenaar langzaam begon te omvatten.

Dit was de prijs van die eerste ademtocht. De ziel van het vermoorde kind was het lichaam net lang genoeg binnengedrongen om het in een geest te veranderen, of erger nog.

'Bij de Vier, wat gebeurt er?' fluisterde Rhius en hij boog zich over hem heen.

'Niets om bang voor te zijn,' zei Arkoniël snel, al sloeg de angst voor dit kleine onnatuurlijke wezentje hem om het hart.

Nari knielde naast hem neer en fluisterde: 'De heks zei dat we het snel weg moesten brengen. Ze zei dat je het onder een grote boom moet begraven. Er staat een kastanje op het achtererf bij de moestuin. De wortels zullen de demon wel vasthouden. Schiet op! Hoe langer hij hier blijft, hoe sterker hij wordt!'

Arkoniël moest al zijn moed verzamelen om het dode kind aan te raken. Hij nam het uit Ariani's armen, bedekte het gezichtje met een hoek van de doeken waarin hij gewikkeld was en vloog naar buiten. Nari had gelijk: de ijskoude golven schoten uit het kinderlijkje en werden sterker naarmate hij verder liep. Zijn ledematen bevroren terwijl hij het de trap af droeg en de keukendeur uit rende.

De maan keek afkeurend toe terwijl Arkoniël het vervloekte bundeltje aan de voet van de kastanjeboom begroef en nogmaals mompelde: 'Vergeef me.' Maar hij verwachtte geen vergiffenis voor alles wat hij deze nacht had gedaan, en hij huilde terwijl hij zijn bezweringen erover legde. Zijn tranen vielen op het kleine bundeltje terwijl hij zich vooroverboog om het tussen de kronkelende wortels in de kille omhelzing van de aarde te leggen, en het met zand te bedekken.

Het klaaglijk geween van een pasgeboren baby zweefde op de koele nachtlucht om hem heen en hij huiverde, al wist hij niet of het van het levende of het dode kind afkomstig was.

3

Ze mochten dan nog zoveel macht hebben, die Orëska-magiërs waren behoorlijk stom. En arrogant, dacht Lhel toen Iya haar aanspoorde snel de bediendetrap af te lopen om uit dat vervloekte huis weg te komen.

De heks spuwde drie keer naar links om te proberen de pech te stoppen die hen nu al drie weken bij elkaar had gehouden. Een echte stormkraai, dat tovenaarsmens. Waarom had ze dat niet zien aankomen?

Lhel had nauwelijks tijd gehad de laatste steek op het lijf van het levende kind te maken voor de oude tovenares haar opjutte mee te komen. 'Ik ben nog niet klaar! De geest...'

'De koning is beneden!' siste Iya alsof Lhel daarvan onder de indruk moest raken. 'Als hij jou hier ontdekt, zijn we straks allemaal geesten. Als je niet meekomt, dan dwing ik je wel.'

Tja, als ze zo begon... Dus was Lhel meegekomen en bedacht dat het niet haar schuld zou zijn als het fout liep.

Maar hoe verder ze zich van het huis verwijderde, hoe meer het haar hart bedrukte. De doden zo slordig te behandelen was een gevaarlijke belediging voor de Moeder, en voor Lhels vak. Deze toverjuf had geen eergevoel, als ze dat kindergeestje zo aan zijn lot overliet. Arkoniël had vast wel willen luisteren, maar Lhel had allang begrepen dat hij in deze kwestie geen stem had. Hun god had tot Iya gesproken en Iya luisterde naar niemand anders.

Lhel spuwde nog een keer: baatte het niet, het schaadde ook niet.

Lhel had al een maand over de komst van de twee tovenaars gedroomd voor ze in haar dorp aankwamen: een man-jongen en een oude vrouw met een vreemde last in een tas. Elke wichelarij die ze had uitgevoerd gaf aan dat het de wil van de Moeder was. Lhel moest ze dus wel geven wat ze wilden. Toen Iya en Arkoniël eindelijk bij haar aanklopten, vertelden ze dat een visioen van hun eigen god hen bij haar had gebracht. Lhel had dat als een ongunstig voorteken gezien.

Maar ze was verbaasd geweest over hun verzoek. Orëska moest wel een zwak aftrekseltje van ware magie zijn, als twee lieden met zulke krachtige zielen niet eens in staat waren een simpele huidbinding te maken. Als ze toen ingezien had hoe weinig ze eigenlijk wisten, had ze er de tijd voor genomen om hen eerst eens wat bij te brengen voor het moment kwam om het in praktijk te brengen.

Maar ze merkte het pas toen het te laat was, op het moment dat haar hand verschoof, zodat het jongenskind adem kon halen. Iya had niet willen wachten om het noodzakelijke reinigingsoffer te brengen. Er was nergens anders tijd voor, behalve voor de huidbinding en de vlucht, zodat de boze jonge geest verloren en eenzaam achterbleef.

Lhel bleef stokstijf staan toen de stadspoorten in zicht kwamen. 'Je kunt zo'n geest niet dwingen op aarde te blijven!' zei ze nogmaals en ze bleef worstelen om aan Iya's ijzeren greep te ontsnappen. 'Het is een demon voor je het weet, en wat doe je dan, hè, als je mij zelfs nodig hebt voor een eenvoudig bindinkje?'

'Ik verzin wel wat.'

'Je bent gek.'

Iya draaide zich om, en keek haar van dichtbij strak aan. 'Ik red je leven, mens, en dat van het kind en haar familie! Als de magiër van de koning ook maar het vaagste geurtje van je zou hebben opgevangen zouden we allemaal opgehangen worden, de baby het eerst van allemaal. Alles draait om haar, niet om jou, niet om mij of om wie dan ook in dit hele verrekte land. Het is Illiors wil.'

Weer voelde Lhel de gigantische kracht door de tovenares varen. Iya mocht dan anders zijn, en bezeten van een macht die haar vreemd was, maar het stond vast dat ze een goddelijke gave had, die groter was dan die van Lhel. Dus liet ze zichzelf wegleiden, het kind en haar door huid gebonden tweelingbroertje in de stinkende stad achterlatend. Ze hoopte maar dat Arkoniël een sterke boom gevonden zou hebben om de geest onder te begraven.

Ze kochten paarden en reisden nog twee dagen samen. Lhel sprak nauwelijks, maar bad stilletjes om steun bij de Moeder. Toen ze de rand van de hooglanden bereikten, stond ze Iya toe om haar toe te vertrouwen aan een groep marskramers die westelijk door de heuvels reisden. Toen ze afscheid namen, had Iya het zelfs met haar willen goedmaken.

'Je hebt goed werk gedaan, mijn vriendin,' zei ze, met haar droeve bruine ogen op Lhel gericht terwijl ze haar handen in de hare nam. 'Blijf veilig in de heuvels zitten, dan komt alles goed. We kunnen elkaar beter niet meer zien.'

Lhel verkoos het om dat onverhulde dreigement te negeren. Ze wriemelde in een buidel aan haar riem, en haalde daar een zilveren amulet uit in de vorm van een volle maan, geflankeerd door twee slanke maansikkels. 'Voor als het kind haar vrouwelijke gedaante weer aanneemt.'

Iya bekeek hem op haar handpalm. 'Het Schild van de Moeder.'

'Verberg het goed. Het is alleen voor vrouwen. Zolang ze nog een jongen is, moet ze dit dragen.' Ze gaf Iya een kort twijgje van de hazelaar dat aan de uiteinden van een koperen bandje was voorzien.

Iya schudde het hoofd. 'Het is te gevaarlijk. Ik ben niet de enige tovenaar die met jouw soort toverkunsten bekend is.'

'Bewaar ze dan voor haar!' smeekte Lhel. 'Dit kind heeft veel magie nodig om te overleven.'

Iya sloot haar handen rond de amuletten, hout en zilver samen. 'Goed dan, dat beloof ik. Vaarwel.'

Lhel bleef drie dagen bij de karavaan, en elke dag drukte de loden last van de geest van het dode kindje zwaarder op haar hart. Elke nacht schreeuwde het luider in haar dromen. Ze bad tot de stralende Moeder om haar te tonen waarom ze haar zoiets had laten uitvoeren en wat ze moest doen om te zorgen dat alles weer in orde kwam.

De Moeder antwoordde haar en de derde nacht danste Lhel de dromenslaapdans voor haar begeleiders en lokte een deel van hun gedachten weg, zodat elke herinnering aan haar zou worden weggevaagd, en aan de spullen die ze met zich mee nam.

Geleid door een witte schijf van de maan, zwaaide ze haar zak met bagage over de nek van het paard en ging terug naar de stinkende stad.

4

In de neerslachtige dagen na de bevalling verzorgden alleen Nari en de hertog prinses Ariani. Rhius zond een bericht aan Tharin dat hij ook een landgoed op Cirna moest bezoeken om hem nog wat langer uit de buurt te houden.

Er was een stilte over het huishouden gevallen; zwarte banieren wapperden op de torenspitsen, die op rouw over het doodgeboren kindje wezen. Op het huisaltaar zette Rhius een schaal vers water neer en verbrandde de kruiden die waren gewijd aan Astellus, die de vloeibare weg naar geboorte en dood vergemakkelijkte en jonge moeders behoedde voor kraamvrouwenkoorts.

Nari, die de hele dag aan Ariani's bed zat, wist echter dat het geen koorts was die de arme vrouw kwelde, maar een vreselijk hartzeer. Nari was oud genoeg om zich koningin Agnalains laatste dagen te herinneren en ze hoopte vurig dat haar dochter niet met dezelfde vloek der waanzin besmet was.

Dag na dag, nacht na nacht lag Ariani te woelen en te draaien, om opeens wakker te worden en te roepen: 'Het kind, Nari! Hoor je het niet? Het heeft het zo koud!'

'Alles is in orde met het kind, hoogheid,' vertelde Nari haar iedere keer. 'Kijk, Tobin ligt in de wieg naast u. Kijk eens hoe dik hij al wordt.'

Maar Ariani keek niet naar het levende kind om. 'Nee, ik hoor hem,' hield ze vol en ze keek wild om zich heen. 'Waarom heb je hem buiten gelegd? Ga hem onmiddellijk halen!'

'Er is geen kind buiten, hoogheid. Het was maar een droom.'

Nari sprak de waarheid, want ze hoorde niets, maar enkele bedienden beweerden in de duisternis van de binnenplaats een huilend kind te hebben gehoord.

Het gerucht ging dat het tweede kind doodgeboren was, maar met open ogen; iedereen wist dat door deze geboorten demonen in de wereld kwamen. Een aantal dienstmeisjes was al naar Atyion teruggestuurd met de mededeling hun roddels voortaan voor zich te houden. Alleen Nari en Mynir kenden de waarheid over de dood van het tweede kind.

Zijn loyaliteit aan de hertog was een garantie voor Mynirs stilzwijgen. Nari was Iya toewijding verschuldigd. De tovenares was al drie generaties een weldoenster voor haar familie geweest en er waren momenten tijdens die eerste chaotische dagen dat alleen die band ervoor zorgde dat de voedster niet de benen naar haar eigen dorpje nam. Iya had dan ook niets over demonen verteld, toen ze Nari voor de baan als min had benaderd.

Uiteindelijk bleef ze om het kind. Haar melk vloeide rijkelijk zodra ze het zwartharige ventje aan de borst legde, en tegelijkertijd daarmee alle liefde die ze dacht verloren te hebben toen haar man en zoontje stierven. De Schepper wist dat noch de prinses, noch de hertog ook maar een druppel liefde voor het arme ding overhadden.

Als verwijzing naar Tobin mochten ze alleen 'hij' en 'hem' gebruiken. En dankzij de vreemde magie was de heks er met haar messen en naalden in geslaagd een gezonde, stevige jongen te creëren. Hij sliep goed, dronk gulzig, en leek tevreden met de aandacht die er aan hem werd besteed, al was het nog zo weinig. Zeker van zijn familie.

'Die trekken wel bij, kleine man van me,' zei Nari tegen hem terwijl hij genoeglijk in haar armen in slaap viel. 'Dat kan toch niet anders, met zo'n lief hummeltje...'

Tobin groeide als kool, maar het mocht niet baten: zijn moeder zonk steeds verder weg in de donkere krochten van haar geest. De koortsaanval was overgegaan, maar Ariani bleef het bed houden. Ze wilde haar levende kind nog altijd niet aanraken, ze wilde zelfs haar echtgenoot niet aankijken, of haar broer, wanneer die op ziekenbezoek kwam.

Hertog Rhius was de wanhoop nabij. Hij zat uren aan haar bed, doorstond haar zwijgen en haalde de meest ervaren drysianen uit de tempel van Dalna. Maar de helers vonden geen lichamelijke ziekte die ze konden genezen.

Op de twaalfde dag na de geboorte begon de prinses echter tekenen van herstel te vertonen. Die middag vond Nari haar met opgetrokken benen in de stoel bij het vuur, bezig met een pop. De vloer rondom haar lag bezaaid met stukjes katoen, draadjes borduurgaren en plukken wol als vulsel.

De nieuwe pop was tegen middernacht klaar – een jongetje zonder mond. De volgende dag maakte ze er net zo een, en daarna weer. Ze nam niet de moeite ze aan te kleden, want zodra het laatste steekje afgehecht was legde ze de pop weg en begon onmiddellijk aan de volgende. Voor de week om was zaten er zes blote poppen op de schoorsteenmantel.

'Ze zijn prachtig, liefje, maar waarom maak je de gezichtjes niet af?' vroeg Rhius die elke avond trouw bij haar bed kwam zitten.

'Dan huilen ze niet,' siste Ariani terwijl haar naald op en neer ging om een arm aan het lijfje vast te maken. 'Ik word stapelgek van dat gehuil!'

De hertog kreeg tranen in zijn ogen en Nari draaide zich vlug om om hem niet in verlegenheid te brengen. Het was de eerste keer sinds de bevalling dat Ariani iets tegen hem gezegd had.

Maar het scheen de hertog nieuwe moed te geven. Meteen riep hij kapitein Tharin bij zich om over het geboortefeest voor zijn zoon te overleggen.

Ariani vertelde niemand over de dromen die haar plaagden. Aan wie kon ze ze vertellen? Haar eigen vertrouwde min, Lachi, was al weken geleden weggestuurd; ze hadden haar vervangen door deze vreemde vrouw die nooit van haar zijde scheen te wijken. Nari was verwant met Iya, had Rhius haar uitgelegd, en alleen daarom al had Ariani een hekel aan haar. Haar man, haar broer, de tovenaars, dit mens – allemaal hadden ze haar verraden. Toen ze terugdacht aan die verschrikkelijke nacht, kon ze zich alleen maar een kring van gezichten herinneren die zonder mededogen op haar neerkeken. Ze verachtte hen allemaal.

Ze was overmand door uitputting en verdriet en haar hoofd scheen gevuld met dikke grijze rook. Ze kon geen onderscheid tussen dag en nacht maken; ze wist nooit wat ze kon verwachten als ze haar ogen opende, of ze droomde of waakte.

Een tijdje dacht ze dat het doodenge vroedvrouwtje dat Iya had meegenomen weer terug was. Maar ze besefte al snel dat het een droom of een visioen moest zijn waarin dat mensje elke nacht bij haar bed verscheen. Ze leek altijd omringd door een kring van bewegend licht, en ze mompelde vreemde woorden tegen Ariani en gebood haar met vuile vingers om te eten en te drinken. Dagenlang hield dat pantomimespel aan, tot Ariani aan haar gewend raakte. Ten slotte kon ze zelfs een beetje verstaan wat de vreemde vrouw fluisterde en de woorden maakten haar afwisselend warm en ijskoud.

En toen was Ariani weer begonnen met naaien en ze dwong zichzelf wat brood en dunne soep te eten. Voor de taak die de heks haar gegeven had, zou ze al haar kracht nodig hebben.

Het feest waarbij het kind aan de wereld zou worden getoond vond twee weken na de geboorte plaats. Ariani weigerde naar beneden te komen en Nari vond dat wel zo verstandig. De prinses leek weer op krachten te komen, maar ze gedroeg zich nog altijd een beetje buitenissig in gezelschap. Aankleden wilde ze zich niet en ze sprak ook maar zelden. Haar zwarte haar was dof en verward omdat ze het nooit borstelde en haar blauwe ogen stonden eigenaardig, alsof ze iets zag wat anderen niet konden zien. Ze sliep, ze at, en ze maakte pop na mondloze pop. Hertog Rhius liet verkondigen dat de moeder na de zware bevalling nog even in haar kraambed bleef, en liet geruchten verspreiden dat ze ook kapot was van verdriet over haar gestorven dochtertje.

Haar afwezigheid verstoorde de feestelijkheden niet al te zeer. Een grote menigte belangrijke edelen uit Ero vermaakte zich die avond in de grote hal, zodat de ruimte leek te schitteren van juwelen en zijde onder de flakkerende lampen. Nari stond met de andere bedienden bij de wijntafel en hoorde hier en daar besmuikt gefluister over de ziekte van Agnalain, en hoe het toch mogelijk was dat de dochter zo snel was afgegleden nadat er jarenlang niets aan de hand was geweest.

Het was veel te warm voor het seizoen die nacht, en het zachte geruis van de herfstregens drong binnen door de open ramen. De mannen van de hertogelijke garde stonden aan weerszijden van de trap in de houding, schitterend in hun blauw met groene uniformen. Heer Tharin stond aan de linkerkant van de trap in zijn fraaie tuniek en getooid met juwelen, en hij keek zo tevreden alsof het feest om zijn eigen zoon draaide. Toen Nari met de slungelige, blonde man kennis had gemaakt, had ze hem meteen gemogen, en dat gevoel werd alleen maar sterker toen ze zag hoe zijn gezicht begon te stralen op het moment dat hij Tobin in zijn vaders armen had gezien.

De koning stond op de ereplaats rechts van de trap, met zijn eigen zoon op een van zijn brede schouders. Prins Korin was een stevig, vrolijk ventje van drie jaar, die de donkere krullen en de stralende, bruine ogen van zijn vader had. Hij wipte opgewonden op en neer en rekte zich uit om een glimp van zijn nieuwe neefje op te vangen toen Rhius boven aan de trap verscheen. In zijn geborduurde gewaad en met de smalle band om zijn voorhoofd zag de hertog er indrukwekkend uit. Tobins donkere kopje was net zichtbaar boven de zijden doeken waarin hij gewikkeld was.

'Weest gegroet, mijn vorst en vrienden!' riep hertog Rhius uit. Hij liep naar beneden tot hij ter hoogte van de koning stond, knielde neer en hield het kind omhoog. 'Mijn koning, ik stel u voor aan mijn zoon en erfgenaam, prins Tobin Erius Akandor.'

Nadat hij Korin naast zich op de grond had gezet, nam Erius Tobin in zijn armen en toonde hem aan de priesters en de edellieden in de zaal. 'Jouw zoon en erfgenaam is aangenomen door Ero, mijn broeder. Moge zijn naam altijd eervol worden uitgesproken als lid van de Koninklijke Familie van Skala.'

En dat was dan dat, al gingen de toespraken en het toosten nog tot diep in de nacht door. Nari voelde zich een beetje onbehaaglijk. Het was al ver over de tijd dat ze de baby gewoonlijk voedde en haar borsten voelden pijnlijk aan. Ze glimlachte toen ze een bekend hikje hoorde. Als Tobin eenmaal te kennen gaf dat hij naar zijn avondmaal verlangde zouden ze hem wel laten gaan en zou ze met hem naar haar vertrouwde hoekje boven in het huis kunnen vertrekken.

Maar op dat moment slaakte een van de dienstmeisjes een verschrikte kreet en wees naar de wijntafel. 'Bij alle Vier, hij viel gewoon om!'

De in zilver gevatte drinkbeker voor Rhius' toost lag op zijn kant, de inhoud vloeide over het donkere, gepolitoerde hout heen.

'Ik keek er alleen maar naar,' zei het meisje en haar stem begon schril te klinken. 'Er was geen levende ziel in de buurt!'

'Ja, ja, dat zal wel,' fluisterde Nari en ze keek haar dreigend aan om haar het zwijgen op te leggen. Ze deed haar schort af om de gemorste wijn op te deppen. De vlek was bloedrood.

Mynir griste het schort weg en propte het onzichtbaar onder zijn arm, zodat niemand de vlek zag. 'Bij het Licht, pas op dat niemand dat ziet!' zei hij. 'Er zat witte wijn in de beker!'

Toen ze haar handen bekeek, zag Nari dat ook die rood waren geworden, al waren de druppels die nog aan de kroes kleefden bleekgoud van kleur.

Er was nog net genoeg tijd om het bevende meisje naar beneden te sturen om een nieuwe beker te halen voor de edelen hun kant op kwamen om een nieuwe heildronk uit te brengen. Tobin begon onrustig te worden. Nari nam hem over terwijl de hertog zijn beker hief en het kind met een paar druppels wijn besprenkelde, en vervolgens de traditionele honingtaart die als offergave aan de Vier in het midden van de wijntafel stond. 'Op Sakor, om mijn kind een groot en rechtvaardig strijder met een vurig hart te laten worden. Op Illior, voor wijsheid en voorspellende dromen. Op Dalna, voor vele kinderen en een lang leven. Op Astellus, voor veilige reizen en een snelle dood.'

Nari wisselde een snelle blik met de hofmeester toen bleek dat de druppels meteen in de taart wegzonken zodat er geen vlek op de kleverige bovenkant te zien was.

Zodra de korte ceremonie achter de rug was droeg Nari Tobin naar boven. De baby piepte en gromde, en wroette met zijn neusje in haar lijfje.

'Wat een diertje ben je toch,' mompelde Nari, in gedachten nog bij het vreemde gebeuren. Ze dacht aan de bezweringsstaafjes die Iya bij haar had achtergelaten, en vroeg zich af of ze er eentje zou gebruiken om de tovenares op te roepen. Maar Iya was heel duidelijk geweest: ze mocht ze alleen in opperste nood gebruiken. Nari zuchtte, drukte Tobin nog vaster tegen zich aan en wist niet wat ze van dit voorteken moest denken.

Toen ze langs de deur van Ariani's kamer liep viel Nari's oog op een rode veeg op de muur, vlak bij de biezen waarmee de vloer bedekt was. Ze bukte zich om te zien wat het was en drukte snel een hand tegen haar mond om een kreet te smoren.

Het was de bloederige handafdruk van een kind, gespreid als een inktvis. Het bloed was nog vers en vuurrood.

'De Schepper beware ons, het is in huis!'

Gejuich en geklap stegen op van beneden. Ze kon de koning om een toost op Tobins gezondheid horen roepen. Met trillende vingers wiste Nari de afdruk met de punt van haar rok af tot het een vage roze plek geworden was. Ze legde de rietstengels ertegen en glipte Ariani's kamer binnen, bevreesd om wat ze zou vinden.

De prinses zat bij het vuur en was aan het naaien of de wereld zou vergaan. Voor de eerste keer sinds de bevalling had ze haar nachtpon voor een wijdvallende jurk verwisseld en haar ringen weer aan haar vingers gedaan. De zoom was nat en met modder besmeurd. Ariani's haar hing in kletsnatte strengen over haar schouders. Het raam was gesloten, maar Nari kon de nachtlucht ruiken die van haar afsloeg, naast een vleugje van iets anders. Ze probeerde de sterke, onplezierige lucht thuis te brengen.

'Bent u buiten geweest, Hoogheid?'

Ariani glimlachte naar haar naaiwerk. 'O, eventjes maar, zuster. Vind je dat niet goed van me?'

'Ja zeker, vrouwe, maar u had moeten wachten tot ik met u mee kon gaan. U bent nog niet sterk genoeg om er alleen op uit te trekken. Wat zal de hertog wel niet zeggen?'

Ariani naaide nog steeds glimlachend voort.

'Hebt u buiten iets... bijzonders gezien, Hoogheid?' probeerde Nari ten slotte.

Ariani trok een pluk schapenwol uit de zak naast haar stoel en propte die in het katoenen armpje dat ze in elkaar had gezet. 'Nee hoor. Maar ga nu maar aan je werk en haal iets te eten voor me. Ik ben uitgehongerd!'

Nari vertrouwde die plotselinge levendigheid niet. Terwijl ze de kamer uitging, hoorde ze Ariani zachtjes neuriën en ze herkende het melodietje: een wiegelied.

Ze was halverwege de keuken toen ze de geur eindelijk thuis kon brengen en ze moest even opgelucht gniffelen. Morgen zou ze direct een bediende vragen om een hond te halen die de dode muis op kon zoeken die ergens boven lag te rotten.

5

Arkoniël vertrok uit Ero zonder te weten of hij Ariani en haar kind ooit nog zou weerzien. Hij had met Iya afgesproken in een herberg in Sylara en samen gingen ze op pad voor het volgende deel van hun grote missie.

Ondanks Arkoniëls sterke twijfels besloot Iya dat het het veiligst voor iedereen zou zijn als ze voorlopig een eind bij het kind uit de buurt bleven. Toen Arkoniël haar vertelde van zijn vreemde gesprek met de hofmagiër Niryn, werd ze alleen maar in die beslissing gesterkt. Nari en de hertog konden hen altijd bereiken door boodschappen naar de diverse herbergen te sturen die Iya gewoonlijk op haar tochten aandeed. Voor noodgevallen had ze wat zoekstaafjes bij Nari achtergelaten; geverfde stokjes waaruit een eenvoudige zoekformule vrijkwam wanneer ze werden gebroken. Hoe ver Iya ook was, ze zou de magie voelen en zo snel mogelijk terugkeren.

'Maar als we nu eens te ver weg zijn om hen op tijd te bereiken?' neuzelde Arkoniël die helemaal niet gelukkig was met het besluit. 'En hoe kunnen we ze nu zó achterlaten? Het einde liep helemaal fout. En jij hebt die demon in de ogen van die dode baby niet gezien. Als die boom hem nu eens niet onder de grond kan houden?'

Maar ze weigerde categorisch. 'Ze zijn veiliger als wij uit de buurt blijven.'

Zo begonnen ze hun lange zwerftocht, op zoek naar iedereen met een vonkje magie in zijn of haar botten, om hen te vragen aan wie ze loyaal waren, voor wie ze bang waren en – na er enkelen uitverkoren te hebben – hun te vertellen over Iya's grote plan: een nieuw verbond van Orëska-magiërs.

Ze was geduldig en koos zorgvuldig. Ze schoof de idioten en hebzuchtigen terzijde, net als zij die te loyaal aan de koning waren. Zelfs aan hen die ze te vertrouwen vond, vertelde ze niets over haar uiteindelijke doel, maar ze gaf hun een klein bewijs van trouw – een steentje dat ze opraapte – met de belofte dat ze hen zou oproepen als het nodig was.

Niryns woorden zouden de volgende jaren nog vaak in hun gedachten komen, want het bleek dat zij niet de enigen waren die op zoek waren naar eenheid. Van anderen die ze onderweg tegenkwamen, hoorden ze dat de hofmagiër zijn volgelingen aan het organiseren was. Arkoniël vroeg zich af wat deze tovenaars geantwoord hadden toen Niryn zijn vaste vraag stelde, en wat ze precies hadden gedroomd.

De droogte die Tobins geboorte had ingeluid, was eindelijk afgelopen, maar de volgende zomer was het weer raak. Hoe zuidelijker ze kwamen, hoe vaker ze lege graanschuren en broodmagere koeien zagen. Ziekte volgde de hongersnood op de voet, en sloeg toe zoals een wolf feilloos de zwakkere dieren uit de kudde pikt. Het ergst was een gevaarlijke koorts die iedereen via marskramers kon besmetten. Het eerste symptoom was het zweten van bloed, waarna vaak zwarte zwellingen in de oksels en liezen opkwamen. Wie beide symptomen had haalde het meestal niet. De Rood-Zwarte Dood, zoals de ziekte genoemd werd, kon hele dorpen in een paar nachten van de kaart vegen, waarbij er veel te weinig mensen overleefden om de doden netjes te verbranden.

Een epidemie van een ander slag plaagde de oostelijke kust: Plenimaraanse kapers. Steden werden geplunderd en in brand gestoken, de oude vrouwen werden gedood, de jongere en de kinderen als slaven op de zwarte schepen van de zeerovers meegenomen. De mannen die de strijd overleefden, wachtte meestal een wreder lot.

Iya en Arkoniël arriveerden vlak na een aanval in zo'n stad en vonden een stuk of zes jongemannen met hun handen vastgenageld tegen de zijkant van een koeienstal; hun buik was opengesneden zodat de ingewanden eruit hingen. Een van de jongens leefde nog, hij smeekte om wat water en tegelijkertijd om de dood. Natuurlijk vervulde Iya beide wensen.

Iya's lessen gingen tijdens hun reis gewoon door, en Arkoniël en Iya waren beiden blij te zien hoe zijn krachten almaar toenamen. Hij was de beste leerling die ze ooit had gehad, en de nieuwsgierigste; voor Arkoniël waren er altijd horizonten te verleggen, en nieuwe bezweringen en toverformules die hij moest leren beheersen. Iya beoefende wat zij gekscherend 'mobiele magie' noemde: bezweringen die meer te maken hadden met een toverstokje en woorden dan met zware instrumenten. Arkoniël had een aangeboren gave voor dit soort toverkunst en begon al zelf bezweringen te weven, een ongewone prestatie voor zo'n jong persoon. Omdat hij zich nog steeds om Rhius en Ariani bekommerde, experimenteerde hij eindeloos met zoekspreuken, en probeerde hun beperkte reikwijdte te vergroten, zonder succes overigens.

Iya legde keer op keer uit dat zelfs Orëska-magie haar beperkingen kende, maar hij wilde het niet opgeven.

In de huizen van rijkere, gevestigde tovenaars, vooral degenen met edele beschermheren, zag ze hem verlangend staren naar hun goed uitgeruste werkkamers, waarin hij de vreemde instrumenten en alchemistische opstellingen nauwkeurig bestudeerde. Soms logeerden ze hier lang genoeg om iets op te steken van deze tovenaars, en Iya vond het prachtig dat hij zelf dingen toevoegde aan wat zij hem kon bijbrengen.

En omdat ze nog steeds genoot van het reizen en trekken, kon Iya soms helemaal vergeten wat voor verantwoordelijkheid ze droegen.

Soms.

Omdat ze altijd onderweg waren, hoorden ze heel wat nieuwtjes, maar het raakte hen meestal niet echt. Toen hen de eerste geruchten over de Koninklijke Haviken bereikten, deed Iya ze af als wilde verhalen. Dit was niet zo eenvoudig meer toen ze een priester van Illior tegenkwamen die beweerde ze met eigen ogen gezien te hebben.

'De koning heeft hen erkend en steunt hen,' vertelde hij terwijl hij zenuwachtig met de amulet op zijn borst speelde. 'De Bende is een speciale garde, soldaten en tovenaars tegelijk, en hun taak is het opsporen van verraders van de troon. Ze hebben een magiër in Ero verbrand en er zitten priesters van Illior in de cel.'

'Magiërs en priesters?' zei Arkoniël ongelovig. 'Er is nog nooit een Skalaanse tovenaar terechtgesteld, niet sinds de zwarte-kunstzuiveringen tijdens de Grote Oorlog! En tovenaars die hun vakgenoten opjagen?'

Maar Iya was er kapot van. 'Denk eraan met wie we te maken hebben,' waarschuwde ze hem toen ze weer veilig alleen in hun pensionkamertje waren. 'De waanzinnige zoon van Agnalain heeft zijn eigen familie al grotendeels uitgeroeid om zijn bloedlijn te bewaken. Misschien schuilt er meer van zijn moeder in hem dan we dachten.'

'Niryn is de aanstichter en de leider,' zei Arkoniël, en hij dacht aan de manier waarop de tovenaar hem die nacht van Tobins geboorte in de gaten had gehouden. Was hij toen al volgelingen aan het opsporen? En wat had hij in zijn Haviken aangetroffen dat hij niet bij Arkoniël had gevonden?

DEEL 2

Uit het dagboek van koningin Tamír II, onlangs gevonden in de paleisarchieven

[Noot van de archivaris: ongedateerde passage]
Niet lang na mijn geboorte nam mijn vader ons mee naar dat eenzame kasteel in de bergen. Hij deed het voorkomen of dat beter voor de gezondheid van mijn moeder was, maar ik weet zeker dat heel Ero onderhand al wist dat ze gek geworden was, net als haar moeder. Ik heb weinig herinneringen aan haar, maar als ik aan haar denk zie ik een bleke schim voor me, zenuwachtig haar handen wringend en met ogen die je vreemd aanstaarden, met dezelfde kleur als de mijne.

Mijn vaders voorouders hadden de burcht gebouwd in de dagen dat de heuvelmensen over de passen trokken om de laaglanden te plunderen. Hij had dikke stenen muren en smalle raampjes met rood-witte luiken vol splinters – ik weet nog hoe ik altijd aan die afschilferende verf stond te pulken als ik voor het raam van mijn kamer stond en op de terugkeer van mijn vader wachtte.

Naast de rivier, aan de achterkant van de burcht, stak een hoge, vierkante wachttoren naar voren uit. Ik geloofde dat de demon daar huisde, en naar me keek wanneer Nari en de mannen op de binnenplaats of de terreinen rond de kazerne met me speelden. Maar meestal moest ik binnen spelen. Sinds ik kon kruipen, kende ik ieder stoffig, donker hoekje van de kamers. Die afbrokkelende bouwval was mijn eerste zeven levensjaren mijn hele wereld; wanneer vader en zijn manschappen weg waren, en dat was vaak het geval, waren mijn kinderjuf en een stel bedienden mijn enige vrienden.

En de demon, natuurlijk. Pas jaren later drong het tot me door dat andere kinderen niet in zo'n huishouden opgroeiden als ik – dat het niet de gewoonte was dat onzichtbare handen je knepen of duwden, of dat meubels vanzelf door de kamer schoven. Een van mijn eerste herinneringen is dat ik op Nari's schoot zat en leerde hoe ik mijn vingertjes moest houden als ik iets wilde afweren...

6

Tobin knielde neer op de vloer van zijn speelkamer, en schoof lusteloos een scheepje rond de haven van zijn blokkenstad. Het was het galjoen met de gebroken mast, het schip dat de demon kapot had gemaakt.

Maar Tobin was niet echt aan het spelen. Hij wachtte en hield de gesloten deur van zijn vaders kamer aan de andere kant van de gang in de gaten. Toen ze naar binnen gingen om te praten, had Nari de deur dichtgedaan, zodat hij het gesprek onmogelijk kon afluisteren.

Tobins adem kwam als een wit wolkje stoom uit zijn mond toen hij een zucht slaakte en zich boog om de gebroken mast rechtop te zetten. Het was koud vanmorgen; op de ochtendwind die door het open raam naar binnen kwam, kon hij de vorst ruiken. Hij deed zijn mond wijd open en liet een paar maal zijn adem in korte stootjes ontsnappen, zodat er kleine wolkjes boven de citadel dreven.

De speelgoedstad was het verjaarscadeau dat zijn vader hem verleden jaar gegeven had en het was zijn grootste schat. Hij was bijna zo hoog als Tobin zelf en nam de helft van zijn speelkamer in beslag. En het was niet zomaar een speelgoedstad, het was een miniatuurversie van Ero, die zijn vader voor hem gemaakt had.

'Omdat je te klein bent om naar Ero te gaan, heb ik Ero naar jou gebracht!' zei hij toen hij het cadeau aan hem gaf. 'Op een dag ga je hier misschien wonen, of moet je de stad verdedigen, dus moet je er wel de weg in weten.'

Vanaf die dag hadden ze hier veel vrolijke uren doorgebracht en leerde Tobin alle straten en steegjes kennen. Huizen van opgestapelde houten blokken stonden dicht opeen tegen de steile zijden van de citadel, en er waren open plekken die groen geschilderd waren om de parken en bleekveldjes aan te geven. Op het grote marktplein stond een tempel voor de Vier; daaromheen stonden allerlei kraampjes van takjes en lapjes. Koeien en schapen van klei bevolkten de omheiningen op de beestenmarkt. De blauw geverfde haven die naar één kant buiten de stadsmuur met zijn vele poorten uitstak, was gevuld met kleine scheepjes die met een stok konden worden voortgeduwd.

De heuveltop was plat en eromheen stond een tweede muur: de Palatijnse Ring, al was die niet perfect rond. Daarbinnen stonden allerlei huisjes tegen elkaar aan, maar ook paleizen en tempels, allemaal met hun eigen verhaal. Hier waren veel meer tuinen, en ook een visvijver, gemaakt van een zilveren spiegel, en een oefenterrein voor de Koninklijke Gezellen. Dat laatste interesseerde Tobin bijzonder: de compagnie bestond uit jongens die in het Oude Paleis woonden bij zijn neef, prins Korin, en ze trainden om strijder te worden. Zijn vader en kapitein Tharin waren ook bij de Gezellen van koning Erius geweest toen ze jong waren. Zodra Tobin dit wist wilde hij meteen vertrekken om mee te doen, maar zoals gewoonlijk werd hem te kennen gegeven dat hij dan toch echt wat ouder moest zijn.

Het grootste gebouw op de Palatijnse Heuvel was het Oude Paleis. Daar kon je het dak afhalen en dan zag je de kamers en zalen. Er was een troonzaal met een kleine houten troon, en een klein paneel van echt goud in een houten lijst.

Tobin tilde het op en kneep zijn ogen halfdicht om de piepkleine gegraveerde woorden te lezen. Het was zo niet te zien, maar hij wist wat er stond*: Zolang er een dochter uit het geslacht van Thelátimos heerst en het verdedigt, zal Skala nimmer onderworpen worden.* Tobin kende ook de legende van koning Thelátimos en het Orakel uit zijn hoofd, het was een van de favoriete verhalen van zijn vader.

Er leefden ook mensen in de stad, kleine figuurtje van samengebonden takjes. Dat vond hij eigenlijk het mooist van de hele stad, en hij smokkelde vaak hele families mee naar bed waar hij verhalen mee verzon en tegen praatte terwijl hij wachtte tot Nari naar bed kwam. Tobin legde het gouden paneeltje terug, zette toen zes houten figuurtjes op een rij op het oefenterrein, waarbij hij er een van was. Hij deed de platte, met fluweel gevoerde doos open die zijn vader van een verre reis had meegebracht, nam de bijzondere poppetjes eruit en zette ze boven op het dak van het paleis om naar de training van de Gezellen te kijken. Deze mensjes – Zij Van Vroeger – waren veel mooier dan de takkenpoppetjes; op een na waren ze allemaal van zilver. Ze hadden geschilderde gezichtjes en kleren en ze hadden allemaal hetzelfde zilveren zwaard om, het Zwaard van koningin Ghërilain. Zijn vader had al hun namen en de bijbehorende verhalen verteld. De zilveren man was koning Thelátimos en naast hem lag zijn dochter, Ghërilain de Grondlegger, die vanwege de gouden woorden van het Orakel koningin geworden was. Na Ghërilain kwam koningin Tamír, die vergiftigd was door haar broer die koning wilde worden, vervolgens een Agnalain en weer een Ghërilain, daarna zes van wie hij de namen en de volgorde steeds door elkaar haalde, en dan oma Agnalain de Tweede. De eerste en de laatste koninginnen waren zijn lievelingspoppetjes. De eerste Ghërilain droeg de mooiste kroon; oma Agnalain had de mooist beschilderde mantel.

Het laatste poppetje van de doos was uit hout gesneden. Het had een zwarte baard, net als Tobins vader, een kroon en twee namen: Jouw Oom Erius en De Huidige Koning.

Tobin draaide het figuurtje om en om in zijn handen. De demon wilde deze altijd kapotmaken. Het houten mannetje kon op het dak van het paleis staan of rustig in zijn houten doos liggen, maar voor je het wist vloog zijn hoofd eraf of spleet hij in de lengte doormidden. Na vele reparaties was Jouw Oom behoorlijk mismaakt geworden.

Tobin zuchtte opnieuw en legde hen allemaal netjes terug in de doos. Zelfs de stad kon zijn aandacht vandaag niet vasthouden. Hij draaide zich om naar de deur en wenste vurig dat hij open zou gaan. Nari was al eeuwen geleden naar binnen gegaan! Hij barstte haast van ongeduld en kroop de gang over om te luisteren waarover ze het hadden.

De biezen op de vloer waren al oud en kraakten onder zijn slippertjes, hoe zachtjes hij ook op zijn tenen liep. Snel keek hij naar links en rechts. Links was de trap naar de grote hal. Hij kon kapitein Tharin en de oude Mynir horen lachen. Aan de rechterkant, naast de deur van zijn vaders kamer, was een deur die stevig op slot was en hij hoopte dat dat zo zou blijven. Zijn mamma had weer een van haar slechte buien.

Blij dat hij alleen was drukte hij zijn oor tegen het eikenhouten paneel en luisterde.

'Wat kan dat nou voor kwaad, heer?' Dat was Nari. Tobin juichte inwendig. Hij had wekenlang aan haar hoofd gezeurd om het voor hem op te nemen.

Zijn vader bromde iets, toen hoorde hij Nari weer, liefjes pratend zoals ze soms kon doen. 'Ik weet wat ze heeft gezegd, heer, maar met alle respect, hij groeit wel erg vreemd op als hij zo van alles afzijdig wordt gehouden! Dat kan toch ook niet haar bedoeling zijn.'

Tobin vroeg zich af wie er vreemd was. En wie was die 'ze' die er wat op tegen had dat hij met vader naar de stad ging? Het was tenslotte zijn verjaardag; hij was zeven geworden vandaag. Nu was hij toch zeker oud genoeg om de reis te maken. En zo ver was het niet naar Alestun; wanneer hij met Nari op het dak picknickte, konden ze ten oosten van de vallei de rode daken bij de bosrand zien. Op een koude dag zag hij zelfs de rookpluimen van de open haarden daar omhoog stijgen. Het was toch geen duur cadeau, hij wilde er alleen maar heen en het was alles wat hij vroeg.

De stemmen waren er nog, maar klonken te zacht om er wat uit op te maken.

Alsjeblieft, wenste hij en hij maakte een geluksgebaar voor de Vier.

De koele vingers tegen zijn wang deden hem verschrikt opspringen. Hij draaide zich om en zag ontzet dat zijn moeder vlak achter hem stond. Ze zag eruit als een geest, een geest die Tobin kon zien. Ze was mager en bleek, met nerveuze handen die als stervende vogels om haar heen fladderden, als ze tenminste niet met haar lieve lappenpoppen bezig was, of de lelijke oude pop tegen zich aandrukte, die ze altijd bij zich had. Hij zat onder haar arm en leek hem aan te kijken, al had hij geen gezicht.

Hij was verbaasd dat ze zomaar in de gang stond. Wanneer Tobins vader thuis was bleef ze meestal op haar kamer om hem niet te hoeven zien. Tobin vond het prettiger als ze uit het zicht was.

Het was een gewoonte geworden om even snel naar mamma's ogen te kijken; al van jongs af aan had Tobin geleerd om de stemmingen van de mensen om hem heen in te schatten, vooral die van zijn moeder. Meestal keek ze naar hem of hij een vreemde was en was haar blik leeg en afstandelijk. Als de demon dingen naar hem smeet of hem kneep, drukte ze gewoon haar lappenpop tegen zich aan en deed of ze niets zag. Ze had Tobin nog maar een paar keer omhelsd, al kon ze op zeer slechte dagen tegen hem praten alsof hij een baby was, of een meisje. Dan sloot vader haar zo snel mogelijk op in haar kamer en maakte Nari geneeskrachtige kruidenthee voor haar.

Maar nu stonden haar ogen helder. Ze glimlachte bijna toen ze haar hand naar hem uitstak. 'Kom maar, kleintje.'

Zo had ze nog nooit tegen hem gesproken. Tobin keek tersluiks naar de deur van zijn vaders kamer, maar ze bukte zich en legde zijn hand in de hare. Haar greep was net een beetje te stevig terwijl ze hem naar de afgesloten deur aan het eind van de gang trok, de deur die toegang gaf tot de trap naar boven.

'Daar mag ik niet komen,' piepte Tobin tegen haar. Nari zei dat de vloeren er verrot waren en dat er ratten liepen, en spinnen zo groot als zijn vuist.

'Maar met mij mag je wel naar boven, hoor,' zei ze en ze haalde een flinke sleutel vanonder haar rokken vandaan waarmee ze de verboden deur openmaakte.

De trap leidde naar een gang die als twee druppels water op die van beneden leek, met deuren aan weerszijden, maar deze was stoffig en rook naar schimmel, en de kleine, hooggeplaatste raampjes waren stevig gesloten.

Tobin tuurde door een open deur toen ze erlangs liepen en zag een doorzakkend bed met vodden erop, maar geen ratten. Aan het einde van de gang maakte zijn moeder een klein deurtje open en nam hem mee, een heel steile en smalle wenteltrap op, verlicht door een paar schietgaten in de muur. Het was zo donker dat je de uitgesleten treden vrijwel niet kon zien, maar Tobin wist waar hij was.

Ze waren in de wachttoren.

Hij hield één hand tegen de muur gedrukt om niet te vallen, maar trok hem snel weer terug toen zijn vingers ruwe plekjes voelden die wegkropen toen hij ze aanraakte. Hij was bang en wilde het liefst naar het lichte, veilige deel van het huis terugrennen, maar zijn moeder hield zijn hand nog steeds stevig vast.

Ze klommen hoger en hoger en plotseling flitste er iets in de schaduwen boven hen – de demon natuurlijk, of iets ergers. Tobin probeerde zich los te rukken, maar ze hield hem vast en glimlachte naar hem over zijn schouder terwijl ze hem naar het smalle deurtje bovenin leidde.

'Dat zijn mijn vogels maar. Ze hebben hier hun nest gebouwd, net als ik, maar zij kunnen naar binnen en naar buiten vliegen wanneer ze maar willen.'

Ze deed het deurtje open en zonlicht stroomde de trap op. Hij knipperde met zijn ogen toen hij over de drempel strompelde.

Hij had altijd gedacht dat de toren leeg was, verlaten, op de demon na misschien, maar hij stond nu in een gezellig licht kamertje, dat leuker ingericht was dan welke kamer beneden ook. Hij keek verwonderd in de rondte, want hij had nooit gedacht dat zijn moeder zo'n schitterend geheim plekje zou hebben.

Verschoten wandtapijten hingen aan drie kanten voor de ramen, maar het westelijke raam was onbedekt en de luiken stonden wijd open. Tobin zag de zon op de met sneeuw bedekte bergtoppen en hoorde het ruisen van de rivier ver beneden hen.

‘Kom Tobin,’ drong ze aan, en ze ging aan tafel bij het raam zitten. ‘Kom even bij me zitten; het is je verjaardag tenslotte.’

Een vonkje hoop sprong op in zijn hart en hij schuifelde verder de kamer in. Nooit tevoren had ze zich zijn verjaardag herinnerd.

De kamer was erg knus en gerieflijk ingericht. Er stond een lange tafel tegen de muur, vol met naaispullen voor het maken van poppen. Op een andere tafel zaten de poppen die al af waren – met donker haar en zonder mond, zoals gewoonlijk, maar allemaal anders gekleed in tunieken van fluweel en zijde, mooier dan Tobin zelf bezat – in een dubbele rij tegen de muur.

Misschien moest hij hier komen omdat ze hem er eentje voor zijn verjaardag wilde geven, dacht hij. Zelfs zonder mond waren ze echt mooi. Hij wendde zich hoopvol naar zijn moeder. Heel even kon hij zien hoe ze zou glimlachen en hem zou zeggen dat hij er eentje mocht uitkiezen, de pop die hij het mooist vond, een cadeautje, helemaal voor hem alleen. Maar zijn mamma stond maar bij het raam, plukte nerveus aan haar jurk en staarde naar de lege tafel voor zich. ‘Ik had taart moeten halen, niet? Honingtaartjes en wijn.’

‘Die eten we altijd in de hal,’ bracht Tobin haar in de herinnering en hij wierp nog een verlangende blik op de poppen. ‘Vorig jaar was u er ook, weet u nog? Tot de demon de taart op de vloer gooide en...’

Hij zweeg, nu hij zich andere dingen van die dag herinnerde. Zijn moeder was in tranen uitgebarsten toen de demon kwam, en was gaan gillen. Zijn vader en Nari hadden haar naar haar kamer gebracht en Tobin had zijn brokken taart in de keuken bij Kokkie en Tharin opgegeten.

‘De demon?’ Een traan biggelde langs zijn moeders bleke wang en ze drukte haar pop dichter tegen zich aan. ‘Hoe kunnen ze hem zo noemen?’

Tobin keek naar de openstaande deur, overwoog te ontsnappen. Als ze nu zou gaan gillen, kon hij de trap af rennen, terug naar de mensen die van hem hielden en die gewoon deden wat hij van hen verwachtte. Hij was wel bang dat Nari kwaad op hem zou zijn omdat hij in de toren was geweest.

Maar zijn moeder ging niet gillen. Ze liet zich met een plof in een stoel vallen en snikte het uit, met de pop tegen haar borst gedrukt.

Hij begon stilletjes achteruit te lopen naar de deur, maar zijn moeder keek zo onnoemelijk verdrietig dat hij in plaats van weg te lopen naar haar toeging en zijn hoofd op haar schouder legde, zoals hij altijd bij Nari deed wanneer ze verdrietig was of heimwee had.

Ariani sloeg een arm om hem heen, trok hem dicht tegen zich aan en aaide zijn warrige zwarte haar. Zoals gewoonlijk aaide ze hem veel te hard, te ruw, maar hij bleef staan, dankbaar voor dit beetje genegenheid. En de demon liet hem met rust.

'Mijn arme kindertjes,' fluisterde ze en ze wiegde Tobin heen en weer. 'Wat moeten we nu beginnen?' Ze stak haar hand in haar lijfje en nam er een klein fluwelen buideltje uit. 'Steek je hand eens uit.'

Tobin gehoorzaamde en ze legde er twee kleine voorwerpen op: een maanhangertje van zilver en een stukje hout dat aan de uiteinden met rood metaal beslagen was, hetzelfde spul als op de achterkant van schilden.

Ze pakte eerst het ene op, toen het andere, drukte ze tegen Tobins voorhoofd alsof ze verwachtte dat er iets zou gebeuren. Toen dat niet het geval was, borg ze de spullen weer op en zuchtte.

Met haar arm om Tobin heen stond ze op en nam hem mee naar het raam. Ze tilde hem met een verbazingwekkende kracht op en zette hem op de brede stenen vensterbank. Tobin keek tussen de tenen van zijn slippertjes door naar omlaag en zag de rivier woest over de rotsblokken beneden stromen. Hij werd bang, greep met zijn ene hand het raamkozijn vast en de tengere schouder van zijn moeder met de andere.

'Lhel!' schreeuwde ze naar de bergen. 'Wat moeten we nu? Waarom kom je nu niet? Je had beloofd dat je zou komen!'

Ze pakte de kraag van Tobins tuniek en duwde hem een beetje naar buiten, waardoor hij uit zijn evenwicht werd gebracht.

'Mamma, ik wil d'r af!' fluisterde Tobin en hij klemde haar nog steviger vast.

Hij draaide zijn hoofd om en keek in ogen die weer hard en koud geworden waren. Even leek het of ze niet wist wie hij was, of wat ze hier bij dit raam zo hoog boven de grond aan het doen waren. Toen sleurde ze hem eraf en ze vielen allebei op de vloer. Tobin stootte zijn elleboog en schreeuwde het uit van pijn.

'Arm kindje van me. Het spijt mamma zo,' snikte zijn moeder, maar ze wiegde en knuffelde de pop in haar armen, en liet hem liggen waar hij lag.

'Mamma?' Tobin kroop naar haar toe, maar ze negeerde hem volkomen.

Overmand door verdriet en helemaal in de war rende hij de kamer uit omdat hij niet meer tegen dat gesnik kon. Hij was bijna bij de laatste paar treden van de torentrap toen iets hem een harde duw in zijn rug gaf en hij viel tot hij bij de deur was, met gebutste schenen en geschaafde handen.

Tobin draaide zich woest om. 'Ik haat je! Ik haat je ik haat je ik haat je!!!'

'Aat je!' klonk de echo uit de schaduwen bovenin.

Tobin hinkte terug naar zijn speelkamer, maar zelfs hier leek het daglicht mat. Zijn opwinding was weggesijpeld en zijn benen en handen deden pijn. Hij had zin om onder zijn dekbed weg te kruipen met de familie van houten poppetjes die hij gisteravond had uitgekozen om bij hem te slapen. Toen hij aanstalten maakte om naar bed te gaan, kwam zijn vader de kamer binnen.

'Daar ben je dus!' riep Rhius uit, en hij tilde Tobin op en gaf hem een kus. Zijn baard prikte en plotseling leek de dag een stuk vrolijker. 'Waar zat je toch? En hoe kom je in 's hemelsnaam zo onder het stof te zitten?'

Het schaamrood steeg Tobin naar de kaken toen hij aan het rampzalige bezoek aan de toren dacht. 'O, ik was aan het spelen,' zei hij en hij staarde naar de grote zilveren speld op zijn vaders schouder.

Rhius stak een ruwe, vereelte vinger onder Tobins kin en bekeek een veeg op Tobins wang. Tobin wist dat zijn vader aan de demon dacht; dat wisten ze van elkaar zonder het uit te spreken.

'Nou ja, maakt ook niet uit,' zei hij en hij droeg Tobin naar zijn slaapkamer, waar ze Nari aantroffen die een stel nieuwe kleren op het bed had uitgespreid. 'Nari heeft gezegd dat je oud genoeg bent om met mij naar Alestun te rijden en een verjaarscadeau uit te zoeken. Wat vind je daarvan?'

'Mag ik?' riep Tobin uit en alle sombere gedachten verdwenen als sneeuw voor de zon.

'O nee, niet als Piet de Smeerpoets!' riep zijn kindermeid uit en zij goot water uit de lampetkan in de wasbak. 'Hoe kom je nu weer zo smerig? De dag is net begonnen!'

Zijn vader knipoogde naar hem en liep de deur uit. 'Ik zie je wel op de binnenplaats als je klaar bent.'

Tobin vergat zijn gebutste schenen en zere elleboog, terwijl hij plichtmatig zijn gezicht en handen boende, en hij stond zo stil als hij kon terwijl Nari de klitten uit zijn krullen probeerde te krijgen, die zij 'rattennestjes' noemde.

Gekleed in een nieuwe tuniek van zachte groene wol rende hij ten slotte naar de binnenplaats. Zijn vader stond daar als beloofd te wachten, net als de rest van de huishouding.

'Wel gefeliciteerd, kleine prins!' riep iedereen en ze lachten en knuffelden hem stuk voor stuk.

Tobin was zo opgewonden dat hij niet eens in de gaten had dat Tharin een eindje verder dan de anderen stond, met in zijn hand de teugels van een roodbruine ruin die Tobin nooit eerder had gezien.

Het paard was wat kleiner dan zijn vaders zwarte telganger en er lag een kinderzadel op. Zijn ruige wintervacht en manen waren geborsteld tot ze glansden.

'Gefeliciteerd, mijn zoon,' zei Rhius en hij tilde Tobin in het zadel. 'Een knul die oud genoeg is om naar de stad te rijden heeft een eigen paard nodig om dat te doen. Hij is van jou, dus jij zorgt voor hem, en je moet hem een naam geven.'

Met een grijns tikte Tobin het dier met de teugels aan en reed een rondje over de binnenplaats. 'Ik noem hem Kastanje. Die kleur heeft hij, net zo roodbruin.'

'Dan kun je hem ook Gosi noemen,' zei zijn vader met fonkelende ogen.

'Waarom dan?'

'Omdat dit geen gewoon paard is. Hij komt helemaal uit Aurënen, net als mijn zwarte. Daar komen de beste paarden van de wereld vandaan. Alle edelen van Skala rijden tegenwoordig op Aurënfaier paarden.'

Aurënen. Dat kwam hem bekend voor. Aurënfaier handelsreizigers waren op een stormachtige nacht aan hun poort geweest – vreemde, prachtige mensen met lange rode sjaals die ze om hun hoofd gewikkeld hadden; ze hadden tatoeages op hun wangen. Nari had hem die avond veel te vroeg naar bed gestuurd, maar hij had zich stiekem boven aan de trap verstopt en toegekeken hoe ze wonderlijke magische trucs uitvoerden en op onbekende snaarinstrumenten musiceerden. De demon had hen verjaagd en Tobin had zijn moeder met haar pop in de schaduwen van de in onbruik geraakte minstreelgalerij zien staan lachen. Het was de eerste keer dat hij besefte dat hij haar zou kunnen haten.

Tobin verdreef zijn sombere gedachten; dat was lang geleden, zeker twee jaar. Aurënen betekende magie en vreemde lieden die paarden voor Skalaanse edelen fokten. En verder niks.

Hij boog zich voorover om de hals van het paard te strelen. 'Dank u wel, vader! Ik zal hem Gosi noemen. Mag ik dan een keer naar Aurënen?'

'Iedereen moet een keer naar Aurënen. Het is een prachtig land.'

'Hier, dit is om een naamoffer in de tempel te brengen.' Nari gaf hem een paar pakketjes die in een doek waren samengebonden. Tobin stopte ze trots weg in zijn nieuwe zadeltas.

'Ik heb ook een geschenk voor jou, Tobin.' Tharin haalde een lang, in canvas verpakt pak van zijn riem en overhandigde het hem.

Tobin kreeg een fraai besneden houten zwaard, bijna net zo lang als zijn arm. De kling was dik en stomp, maar het gevest was fraai bewerkt en er zaten echte bronzen knoppen aan. 'Wat mooi! Dank je wel!'

Tharin knipoogde naar hem. 'Ik wil nog wel eens zien of je me ook bedankt wanneer we het gaan gebruiken. Ik moet je leren zwaard vechten. Ik denk dat we er een heel stel van verslijten voor we daarmee klaar zijn, maar hier heb je het eerste.'

Dit was net zo'n fijn cadeau als het paard, al was het niet echt. Hij probeerde er dreigend mee te zwaaien, maar het was zwaarder dan hij dacht.

Zijn vader grinnikte. 'Geen zorgen, m'n jongen. Tharin zal je de fijne kneepjes wel bijbrengen. Ik zou mijn wapen nu maar bij Mynir laten. We kunnen op je eerste rit naar de grote stad maar beter niet meteen in een duel verzeild raken!'

Tobin gaf het met tegenzin aan de hofmeester, maar vergat het al snel toen hij de poort uitreed en achter zijn vader en Tharin aan over de ophaalbrug stapte. Voor de eerste keer in zijn leven hoefde hij niet aan het eind van de brug te wachten en hij wuifde naar iedereen die achterbleef. Terwijl ze door de weilanden voortreden, voelde hij zich al een groot strijder, die op pad ging om de wijde wereld te ontdekken.

Net voor ze het bos bereikten voelde hij een koude rilling over zijn rug gaan, alsof er een mier in zijn tuniek was gevallen. Toen hij achteromkeek, zag hij de zuidelijke luiken op de wachttoren bewegen. Snel draaide hij zich weer om.

Bladeren als gouden munten bedekten het bospad. Boven hem bewogen rode en oranje handvormige esdoornblaadjes zacht op het herfstbriesje, net als de eikenbladeren die er als gepoetst bruin leer uitzagen.

Tobin oefende onderweg goed met teugels en knieën om Gosi op zijn aansporingen te laten draven.

'Tobin rijdt nu al als een soldaat, Rhius,' merkte Tharin op en Tobins hart zwol van trots.

'Rijdt u op dit paard als u de Plenimaranen aanvalt, vader?' vroeg hij.

'Daarvoor neem ik meestal mijn grote zwarte strijdros, Sakors Vuur, met ijzer beslagen voor elke nieuwe strijd.'

'Waarom heb ik dat paard dan nooit gezien?' vroeg Tobin.

'Hij staat in Atyion op stal. Dat soort paarden is alleen maar geschikt voor de strijd. Hij is sterk en snel en is niet bang voor bloed of vuur, maar het is net of je in een krat met vierkante wielen zit. Ouwe Majyer en die Gosi van jou zijn echte rijpaarden.'

'Waarom mag ik nou nooit naar Atyion?' vroeg Tobin, niet voor de eerste keer.

Het antwoord viel steeds weer anders uit. Vandaag glimlachte zijn vader en zei: 'Dat komt nog wel eens.'

Tobin zuchtte. Misschien duurde 'wel eens' niet al te lang, nu hij oud genoeg was om zijn eigen paard te berijden.

De rit naar de stad duurde veel korter dan Tobin zich had voorgesteld. De zon was nauwelijks twee uur langs de hemel verschoven eer ze de eerste huisjes langs de weg passeerden.

Er stonden hier minder bomen, vooral eiken en essen, en Tobin kon varkens horen knorren, op zoek naar eikels. Een paar mijl verderop maakte het bos plaats voor open weidegrond, waar kudden schapen en geiten graasden onder het wakend oog van herders die niet veel ouder dan Tobin waren. Ze zwaaiden naar hem en hij stak verlegen zijn hand op.

Al spoedig kwamen ze meer mensen op de weg tegen, met karren getrokken door geiten of ossen, of met grote manden op hun rug. Drie meisjes, gekleed in korte, vuile hemdjes, staarden Tobin aan en toen hij voorbij was, smoesden ze giechelend achter hun hand en volgden hem met hun ogen.

'Hup, naar jullie moeders!' gromde Tharin op een toon die Tobin niet van hem kende. De meisjes schrokken als konijntjes en renden weg, maar Tobin kon hun gelach nog lang horen.

Een rivier stroomde uit de heuvels de stad in en de weg volgde nu de oever. Brede repen akkerland lagen om Alestun heen. Sommige waren al gereedgemaakt voor de lente, andere waren geel en bruin van de stoppels van de herfstoogst.

Zijn vader wees hem een groep mensen aan die met gerst in de weer waren en de laatste schoven van het veld haalden. 'We hebben hier nogal geluk gehad. In sommige delen van het land heeft de pest zoveel mensen te grazen genomen dat het graan staat te rotten op de akkers omdat er geen landarbeiders meer zijn. En zo gaan degenen die niet ziek zijn geworden wel dood van de honger.'

Tobin wist wat de pest was. Hij had er de soldaten in de kazerne over horen praten als ze niet wisten dat hij hen afluisterde. Je huid ging bloeden en er kwamen zwarte bobbels onder je armen. Hij was blij dat het hier niet heerste.

Toen ze de houten palissade van de stad bereikten, zat Tobin op zijn paard te wippen van opwinding. Er waren hier meer mensen dan hij ooit bij elkaar had gezien en hij zwaaide naar hen allemaal. Velen wuifden terug en salueerden beleefd voor zijn vader, maar anderen bekeken hem alleen maar zoals die meisjes langs de weg.

Vlak buiten de muren was een watermolen langs de oever geplaatst. Er stond een enorme eikenboom naast, vol kinderen, jongens en meisjes, die aan lange touwen boven het water schommelden.

'Worden die opgehangen?' vroeg Tobin met grote ogen terwijl ze er langsreden. Hij had wel eens van die straf gehoord, maar had het zich niet zo voorgesteld. De kinderen leken dolle pret te hebben.

Zijn vader lachte. 'Nee, ze schommelen, dat is een spelletje.'

'Zou ik dat ook kunnen?'

De twee mannen wisselden een vreemde blik die Tobin niet begreep.

'Zou je dat willen?' vroeg Tharin.

Tobin keek naar de lachende kinderen die als eekhoorns in de boom klauterden. 'Misschien.'

Bij de poort stapte een wachter naar voren die een diepe buiging voor zijn vader maakte en zijn hand naar zijn hart bracht. 'Een goede dag, heer Rhius.'

'Hetzelfde, Lika.'

'Maar deze knappe knaap zal toch niet uw zoon zijn?'

'En of hij dat is. Hij komt eindelijk een bezoekje brengen.'

Tobin ging wat rechter in zijn zadel zitten.

'Welkom, jonge prins,' zei Lika, en hij boog voor Tobin. 'Komt u kijken wat er in de stad te doen is? Het is marktdag, dus u zult ogen te kort komen.'

'Ik ben jarig vandaag,' zei Tobin verlegen.

'Wel gefeliciteerd dan, bij de Vier!'

Alestun was maar een klein marktplaatsje, maar voor Tobin was het een enorme stad. Lage huisjes met rieten daken stonden langs de modderige straten en overal liepen honden en andere dieren rond. Varkens zaten honden achterna, honden katten en kippen, en kleine kinderen zaten elkaar achterna en al het andere wat bewoog. Tobin keek zijn ogen uit, want hij had nog nooit zoveel kinderen bij elkaar gezien. Zij die hem zagen staarden terug of wezen naar hem, en hij voelde zich er weer een beetje onbehaaglijk bij. Een meisje met een houten pop onder haar arm keek hem strak aan en hij keek nors terug tot ze een andere kant op keek.

Het marktplein was veel te druk om te rijden, dus lieten ze hun paarden bij een herberg achter en gingen te voet verder. Tobin hield zijn vaders hand stevig vast uit angst dat hij voor altijd in de menigte zou verdwalen als ze elkaar kwijtraakten.

'Rechtop, Tobin,' mompelde zijn vader. 'Er komt niet iedere dag een prins naar de markt van Alestun.'

Eerst liepen ze naar de tempel van de Vier, die midden op het plein stond. Thuis hadden ze ook een schrijn in de vorm van een huisaltaar in de hal, beschilderd met de symbolen van de vier goden van Skala. Deze had meer weg van de keuken van Kokkie in de zomer. Vier pilaren ondersteunden het rieten dak en ze hadden allemaal een andere kleur: wit voor Illior, rood voor Sakor, blauw voor Astellus en geel voor Dalna. Een klein vuurpotje voor de offers brandde bij de voet van elke zuil. Binnenin zat een oude priesteres op een stoeltje, omringd door potten en manden. Ze nam Tobins offergaven aan en sprenkelde de porties zout, brood, kruiden en wierook met de bijbehorende gebeden op de vuurpotjes.

'Wilde u nog een speciaal gebed doen, mijn prins?' vroeg ze toen ze klaar was.

Tobin keek naar zijn vader op die glimlachte en de priesteres een zilveren sestertium gaf.

'Tot wie van de Vier wilde u het richten?' vroeg ze en ze legde een hand op Tobins hoofd.

'Sakor, opdat ik een groot strijder word, zoals mijn vader.'

'Mooi gesproken. Welnu, dan moeten we een strijdoffer maken om de god tevreden te stellen.'

De priesteres sneed met een stalen mes een lok van Tobins haar af en kneedde die in een klompje bijenwas, met een beetje zout, wat water en een poedertje waarmee de was een felrode kleur kreeg.

'Zo, alsjeblieft,' zei ze en ze legde de soepele was in zijn hand. 'Maak er maar een paard van.'

Tobin vond het een lekker gevoel, die was onder zijn vingers terwijl hij er vorm aan gaf. Hij dacht aan Gosi terwijl hij ermee boetseerde en gebruikte zijn nagels voor de lijnen van de manen en staart.

'Nou, nou!' zei de priesteres terwijl ze het dier in haar handen nam toen hij klaar was. 'Da's helemaal niet gek voor zo'n jonkie als jij! Ik heb grote kerels gezien die er niets van bakten. Sakor zal er wel blij mee zijn.' Ze graveerde met haar nagel nog wat tekens in de was en gaf het hem terug. 'Zeg je gebed en schenk dit aan de god.'

Tobin boog zich over het vuurpotje aan de voet van de Sakorzuil en ademde de pittige lucht in. 'Maak een groot strijder van me, een verdediger van Skala,' fluisterde hij en hij wierp het figuurtje op de kooltjes. Gifgroene vlammen stegen op terwijl de was smolt.

Toen ze het tempeltje verlieten stonden ze meteen weer tussen drommen marktgangers. Tobin pakte zijn vaders hand weer vast, maar zijn nieuwsgierigheid won het al snel van zijn angst.

Hij herkende af en toe iemand, mensen die hun goederen op het achtererf aan Kokkie verkochten. Balus de scharensliep zag hem en salueerde.

Boeren prezen hun fruit en groenten aan die op een kar lagen uitgestald. Er waren hopen knolletjes, uien, bieten en pompoenen, en manden vol appels waarvan Tobin het water in de mond liep. Een zuur stinkende kar lag vol met in was gepakte ronde kazen en emmers melk en boter. De volgende lag vol hammen. Een ketellapper verkocht nieuwe kookpotten en knapte oude met een oorverdovend gekletter in zijn hoekje bij de waterput op. Marskramers droegen hun waren in manden aan een juk, en riepen: 'Amandelmelk!', 'Mooie mergpijpjes!', 'Kaarsen en vuursteen!', 'Kralen van koraal brengen geluk!', 'Garen en band!'

Zo moest Ero er ook uitzien, dacht Tobin verwonderd.

'Wat zou je een leuk cadeau vinden?' vroeg zijn vader, wat luider om over het geroezemoes heen te komen.

'Weet ik niet,' antwoordde Tobin. Hier te komen was zijn enige wens geweest en nu was hij er; trouwens, hij had al een paard gehad, en een zwaard op de koop toe.

'Kom op, dan kijken we rond.'

Tharin moest even weg om zijn eigen zaken te regelen en overal stonden mensen die met zijn vader moesten praten. Tobin bleef geduldig staan terwijl diverse pachters zijn vader nieuwtjes brachten en klachten uitten. Tobin luisterde half en half naar een schapenboer die een verhaal over de verstopte uiers van zijn beesten afstak, toen hij een kringetje kinderen om een nabijgelegen tafel zag drommen. Nu hij niet meer zo bang was, liep hij erheen om te weten te komen wat daar te zien was.

Een speelgoedmaakster had haar waren uitgestald. Er waren bromtollen met een zweepje, balvangertjes met een beker aan een stok, zakken vol knikkers van rode klei en een paar ruw beschilderde speelborden. Maar Tobins ogen werden naar de poppen getrokken.

Nari en Kokkie zeiden altijd dat zijn moeder de mooiste poppen van heel Skala maakte en hij kon dat niet ontkennen. Sommige poppen hier waren uit een houten plankje gesneden, zoals het kleine meisje dat hem aanstaarde er een had gehad. Anderen waren van lappen met vulsel, zoals die van zijn moeder, maar de vorm klopte niet en mooie kleertjes hadden ze al helemaal niet. Ondanks dat hadden hun geborduurde gezichtjes wel monden – lachende monden – en daardoor zagen ze er vrolijk en vriendelijk uit. Tobin pakte er eentje en kneep erin. De ruwe vulling knarste leuk onder zijn vingers. Hij glimlachte en stelde zich voor hoe hij dit grappige popje bij de houten familie onder zijn dekens zou stoppen. Misschien kon Nari er wel betere kleren voor naaien...

Hij keek op en zag dat de andere kinderen en de verkoopster allemaal naar hem staarden. Een van de oudere jongens gniffelde.

Toen stond zijn vader opeens naast hem en rukte de pop uit zijn handen. Hij was bleek en zijn ogen stonden boos. Tobin kromp ineen tegen de tafel, hij had zijn vader nog nooit zo kwaad zien kijken. Het was de blik van zijn moeder als ze een slechte dag had.

Toen keek hij weer gewoon en glimlachte grimmig, wat eigenlijk net zo erg was. 'Wat een belachelijk ding is dat!' riep hij uit en hij smeet de pop op de stapel. 'Hier hebben we wat we zochten.' Hij greep zomaar wat van tafel en propte het in Tobins handen – een zakje knikkers. 'Kapitein Tharin zal je wel betalen, vrouw. Kom Tobin, we hebben nog meer te doen.'

Hij nam Tobin mee en hield zijn arm veel te stevig vast. Tobin hoorde de kinderen achter hem in lachen uitbarsten en een man mompelde: 'Zei ik toch, dat hij niet helemaal spoorde.'

Tobin hield zijn hoofd naar beneden om de tranen van schaamte die over zijn wangen gleden te verbergen. Dit was erg, veel erger dan die toestand met zijn moeder vanochtend. Hij kon zich niet indenken wat zijn vader zo kwaad had gemaakt of die stadse kinderen zo gemeen, maar hij wist zeker, zoals alleen een kind het zeker kan weten, dat het zijn schuld was.

Ze liepen meteen door naar de stalknecht van de herberg voor de paarden. Het stadsbezoek was voorbij. Terwijl Tobin opsteeg, merkte hij dat hij nog steeds die knikkers vasthield. Hij wilde ze niet, maar durfde zijn vader niet weer op stang te jagen door ze weg te gooien, dus duwde hij ze in de hals van zijn tuniek. Ze gleden naar beneden tot zijn riem het zakje tegenhield, en ze drukten hard en onbehaaglijk tegen zijn zij.

'Kom, we gaan naar huis,' zei zijn vader en hij reed weg zonder op Tharin te wachten.

Een zware stilte bedrukte de rit naar huis. Tobin had het gevoel dat een sterke hand zijn keel dichtkneep. Hij had al lang geleden geleerd hoe je in stilte moest huilen. Ze waren halverwege voor zijn vader zich omdraaide en zijn tranen zag.

'Ach, Tobin!' Hij hield in en wachtte tot Tobin naast hem kwam rijden. Hij keek niet boos meer, maar zuchtte droevig toen hij naar de stad gebaarde en zei: 'Poppen... Dat zijn maar smerige, domme meidendingen. Jongens spelen daar niet mee, zeker geen jongens die later grote strijders willen worden. Begrijp je dat?'

De pop! Een nieuwe golf van schaamte welde in Tobin op. Dus daarom was zijn vader zo kwaad geweest. De moed zonk hem in de schoenen toen hem nog iets begon te dagen. Dus daarom had zijn moeder hem er vanochtend niet eentje gegeven! Hij moest zich schamen dat hij er zo graag een had willen hebben.

Hij vond het zo erg van zichzelf dat hij er niet aan dacht waarom niemand hem dat had verteld. Zelfs Nari niet.

Zijn vader klopte hem op de schouder. 'Laten we thuis maar lekker je taart gaan opeten. Morgen begint Tharin met je training.'

Maar tegen de tijd dat ze thuiskwamen had hij te veel buikpijn om taart en wijn te eten. Nari voelde zijn voorhoofd, zei dat hij uitgeput was en stopte hem in bed.

Hij wachtte tot ze weg was en voelde onder zijn kussen naar de vier houten takkenpoppetjes die hij daar verborgen had. Wat gisteren nog een knus geheimpje was geweest, leek nu kinderachtige rotzooi. Dit waren ook poppetjes. Hij nam ze in een hand, sloop naar zijn speelkamer en legde ze op het marktplein van de stad. Hier hoorden ze thuis. Zijn vader had ze gemaakt en ze daar neergezet, dus zou het wel goed zijn als hij alleen daar met ze speelde.

Toen hij naar zijn kamer terugliep, verborg Tobin de vermaledijde knikkers helemaal achter in zijn kast. Toen kroop hij tussen de kille lakens en bad nog een keer tot Sakor dat hij beter zijn best zou doen en dat zijn vader trots op hem zou zijn.

Zelfs nadat hij nog een keertje had gehuild, sliep hij maar moeilijk in. Zijn bed voelde zo leeg aan. Ten slotte pakte hij het houten zwaard dat Tharin hem gegeven had, klemde het in zijn armen en viel zo eindelijk in slaap.

7

Tobin vergat de nare herinneringen aan die verjaardag niet, maar – zoals de versmade zak knikkers die achter in zijn klerenkast stof verzamelde – hij wilde er ook niet bij blijven stilstaan. Met de andere geschenken die hij gekregen had verveelde hij zich tijdens zijn zevende jaar bepaald niet.

Op de binnenplaats voor de kazerne leerde Tharin hem zwaardvechten en boogschieten, en elke dag maakte hij een rit op Gosi. Niet langer wierp hij verlangende blikken op de weg naar Alestun. De paar handelaars die ze op het bergtraject tegenkwamen bogen eerbiedig; niemand die hem hier nawees, of besmuikt achter zijn hand smoesde.

De herinnering aan het plezier dat hij aan het maken van het paardje van was had beleefd, bleef hem wel bij en hij bedelde bij Kokkie om eindjes kaarsvet, zodat zijn vensterbank spoedig gevuld was met kleine gele viervoeters en vogels. Nari en zijn vader waren er vol lof over, maar het was Tharin die hem grote kluiten schone nieuwe bijenwas bracht zodat hij grotere dieren kon maken. Dolblij maakte Tobin een prachtig paard voor hem als dank.

Op zijn achtste verjaardag gingen ze weer naar de stad en hij lette er goed op dat hij zich gedroeg zoals een goed strijder betaamde. Hij maakte mooie paardjes bij de tempel, en er was niemand die gniffelde toen hij een goed jachtmes als geschenk koos.

Niet lang daarna vond zijn vader het tijd worden dat hij leerde lezen en schrijven.

Eerst vond Tobin de lessen wel leuk, vooral omdat hij het prettig vond om in vaders kamer te zitten. Het rook er naar leer, er lagen kaarten en er hingen interessante dolken aan de muur.

'Geen Skalaanse edelman moet afhankelijk zijn van klerken,' legde zijn vader uit en bracht velletjes perkament en een potje inkt naar een klein tafeltje bij het raam. Hij sneed een schrijfpunt aan een ganzenveer en hield hem omhoog. 'Dit is een wapen, mijn zoon, en er zijn mensen die het net zo vaardig kunnen hanteren als een zwaard of dolk.'

Tobin snapte niet wat hij bedoelde, maar knikte om zijn vader een plezier te doen. In dit geval lukte hem dat helaas niet zo goed. Hij deed ontzettend zijn best, maar hij kon met geen mogelijkheid een verband leggen tussen de hoekige zwarte tekentjes die zijn vader tekende en de klanken die hij daarbij maakte. Nog erger was het dat zijn vingers die zo handig waren in het vormen van was of rivierklei, die krassende, vlekkende pen maar niet onder controle kregen. Hij vlekte. Hij gleed weg. Hij bleef steken op het perkament en spetterde in alle richtingen. Zijn lijntjes waren zo slingerend als grasslangetjes, zijn cirkels werden veel te groot en hele letters kwamen in spiegelbeeld of op z'n kop op het vel. Zijn vader was geduldig, maar Tobin helemaal niet. Dag na dag worstelde hij, vlekkend en krassend dat het een aard had, tot hij van pure frustratie in snikken uitbarstte.

'Misschien moeten we er nog maar een jaartje mee wachten,' gaf zijn vader ten slotte toe.

Die nacht droomde Tobin dat hij alle veren in het hele huis verbrandde, voor het geval zijn vader van gedachten zou veranderen.

Gelukkig had Tobin niet zoveel moeite met het omgaan met een zwaard. Tharin had zijn belofte gehouden; wanneer hij op het landgoed was, kwamen ze bijeen om op de binnenplaats of in de hal te oefenen. Met houten zwaarden en een klein rond schild leerde Tharin Tobin de basistechnieken van uitvallen en pareren, hoe hij moest aanvallen en hoe je jezelf verdedigde. Tijdens deze lessen werkte Tobin keihard en hield zich zo aan zijn eed tegenover de goden en zijn vader: hij zou een groot strijder worden.

Zo moeilijk was dat ook niet, want hij was gek op oefenen met wapens. Toen hij klein was, ging hij vaak met Nari naar de kazerne om de mannen onderling te zien vechten. Nu kwamen ze om hem heen staan, leunden uit de ramen van de kazerne of haalden een kratje of stoeltje dat ze voor het gebouw neerzetten. Ze gaven hem raad, maakten geintjes met hem, en stapten af en toe naar voren om hem hun eigen speciale trucjes te leren. Al snel had Tobin zoveel leraren als hij wilde. Tharin zette hem af en toe tegenover de linkshandige Maniës of Aladar, om hem te laten wennen aan het gevoel te vechten met een man die zijn wapen aan dezelfde kant hield als jij. Hij kon natuurlijk geen van hen aan, maar ze deden voor wat er tijdens een gevecht gebeurde en moedigden hem aan. Koni, de pijlenmaker, die de kleinste en jongste van het garnizoen was, kwam in grootte het dichtst bij hem in de buurt. Hij was graag in Tobins buurt, want ook hij hield ervan om dingen te maken. Tobin maakte wassen diertjes voor hem en in ruil daarvoor leerde Koni hem hoe hij pijlschachten en houten fluitjes moest snijden.

Wanneer Tobin klaar was met oefenen, gingen de anderen boogschieten, of vertelden hem verhalen over de gevechten die ze tegen de Plenimaranen geleverd hadden. Tobins vader was in deze verslagen altijd de grote held, altijd aan het front, altijd de dapperste van heel het slagveld. Ook Tharin speelde een voorname rol en vocht altijd aan zijn vaders zijde.

'Zijn vader en jij altijd samen geweest?' vroeg hij Tharin op een winterse dag terwijl ze even pauzeerden. Het had die nacht gesneeuwd. Tharins baard was wit rond zijn mond waar zijn adem bevroren was.

Hij knikte. 'Mijn hele leven. Mijn vader was een van jouw grootvaders vazallen. Ik was zijn derde zoon, in Atyion geboren, in hetzelfde jaar als je vader. We groeiden samen op, bijna als broers.'

'Dus ben je bijna mijn oom?' zei Tobin, erg in zijn sas met dat idee.

Tharin woelde door Tobins haar. 'Zo goed als, mijn prins. Toen ik oud genoeg was, werd ik zijn schildknaap en later sloeg hij me tot ridder en gaf me mijn landgoed op Havikshaven. Maar we hebben nooit gescheiden gevochten.'

Tobin dacht daar een tijdje over na en vroeg toen: 'Waarom heb ik geen schildknaap?'

'O, daar ben je nog een beetje te jong voor. Ik weet zeker dat je er eentje krijgt als je wat ouder bent.'

'Maar niet een met wie ik ben opgegroeid,' zei Tobin mistroostig. 'Geen jongen die hier geboren is. Er zijn hier helemaal geen andere kinderen. Waarom gaan we niet in Atyion wonen, zoals jij en vader? Waarom wijzen de kinderen in het dorp me altijd na?'

Tobin verwachtte dat Tharin hem met een smoesje zou afschepen en over andere dingen zou beginnen, zoals Nari en vader altijd deden. Maar hij schudde zijn hoofd en zuchtte. 'Vanwege de demon, denk ik, en omdat je mamma zo verdrietig is. Je vader denkt dat het zo het beste is, maar ik weet het zo net nog niet...'

Hij keek zo bedroefd toen hij dat zei dat Tobin bijna verklapte wat er die dag in de toren was gebeurd. Hij had het er nooit met iemand over gehad.

Maar voor hij erover kon beginnen kwam Nari hem halen. Hij nam zich voor het er de volgende dag tijdens hun rit over te hebben, maar Koni en de oude Lethis reden ook mee en hij voelde er niets voor om het met anderen erbij te vertellen. Een dag of twee later was hij het vergeten, maar zijn vertrouwen in Tharin bleef even groot.

De dagen van Cinrin gingen voorbij. Veel sneeuw viel er niet, nauwelijks genoeg voor een dun laagje op de weilanden, maar wel werd het bitter koud. Tharin hield zijn mannen bezig met het sprokkelen van brandhout in de bossen en iedereen sliep in de hal, waar de haard nu dag en nacht brandde. Tobin droeg binnenshuis twee tunieken en zijn mantel. Overdag verzorgde Kokkie een vuurpot in de speelkamer, maar evengoed zag hij zijn adem wanneer hij daar bezig was.

De rivier was bevroren zodat je erover heen kon lopen en een aantal jonge soldaten en bedienden ging schaatsen, maar Tobin mocht van Nari hoogstens vanaf de oever toekijken.

Op een heldere ochtend zat hij boven te spelen toen hij het geluid van een galopperend paard over de bevroren weg hoorde. Spoedig kwam een ruiter met een wapperende rode mantel om zijn schouders de wei in en de ophaalbrug over. Toen hij uit zijn raam leunde zag hij hoe zijn vader de ruiter begroette en uitnodigde binnen te komen. Hij wist maar al te goed waar die rode mantel en het gouden insigne op duidden: het was een bode van de koning en dat betekende meestal maar één ding.

De man bleef maar heel even en was snel weer op pad. Zodra Tobin hem de brug over hoorde klepperen rende hij naar beneden.

Zijn vader zat op een bank bij de haard en bekeek een lange rol perkament, verzwaard door diverse koninklijke zegels en linten. Tobin ging naast hem zitten en tuurde op het document, en wou dat hij het kon lezen. Niet dat dat nodig was: hij wist zo ook wel wat erin stond. 'Je moet weer vertrekken, niet, vader?'

'Ja, en gauw ook. De droge winter is een buitenkans voor Plenimar om de Myceense kust aan te vallen. De Myceniërs hebben Erius om hulp gesmeekt.'

'Maar je mag niet zeilen in deze tijd van het jaar! Het stormt veel te hard!'

'Ja, daarom gaan we ook te paard,' antwoordde zijn vader afwezig. Hij had die blik in zijn ogen die erop wees dat hij alleen aan bevoorrading, mannen en paarden dacht. Hij en Tharin zouden 's avonds bij de haard ook over niets anders praten, tot ze vertrokken.

'Waarom wil Plenimar toch altijd oorlog?' vroeg Tobin die boos was op die buitenlanders die constant ellende veroorzaakten waardoor zijn vader van huis weg moest. Over een paar weken was het Sakorfestival, maar zijn vader zou voor die tijd vast vertrokken zijn.

Rhius keek hem aan. 'Herinner je je die kaart nog, met de Drie Landen rond de Binnenzee?'

'Ja.'

'Nou, eens waren ze één land, dat geregeerd werd door priester-koningen die hierofanten heetten. Ze woonde in de hoofdstad Bensjâl, in Plenimar. Langgeleden verdeelde de laatste hierofant het gebied in drie landen, maar de Plenimaranen hebben zich daar altijd tegen verzet en proberen sinds die tijd de andere twee te veroveren om weer één Plenimar te worden.'

'Wanneer mag ik met u ten strijde trekken?' vroeg Tobin. 'Tharin zegt dat ik prima vooruitga met mijn lessen!'

'Dat heb ik gehoord, ja.' Zijn vader omhelsde hem en glimlachte op een manier die beduidde dat er nu weinig kans op was. 'Luister, ik heb een idee. Zodra je groot genoeg bent om mijn tweede maliënkolder te dragen, mag je met me mee. Kom, laten we eens kijken of hij al past.'

Het zware kledingstuk van metalen ringetjes hing op een rek in zijn vaders slaapkamer. Het was natuurlijk veel te groot en lag als een plas van ijzer aan Tobins voeten, waardoor hij nauwelijks een stap kon verzetten. De kap hing over zijn ogen. Lachend zette Rhius hem ook nog een helm op. Het voelde aan of hij een van Kokkies soepketels op had; het eind van de lange neusbeschermer hing ver beneden zijn kin. En toch bonsde zijn hart als hij zich voorstelde wat voor lange grote man hij eens zou zijn, die dit allemaal perfect zou passen.

'Nou, ik zie wel dat je niet lang meer hoeft te wachten, het zit als gegoten,' grinnikte zijn vader. Toen pakte hij de standaard en nam hem mee naar Tobins slaapkamer om hem te laten zien hoe je de maliën moest oliën om ze in optimale conditie te houden. Daar waren ze de rest van de middag zoet mee.

Tobin had stille hoop dat zijn vader en de anderen toch tot het Sakorfestival konden blijven, maar zijn vaders vazallen, heer Nyanis en heer Solari, kwamen al een paar dagen later met hun manschappen aan. Een tijdlang stond de weide vol tenten voor de soldaten, maar binnen een week was iedereen naar Atyion vertrokken, zodat Tobin en de bedienden het feest samen moesten vieren.

Tobin liep mopperend en brommend rond, maar Nari haalde hem al snel uit zijn sombere bui en stuurde hem op pad om te zien of het huis wel goed versierd was. Slingers van sparrentakken vrolijkten iedere deurpost op en houten schilden die zwart en goud beschilderd waren hingen tegen de pilaren in de hal. Tobin vulde de offerplank van het huisaltaar met een enorme kudde wassen paardjes voor Sakor. De volgende ochtend vond hij ze echter kapot en verwrongen op de biezen liggen; op het altaar trof hij een gelijk aantal smerige stukjes boomwortel aan.

Dit was een van de favoriete geintjes van de demon, en Tobin had er speciaal zo'n hekel aan omdat het zijn vader erg van streek maakte. De hertog werd altijd lijkbleek wanneer hij zoiets ontdekte. Dan moest hij zoete kruiden branden en gebeden zeggen om de orde weer te herstellen. Als Tobin de wortels als eerste vond, gooide hij ze snel weg en maakte de plank schoon met zijn mouw zodat zijn vader het niet te weten kwam en bedroefd zou worden.

Chagrijnig smeet Tobin alles in de open haard en ging snel naar boven om een tweede kudde te maken.

Op Rouwnacht doofde Kokkie alle vuren op één vuurpotje na, als symbool voor de dood van Ouwe Sakor, en iedereen deed mee aan spelletjes als verstoppertje op de donkere verlaten binnenplaats van de kazerne.

Tobin had zich achter een berg hooi verstopt toen hij zomaar naar de wachttoren keek. Een zacht flakkeren van een verboden haardvuur was door de kieren van de luiken te zien. Hij had zijn moeder al in geen dagen gezien en hij was er alleen maar blij om. Maar toch bekroop hem een huivering als hij zich voorstelde hoe ze daarboven rondhing en naar hem gluurde.

Plotseling werd hij door iets zwaars uit balans gebracht en zijn rechterwang brandde met een vlammende pijn, vlak onder zijn oog. De onzichtbare aanvaller verdween zo snel als hij gekomen was en Tobin schoot te voorschijn vanachter zijn hooiberg, snikkend van angst en pijn.

'Wat is er, m'n diertje?' riep Nari en ze nam hem snel in haar armen.

Te geschrokken om te antwoorden drukte hij zijn kloppende wang tegen haar warme schouder terwijl ze hem de hal in droeg.

'Kan iemand even een lamp aandoen?' vroeg ze.

'Toch niet op Rouwnacht...' zei Sarilla, een dienstmeisje.

'Pak dan wat kooltjes en blaas zo hard dat ik wat kan zien. Het kind heeft pijn!'

Tobin krulde zich stevig tegen haar aan, zijn ogen stijf gesloten. De pijn zakte al wat, maar hij bleef onophoudelijk trillen van de schok. Hij hoorde hoe Sarilla terugkwam en het deksel van het vuurpotje geschoven werd.

'Zo, diertje, laat Nari nou eens kijken.'

Tobin tilde zijn hoofd op en liet haar de wang naar het zachte schijnsel draaien. Mynir en de anderen stonden in een kring om hen heen en keken erg bezorgd.

'Bij het Licht, hij is gebeten!' riep de oude hofmeester geschrokken uit. 'Haal snel een kom water en een schone doek, meisje.' Sarilla schoot weer weg.

Tobin legde zijn hand op zijn wang en voelde iets nats, iets plakkerigs.

Nari pakte de vochtige doek aan die Sarilla gehaald had en veegde zijn vingers en wang af. Er zaten bloedvegen op.

'Is het misschien een van de honden geweest, Tobin? Misschien lag er eentje te slapen in die hooiberg,' zei Mynir nerveus. Honden konden Tobin niet uitstaan; ze gromden en kropen altijd voor hem weg. Er waren alleen nog een paar oude beestjes die geen vlieg kwaad deden, maar Nari liet ze onder geen beding in huis.

'Dat is geen hondenbeet,' fluisterde Sarilla. 'Kijk, je kunt zien dat...'

'Het was de demon!' riep Tobin uit. Er was daar achter de hooiberg genoeg maanlicht geweest om te zien dat er geen normaal levend wezen op hem af gevlogen was. 'Hij gooide me omver en beet me!'

'Doet er niet toe wat het was,' suste Nari. 'Laat nou maar, we praten er morgen wel over,' zei ze terwijl ze zijn tranen afveegde. 'Kom maar lekker naar bed; Nari zal die lelijke demon wel uit je buurt houden.'

Tobin kon de anderen nog met elkaar horen fluisteren terwijl ze hem de trap op hielp.

'Het is waar, wat ze zeggen,' zei Sarilla rillend. 'Wie anders zou hem zo kunnen aanvallen? Hij is gewoon vervloekt, dat is-ie!'

'Dat is wel genoeg, meisje,' siste Mynir. 'Er is een koude, eenzame weg daarbuiten voor degenen die hun mond niet kunnen houden.'

Tobin rilde. Dus zelfs hier fluisterden de mensen over hem.

Hij sliep goed die nacht, met Nari naast zich. Hij werd in zijn eentje wakker, maar was goed ingestopt en kon aan de lichtval zien dat het al halverwege de ochtend was.

Teleurstelling liet hem alle angst van de afgelopen nacht vergeten. Op Sakorsdag stonden hij en Mynir altijd heel vroeg op om iedereen in huis welkom te heten in het nieuwe jaar door keihard op de gong bij het huisaltaar te slaan. De hofmeester moest het dit jaar alleen hebben gedaan en hij was er niet eens wakker van geworden.

Hij trippelde op zijn blote voeten naar de bronzen spiegel boven de wasbak en bekeek zijn wang. Ja, daar zat hij: een dubbele lijn van rode tandafdrukken, in de vorm van de omtrek van een oog. Tobin beet hard genoeg in zijn onderarm om een afdruk te maken en zag dat de twee afdrukken exact even groot waren. Hij keek nogmaals in de spiegel, staarde in zijn blauwe ogen en vroeg zich af hoe de onzichtbare demon er eigenlijk uit zou zien. Tot nu toe was het hoogstens een donkere veeg geweest die hij uit een ooghoek zag bewegen. Nu stelde hij zich voor dat hij net als een van die dwergen uit Nari's verhaaltjes voor het slapengaan was – van het soort dat eruitzag als een jongetje dat verbrand was. Een dwerg met een gebit als het zijne. Zat zo eentje hem de hele tijd te bespieden om hem te plagen?

Tobin keek onrustig zijn kamer rond en met zijn hand maakte hij driemaal het beschermingsteken voor hij zich durfde aan te kleden.

Hij zat op bed zijn leren veters van zijn broek vast te rijgen toen hij de deurklink hoorde. Hij keek op, want het zou Nari wel zijn.

Maar daar stond plotseling zijn moeder in de deuropening met de pop onder haar arm. 'Ik hoorde Mynir en Kokkie praten over wat er gisteravond is gebeurd,' zei ze zacht. 'Je hebt lang geslapen op Sakorsdag.'

Dit was de eerste keer in meer dan een jaar dat ze alleen waren. Sinds die dag in de toren.

Hij zat stokstijf. Hij zat daar maar, met de leren veters tussen zijn vingers; ze kwam op hem af en raakte zacht zijn wang aan.

Ze had haar haar gekamd en het hing in een lange vlecht op haar rug. Haar jurk was schoon en ze rook vaag naar bloemen. Haar vingers waren koel en teder toen ze zijn haar naar achteren streek en de beet bekeek. Er waren vandaag geen schaduwen in haar ogen. Ze zag er alleen bedroefd uit. Ze legde de pop op bed en nam zijn gezicht in beide handen. Ze gaf hem een kus op zijn voorhoofd.

'Het spijt me zo,' mompelde ze. Toen stroopte ze zijn linkermouw op en kuste de moedervlek op zijn onderarm. 'We zijn onder een slecht gesternte geboren, jij en ik. Ik moet beter mijn best voor je doen, kleintje. Wat hebben we anders dan elkaar?'

'Sarilla zegt dat ik vervloekt ben,' mompelde Tobin, aangedaan door haar lieve woorden.

Zijn moeders ogen vernauwden zich tot spleetjes, maar ze bleef hem zacht strelen. 'Sarilla is een boerentrien. Je moet niet naar die domme praatjes luisteren.'

Ze pakte haar pop weer op en stak haar hand naar Tobin uit. Glimlachend zei ze: 'Kom, kleintjes van me, laten we zien wat Kokkie voor ontbijt voor jullie heeft.'

8

Sinds die vreemde ochtend van Sakorsdag was zijn moeder geen geest meer in haar eigen huis.

Het eerste wat ze deed was Sarilla ontslaan; ze stuurde Mynir naar de stad om een passende vervangster te zoeken. Hij kwam de volgende dag terug met een rustige, opgewekte weduwe die Tyra heette en het dienstmeisje van zijn moeder werd.

Tobin vond het maar eng dat Sarilla zomaar werd weggestuurd. Niet dat hij zo op haar gesteld was, maar zolang hij het zich kon herinneren, had ze deel uitgemaakt van het personeel. Het was maar al te bekend dat zijn moeder het niet op Nari had en hij was doodsbang dat ze zijn kindermeisje ook zomaar de laan uit zou sturen. Maar Nari bleef en verzorgde hem zoals ze altijd al had gedaan, zonder dat zijn moeder zich ermee bemoeide.

Zijn moeder kwam nu vrijwel iedere morgen naar beneden, fatsoenlijk gekleed, met haar glanzende zwarte haar in een vlecht of los als een fijne sluier over haar schouders. Ze had zelfs een geurtje op dat deed denken aan lentebloemen in de wei. Ze besteedde elke dag nog geruime tijd aan het naaien van poppen in haar slaapkamer, maar ze nam ook de rekeningen met Mynir door en deed samen met Kokkie de inkopen wanneer er boeren en marskramers aan de keukendeur klopten. Tobin ging daar vaak bij staan en hij was verbaasd toen hij hoorde dat er vlakbij zoveel hongersnood heerste en dat steden in de buurt al weken door ziekte geteisterd werden. Tot nu toe waren dat dingen geweest die ver van zijn bed speelden.

Maar toch, hoe vrolijk en normaal ze zich bij daglicht ook gedroeg, zodra de middagschaduwen begonnen te lengen scheen het licht ook uit haar ogen weg te trekken en verdween ze naar de verboden toren. Eerst vond Tobin dat een beetje jammer, maar hij ging haar niet achterna. De volgende morgen zou ze weer glimlachend in zijn kamer staan.

De demon leek overdag te komen en te gaan, maar 's nachts was hij het meest actief.

De tandafdrukken die hij in Tobins wang had achtergelaten heelden en verdwenen, maar over de schrik was Tobin nog steeds niet helemaal heen. Elke nacht naast Nari in bed moest Tobin eraan denken dat er ergens een zwart wezen op de loer lag om hem te bespringen, of zijn vingers naar hem uitstak om hem te knijpen, zijn scherpe tanden ontbloot om hem nogmaals te grazen te nemen. Hij trok de dekens tot over zijn oren en leerde zich aan na het eten niets meer te drinken, zodat hij 's nachts niet op hoefde te staan om van de pot gebruik te maken.

De prille vriendschap met zijn moeder verdween niet en een paar weken later kwam Tobin zijn speelkamer in waar zijn moeder aan een nieuw tafeltje op hem zat te wachten.

'Voor onze lessen,' zei ze en ze gebaarde dat hij op het andere stoeltje moest gaan zitten.

Tobin had er een hard hoofd in toen hij de vellen perkament en het schrijfmateriaal zag. 'Vader heeft geprobeerd het me te leren,' zei hij. 'Maar ik kon er geen barst van.'

Ze fronste haar voorhoofd even toen hij het over zijn vader had, maar al snel keek ze weer gewoon. Ze doopte een pen in de inktpot en stak hem Tobin toe. 'Dan proberen we het toch gewoon nog eens? Misschien ben ik beter in lesgeven dan hij.'

Nog steeds aarzelend nam Tobin de veer aan en probeerde zijn naam te schrijven, het enige woord dat hij had geleerd. Ze zag zijn geworstel een paar minuten aan en nam de veer toen weer van hem over.

Tobin zat doodstil. Misschien zou er weer een of andere uitbarsting komen, je wist maar nooit. Maar ze stond op en liep naar het raam waar een hele rij van zijn wassen en houten beeldjes stond. Ze pakte een vosje op en keek hem aan. 'Heb jij die gemaakt?'

Tobin knikte.

Ze bekeek ze stuk voor stuk: de havik, de beer, de arend, een paard in galop en een probeersel: Tharin die een zwaard, gemaakt van een houtsplinter, vasthield.

'Dat zijn niet de beste,' vertelde hij haar verlegen. 'De goeie geef ik altijd weg.'

'Aan wie dan?'

Hij haalde zijn schouders op. 'Aan iedereen.' De bedienden en soldaten hadden zijn werk altijd geprezen en vroegen hem zelfs om favoriete dieren. Maniës wilde graag een otter en Laris een beer. Koni hield van vogels; als dank voor een adelaar had hij Tobin een van zijn scherpe pennenmesjes gegeven en wat zacht hout dat makkelijk te bewerken was.

Maar hoe graag Tobin hem ook een plezier wilde doen, de allerbeste gaf hij toch altijd aan zijn vader en Tharin. Het was nooit in hem opgekomen er ook een aan zijn moeder te geven. Hij was bang dat ze zich gekwetst voelde.

'Wil je die misschien hebben?' vroeg hij en hij wees op het vosje dat ze nog steeds vasthield.

Ze maakte een kleine buiging. 'Nou, graag, dank u zeer, mijn heer.'

Ze liep terug naar haar stoel en zette het beeldje tussen hen in. Ze gaf hem de veer weer. 'Kun je hem voor me tekenen?'

Tobin had er nooit aan gedacht om de dingen te tekenen die hij zo makkelijk kon boetseren. Hij staarde naar het witte perkament, en wreef met het eind van de veer langs zijn kin. De vorm uit een stukje zachte was te voorschijn toveren was simpel; om dezelfde vorm op deze manier weer te geven was andere koek. Hij haalde zich een wijfjesvos voor de geest die hij op een ochtend in de wei had gezien en probeerde een lijn te trekken die de vorm van haar snuit recht moest doen en de alerte stand van haar oren terwijl ze op veldmuizen joeg. Hij zag haar perfect voor zich, maar hoe hij het ook probeerde, de pen vertikte te doen wat hij wilde. Het gekrabbel dat hij eraan overhield leek in niets op een vos. Hij smeet de veer weer neer en bekeek verslagen zijn vingers die vol inktvlekken zaten.

'Maakt niet uit, jochie,' zei zijn moeder. 'Je beeldjes zijn net zo mooi als welke tekening dan ook. Ik was alleen benieuwd. Maar laten we eens zien of we de letters wat makkelijker voor je kunnen maken.'

Ze draaide het vel om, schreef even, strooide er zand over en draaide het weer terug zodat Tobin het kon zien.

Bovenaan stonden drie grote A's. Ze doopte de pen in de inkt en gaf die aan hem toen ze achter hem ging staan. Ze bedekte zijn hand met de hare en leidde hem over de letters die ze had geschreven om hem de juiste beweging te laten voelen. Ze trokken de letters een aantal malen over en toen hij het alleen probeerde, merkte hij dat zijn krabbel begon te lijken op de letter die ze hadden overgetrokken.

'Kijk, mamma, het lukt!' riep hij uit.

'Ik dacht al zoiets,' mompelde ze terwijl ze meer oefenletters voor hem tekende. 'Ik was precies hetzelfde op jouw leeftijd.'

Tobin keek naar haar terwijl ze werkte en probeerde zich haar voor te stellen als een meisje met vlechtjes in haar haar, dat niet kon schrijven.

'Ik maakte ook van die beeldjes, maar die waren lang niet zo goed als die van jou,' ging ze voort, en ze schreef maar door. 'Toen leerde mijn kindermeisje me poppen maken. Je kent mijn poppen wel.'

Tobin kreeg een onplezierig gevoel toen hij daaraan terugdacht, maar hij wilde niet onbeleefd zijn door niet te antwoorden. 'Ze zijn heel mooi,' zei hij. Zijn blik dwaalde naar haar eigen pop, in elkaar gezakt tot een onaantrekkelijk hoopje op de kast naast hen. Ze keek op en zag dat hij ernaar keek. Het was te laat. Ze wist waarnaar hij keek en misschien zelfs waaraan hij dacht.

Een tedere glimlach speelde rond haar lippen, terwijl ze de lelijke pop op schoot nam en zijn onmogelijke ledematen rangschikte. 'Dit is de mooiste die ik ooit gemaakt heb.'

'Maar... Misschien ja; maar waarom heeft hij geen gezicht?'

'Domkopje, natuurlijk heeft hij een gezicht!' Ze lachte en liet haar vingers over het lege ovaal van stof glijden. 'Het liefste gezichtje dat ik ooit heb gezien!'

Heel even stonden haar ogen weer waanzinnig en wild, zoals in de toren. Tobin kromp ineen toen ze zich vooroverboog, maar ze doopte alleen de pen in de inkt en ging door met de oefenletters.

'Mijn handen konden alles maken, maar lezen of schrijven lukte me niet. Mijn vader – jouw grootvader, de Vijfde Prins-gemaal Tanaris – liet me zien hoe ik mijn hand de vormen moest leren, precies zoals ik het jou nu leer.'

'Heb ik een grootvader? Zal ik die ooit nog ontmoeten?'

'Nee, lieverd, je oma heeft hem al jaren geleden vergiftigd,' zei zijn moeder, driftig schrijvend. Na een tijdje draaide ze het vel in zijn richting. 'Hier, een nieuwe regel voor jou, om te oefenen.'

De rest van de morgen werkten ze gebogen over de vellen perkament. Toen hij eenmaal gewend was om de letters over te trekken, liet ze hem de klanken zeggen waarmee de letters correspondeerden. Steeds maar opnieuw trok hij de letters over en herhaalde de klanken, tot het tot hem door begon te dringen. Tegen de tijd dat Nari hen een middagmaal op een dienblad kwam brengen, was hij het vreemde lot van zijn grootvader alweer vergeten.

Vanaf die dag werkten ze elke morgen een paar uur aan het alfabet, waarbij zijn moeder een verrassend geduld aan de dag legde wat betreft de letters die hij toch weer vergeten was. En stukje bij beetje begon hij het te leren.

De rest van de winter bleef hertog Rhius in Mycena om zij aan zij met de koning te vechten. Zijn brieven beschreven de veldslagen tot in details, als lessen voor Tobin. Soms zond hij kleine geschenken met zijn brieven mee, trofeeën van het slagveld: een dolk van de vijand met een slang die zich langs het heft kronkelde, een zilveren ring, een zakje dobbelstenen, een kikkertje uit amber gesneden. Eén bode bracht Tobin zelfs een gebutste helm met een pluim van paars geverfd paardenhaar.

Tobin zette de kleine schatten op een plank in de speelkamer en mijmerde erover van wat voor soort mannen die spullen geweest waren. Hij zette de helm op de hoek van een met een cape behangen stoel en vocht duels uit met zijn houten zwaard. Soms stelde hij zich voor dat hij aan zijn vaders zijde vocht, en naast de koning. En soms was de stoelsoldaat zijn schildknaap en leidden ze hun eigen leger.

Die spelletjes zorgden er wel voor dat hij zijn vader erg miste, maar hij wist dat hij eens naast hem op het slagveld zou staan, zoals zijn vader had beloofd.

In die laatste grijze weken van de winter begon Tobin echt plezier in het gezelschap van zijn moeder te krijgen. Eerst zagen ze elkaar in de hal na zijn ochtendrit met Mynir. Heel soms reed ze zelfs met hen mee en hij was stomverbaasd hoe goed ze in dameszit reed, haar lange haar vrij wapperend als een zwartzijden banier achter zich aan.

Maar hoe goed hun relatie ook werd, haar houding tegenover de rest van de huishouding veranderde niet. Ze sprak nauwelijks tegen Mynir en helemaal nooit tegen Nari. Haar nieuwe kamermeisje, Tyra, verzorgde haar en was ook aardig tegen Tobin, tot de demon haar van de trap duwde – ze vertrok zonder ook maar gedag te zeggen. Er werd geen nieuw meisje meer aangenomen.

Het meest teleurstellende was wel hoe kil ze zijn vader behandelde. Ze sprak nooit over hem, wees cadeautjes van de hand en liep de zaal uit wanneer Mynir zijn brieven aan Tobin voorlas. Niemand kon hem vertellen waarom ze hem zo scheen te haten en hij durfde het zijn moeder niet rechtstreeks te vragen. Toch gaf Tobin de moed niet op. Wanneer zijn vader thuis zou komen en zou zien hoe goed het nu met haar ging, zou ook hun relatie misschien wel verbeteren. Ze had eens van hem gehouden, hoe dan ook. Als hij 's avonds in zijn bed lag, stelde hij zich voor hoe ze eens met z'n drieën over de heuvels zouden rijden; ze glimlachten alle drie.

9

Op een koude ochtend tegen het einde van Klesin zaten Tobin en zijn moeder te werken toen ze een ruiter in de richting van het huis hoorden galopperen.

Tobin rende naar het raam in de hoop eindelijk zijn vader weer te zien aankomen. Zijn moeder volgde hem en legde een hand op zijn schouder.

'Ik ken dat paard niet,' zei Tobin en hij hield een hand boven zijn ogen tegen het licht. De ruiter was sowieso te dik ingepakt om hem van zo'n afstand te kunnen herkennen. 'Mag ik gaan kijken wie het is?'

'Wat mij betreft wel. Breng dan meteen iets lekkers mee uit de voorraadkast van Kokkie. Ik heb wel zin in een appel. Maar schiet een beetje op, want we zijn nog niet klaar met de les.'

'Doe ik!' riep Tobin en hij rende de trap af.

Er was niemand in de hal, dus liep hij door naar de keuken en zag tot zijn vreugde dat het Tharin was, die door Nari en de anderen werd omhelsd. Zijn baard was sinds de herfst een stuk langer geworden. Zijn laarzen zaten onder de modder en de sneeuw en hij had een verband rond een pols.

'Is de oorlog voorbij? Komt vader thuis?' riep Tobin en hij wierp zichzelf in de armen van zijn vaders vriend.

Tharin tilde hem op, neus tegen neus. 'Ja op beide vragen, kleine prins, en hij neemt ook wat gasten mee. Ze zullen er zo wel aankomen.' Hij zette Tobin weer op de grond. Hij probeerde te glimlachen, maar Tobin las iets anders in de lijntjes rond zijn ogen en hij keek snel naar Nari en de hofmeester. 'Je hoort ze zo wel aankomen, dus hup naar de speelkamer met jou, Tobin, je kunt Kokkie nu beter niet voor de voeten lopen. Er is veel te doen.'

'Maar...'

'Genoeg nu,' zei Nari op een toon die geen tegenspraak duldde. 'Tharin neemt je straks wel mee voor een ritje. Naar je kamer!'

Tobin was er niet aan gewend zomaar weggestuurd te worden. Met een boze frons op zijn voorhoofd liep hij dralend de keuken uit. Tharin had niet eens verteld wie vader meebracht. Tobin hoopte dat het heer Nyanis of hertog Archis was. Dat waren zijn favoriete vazallen van zijn vader.

Hij was halverwege de hal toen hij zich herinnerde dat zijn moeder hem om een appel gevraagd had. Ze zouden hem toch niet op zijn kop geven als hij daarom kwam vragen?

De keukendeur stond nog open en toen hij er vlakbij was, hoorde hij Nari zeggen: 'Waarom komt de koning hier eigenlijk, na al die jaren?'

'Voor de jacht, dat zegt hij tenminste,' antwoordde Tharin. 'We waren op weg naar huis, in de buurt van Ero, en Rhius had het over de hertenjacht hier in de buurt. De koning beschouwde het meteen als een uitnodiging. Hij heeft tegenwoordig vaker van die grillen en plotselinge invallen...'

De koning! Tobin vergat de appels; hij vloog de trap op en dacht aan het houten poppetje in de doos: De Huidige Koning, Jouw Oom. Tobin hoopte dat hij zijn gouden kroon op zou hebben en dat Tobin Ghërilains zwaard van hem zou mogen vasthouden.

Zijn moeder stond nog bij het raam. 'Wie was die ruiter nou, kindje?'

Tobin rende naar het raam, maar kon nog niemand zien aankomen. Hij plofte in zijn stoel om uit te hijgen. 'Vader heeft Tharin vooruitgestuurd... De koning... De koning komt! Hij en vader zijn...'

'Erius?' Ariani drukte zich tegen de muur aan en kneep haar pop bijna fijn. 'Hij komt hiernaartoe? Weet je het zeker?'

De kille, kwade aanwezigheid van de demon besloop Tobin razendsnel, hij belette hem haast adem te halen. Perkament, pennen en inkt vlogen van tafel en belandden op de vloer.

'Mamma, wat is er dan?' fluisterde hij, opeens bang van de blik in zijn moeders ogen.

Met een gesmoorde kreet graaide ze naar zijn arm en half getrokken, half gedragen werd hij zijn kamer uit gesleurd. De demon raasde om hen heen, blies het droge riet als een wervelstorm van de vloer en sloeg de lampen van hun haak. In de gang stond zijn moeder even stil en keek met verwilderde blik om zich heen terwijl ze een ontsnappingsroute zocht. Tobin kneep zijn lippen op elkaar terwijl haar vingers zich in zijn arm begroeven.

'Nee, nee, nee!' mompelde ze. De lappenpop met zijn vieze, lege gezicht zat vlak boven Tobin onder haar arm geklemd.

'Mamma, je doet me pijn. Waar gaan we naartoe?'

Maar ze scheen hem niet te horen. 'Niet weer. Nee!' fluisterde ze en ze trok hem mee, de trap op naar de tweede verdieping.

Tobin probeerde zich los te rukken, maar ze was te sterk voor hem. 'Nee, mamma, ik wil niet mee naar boven!'

'We moeten ons verstoppen,' siste ze en ze greep hem nu bij beide schouders. 'De vorige keer kon ik het niet. Ik had het gedaan als ik kon. Bij de Vier, ik zou het gedaan hebben, maar ze hielden me tegen! Alsjeblieft, Tobin, kom met mamma mee. Er is geen tijd!'

Ze sleurde hem de trap op, de gang door en de wenteltrap naar de torenkamer op. Toen Tobin zich weer probeerde los te rukken, duwden onzichtbare handen hem naar voren. De deur werd voor hem opengegooid, en vloog zo hard tegen de muur erachter dat een van de panelen versplinterde.

Vogels fladderden in paniek heen en weer toen ze de worstelende Tobin de trap op duwde. De deur van de torenkamer sloeg achter hen in het slot en de wijntafel vloog rakelings langs Tobins schouder om de zaak nog beter te barricaderen. Stoffige wandtapijten werden van de muur gerukt, de luiken werden opengegooid en het zonlicht stroomde binnen, maar de kamer bleef kil en mistig. Nu konden ze een grote stoet ruiters horen aankomen.

Ariani liet Tobin los en ijsbeerde zenuwachtig op en neer; de tranen stroomden over haar wangen en ze hield één hand tegen haar mond gedrukt.

Tobin dook bij de kapotte tafel ineen. Dit was de moeder die hij het best kende – kwetsend en onvoorspelbaar. Haar vrolijke gedrag was één grote leugen geweest.

'Wat moeten we doen?' jammerde ze. 'Hij heeft ons gevonden. Hij zal ons altijd weer vinden. We moeten ontsnappen! Lhel, kreng dat je bent, je had me beloofd...'

Het gekletter van harnassen werd steeds luider en ze rende naar het raam om te zien of ze al op de binnenplaats waren. 'Te laat! Daar is hij al. Hoe kan hij dat doen? Hoe kan hij dat nu doen?'

Tobin wrong zich naast haar, hij kon net over de rand gluren. Zijn vader en een groep vreemdelingen in robijnrode mantels stegen af. Een van hen droeg een gouden helm die als een kroon schitterde in het zonlicht.

'Is dat de koning, mamma?'

Ze trok hem achteruit, drukte hem zo dicht tegen zich aan dat zijn gezicht tegen de pop werd geperst. Die stonk zurig, schimmelig.

'Pas op voor hem,' fluisterde ze en hij voelde hoe ze beefde. 'De moordenaar! Je vader heeft hem meegenomen. Maar deze keer krijgt hij je niet te pakken!'

Ze sleepte hem naar het raam ertegenover, het raam dat uitkeek op de bergen in het westen. De demon zette nog een tafel op zijn kant; tientallen mondloze poppen verspreidden zich over de vloer. Zijn moeder draaide zich razendsnel om toen ze dat hoorde en Tobins hoofd sloeg daarbij zo hard tegen de stenen vensterbank dat het hem duizelde. Hij voelde hoe hij ineenzakte, voelde hoe zijn moeder hem weer naar boven hees, voelde zonlicht en wind op zijn gezicht. Toen hij zijn ogen opende, hing hij over de vensterbank en zag de bevroren rivier recht onder zich.

Net als de vorige keer dat ze hem hiernaartoe had meegenomen.

Maar deze keer zat ze gehurkt op de vensterbank naast hem, haar betraande gezicht gericht op de bergen terwijl ze het rugpand van Tobins tuniek vasthield en hem over de vensterbank probeerde te duwen.

Met zijn zwaartepunt aan de buitenkant van de toren begon hij wild om zich heen te slaan en te trappen, en greep vast wat hij maar te pakken kreeg – de rand van het luik, zijn moeders arm, haar jurk – maar zijn voeten waren al bijna boven zijn hoofd. Hij kon het donkere water als inkt onder het ijs zien stromen. Zijn geest denderde voort: zou het ijs breken wanneer hij erop terechtkwam?

Toen gilde zijn moeder terwijl ze langs hem heen gleed, haar rokken en het wild waaierende zwarte haar vlogen omhoog terwijl ze naar beneden viel. Heel even keken ze elkaar verbijsterd aan en Tobin voelde een lichtflits tussen hen in die hen even verbond, oog in oog, hart met hart.

Vlak voor Tobin haar achterna zou vallen greep iemand hem bij zijn enkel vast en trok hem ruw weer naar binnen op de vloer van de kamer. Zijn kin schuurde langs de buitenrand van de toren en hij zonk weg in duisternis met de smaak van bloed in zijn mond.

Rhius en de koning stonden op het punt af te stijgen toen ze een langgerekte gil aan de achterkant van het huis hoorden.

'Bij de Vlam! Is dat die demon van jou?' riep Erius uit en hij keek geschrokken om zich heen.

Maar Rhius wist dat de demon geen stem bezat. Hij duwde de andere ridders opzij, rende de poort uit, en zag al voor zich wat hij had kunnen verwachten, wat hij de rest van zijn leven voor zich zou zien: Ariani in een raam hoog boven de grond, een raam dat potdicht hoorde te zitten, en die het glinsteren van de gouden helm van haar broer beneden zich zag en dacht dat...

Hij strompelde over de bevroren oever van de rivier, volgde de muur van de burcht tot de laatste hoek. Daar stopte hij en stiet een luide jammerklacht uit bij de aanblik van naakte witte benen die in een vreemde hoek tussen twee rotsblokken bij de oever lagen. Hij rende op haar af en trok haar rokken naar beneden die zich tijdens haar val om haar hoofd hadden geslagen. Hij keek omhoog en zag de enorme toren boven zich oprijzen. Er waren geen andere ramen aan deze kant op dat ene vierkantje in de wachttoren na. De luiken stonden open.

Haar rug was op een rotsblok terechtgekomen en gebroken, haar schedel was op het ijs geklapt en gespleten. Zwart haar en rood bloed verspreidden zich als een gruwelijke stralenkrans om haar gezicht. Haar prachtige ogen stonden open en drukten angst en woede uit; zelfs dood beschuldigde ze hem nog.

Hij rukte zich los van die blik en wierp zich in de armen van de koning.

'Bij de Vlam,' zei Erius naar adem happend terwijl hij haar zag. 'Mijn arme zuster, wat heb je gedaan?'

Rhius duwde zijn vuisten tegen zijn slapen en deed zijn uiterste best zich te beheersen en de man niet pardoes in zijn gezicht te slaan.

'Mijn koning,' bracht hij met moeite uit en hij zonk naast haar neer. 'Uw zuster is dood.'

Tobin herinnerde zich dat hij was gevallen. Terwijl hij langzamerhand weer bij zijn positieven kwam voelde hij dat hij op een harde vloer lag en hij drukte er instinctief zijn buik tegenaan, doodsbang om zich te bewegen. Ergens in de buurt hoorde hij echoënde stemmen die allemaal door elkaar heen praatten, maar hij begreep er geen woord van. Hij wist niet waar hij was of hoe hij hier gekomen was.

Toen hij ten slotte zijn loodzware oogleden optilde, zag hij dat hij in de torenkamer was. Het was er doodstil.

De demon was bij hem. Hij had hem nog nooit zo krachtig gevoeld. Maar er was iets raars mee aan de hand, hij wist alleen niet wat.

Tobin voelde zich heel vreemd, alsof hij zich in een droom bevond, maar de pijn aan zijn kin en zijn mond lieten hem weten dat dat niet zo was. Toen hij zich voor de geest probeerde te halen hoe hij hier gekomen was, steeg er een luid gezoem op in zijn hoofd, alsof het vol bijen zat.

Zijn wang deed zeer op de plek waar hij tegen de stenen vloer gedrukt lag. Hij draaide zijn hoofd naar de andere kant en keek tot zijn schrik in het lege gezicht van zijn moeders pop, die een halve voet van zijn uitgestrekte hand lag.

Waar zou ze zijn? Zonder die pop ging ze nooit ergens heen, nooit.

Vader wil vast niet dat ik hem houd, dacht hij. Maar plotseling had hij nog nooit zo'n sterk verlangen naar iets gevoeld. De pop was lelijk en hij had hem zijn hele leven gehaat, maar toch moest hij hem hebben, en in gedachten hoorde hij zijn moeder zeggen: *Dit is de mooiste die ik ooit heb gemaakt.* Alsof ze naast hem stond.

Waar was ze?

Het gezoem in zijn hoofd werd luider toen hij rechtop ging zitten en de pop tegen zich aan drukte. Hij was klein, van ruwe stof en bobbelig, maar tegelijkertijd ging er iets stabiels en troostends vanuit. Hij keek duizelig om zich heen en was verbijsterd toen hij zichzelf in kleermakerszit naast een kapot gesmeten tafel aan de andere kant van de kamer zag zitten. Alleen was die Tobin naakt, smerig en kwaad, en over zijn gezicht liepen sporen van tranen. Deze andere ik hield geen pop vast; hij hield zijn handen nog steeds tegen zijn oren om zich af te sluiten voor iets wat ze zich geen van tweeën wilden herinneren.

Nari slaakte een luide kreet voor ze een hand voor haar mond sloeg, terwijl de hertog met Ariani's gebroken lichaam in zijn armen de hal binnen wankelde. Nari zag meteen dat ze dood was. Er liep bloed uit haar oren en mond; haar open ogen staarden in het niets.

Tharin en de koning volgden hem op de voet. Erius strekte steeds zijn arm uit om het gezicht van zijn zuster aan te raken, maar Rhius belette dat. Hij bereikte de haard, maar toen stortte hij in; op zijn knieën zittend drukte hij haar nog vaster tegen zich aan en begroef zijn gezicht in haar zwarte haar.

Het was waarschijnlijk de eerste keer sinds Tobins geboorte dat hij in staat gesteld werd haar te omhelzen, dacht Nari.

Erius zat zwaarmoedig op een van de banken naast de haard en keek toen naar haar en de rest van de hofhouding die zich had verzameld. Zijn gezicht was grauw en zijn handen trilden.

'D'r uit,' beval hij zonder iemand in het bijzonder aan te kijken. Iedereen verdween, op Tharin na. Het laatste wat Nari van hem te zien kreeg was zijn blik die zonder enige uitdrukking op de twee mannen was gericht.

Nari was halverwege de trap voor het bij haar opkwam dat Tobin die ochtend les van zijn moeder had gehad.

De laatste treden nam ze met twee tegelijk en ze rende de gang door. Haar hart sloeg over toen ze de kapotgeslagen lampen op de vloer zag liggen. Zowel Tobins slaapkamer als zijn speelkamer waren leeg. De schrijfspullen lagen over de vloer verspreid, een van de stoelen lag op zijn kant.

Het was alsof haar keel werd dichtgeknepen. 'O, Illior, laat er niets met het kind aan de hand zijn!'

Ze rende de gang weer in toen haar oog op de openstaande deur naar de tweede verdieping viel.

'Ach mijn Schepper, nee!' fluisterde ze terwijl ze zich naar boven spoedde.

Boven lagen afgerukte wandtapijten op de vochtige vloer. Ze schenen zich om Nari's voeten te willen wikkelen terwijl ze de deur van de toren opengooide en de nauwe wenteltrap begon te beklimmen. Toen Ariani leefde, was ze hier nooit welkom geweest en ze voelde zich nog steeds een indringer. Toen ze boven in de wachttoren aankwam was het snel gedaan met die gedachte.

De torenkamer was één grote bende van kapotte meubels en poppen waarvan de ledematen waren afgerukt. Alle ramen stonden wagenwijd open, maar de kamer bleef donker en stonk bovendien. Ze kende die lucht.

'Tobin, ben je hier, m'n kind?'

Haar stem leek nauwelijks hoorbaar in de bedompte kleine ruimte, maar ze kon toch een moeizame ademhaling horen en volgde het geluid naar de hoek die het verst van het fatale raam verwijderd was. Half bedekt onder een gevallen wandkleed zat Tobin tegen de muur gedrukt, zijn magere armpjes rond zijn knieën geslagen en met ogen die in het niets staarden.

'O, mijn diertje toch!' bracht Nari uit en ze knielde naast hem neer.

Het gezicht en de tuniek van het kind waren met bloed besmeurd, waardoor de schrik haar om het hart sloeg. Had Ariani hem de keel doorgesneden waardoor hij hier in haar armen zou sterven en alle leugens en pijn voor niets waren geweest?

Ze probeerde hem op te tillen, maar Tobin trok zich terug en maakte zich nog kleiner in zijn hoekje; zijn ogen waren leeg en doods.

'Tobin, diertje, ik ben het maar. Kom op nou, dan breng ik je naar je kamer.'

Het kind bewoog niet en reageerde niet op haar aanwezigheid.

Nari ging nog dichter bij hem zitten en streelde zijn haar. 'Alsjeblieft, kindje. Het is hier veel te koud en naargeestig. Kom dan mee naar de keuken voor een lekker kopje soep van Kokkie. Tobin? Kijk me eens aan, jochie. Heb je pijn?'

Zware voetstappen klonken op de wenteltrap en Rhius stormde met Tharin op zijn hielen de kamer in.

'Heb je...? O, het Licht zij dank!' Rhius kwam struikelend over het verspreid liggende meubilair naar hen toe en knielde naast haar neer. 'Is hij zwaar gewond?'

'Nee, maar wel heel erg geschrokken, mijn heer,' fluisterde Nari en ze bleef Tobins haar strelen. 'Hij moet gezien hebben...'

Rhius boog zich voorover en legde zijn hand voorzichtig onder Tobins kin; vervolgens probeerde hij zijn hoofdje op te tillen, maar Tobin rukte zich los.

'Wat is er gebeurd? Waarom heeft ze je hiernaartoe gebracht?' vroeg Rhius zacht.

Tobin zei niets.

'Kijk om u heen, heer!' Nari streek een zwarte lok opzij om de grote blauwe plek te bekijken die was verschenen. Het bloed op zijn gezicht en kleren was afkomstig van een snee in de vorm van een halvemaan op de punt van zijn kin. Groot was hij niet, maar wel diep. 'Ze zag u en de koning waarschijnlijk aankomen. De eerste keer sinds... Nou ja, u weet wel hoe ze was.'

Nari bekeek Tobins wasbleke gezicht wat nauwkeuriger. Geen tranen, maar zijn ogen stonden wijd open en waren op één punt gericht, alsof hij nog steeds zag wat zich daar had afgespeeld.

Hij stribbelde niet tegen toen zijn vader hem optilde en naar zijn slaapkamer bracht. Maar hij ontspande zich evenmin en bleef daar als een balletje opgekruld liggen. De besmeurde kleren uittrekken was uitgesloten, dus deed Nari alleen zijn schoenen uit, waste zijn gezicht een beetje en stopte hem met extra dikke lappendekens lekker in. De hertog knielde naast hem neer en nam een van Tobins handen in de zijne, mompelde zachtjes wat voor zich uit, het gezichtje nauwlettend in de gaten houdend om enige reactie te zien.

Toen Nari zich omdraaide zag ze Tharin op de drempel staan, lijkbleek. Ze liep op hem af en drukte zijn koude hand in de hare.

'Het komt heus wel goed, Tharin. Hij is alleen vreselijk geschrokken.'

'Ze is uit het torenraam gesprongen,' fluisterde Tharin en hij staarde naar Rhius en de jongen. 'Ze nam Tobin mee... Kijk nou toch Nari. Denk je dat ze hem probeerde...?'

'Dat zou geen enkele moeder kunnen doen!' Maar in haar hart was ze daar nog niet zo zeker van.

Ze bleven daar een tijd zitten, als een stel pantomimespelers. Ten slotte stond Rhius op en liet afwezig een hand over zijn tuniek glijden die met vegen bloed besmeurd was. 'Ik moet naar de koning. Hij wil haar in de koninklijke tombe in Ero laten bijzetten.'

Nari sloeg haar handen ineen voor haar schort. 'Kan daar niet even mee gewacht worden, in het belang van het kind?'

Rhius keek haar zo verbitterd aan dat de woorden op haar tong verstomden. 'De koning heeft gesproken.' Weer veegde hij zijn hand af en verliet de kamer. Met een laatste treurige blik op het slapende kind vertrok Tharin ook.

Nari trok een stoel bij het bed en stopte Tobins iele schoudertjes onder de deken. 'Arm kleintje van me,' zuchtte ze. 'Je mag niet eens om haar rouwen.'

Ze streelde het voorhoofd van het kind en stelde zich voor hoe het zou zijn om hem met dekens en al in een kar te laden en ver weg te rijden, ver van dit verdoemde huis. Ze sloot haar ogen en zag zich als zijn moeder die hem grootbracht in een eenvoudig boerenhuisje, ver van koningen, demonen en waanzinnige vrouwen.

Tobin hoorde gejammer en maakte zich nog kleiner toen het geluid luider werd. Geleidelijk veranderde de snikkende stem in het geloei van de oostenwind die tegen de muren van de burcht bonsde. Hij voelde het gewicht van de dikke dekens op hem, maar nog had hij het koud.

Hij sloeg de ogen open en knipperde naar het kleine nachtlampje op de standaard bij zijn bed. Nari lag in de stoel ernaast te slapen.

Ze had hem niet uitgekleed. Langzaam strekte hij zijn verkrampte lichaam en rolde naar de muur. Toen pas haalde hij de lappenpop uit zijn tuniek.

Hij wist niet waarom hij die had. Er was iets afschuwelijks gebeurd, zo afschuwelijk dat hij zich niet kon herinneren wat het was.

Zijn mamma was...

Hij kneep zijn ogen dicht en drukte de pop tegen zich aan.

Als hij die pop had, was zijn mamma...

Hij herinnerde zich niet dat hij de pop onder zijn kleren had verstopt. Herinnerde zich eigenlijk helemaal niets, maar hij verstopte hem snel onder de dekens en duwde hem met zijn voeten helemaal naar beneden. Hij zag wel in dat hij zo snel mogelijk een beter plekje voor de pop moest zoeken. Hij wist dat het slecht was, een jongen die strijder wilde worden moest zich schamen dat hij een pop nodig had, maar verstoppen deed hij hem toch, vervuld van schaamte en verlangen.

Misschien had mamma hem die pop toch wel gegeven.

Hij doezelde weer langzaam weg, werd om de haverklap wakker en droomde telkens opnieuw over zijn moeder die hem de pop aanreikte. Iedere keer glimlachte ze daarbij terwijl ze hem vertelde dat dit de mooiste was die ze ooit had gemaakt.

10

Tobin moest twee dagen in bed blijven. Hij sliep het grootste deel van de tijd, in slaap gezongen door het geluid van de regen die onophoudelijk tegen de luiken tikte en het gekreun en gekraak van het afbrokkelende ijs in de rivier.

Soms dacht hij half wakend dat mamma in de kamer bij hem was en aan het voeteneind van zijn bed stond, haar handen stijf ineengeslagen zoals ze gedaan had toen ze de koning de heuvel op zag rijden. Hij had kunnen zweren dat ze er was, hij hoorde haar zelfs ademen, maar wanneer hij zijn ogen opendeed was ze nergens te bekennen.

De demon was er echter wel. Tobin voelde hem telkens weer boven zich zweven. 's Nachts drukte hij zich dicht tegen Nari aan en deed net of hij niet wist dat de geest naar hem staarde. Maar hoe krachtig hij ook was, hij raakte hem niet aan en maakte ook niets kapot.

Tobin ontwaakte pas echt in de middag van de tweede dag; hij voelde zich onrustig. Nari en Tharin zetten een stoel bij zijn bed en bleven bij hem om verhalen te vertellen. Ze gaven hem kleine speeltjes alsof hij een kleuter was. Ook de andere bedienden kwamen langs, klopten hem op zijn hand en kusten zijn voorhoofd.

Iedereen kwam, behalve zijn vader. Toen Tharin uiteindelijk vertelde dat hij mee had gemoeten met de koning, voor een tijdje, kreeg Tobin een brok in zijn keel, maar huilen kon hij niet.

Niemand had het over zijn moeder. Hij vroeg zich af wat er met haar was gebeurd nadat ze naar de torenkamer waren gegaan, maar hij kon het niet opbrengen om het te vragen. Hij had trouwens helemaal geen zin om te praten, dus deed hij dat ook niet. Hij speelde liever met een klompje was of kroop weg onder de dekens om te wachten tot ze hem alleen lieten. De paar keer dat er niemand in de kamer was, pakte hij snel de lappenpop uit zijn nieuwe verstopplek achter de kast, hield hem even stevig vast, en keek naar de lege cirkel van stof waar zijn gezicht had moeten zitten.

Natuurlijk heeft hij een gezicht! Het liefste?

Maar hij zag er helemaal niet lief uit. Hij was lelijk. De vulling was brokkelig en voelde hard aan; hij kon zelfs scherpe stukjes voelen, als splinters in de onregelmatige armen en benen. De dikke huid van mousseline was smoezelig en vaak versteld. Hij ontdekte wel iets nieuws: een smal, zwart glimmend koordje dat strak om de nek gebonden zat, zo strak dat je het niet zag tenzij hij het hoofd ver naar achteren boog.

Maar hoe lelijk hij ook was, Tobin meende de bloemengeur van zijn moeder erop te ruiken, de geur die ze die laatste paar gelukkige weken gedragen had, en daar ging het om. Hij bewaakte de pop met zijn leven en toen hij de derde dag op mocht staan, verstopte hij hem onder in de oude kist in de speelkamer.

Het was weer kouder geworden en de natte sneeuw wervelde om het huis. De speelkamer was schemerig en ongezellig in dit licht. Er lag stof op de vloer en de platte daken van de huizen van blokken; de stakerige houten mensjes lagen overal over de Palatijnse Heuvel verspreid als slachtoffers van de pest waarover zijn vader hem geschreven had. In de hoek scheen de stoel die opgetuigd was als Plenimaraanse strijder hem uit te lachen, en hij kleedde hem uit, smeet de cape in de lege klerenkast en deed de helm in de kist.

Bij het schrijftafeltje voor het raam raakte Tobin voorzichtig alle zaken aan die hij met zijn moeder gedeeld had – het perkament, de zandstrooier, pennenmesjes en ganzenveren. Ze waren bijna op de helft van het alfabet gekomen. Vellen vol nieuwe letters in haar stevige, hoekige handschrift lagen te wachten tot hij ze zou overtrekken. Hij pakte er eentje op en rook eraan of hij haar geur kon ontdekken, maar het vel rook alleen naar inkt.

Hagel en natte sneeuw hadden plaatsgemaakt voor lentebuitjes toen zijn vader een paar dagen later terugkwam. Hij zag er diepbedroefd uit en niemand wist wat men tegen hem moest zeggen, zelfs Tharin niet. Na het avondeten stuurde Rhius iedereen de hal uit, nam Tobin bij het vuur op schoot en zweeg.

Na een tijdje tilde hij Tobins geschaafde kin op en keek hem aan. 'Waarom zeg je niks, m'n jongen?'

Tobin was geschokt toen hij tranen in zijn vaders zwart-zilveren baard zag druppelen. Niet huilen! Soldaten huilden niet, dacht hij, bang omdat het zo'n vreemd gezicht was, een huilende vader. Tobin kon de woorden in zijn hoofd horen, maar er kwam nog altijd geen geluid uit zijn keel.

'Laat ook maar.' Zijn vader trok hem tegen zich aan en Tobin legde zijn hoofd tegen de brede borst, en luisterde naar het troostende geklop van zijn vaders hart. Zo hoefde hij die tranen tenminste niet te zien; daarom had zijn vader waarschijnlijk ook iedereen weggestuurd.

'Je moeder... Ze was ziek. Vroeg of laat zul je de mensen horen fluisteren dat ze waanzinnig was, en dat was ze ook.' Hij stopte even en Tobin hoorde hem zuchten. 'Wat ze deed in die toren... De waanzin dreef haar ertoe. Haar moeder had het ook.'

Wat was er in de toren gebeurd? Tobin deed zijn ogen dicht en voelde zich heel raar in zijn hoofd. Daar waren de zoemende bijen weer. Werd je gek van poppen maken? Hij herinnerde zich de speelgoedmaakster in de stad. Met haar leek alles in orde. Had zijn oma soms ook poppen gemaakt? Nee, ze had haar man vergiftigd...

Rhius zuchtte weer. 'Ik denk niet dat je moeder de bedoeling had je pijn te doen. Als ze zo'n slechte bui had, wist ze niet wat ze deed. Begrijp je dat?'

Tobin begreep er niets van, maar hij knikte toch maar, om zijn vader een plezier te doen. Hij wilde nu helemaal niet aan zijn moeder denken. Als hij dat deed zag hij steeds twee verschillende mensen en dat verwarde hem. Je had de gemene, afstandelijke vrouw die 'slechte buien' had en voor wie hij bang was. De andere – degene die hem had leren overtrekken, die naar bloemen geurde en in dameszit galoppeerde, haar haren als een banier in de wind – zij was een vreemdelinge die hier een tijdje had gelogeerd en hem toen weer verlaten had. Het leek wel of ze uit de toren verdwenen was zoals een van haar vogels.

'Op een dag snap je het wel,' zei zijn vader weer. Hij tilde Tobins hoofd op en keek hem aan. 'Je bent een heel bijzonder kind.'

De demon, die zich opvallend koest had gehouden, rukte een wandkleed van de muur en scheurde het doormidden, waarbij de houten roe waaraan het hing in tweeën knapte. Het hele geval viel met een grote plof omlaag, maar zijn vader schonk er geen aandacht aan. 'Je bent nog te jong om erover na te denken, maar ik beloof je dat je een groot strijder zult worden als je volwassen bent. Je zult in Ero wonen en iedereen moet voor je buigen. Alles wat ik gedaan heb, Tobin, heb ik voor jou gedaan, en voor Skala.'

Tobin barstte in tranen uit en drukte zijn gezicht weer tegen zijn vaders borst. Het kon hem geen moer schelen of hij later in Ero of waar dan ook zou wonen. Hij wilde alleen dat alles weer gewoon was en zijn vader niet meer zo vreemd keek. Dat deed hem aan zijn moeder denken.

Die met de slechte buien.

De volgende dag ruimde Tobin de vellen perkament en de andere schrijfspullen op en borg ze weg in een ongebruikte kist in zijn slaapkamer; de pop, die hij in een oude meelzak had gestopt, legde hij eronder. Het was een riskante plaats, dat zag hij ook wel in, maar hij voelde zich nu eenmaal beter wanneer hij de pop in zijn buurt had.

Toen hij dat gedaan had, kon hij in zijn zwartomrande ogen in de spiegel bij zijn wasbak kijken en zonder ook maar iets te voelen de woorden *mijn mamma is dood* zonder geluid uitspreken.

Maar als hij zich afvroeg waarom ze dood was, of wat er die dag in de toren gebeurd was, schoten de gedachten hem volkomen verward door het hoofd en onder zijn borstbeen ontstond een brandende plek die het hem haast onmogelijk maakte verder te ademen. Daar kon hij dus beter niet over nadenken.

De pop was een heel ander probleem. Hij durfde er niemand over te vertellen, maar hij kon niet echt meer zonder. Vaak kreeg hij midden in de nacht de drang om hem aan te raken en sloop hij naar de kist. Eén keer was hij op de grond in slaap gevallen en net op tijd wakker geworden om hem weg te stoppen; anders had Nari hem betrapt.

Daarna zocht hij een nieuwe plaats voor de pop en legde hem uiteindelijk in een kist in een van de geruïneerde logeerkamers op de tweede verdieping. Het scheen niemand meer iets te kunnen schelen dat hij daar kwam. Nu de meeste bedienden de benen hadden genomen dan wel ontslagen waren, deed Nari overdag meer algemeen huishoudelijk werk en hielp ze Kokkie in de keuken. Tharin was er natuurlijk altijd, maar Tobin had niet zo'n zin meer in rijden of boogschieten, zelfs niet in zijn zwaardtraining.

Zijn enige gezelschap gedurende die lange, sombere lentedagen werd gevormd door de demon. Die volgde hem overal en zat verscholen in een hoekje van de stoffige logeerkamer wanneer Tobin zijn pop wilde vasthouden. Tobin wist dat hij in de gaten werd gehouden. De demon kende zijn geheim.

Tobin duwde net een takkenmannetje door de straten van zijn stad toen Tharin plotseling in de deuropening stond.

'Hoe staat het leven in Ero?' Tharin hurkte naast hem neer en hielp hem een stelletje schaapjes van klei overeind te zetten in hun omheining op de veemarkt. Regendruppeltjes schitterden in zijn korte blonde baard en hij rook naar frisse lucht en vochtige bladeren. Het scheen hem niks uit te maken dat Tobin niets zei. Hij praatte gewoon voor twee, net of hij wist wat Tobin dacht. 'Je zult je moeder wel missen. Het was een geweldige vrouw. Nari vertelde me dat ze de afgelopen maanden weer wat opfleurde. En dat ze je letters leerde schrijven?'

Tobin knikte.

'Dat doet me deugd.' Tharin zweeg en zette nog wat schapen in een betere positie. 'Mis je haar?'

Tobin haalde zijn schouders op.

'Bij de Vlam, ik wel.'

Tobin keek verrast op en Tharin knikte. 'Ik heb gezien hoe je vader haar het hof maakte. Hij hield van haar en zij van hem. O, ik weet wel dat het er voor jou nooit zo heeft uitgezien, maar zo was het vroeger wel. Ze waren het knapste paar in heel Ero – hij een strijder in zijn beste jaren en zij de mooie jonge prinses, net geen meisje meer.'

Tobin prutste wat aan een speelgoedscheepje. Hij kon zich niet voorstellen dat zijn ouders anders met elkaar omgingen dan ze altijd gedaan hadden.

Tharin stond op en stak een hand uit naar Tobin. 'Kom op, Tobin, je hebt nu lang genoeg binnen zitten kniezen. Het is opgehouden met regenen en de zon schijnt. Goed schietweertje. Pak je laarzen en je cape maar. Je wapens liggen beneden, waar je ze hebt laten liggen.'

Tobin liet zichzelf optrekken en volgde Tharin naar de binnenplaats bij de kazerne. De soldaten hingen wat rond in het zonnetje en groetten Tobin overdreven hartelijk.

'Eindelijk, daar is-ie dan!' zei Laris met de grijze baard en hij tilde Tobin hoog op zijn schouder. 'We hebben je gemist, jochie. Vond Tharin dat het weer tijd werd voor je lessen?'

Tobin knikte.

'Wat zullen we nou krijgen, prinsje?' plaagde Koni en hij trok Tobin aan zijn voet. 'Tong verloren?'

'Hij praat wel wanneer hij daaraan toe is,' zei Tharin. 'Pak het zwaard van de prins en laten we eens zien wat hij zich nog kan herinneren.'

Tobin groette Tharin met de kling van zijn zwaard rechtop en nam zijn positie in. Hij voelde zich stijf en onhandig terwijl ze de uitvallen en riposten doornamen, maar tegen de tijd dat hij de laatste reeks pareerbewegingen bereikte, juichten de mannen hem enthousiast toe.

'Niet slecht,' zei Tharin. 'Maar ik wil je hier weer elke dag zien. Er komt een tijd dat je blij bent dat je zoveel met me hebt getraind. Zo, en hoe staat het met je boogarm?'

Hij dook een kazernegebouw binnen, kwam terug met Tobins boog en oefenpijlen, en de zak met houtkrullen die ze altijd als doel gebruikten. Hij gooide de zak midden op de binnenplaats, een pas of twintig ver.

Tobin controleerde de pees, zette de pijl ertegen en trok hem naar achteren. De pijl vloog hoog en schuin en landde in de modder bij de muur.

'Denk aan je ademhaling en zet je voeten wat wijder uit elkaar,' bracht Tharin hem in herinnering.

Tobin haalde diep adem en liet de lucht langzaam ontsnappen toen hij de volgende pijl opzette. Deze keer raakte de pijl zijn doel, en doorboorde de zak met zo'n kracht dat die een stuk naar achteren verschoof.

'Dat lijkt er meer op, Tobin. Nog eens.'

Van Tharin mocht hij altijd maar drie pijlen gebruiken bij het oefenen. Als hij ze had afgeschoten, ging hij ze oprapen en moest hij bedenken hoe hij zijn schot nog kon verbeteren.

Maar voor hij daaraan begon, wendde Tharin zich tot Koni. 'Heb je die nieuwe pijlen voor de prins al af?'

'Ik heb ze hier.' Koni reikte achter de ton waarop hij zat en haalde een pijlkoker tevoorschijn met zes nieuwe pijlen, voorzien van grijsbruine ganzenveren. 'Ik hoop dat ze je geluk brengen, Tobin,' zei hij en hij gaf hem de koker.

Toen hij er eentje uit trok zag Tobin dat ze een klein rond steentje op de plaats van de pijlpunt hadden. Hij grijnsde verrast naar Tharin: het waren jachtpijlen.

'Kokkie wilde zo graag weer eens een konijn, fazant of korhoen in de pot doen,' vertelde Tharin hem. 'Zin om mee te gaan om voor het avondeten te zorgen? Mooi. Laris, vraag de hertog even of hij interesse heeft om mee te gaan op jacht. Maniës, zadel jij Gosi even.'

Laris ging ervandoor, maar kwam na een paar minuten al hoofdschuddend terug.

Tobin verborg zijn teleurstelling zo goed hij kon, terwijl hij met Tharin en Koni het modderige bergpad op reed. De bomen waren nog kaal, maar hier en daar waren toch al wat groene scheuten te zien. De lente hing in de lucht, en het bos rook naar rottend hout en vochtige aarde. Toen ze een strook bos bereikten waar volgens Tharin wel wat te vinden was, stegen ze af en volgde stil een nauwelijks zichtbaar, meanderend spoor.

Dit was de eerste keer dat Tobin zo diep in het bos kwam. Het spoor loste achter hen op en de bomen groeiden dichter opeen, de grond was brokkeliger. Nu alleen hun voorzichtige gang de stilte verbrak, hoorde hij het onheilspellende gepiep van bomen die tegen elkaar aan schuurden, en het geritsel van kleine diertjes onder de afgevallen bladeren. Het fijnste was dat de demon hen niet gevolgd was. Hij voelde zich vrij.

Tharin en Koni lieten hem zien hoe hij de nieuwsgierige fazanten naar een open plek kon lokken, door hun grappige *pukpukpuk*-roep na te doen. Tobin klemde zijn lippen op elkaar net als zij, maar er kwam alleen een klein plopje uit.

Een paar vogels kwamen op Tharins lokroep af en staken hun kopje door het struikgewas of sprongen op een omgevallen boomstam om te zien wat er aan de hand was. De mannen lieten Tobin zijn gang gaan en ten slotte raakte hij er eentje op een boomstronk.

'Mooi gedaan!' zei Tharin en hij sloeg hem trots op zijn schouder. 'Hup, ga je buit pakken.'

Met de boog nog in de hand rende Tobin naar de boomstronk en keek erachter.

De goudfazant was op zijn borst terechtgekomen, maar hij was nog niet dood. Zijn gestreepte kop lag gedraaid en hij staarde Tobin aan met één zwart oog. Zijn wijde staart bewoog zwakjes toen hij zich over het beestje heen boog, maar verder kon hij niets bewegen. Een druppel felrood bloed welde op naar zijn snavel, rood als...

Tobin hoorde weer dat vreemde gezoem opkomen, als een zwerm bijen, maar het was daarvoor te vroeg in het jaar. Het volgende moment lag hij op de klamme grond en keek naar Tharins bezorgde gezicht, terwijl die bezig was Tobins borst en polsen te masseren.

'Tobin? Wat was er nou, jochie?'

Verward ging Tobin rechtop zitten en keek om zich heen. Daar lag zijn boog op de vochtige aarde, maar niemand scheen er zich druk om te maken. Koni zat op de boomstronk naast hem en hield de dode vogel aan zijn poten omhoog.

'Prachtschot, prins Tobin. Je keilde Freddie Fazant zó van zijn troon! Maar waarom viel je nou flauw? Werd je misselijk of zo?'

Tobin schudde het hoofd. Hij had geen idee wat er was gebeurd. Hij stak zijn hand uit naar de vogel, spreidde de wijde staart en bewonderde de lange gestreepte veren.

'Het was een prima schot, maar ik denk dat het voor vandaag wel genoeg is,' zei Tharin.

Tobin schudde zijn hoofd, nu wat wilder, en sprong op om te laten zien dat hij weer helemaal in orde was.

Tharin aarzelde even en barstte toen in lachen uit. 'Nou goed dan, als jij het zegt!'

Voor de schemering inviel, schoot Tobin nog een fazant en tegen de tijd dat ze de paarden weer bestegen waren ze al helemaal vergeten dat hij was flauwgevallen, zelfs Tobin.

In de loop van de volgende weken lengden de dagen en brachten ze meer en meer tijd in de bossen door. De lente brak nu echt door in de bergen, de bomen hulden zich in fris jong groen en slanke twijgen en kleurrijke bolgewassen staken hun kopjes door de met bruin blad bezaaide bodem heen. Hinden kwamen voorzichtig de open plekken op om hun gespikkelde jongen te leren grazen. Tobin weigerde op hen te schieten, hij joeg alleen op konijnen en fazanten.

Soms waren ze de hele dag buiten en roosterden hun buit aan een stok boven een vuurtje wanneer de jacht succesvol geweest was, of aten het brood en de kaas die Kokkie had meegegeven als ze pech hadden gehad. Het maakte Tobin allemaal niets uit, als hij maar buiten was. Hij had nog nooit zoveel plezier gehad.

Tharin en Koni leerden Tobin om niet tussen de bomen te verdwalen door de stand van de zon over zijn schouder in de gaten te houden. Ze liepen langs een nest woudslangen tussen een stapel stenen; de dieren waren nog doezelig van hun winterslaap en Koni vertelde hem hoe je aan de vorm van hun kop kon zien of het gifslangen waren of niet. Tharin wees hem op de prenten en sporen van andere dieren in het bos. Meestal duidden ze op konijnen, vossen of edelherten. Toen ze op een dag langs een wildspoor liepen, boog Tharin zich plotseling naast een zacht plekje aarde voorover.

'Zie je dat?' zei hij en hij wees op een prent die breder was dan zijn hand. Hij deed een beetje denken aan die van een hond, maar hij was ronder. 'Dat is van een bergleeuw. En daarom moet je op de binnenplaats blijven, jochie. Een groot wijfje met een stel jongen te voeden zou jou zonder probleem als smakelijk hapje opdienen.'

Bij de aanblik van Tobins verschrikte gezicht schoot hij in de lach en woelde met zijn vingers door Tobins krullen. 'Overdag zie je ze nauwelijks en wanneer het zomer wordt trekken ze zich terug in de bergen. Maar het lijkt me niet verstandig om hier 's nachts in je eentje een wandeling te gaan maken.'

Tobin zoog al deze wijze lessen op als een spons en gaf zijn ogen goed de kost wat een persoonlijke kwestie betrof: een uitnodigende spleet onder een omgevallen boom, een beschut stenencirkeltje, een beschaduwd holletje tussen de wortels van een boom – allemaal prima verstopplekjes, groot genoeg voor een pop die hem in de problemen kon brengen. En toen pas vroeg hij zich af hoe het zou zijn om hier eens alleen heen te gaan om al die verborgen plekjes goed te bekijken.

Zo nu en dan jaagde zijn vader met hen mee, maar hij was erg stil en Tobin voelde zich niet zo op zijn gemak bij hem. Meestal sloot hij zich op in zijn kamer, net als Tobins moeder gedaan had.

Tobin sloop wel eens naar de deur van zijn kamer om er zijn oor tegenaan te drukken, want hij verlangde er hevig naar dat alles weer zoals vroeger was. Nari vond hem daar op een middag, knielde neer en sloeg haar armen om hem heen. 'Niet tobben,' zei ze zacht en ze aaide zijn wang. 'Mannen verwerken hun verdriet alleen. Hij zal snel weer de oude zijn.'

Maar toen de veldbloemen een kleurig tapijt van het jonge weidegras maakten, was Rhius nog altijd een schaduw in zijn eigen huis.

Toen Lithion ten einde liep waren de wegen droog genoeg om een kar naar de markt te rijden. Op marktdag namen Kokkie en Nari Tobin mee naar Alestun, omdat ze dachten dat hij het leuk vond om op Gosi naast de wagen te rijden. Hij schudde zijn hoofd, en probeerde Nari duidelijk te maken dat hij niet mee wilde, maar ze klakte met haar tong en hield vol dat hij het leuk zou vinden.

Ze zagen lammetjes in de wei en spelende kinderen rond de stad, en de velden vol jonge haver en gerst zagen eruit als zachte wollen dekens. Wilde krokussen groeiden in dikke plakkaten langs de weg en ze hielden even halt om er een mandvol van te plukken als offer voor het tempeltje.

Alestun interesseerde Tobin niet meer. Hij negeerde de andere kinderen en stond zich zelfs niet toe naar poppen of ander speelgoed te kijken. Hij legde de bloemen op de geurende hoop bij de zuil van Dalna en wachtte stoïcijns tot de vrouwen klaar waren met hun inkopen.

Pas tegen de schemering kwamen ze thuis. Op de binnenplaats stonden Rhius en de anderen hun paarden te bepakken, bijna klaar om te vertrekken. Tobin gleed van Gosi's rug en rende naar zijn vader toe.

Rhius boog zich voorover en pakte hem bij de schouders. 'Het hof heeft me nodig. Ik kom terug zo snel ik kan.'

'Dat geldt ook voor mij, kleine prins,' beloofde Tharin die treuriger leek dan zijn vader dat hij moest vertrekken.

Tobin wilde uitschreeuwen dat hij hen hier nodig had. Maar de woorden wilden nog steeds niet komen en hij moest zich omdraaien opdat ze zijn tranen niet zouden zien. Toen het nacht werd vertrokken ze. Hij had zich nog nooit zo verlaten gevoeld.

II

Iya en Arkoniël brachten de laatste wintermaanden aan de rand van Ilear door, als gasten van een tovenares die Virishan heette. Deze wijze vrouw kende alleen haar eigen visie, en dit had tot gevolg dat ze door de goden uitverkoren kinderen uit arme gezinnen meenam en hun thuis een opleiding aanbood. Ze had vijftien jonge studentjes, waarvan er al velen kreupel gemaakt of anderszins behoorlijk verminkt waren door de achterlijke mensen tussen wie ze waren opgegroeid. De meesten van hen zouden het nooit tot tovenaar schoppen, maar hoe bescheiden hun macht ook was, hij werd onder Viri's bezielende leiding naar buiten gebracht. In ruil voor onderdak hielpen Iya en Arkoniël haar daarmee, en Iya gaf Virishan een van haar kiezelsteentjes toen ze verder trokken.

Toen het weer verbeterde zetten ze koers naar Sylara, waar Iya een zeereis naar het zuiden had geboekt. Ze bereikten de kleine havenplaats net voor zonsondergang en kwamen een buitengewoon groot aantal lieden tegen, die allemaal naar de kade gingen.

'Wat is er aan de hand?' vroeg Arkoniël een boer. 'Is er kermis of zo?'

De man wierp een wantrouwige blik op hun zilveren amuletten. 'Nee, jullie soort wordt weer 'ns op de brandstapel gezet.'

'Zijn de Haviken hier?' vroeg Iya.

De man spuwde over zijn schouder. 'Wis en drie, juffrouw, en ze hebben een stelletje verraders meegenomen die het waagden tegen de geboden van de koning in opstand te komen. Als ik u was zou ik maar ver van Sylara blijven vandaag.'

Iya leidde haar paard naar de kant van de weg en Arkoniël volgde. 'Misschien moesten we maar doen wat hij zegt,' mompelde hij en hij keek zenuwachtig naar het gewoel. 'We zijn vreemdelingen, niemand zal het voor ons opnemen.'

Natuurlijk had hij gelijk, maar Iya schudde het hoofd. 'De Lichtdrager stelt ons in de gelegenheid te onderzoeken wat ze doen, zonder dat ze ons kennen. En dat kunnen we maar beter zo houden. Doe je amulet af.'

Ze reden naar een klein eikenbosje bij een nabijgelegen heuveltje. Hier lieten ze hun amuletten en andere tekens die erop duidden dat ze tovenaars waren achter, beschermd door een cirkel van stenen. Alleen de leren tas nam ze mee.

In het vertrouwen dat hun eenvoudige reiskledij geen argwaan zou opwekken reden ze naar Sylara.

Zelfs zonder amulet keek Arkoniël nerveus rond toen ze de stad binnenreden. Kon de meute een tovenaar zuiver aan zijn kracht herkennen? Ze hoorden geruchten over in het wit geklede tovenaars die over machten beschikten die alle voorstellingen te boven gingen. Als dat zo was hadden ze wel een vreemde plek uitgekozen om dat te tonen. Sylara was immers niets anders dan een armoedig, smerig havenplaatsje.

De kade stond al helemaal vol toeschouwers. Arkoniël hoorde gejuich en schel gefluit, afkomstig van jongeren die uit de modderige straatjes naar de waterkant liepen.

De menigte was te dicht opeengepakt om erdoorheen te komen, dus betaalde Iya een herbergier om het spektakel te bekijken vanuit het raampje van een vies zolderkamertje dat uitzicht bood op de kade. Daar was een breed podium tussen twee stenen aanlegsteigers opgesteld. Soldaten in lange donkergrijze tunieken met het rode silhouet van een havik op de borst stonden in twee rijen aan de landzijde. Arkoniël telde er veertig in totaal.

Achter hen stond een hoge galg en een groep tovenaars, die opvallend dicht bijeen stonden, voor twee grote houten raamwerken. Ze deden denken aan de ombouw van een bed, alleen wat groter.

'Witte gewaden,' mompelde Iya.

'Net als Niryn. Die droeg er een in de nacht dat Tobin geboren werd.'

Er hingen al zes mensen aan de galg te bungelen.

De vier mannen hingen doodstil aan het eind van hun strop; eentje droeg de kleding van een priester van Illior. De overige twee, een vrouw en een jongen, waren zo licht dat hun nek niet door hun gewicht gebroken werd. Met gebonden handen en voeten hingen ze wild te draaien en te schokken.

Arkoniël vroeg zich vol afschuw af of ze voor hun leven of hun dood vochten. Ze deden hem denken aan een vlinder die zich van zijn cocon bevrijdde – hij hing aan een zijden draadje aan een takje en wrong en wrikte zich uit het glanzende bruine omhulsel. Deze twee leken erop, maar hun strijd zou niet in kleurrijke vleugels eindigen.

Uiteindelijk grepen twee soldaten hun benen en trokken zo hard dat hun nekken kraakten. En paar mensen riepen hoera, maar de meeste toeschouwers hadden het zwijgend aangezien.

Arkoniël hield het raam vast, want het geluid had hem misselijk gemaakt – maar het ergste moest nog komen.

De magiërs hadden de hele tijd zwijgend naast de raamwerken gestaan. Zodra de laatste gehangene niet meer bewoog, gingen ze in een lange rij ter breedte van het platform staan, waardoor het publiek twee naakte, knielende mannen te zien kreeg die tot dan toe door de cirkel van tovenaars afgeschermd waren geweest. De ene was een oude man met wit haar; de ander jong en donker. Beiden droegen dikke ijzeren banden rond hun nekken en polsen.

Arkoniël tuurde nu naar de Havikmagiërs en slaakte een kreet van ontzetting. Van deze afstand kon hij geen gezichten onderscheiden, maar de gevorkte rode baard van een van hen was onmiskenbaar...

'Dat is Niryn!'

'Ja. Ik had geen idee dat het er al zoveel waren, maar zo vreemd is het niet... Die gevangenen zijn tovenaars. Zie je die ijzeren banden? Zeer sterke magie is dat. Ze benevelen de geest.'

Soldaten trokken de gevangenen omhoog en bonden hen met de armen en benen gespreid met zilveren kabels op het raamwerk. Nu zag Arkoniël ook het ingewikkelde web van bezweringsformules dat de borst van beide mannen bedekte. Voor hij Iya kon vragen wat ze betekenden, kreunde ze en greep zijn hand. Toen de slachtoffers vastzaten, gingen de magiërs in twee rijen naast hen staan en begonnen hun bezweringsritueel. De oude man richtte zijn blik stoïcijns op de hemel, maar zijn metgezel raakte in paniek, begon te gillen en smeekte de menigte en Illior om hem te redden.

'Kunnen we geen...' Arkoniël kromp ineen toen een verblindende pijn achter zijn ogen door zijn hoofd vlijmde. 'Wat is dat? Voel jij het ook?

'Het is een afweerspreuk,' fluisterde Iya en ze drukte haar hand tegen haar voorhoofd. 'En een waarschuwing voor iedereen die hiervan getuige is.'

De toeschouwers waren doodstil geworden. Het zingen van de spreuken klonk luider en luider. De woordenbrij was onverstaanbaar, maar het kloppen in zijn hoofd nam toe en het verspreidde zich naar zijn armen en borst tot zijn hart aanvoelde alsof het tussen twee rotsblokken samengedrukt werd. Hij zakte langzaam op zijn knieën ineen, maar moest blijven kijken.

Beide gevangenen begonnen nu heftig te trillen en gilden het uit, witte vlammen sprongen op uit hun vlees die hen onmiddellijk omhulden. Rook was er niet. Het witte vuur gaf zo'n intense hitte af dat er binnen enkele seconden niets meer aan de raamwerken te zien was dan verschrompelde handen en voeten binnen de zilveren kettingen. Iya fluisterde hees naast hem, en hij begon mee te doen met haar gebed voor de doden.

Toen het voorbij was, viel Iya achterover op het smalle bed en weefde met bevende vingers een stiltenevel over hen heen. Arkoniël bleef zitten waar hij zat, niet in staat te bewegen. Het duurde lang eer ze weer wat konden zeggen.

Na een tijd fluisterde Iya: 'Er was niets wat we hadden kunnen doen. Niets. Ik zie nu wat voor macht ze bezitten. Ze hebben zich verbonden en hun krachten gebundeld. Wij, de anderen, leven zo verspreid...'

'En nog gesanctioneerd door de koning ook!' riep Arkoniël verbitterd. 'Hij is tenslotte de zoon van een zwaar gestoorde moeder.'

'Hij is gevaarlijker. Zij was waanzinnig, maar hij is meedogenloos en slim genoeg om magiërs tegen hun eigen soort op te zetten.'

Bang bleven ze in het zolderkamertje zitten tot het nacht werd en de herbergier hen wegjoeg omdat een hoertje en haar klant de ruimte nodig hadden.

De taveernes waren open en er was nog heel wat volk op de been, maar niemand waagde zich in de buurt van het door toortsen verlichte podium. Arkoniël zag de lijken aan de galg zachtjes bewegen in de avondbries. De raamwerken waren echter verdwenen.

'Moeten we geen kijkje nemen? Misschien pikken we er nog iets van op.'

'Nee.' Iya trok hem haastig weg. 'Veel te gevaarlijk. Misschien liggen ze op de loer.'

Door de donkerste steegjes ontvluchtten ze de stad en reden terug naar het eikenbosje om hun spullen op te halen. Arkoniël wilde de amuletten pakken, maar Iya schudde het hoofd. Ze lieten ze liggen waar ze lagen en reden zonder nog een woord te spreken voort tot de stad ver achter hen lag.

'Acht tovenaars heb je daarvoor nodig, Arkoniël, acht maar!' Iya kreeg eindelijk een woede-uitbarsting. 'En niets wat we ertegen konden doen. Ik begin het eindelijk te snappen. Het Derde Orëska dat het Orakel mij voorspelde – het was een grote verzameling tovenaars in een schitterend paleis, helemaal voor hen alleen, in het centrum van de stad. Als je er maar acht nodig hebt om deze kwade kunsten op te voeren, wat kunnen honderd tovenaars dan wel niet voor goeds tot stand brengen? En wie zou ons kunnen tegenhouden?'

'Zoals in de Grote Oorlog.'

Iya schudde het hoofd. 'Dat verbond kon alleen in stand blijven zolang het oorlog was, met de vreselijkste conflicten in het vooruitzicht! Stel je eens voor wat we zouden kunnen bereiken als het vrede was en we alle tijd van de wereld zouden hebben. Stel je voor... De kennis die jij en ik tijdens onze reizen hebben verzameld, gebundeld met die van honderd andere tovenaars. En denk aan die arme kinderen van Virishan. Denk je eens in dat ze dan eerder gered kunnen worden en daar zouden opgroeien, met tientallen leraren in plaats van een, en enorme bibliotheken om in te grasduinen. Maar in plaats daarvan wordt diezelfde kracht nu gebruikt om ons tegen elkaar op te zetten.'

Iya staarde in de verte. In het licht van de sterren was haar uitdrukking niet te peilen. 'Hongersnood. Epidemieën. Plunderingen. En nu dit weer. Soms, Arkoniël, zie ik Skala als de os die geofferd wordt op het feest van Sakor. Maar in plaats van hem met één slag van een scherp zwaard te doden, bestookt men hem met kleine pijltjes tot hij door zijn knieën zakt en langzaam doodbloedt.' Ze wendde zich tot Arkoniël. 'En met Plenimar aan de andere oever, hongerig als een wolf die bloed geroken heeft.'

'Je zou haast denken dat Niryn hetzelfde visioen heeft gehad, maar het binnenstebuiten heeft gekeerd,' mompelde Arkoniël. 'Waarom zou de Lichtdrager dit toelaten?'

'Je zag de priester bij de galg staan, jongen. Denk je nu heus dat het Illior is die hem leidt?'

12

De lente ging over in de zomer en de weide rond de burcht stond weer vol madeliefjes en klaprozen. Tobin popelde om te gaan rijden, maar Mynir voelde zich niet lekker en er was niemand anders thuis die hem mee kon nemen, dus moest hij genoegen nemen met wandelingen met Nari.

Hij was nu te oud om onder het oplettend oog van de vrouwen zoet in de keuken te spelen, maar Nari wilde hem niet in zijn eentje naar de kazerne laten gaan om te oefenen; er moest op z'n minst een bediende mee die even niets te doen had. Kokkie was de enige die iets van zwaardvechten en boogschieten wist, maar ze was nu te oud en te dik om hem echt te helpen, al gaf ze hem wel graag adviezen.

Hij had nog steeds het perkament en de inkt die zijn moeder hem had gegeven, maar ze riepen te veel sombere gedachten in hem op. Hij begon steeds vaker in de logeerkamer op de tweede verdieping te spelen, in zijn eentje met de pop en de demon. Soms prutste hij met het kleine scherpe mesje dat Koni hem gegeven had, en gebruikte stukjes zacht dennen- en sparrenhout van de stapel aanmaakhoutjes. Het hout rook lekker en het scheen vormen te verbergen die hij er met zijn mes uit moest halen. Hij was zo verdiept in de puzzel hoe hij een been, een vin of een oor uit een blokje te voorschijn kon toveren, dat hij even vergat hoe eenzaam hij was.

Maar hij zat ook vaak met de pop op schoot, net als mamma vroeger, en vroeg zich af wat hij ermee aan moest. De pop had geen nut, zoals een zwaard of een boog. Het lege gezicht maakte hem verdrietig. Hij herinnerde zich hoe mamma ermee praatte, maar zelfs dat kon hij niet, want hij had nog steeds zijn stem niet terug. Hij zat daar maar en porde met zijn vingers in de opgevulde ledematen of betastte de raadselachtige knobbeltjes en scherpe uitsteeksels en vroeg zich niet eens meer af waarom ze hem dat vreemde, lelijke stuk speelgoed gegeven had. Maar hoe dan ook, hij hield het ding dicht tegen zich aan omdat het tastbaar was en het hem het idee gaf dat ze toch een klein beetje van hem gehouden had.

Iemand had de deur naar de toren vervangen door een nieuw dik exemplaar en Tobin was er blij om, al wist hij niet waarom. Steeds als hij erlangs kwam voelde hij er even aan of hij wel goed op slot zat.

Toen hij er op een dag weer voor stond kreeg hij ineens het vreemde gevoel dat zijn moeder aan de andere kant stond en door het dikke hout naar hem staarde. Het maakte hem bang, maar tegelijkertijd verlangde hij naar haar, en het gevoel werd met de dag sterker. Tot hij zeker wist dat hij haar in de toren hoorde, de stenen wenteltrap op en af lopend met haar rokken ruisend achter haar, of met haar handen de deur aftastend op zoek naar de klink. Hij deed zijn best om zich voor te stellen dat ze aardig en gelukkig was, maar eerlijk gezegd leek ze meestal in een kwade bui.

Deze donkere kijk op de kwestie schoot wortel en zijn fantasie werd erdoor aangetast. Hij droomde op een nacht dat ze haar hand onder de deur stak, hem greep en als een velletje perkament onder de deur door trok. De demon was er ook bij, en samen sleepten ze hem de trap op naar het raam met uitzicht op de bergen om hem...

Wild om zich heen trappend werd hij wakker in Nari's armen, maar hij kon haar niet vertellen wat er aan de hand was. Hij wist echter wel dat hij niet meer naar de tweede verdieping zou gaan.

De volgende middag ging hij met bonzend hart voor een laatste keer naar boven. Hij glipte snel langs de deur naar de torenkamer. Hij haalde de pop uit de bergplaats en stormde zo snel hij kon naar beneden, zo zeker was hij ervan dat de geest van zijn moeder alle moeite zou doen om hem onder de deur door bij zijn enkels te grijpen.

Nooit meer, zwoer hij, en hij sloeg de deur van de trap beneden met een klap dicht. Hij rende naar de speelkamer, kroop ineen naast de klerenkast en kneep de pop haast fijn in zijn armen.

Tobin piekerde de dagen daarop over een nieuwe verstopplek, maar alles wat hij bedacht leek hem niet veilig genoeg. Het maakte niet uit hoe goed hij hem verborg, hij bleef zich zorgen maken.

Ten slotte besloot hij zijn geheim met Nari te delen. Ze hield meer dan wie dan ook van hem en omdat ze een vrouw was, zou ze het misschien niet zo belachelijk vinden dat hij een pop had.

Hij besloot haar de pop te laten zien wanneer ze hem voor het avondeten kwam halen. Hij wachtte tot hij haar voetstappen in de gang hoorde, pakte de pop en draaide zich om naar de deur.

Heel even dacht hij dat er iemand op de drempel stond. Toen sloeg de deur met een klap dicht en raakte de demon door het dolle heen.

Tapijten vielen van de wand en kropen als levende wezens op hem af. Hij stikte haast van het stof dat op hem neerdaalde, terwijl de zware wandkleden hem op de knieën dwongen en hem bedolven, zodat hij van het licht werd afgesloten. Hij liet de pop vallen en het lukte hem onder het kleed vandaan te komen, op het moment dat de zware klerenkast met donderend geweld naar voren viel, een halve voet vanwaar hij gelegen had. De kist met al het speelgoed en inkt werd ondersteboven gegooid zodat de inhoud over de vloer in het rond vloog. Uit een van de grotere flessen vloog de kurk en een zee van kleverige, zwarte vloeistof verspreidde zich over de plavuizen.

Als mamma's haar op het ijs...

De gedachte kwam en ging als een libel die wegscheert over het water.

Toen viel de demon zijn stad aan.

Hij trok houten huizen van hun plaats en gooide de blokken de lucht in. Mensen en dieren keilde hij tegen de muur. Kleine schepen vlogen over de vloer of er een storm was opgestoken.

'Nee! Houd op!' gilde Tobin en hij worstelde met de tapijten om zijn geliefde speelgoed te beschermen. Een schaap van klei schoot rakelings langs zijn hoofd en viel in diggelen tegen de muur. 'Houd op! Dat is van míj!'

Tobins blik leek tot een lange donkere tunnel te vernauwen en alles wat hij aan het einde kon zien was de vernietiging van zijn liefste bezit. Hij sloeg in het wilde weg in de lucht, ramde met zijn vuisten en schopte met zijn voeten om die ellendige geest de kamer uit te jagen. Hij hoorde luid gebons achter zich en vocht nog verwoeder, witheet van razernij, tot zijn hand tegen iets stevigs aansloeg. Hij hoorde een gesmoorde kreet. Sterke handen grepen hem bij zijn polsen en trokken hem tegen de vloer.

'Tobin! Tobin, houd daar onmiddellijk mee op!'

Hijgend keek Tobin in het gezicht van Nari. Er stroomden tranen langs haar bolle wangen en er droop bloed uit haar neus.

Een rode druppel uit de snavel van een fazant – net zo rood als op het ijs van de rivier...

Het werd Tobin zwart voor zijn ogen. Een pijnscheut vlijmde door zijn borst en perste een rasperig gejank uit zijn longen.

De vogels van zijn moeder die te pletter vlogen tegen de muur achter hem terwijl hij naar beneden keek, naar haar...

Nee, niet denken!

... verpletterde lichaam op de bevroren oever.

Zwart haar en rood bloed op het ijs.

De heftige pijn verdween, en hij bleef slap en uitgeput op de grond liggen.

'O, Tobin, hoe kon je dat nu doen?' Nari huilde en drukte hem nog steeds tegen de vloer. 'Al je mooie speelgoed! Waarom?'

'Dat was ik niet,' fluisterde hij te moe om te bewegen.

'Ach, mijn arme schat... De Schepper zij geprezen, je praatte!' Nari nam Tobin in haar armen. 'O, diertje, je hebt eindelijk je stem weer terug!'

Ze droeg hem naar zijn bed en stopte hem stevig in, maar hij merkte er nauwelijks iets van. Hij lag net zo slap als de lappenpop en alles kwam terug.

Hij wist weer waarom hij in de toren was geweest.

Hij wist weer waarom zijn mamma dood was.

Waarom hij de pop had.

Ze had hem niet aan hem gegeven.

En weer vlamde de pijn in zijn borst op en hij vroeg zich af of Nari dit bedoelde wanneer er iemand in haar verhaaltjes voor het slapengaan het hart van een ander brak.

Ze ging naast hem liggen en hield hem door de dekens heen stevig tegen zich aan, en streelde zijn haar zoals ze altijd deed. Hij doezelde weg.

'Waarom?' bracht hij ten slotte uit. 'Waarom haatte mamma me zo?' Maar als Nari daar al een antwoord op had, was hij al in slaap gevallen voor hij het had kunnen horen.

Tobin werd die nacht wakker, want hij herinnerde zich dat de pop nog ergens in de speelkamer moest liggen.

Hij glipte het bed uit en haastte zich door de tussendeur, waar de kamer tot zijn schrik alweer opgeruimd was. De wandtapijten hingen weer op hun plaats. De kast en de kist stonden weer overeind, de inkt was opgedweild, het speelgoed uit het zicht. Zijn stad lag als een ruïne op het midden van de vloer en hij wist dat hij hem weer op moest bouwen voor zijn vader thuiskwam en de puinhoop zou zien.

Maar de pop was nergens te bekennen. Hij liep de kamer uit, doorzocht het huis, kamer na kamer, tot de kazerne en de stallen toe.

Er was niemand anders in huis. Doodsbang besefte hij dat hij nog nooit zo alleen was geweest. Wat erger was, was dat de enige plek waar hij nog moest zoeken de torenkamer was. Hij stond op de binnenplaats en keek naar de ramen met de luiken ervoor, hoog boven hem.

'Dat kan ik niet,' zei hij hardop. 'Ik wil er niet meer heen.'

Alsof hij een antwoord kreeg, zwaaide de deur van de binnenplaats met krakende scharnieren open en Tobin zag een klein mannetje over de brug vluchten.

Hij volgde hem, maar zodra hij de ophaalbrug over was stond hij midden in een donker woud, op een paadje dat langs een kabbelend beekje liep. Ver weg, moeilijk zichtbaar door de takken, zag hij weer iets bewegen en hij wist dat het de demon moest zijn.

Hij volgde hem naar een open plek, maar hij leek wel in rook te zijn opgegaan. De maan scheen helder en hij zag twee herten grazen op het zilverige, met dauw besprenkelde gras. Ze staken hun oren op toen ze hem hoorden naderen, maar gingen er niet vandoor. Tobin liep naar hen toe en streelde hun zachte bruine snoeten. Ze bogen hun nek onder zijn hand en stapten rustig weg, het donkere bos in. Op de plek waar ze gegraasd hadden zat een gat in de grond, als de ingang van een vossenhol, maar iets groter. Groot genoeg om erin te gaan en dat deed hij dan ook.

Hij wrong zich erdoor en kwam in een kamer die veel weg had van zijn moeders torenkamer. De ramen stonden open, maar waren door aarde en wortels dichtgemetseld. Desondanks was het er licht en gezellig dankzij het vrolijk knappende haardvuur in het midden van de kamer. Er stond een tafel naast waarop honingtaartjes en bekers melk klaarstonden, en daarvoor stond een stoel. Die was van hem af gedraaid, maar hij kon zien dat er iemand in zat, iemand met lang zwart haar.

'Mamma?' vroeg Tobin met een mengeling van blijdschap en angst. De vrouw begon zich om te draaien...

En Tobin werd wakker.

Even bleef hij stilliggen, zijn tranen inslikkend terwijl hij naar Nari's zachte gesnurk naast zich luisterde. De droom was zo echt geweest en hij wilde zijn moeder zo graag terugzien. Hij wilde zo graag dat ze aardig tegen hem was en lachte. Hij wilde dat ze aan tafel zouden gaan zitten en samen honingtaart aten, zoals op nog geen enkele verjaardag gebeurd was.

Hij kroop dieper onder de dekens en wenste dat de droom verder zou gaan. Opeens schoot hem daar iets over te binnen en hij was meteen weer wakker.

Hij had de pop écht in de speelkamer laten liggen!

Hij sprong uit bed, nam het nachtlampje van zijn nachtkastje, liep naar de tussendeur en vroeg zich af of het er net zo zou uitzien als in zijn droom.

Maar de kamer was nog steeds een zwijnenstal. Alles lag nog waar het terechtgekomen was. Met zijn blik van de ingestorte stad afgewend trok hij de zware wandkleden opzij en vroeg zich af waar hij de pop had laten vallen.

Hij was nergens te vinden.

Hij kroop in elkaar, sloeg zijn armen om zijn knieën en stelde zich voor hoe iemand – Nari of Mynir – de pop zou vinden en hem hoofdschuddend weg zou gooien. Zouden ze het aan zijn vader verklappen? Zouden ze hem teruggeven?

Iets trof hem tegen zijn hoofd en hij viel opzij, een angstkreet smorend.

Naast hem op de vloer lag de pop, en daar had hij een minuut eerder beslist niet gelegen. Tobin zag de demon niet, maar voelde hem des te beter: vanuit een hoek keek hij naar hem.

Langzaam, behoedzaam, raapte Tobin de pop op en hij fluisterde: 'Bedankt.'

13

Omdat hij de pop niet voor een tweede keer wilde kwijtraken, verstopte Tobin hem opnieuw in zijn kamer. Hij deed hem weer in de meelzak en verborg hem diep onder een stapel perkament, oud speelgoed en zijn op een na beste cape in een rommelkist.

Hij voelde zich opgelucht, maar de droom van zijn bezoek aan het bos kwam nog drie keer terug, en eindigde steeds voor hij de vrouw in haar stoel kon bereiken.

Het was telkens precies dezelfde droom op één kleinigheid na. In die latere dromen bracht hij de pop naar zijn moeder toe in de wetenschap dat zij hem voor hem zou bewaren, veilig in haar ondergrondse kamer.

Er ging een week voorbij en weer droomde hij van haar, en het leek steeds echter te worden. Ten slotte voelde hij dat hij uit moest zoeken of er niet werkelijk zo'n plek bestond. Dit betekende dat hij ongehoorzaam zou moeten zijn, want hij mocht nu eenmaal niet in zijn eentje naar buiten, maar de droom was te sterk om hem te negeren.

Hij wachtte rustig zijn kans af en op een wasdag halverwege Gorathin was het zover. Iedereen zou de hele dag druk bezig zijn op het erf. 's Ochtends hielp hij mee door emmers water van de rivier naar de wasketels te dragen en takkenbossen aan te slepen om het vuur brandende te houden. De oostelijke lucht die bij zonsopgang zo helder was geweest, begon nu boven de toppen van de bomen onaangenaam donker te worden en iedereen haastte zich om het werk af te krijgen voor de bui hun zou bereiken.

Hij at zijn middagmaal met de anderen en vroeg toen of hij mocht gaan.

Nari trok hem naar zich toe en kuste hem op zijn kruin. Het leek wel of ze hem de hele dag door wilde knuffelen.

'En wat wou je dan gaan doen in je eentje, diertje? Blijf toch gezellig bij ons.'

'Ik wil mijn stad weer op gaan bouwen.' Tobin drukte zijn gezicht tegen haar schouder zodat ze niet zou zien dat hij loog. 'Denk je... denk je dat vader kwaad zal zijn als hij ziet dat hij kapot is?'

'Tuurlijk niet. Welke vader zou nu kwaad kunnen zijn op zo'n braaf jochie als jij. Vind je ook niet, Kokkie?'

De vrouw knikte boven haar brood met kaas. 'Je bent zijn alles, zijn oogappel.'

De tang naast de haard viel met veel gekletter van zijn haak, maar iedereen deed of er niets gebeurd was.

Hij wrong zich uit Nari's omhelzing en rende naar boven om bij het raam te staan tot iedereen weer druk bezig was. Toen verborg hij de pop onder zijn langste mantel, sloop naar beneden en glipte de voordeur uit. Hij verwachtte haast dat hij op magische wijze naar het bos zou worden getransporteerd, zoals in zijn dromen was gebeurd, maar hij kwam gewoon buiten de muur terecht. Terwijl de poort achter hem dichtviel, bleef hij even als versteend staan, want hij was toch wel onder de indruk van wat hij wilde gaan doen. Als Nari hem nu zou missen? Als hij nu eens een bergleeuw of een wolf tegenkwam?

Een briesje streelde zijn gezicht en hij rook de geur van de regen terwijl hij langs de rand van het weiland in de richting van het woud sloop. Roodborstjes bezongen het naderend onweer ergens vlakbij, en duiven koerden weemoedig naar elkaar in de bomen.

De poort naar het erf bij de keuken stond open. Hij zag Nari en Kokkie aan het werk terwijl hij voorbij sloop, ze lachten terwijl ze met houten spatels in de wasketel roerden. Het deed vreemd aan om zo van buitenaf naar binnen te kijken.

Hij vervolgde zijn weg en liep langs de muur tot aan de basis van de wachttoren. Hij hield zijn ogen naar de grond gericht toen hij de rotsblokken passeerde waar zijn moeder gestorven was.

Eindelijk bereikte hij de beschutting van de bomen en struiken en pas nu besefte Tobin dat hij geen idee had welke kant hij op moest; in zijn dromen was de demon zijn gids geweest. Maar er was een rivier in de droom geweest, en hier had hij die ook, dus besloot hij die te volgen en er het beste van te hopen. Hij pauzeerde even om de stand van de zon in zich op te nemen zoals Tharin het hem geleerd had. Vandaag was het knap lastig, de zon was niet veel meer dan een wazig lichtje in een mistige, bewolkte lucht.

De rivier kon je met een pad vergelijken, dacht hij. Hij hoefde hem alleen maar te volgen om weer bij de burcht te komen.

Hij was hier nog nooit geweest. De oever was steil en de bomen groeiden tot aan het water. Om de stroom te volgen moest hij over rotsen klauteren en zich door wilgentakken heen wurmen. Op sommige plekken zag hij dierensporen in de modder en hij bekeek ze zorgvuldig of er niet toevallig een bergleeuw tussen zat. Die zag hij niet, maar toch had hij spijt als haren op zijn hoofd dat hij zijn boog niet had meegenomen.

Terwijl hij verder ploeterde, werd de hemel donkerder en de wind begon de takken boven zijn hoofd flink dooreen te schudden. Hier waren geen roodborstjes en duiven meer, alleen een raaf kraste vlakbij. Tobin kreeg kramp in zijn arm van de pop die hij eronder klemde. Hij dacht aan al die bergplaatsen die hij tijdens zijn ritjes te paard had gezien, maar de paar holletjes die hij hier vond, waren allemaal veel te vochtig. En al zou hij een droog plekje vinden, dan betwijfelde hij nog of hij hier vaak heen zou durven gaan. Toen begreep hij pas dat hij helemaal niet van de pop gescheiden wilde worden.

Maar de ondergrondse kamer wilde hij toch wel erg graag zien, dus zwoegde hij voort.

Het bos zag er echter helemaal niet zo uit als in zijn droom. Er kwam maar geen open plek, hij zag geen vriendelijke hertjes die op hem wachtten, er waren alleen scherpe stenen en boomwortels waarover hij struikelde, en kleine stekende vliegjes die zoemend rond zijn oren vlogen en modder die zijn schoenen doorweekte. Hij stond op het punt het op te geven, toen hij een wildspoor bereikte dat naar een hogergelegen dennenbosje leidde.

Hier liep het wat makkelijker. Geurige, roestkleurige naalden vormden een dik tapijt en hij kon zichzelf nauwelijks horen terwijl hij liep. Blij vervolgde hij het paadje, want zo zou hij vast en zeker bij de open plek met de herten komen. Maar hoe verder hij kwam, hoe onduidelijker het pad werd tot het helemaal tussen de dikke rechte stammen van de dennen was verdwenen. En toen hij zich omdraaide kon hij de weg terug niet meer vinden. Zijn voeten hadden geen sporen op het naaldentapijt nagelaten. Hij kon niet eens het lied van de rivier horen, enkel het getik van de eerste regendruppels op de takken. Welke kant hij ook op keek, het zag er allemaal hetzelfde uit. Het stukje van de hemel dat hij door de dikke takken zag, was een grijze lap en de zon was nergens te bekennen.

De wind was gaan liggen en de dag liep ten einde. Vliegen met grote groene ogen voegden zich bij de wolken kleine muggen die om zijn hoofd zoemden en hem achter zijn oren en in zijn hals staken. Het grote avontuur was voorbij. Tobin had het warm, was bang en verdwaald.

Hij liep paniekerig heen en weer om een paadje te vinden, maar het was hopeloos. Ten einde raad ging hij op een rotsblok zitten en vroeg zich af of Nari al gemerkt zou hebben dat hij was verdwenen.

Het was heel stil. Hij hoorde een eekhoorn boze geluidjes maken en de geluiden van de dieren onder de begroeiing. Kleine zwarte mieren zwoegden met hun eitjes en stukjes blad over de naalden onder zijn voeten. Uitgeput boog hij zich voorover om hen te bekijken. Eentje had een glanzend keverpootje in zijn klauwtjes. Een lange zwarte slang zo dik als Tobins pols verscheen en gleed voorbij zijn voeten; hij keurde hem geen blik waardig. Regen drupte zachtjes neer van de takken en hij kon de verschillende geluiden horen die de druppels maakten, als ze op bladeren, planten, stenen en de naalden onder zijn voeten vielen. Tobin vroeg zich af hoe de poten van een bergleeuw op dit tapijt zouden klinken, en of hij wel geluid zou maken...

'Ik dacht jij komt vandaag misschien.'

Tobin viel bijna van zijn rotsblok toen hij zich een halve slag omdraaide. Een kleine vrouw met lang zwart haar zat drie voet verderop op een bemoste boomstam, haar handen in haar schoot. Ze was erg smerig, droeg een gerafelde bruine lap als jurk en had een ketting van dierentanden om. Haar handen en blote voeten zaten vol vlekken, en er zaten takjes en bladeren in haar dikke haar vol klitten. Ze grijnsde naar hem, maar haar zwarte ogen lachten hem niet uit.

Tobin stak de pop snel achter zijn rug, beschaamd dat hij ermee betrapt was, al was het dan door een vreemde. Bang was hij ook bij de aanblik van het lange mes dat in haar gordel gestoken zat. Ze zag er niet uit als een van zijn vaders pachters en ze praatte een beetje raar.

Toen ze glimlachte zag hij dat er een paar tanden ontbraken. 'Kijk eens wat ik heb, kiesa.' Ze bewoog haar handen en hij zag dat ze een jong konijntje op schoot had. Ze aaide hem over zijn oren en rug. 'Kijken, jij?'

Tobin aarzelde, maar zijn nieuwsgierigheid won het van zijn voorzichtigheid. Hij stond op en liep langzaam naar voren tot hij voor haar stond.

'Aai maar,' zei de vrouw en ze liet hem zien hoe hij dat moest doen. 'Zij vindt fijn.'

Tobin streelde het konijnenruggetje. Onder zijn hand voelde het vachtje zo zacht en warm aan, net als het hert in zijn droom, en het beestje was absoluut niet schichtig.

'Ze vindt lief, jou.'

Ja, dacht Tobin, deze vrouw sprak niet zoals wie dan ook in Alestun. Hij stond nu dicht bij haar en hij merkte ook dat ze vreemd rook, maar om de een of andere reden was zijn angst totaal verdwenen.

Met de pop onder zijn mantel knielde hij en aaide hij het konijn over haar kopje. 'Ze is zacht. Honden willen niet dat ik ze aai.'

De vrouw klakte met haar tong. 'Honden niet begrijpen.' Voordat Tobin kon vragen wat ze bedoelde, zei ze: 'Ik lang op jou gewacht, kiesa.'

'Ik heet geen Kiesa. Ik ben prins Tobin. Ik ken u toch niet?'

'Maar ik jou ken, kiesa-die-Tobin-heet. Ken jouw arme mamma ook. Jij hebt ding van haar.'

Dus ze had de pop gezien. Met een rood hoofd haalde hij hem vanonder zijn mantel vandaan. Ze pakte hem aan en gaf hem het konijn.

'Ik Lhel. Jij niet bang zijn mij.' Ze hield de pop in haar schoot, en streelde hem met haar vuile vingers. 'Ik weet jouw geboorte. Ik waak jou.'

Lhel? Die naam had hij eerder gehoord. 'Maar waarom komt u dan nooit naar de burcht?'

'Ik kom.' Ze knipoogde. 'Zien mij niet.'

'Hoe komt het dat u niet helemaal goed praat?'

Lhel raakte speels met een vinger zijn neus aan. 'Jij mij leren? Ik leer jou ook. Ik wacht voor jou te leren, al die tijd in de bomen. Voelt alleen, maar ik wacht. Jij nu klaar om dingen leren?'

'Nee. Ik was op zoek naar... naar...'

'Mamma?'

Tobin knikte. 'Ik zag haar in een droom. In een kamer onder de grond.'

Lhel schudde bedroefd haar hoofd. 'Is haar niet. Was ik. Die mamma niet nodig nu.'

Tobin werd opeens heel treurig. 'Ik wil naar huis!'

Lhel klopte hem op de wang. 'Niet ver. Maar je bent niet zomaar verdwaald, nee?' Ze streelde de pop. 'Deze geeft jou zorgen.'

'Nou...'

'Ik weet. Jij komt, kiesa.'

Ze stond op en liep met de pop tussen de bomen door. Tobin had weinig keus en volgde haar.

De was duurde nooit zo lang wanneer Rhius en de manschappen weg waren. En met de dreigende regenbui werkten Nari en Kokkie stevig door om de kleren en het linnen schoon te krijgen, terwijl Mynir vast lijnen in de hal spande om alles te drogen te hangen.

Ze waren op tijd klaar om met het eten te beginnen.

'Ik zal het brood wel doen,' zei Nari die tevreden naar de lijnen met het druipende goed stond te kijken. 'Ik kijk even of Tobin nog wat nodig heeft.'

Om eerlijk te zijn vond ze het niet prettig het kind zolang alleen te laten, niet sinds de speelkamer in een ravage was veranderd. Het kon de geest geweest zijn die doorgeslagen was – bij de gedachte aan Tobin die in zijn eentje die zware kast omver gekregen had sloeg de angst haar om het hart – maar ze had Tobin wel met zijn speelgoed en die zware wandkleden zien gooien en smijten, en híj had haar aangevallen en haar een bloedneus bezorgd voor ze hem had kunnen vastpakken. Het werd steeds lastiger om te zeggen of de geest de schuld aan iets had of dat Tobin het weer op zijn heupen had gekregen. Hij was zo veranderd sinds de dood van zijn moeder, zo afstandelijk en heimelijk geworden, alsof hij iets verborgen moest houden.

Nari zuchtte terwijl ze de trap op ging. Ariani was als moeder nooit zoveel waard geweest, op die laatste paar maanden na dan. En Rhius? Nari schudde haar hoofd. Ze was er nooit achter gekomen hoe hij in elkaar zat, zeker niet sinds de dood van zijn vrouw. Als Tobin een beetje raar deed – tja, wiens schuld zou dat dan zijn?

Ze vond Tobin geknield naast zijn speelgoedstad; zijn zwarte haar hing verward voor zijn ogen terwijl hij met een kapot scheepje bezig was.

'Heb je zin om te helpen met bakken, diertje?' vroeg ze.

Hij schudde het hoofd, al zijn aandacht was bij de mast die hij aan het vastmaken was.

'Moet ik even helpen?'

Weer schudde hij het hoofd en hij wendde zich af, terwijl hij naar wat anders greep.

'Dan moet je het zelf maar weten, prins de Stille.' Ze wierp hem nog een laatste liefdevolle blik toe en ging op weg naar de keuken, terwijl ze bedacht wat voor soort brood ze vanavond eens zou bakken.

Ze hoorde niet hoe het scheepje in de lege kamer boven aan de trap tegen de vloer kletterde.

Tobin droeg het konijntje veilig in zijn armen terwijl hij achter Lhel aan verder het bos in liep. Hij zag geen pad, maar zij liep zo snel en zonder aarzeling alsof zij er wel eentje zag. Het bos werd steeds donkerder en de bomen – eiken en sparren – waren hoger dan Tobin ooit had gezien. Brede banen van gele venusschoentjes, wintergroen en stinkende violette trilliums bedekten de bodem als een kleurige lappendeken.

Tobin bekeek Lhel terwijl hij haar volgde. Ze was niet veel groter dan hij. Haar haar was zo zwart als dat van mamma, maar het was droger en krulde hier en daar, en er zaten dikke zilveren lokken tussen.

Ze liepen een hele tijd. Hij wilde niet al te diep het bos in, en zeker niet met haar, maar ze had zijn pop en ze keek niet eens om of hij haar nog volgde. De tranen sprongen hem weer in de ogen en hij bezwoer zichzelf dat hij nooit meer alleen naar buiten zou gaan.

Ze stopte ten slotte bij de grootste eik ter wereld, dacht Tobin. Hij torende boven hen uit, zo hoog als de wachttoren leek het wel, en de stam was bijna net zo dik. Hij was versierd met dierenschedels, geweien en huiden die te drogen hingen. Een paar visjes hingen op droogrekken ernaast en er lagen manden van riet en wilgentenen. Daarachter was een bronnetje in de vorm van een helder rond vijvertje. Ze dronken uit hun handen uit het poeltje en toen nam Lhel hem mee naar de boom.

'Mijn huis,' zei ze en ze verdween in de stam.

Tobin stond verbijsterd en vroeg zich af of de boom haar had opgegeten, maar ze gluurde om de hoek waar hij bleef en wenkte hem te volgen.

Dichterbij gekomen zag hij dat er een grote spleet in de stam zat waar hij makkelijk doorheen kon als hij een beetje bukte. Binnen in de oude boom was een ruimte bijna zo groot als Tobins slaapkamer, met een vloer van aangestampte aarde. De gladde zilveren binnenkant van de stam liep hoog de duisternis in en een tweede spleet boven de deur liet net genoeg licht door om een stromatras bedekt met zachte dierenvellen te onderscheiden; ook zag Tobin een vuurplaats en een kleine ijzeren pot ernaast. De pot was er precies zo een als Kokkie gebruikte.

'Heb jij dit gemaakt?' vroeg hij, want hij was vergeten dat hij bang was en voelde zich eigenlijk wel op zijn gemak bij haar. Het was hier nog mooier dan in de ondergrondse kamer.

'Nee. Oude grootmoederbomen maken hart open, maken goede plek binnenin.' Ze drukte een kus op haar handpalm en legde hem tegen de stam, alsof ze de boom bedankte.

Lhel liet Tobin op haar bed plaatsnemen en stak een vuurtje aan. Hij zette het konijn op de grond en het dier ging aan zijn voeten zitten om haar snor met haar pootjes op te poetsen. Lhel reikte in de schaduwen bij de deur en haalde een mand met bosaardbeitjes en een gevlochten brood tevoorschijn.

'Dat lijkt precies op het brood dat Kokkie van de week gemaakt heeft,' merkte Tobin op.

'Zij goede bakker,' antwoordde Lhel en ze zette het eten voor hem neer. 'Ga vaak naar jouw huis.'

'Heb je dat brood gestolen?'

'Verdien het, door wachten op jou.'

'Hoe kan ik je dan nooit gezien hebben?' vroeg Tobin weer. 'Hoe kan het dan dat ik nooit van je gehoord heb, als je zo dichtbij woont?'

De vrouw schepte een handvol vruchten in haar mond en haalde haar schouders op. 'Ik wil niet mensen mij zien. Zij mij niet zien. Nu, wij regelen deze *hekka*, goed?'

Voor Tobin kon protesteren, had Lhel haar mes getrokken en het strakke zwarte koordje rond de hals van de pop doorgesneden. Nu het los was, bleek het een streng zwart haar te zijn.

'Van mamma.' Lhel kietelde Tobins wang met het plukje en wierp het toen in het vuur. Met haar mes opende ze ook een naad aan de zijkant van de romp en schudde er wat verbrokkelde bruine harde stukjes uit die ze ook in het vuur wierp. Ze verving de vulling door takjes geurige kruiden uit het mandje. Tobin herkende rozemarijn en wijnruit, de andere kende hij niet.

Ze haalde een zilveren naald en draad uit het buideltje aan haar gordel en stak haar hand naar Tobin uit. 'Heb nodig ietsiepetietsie van jouw rood, kiesa, voor sterke betovering. Maakt het jouw hekka.'

'Hij is toch al van mij,' wierp Tobin tegen en hij deinsde achteruit.

Lhel schudde het hoofd. 'Nee.'

Omdat hij niet wist wat hij anders moest doen, liet Tobin haar in zijn vinger prikken en een druppeltje bloed op het lijfje van de pop knijpen. Vervolgens naaide ze de romp weer dicht, zette de pop rechtop op haar knie en rimpelde haar neus met een gekke grijns. 'Heeft gezichtje nodig, maar jij bent maker. Ik doe nog laatste ding.'

Neuriënd sneed ze een lok van Tobins haar af, wreef die in met was als een pees voor een boog en draaide hem tot een nieuw koordje dat ze om de nek van de pop bond. Tobin keek hoe haar vingers er een fraaie knoop in legden. 'Ben je tovenares?'

Lhel snoof en overhandigde hem de pop. 'Wat denk je wat is dit?'

'Gewoon – een pop?' antwoordde Tobin, maar hij wist allang dat dat niet het geval was. 'Is-ie nu betoverd?'

'Altijd betoverd,' vertelde Lhel. 'Mijn volk noemt dit *hekkamari*. Heeft geest in zich. Jij kent hem wel.'

'De demon?' Tobin staarde ernaar.

Lhel glimlachte droef. 'Demon, kiesa? Nee. Geest. Dit jouw broer.'

'Ik heb geen broer!'

'O, jawel, kiesa. Geboren na jou, maar dood. Ik liet zien jouw mamma dit maken voor zijn arme *mari*. Hij wachten ook lang. Heel lang. Jij zegt...' Ze stopte even, en legde haar handpalmen tegen elkaar onder haar kin terwijl ze diep nadacht. 'Jij zegt: "Bloed, mijn bloed. Vlees, mijn vlees. Bot, mijn bot."'

'En wat gebeurt er dan?'

'Dan bind je hem aan jou. Dan zie je hem. Hij jou nodig heeft. Jij hem nodig hebt.'

'Ik wil hem helemaal niet zien!' riep Tobin en hij dacht aan alle monsters die hij zich had voorgesteld om een vorm te vinden voor de geest die zijn leven overschaduwde.

Lhel stak haar arm uit en nam zijn kin in haar ruwe hand. 'Jij lang genoeg bang. Nu jij dapper als strijder. Jij weet niet, er zijn plannen met jou. Nu jij altijd dapper, altijd.'

Altijd dapper, altijd, als een strijder, dacht Tobin. Hij voelde zich allesbehalve dapper, maar hij sloot zijn ogen en fluisterde: 'Bloed, mijn bloed. Vlees, mijn vlees...'

'Bot, mijn bot,' vulde Lhel zachtjes aan.

'Bot, mijn bot.'

Hij voelde hoe de demon de boom binnenliep en zo dichtbij kwam dat hij hem had kunnen aanraken als hij het gedurfd had. Lhels koele hand werd op de zijne gelegd.

'Kiesa, kijk.'

Tobin deed zijn ogen open en zijn adem stokte. Een jongen die er precies zo uitzag als hij hurkte een eindje verder op de grond. Maar deze jongen was naakt en vuil, en zijn doffe zwarte haar zat in de war en hing in smerige plukken langs zijn gezicht.

Hij had hem gezien, die dag dat mamma... Tobin wilde er niet aan denken. Hij dacht nooit aan die dag. Nooit.

De andere jongen gluurde naar Tobin met zulke pikzwarte ogen dat je de pupillen niet kon onderscheiden.

'Hij lijkt op mij,' fluisterde Tobin.

'Hij jou. Jij hem. Zelfde.'

'Tweeling. Bedoel je dat?' Tobin had wel eens een tweeling in Alestun gezien.

'Tweeling, ja.'

De demon liet zijn tanden zien, blies naar Lhel als een kat en ging toen aan de andere kant van het vuur zitten. Het konijntje sprong weer op Tobins schoot, naast de pop, en ging door met poetsen.

'Hij vindt jou niet aardig,' zei Tobin tegen Lhel.

'Haat,' gaf Lhel toe. 'Jouw mamma had hem. Nu jij hebt hem. Bescherm hekkamari of hij dolende ziel. Hij heeft jou nodig, helpt jou beetje.'

Zenuwachtig door de strakke blik van de demon, kroop Tobin wat dichter naar Lhel toe. 'Hoe ging hij dood?'

Lhel haalde haar schouders op. 'Kiesa sterven soms.'

De geest dook ineen alsof hij boven op haar wilde springen en liet zijn tanden zien. Lhel negeerde hem.

'Maar... maar hoe komt het dan dat hij niet naar Bilairy is gegaan?' vroeg Tobin. 'Nari zegt altijd dat we naar Bilairy gaan als we doodgaan en die neemt ons dan mee naar Astellus, die ons naar de dodenlanden brengt.'

Lhel haalde weer haar schouders op.

Tobin kreunde. 'Maar hoe heet hij dan?'

'Doden hebben geen naam.'

'Maar ik moet hem toch íéts noemen!'

'Noem hem Broer. Dat is hij.'

'Broer?' De geest staarde hem maar aan en Tobin huiverde. Dit was nog erger dan wanneer hij helemaal niets zag. 'Ik wil niet dat hij mij zo aanstaart. En hij pest me ook. Hij heeft mijn stad kapot geschopt!'

'Dat doet hij niet meer, nu jij hekkamari bent. Jij zegt "Ga weg!" Hij gaat weg. Je roept hem terug en stuurt hem weg met de woorden die ik jou leer. Zeg, dan ik weet jij kent ze.'

'Bloed, mijn bloed. Vlees, mijn vlees. Bot, mijn bot.'

De geestjongen kromp ineen en kroop toen dichter naar Tobin toe, die achteruitschoof en het konijn tussen zijn benen liet vallen.

Lhel knuffelde hem en lachte. 'Hij jou niks doet. Zeg hem weg te gaan.'

'Ga weg, Broer!'

De geest was verdwenen.

'Kan ik zorgen dat hij nooit meer terugkomt?'

Lhel pakte zijn hand vast en haar gezicht stond ernstig. 'Nee! Jij hem nodig, ik heb gezegd.' Ze schudde treurig haar hoofd. 'Denk eens hoe eenzaam hij is? Hij mist mamma, zoals jij haar mist. Zij maakte deze hekka, gaf om hem. Zij dood. Geen liefde. Jij lief voor hem zijn.'

Tobin vond dat maar niets. 'Wat moet ik dan doen? Moet ik hem eten geven? Kan hij mijn kleren aan?'

'Geesten eten met oog. Moeten bij mensen zijn. Zoals jij hem ziet, zo was hij ook bij mamma. Ze was ziek in haar hart, maar zorgde voor hem. Roep hem soms, laat hem bij je zijn zodat hij niet zo alleen en hongerig is. Doe je dat, kiesa?'

Tobin kon zich niet voorstellen dat hij met opzet een geest zou oproepen, maar hij begreep maar al te goed wat Lhel had gezegd over eenzaam en verloren zijn.

Hij zuchtte en fluisterde de woorden weer. 'Bloed, mijn bloed. Vlees, mijn vlees. Bot, mijn bot.'

Broer verscheen weer naast hem, nog steeds met een bange blik.

'Mooi!' zei Lhel. 'Jij en geest...' Ze haakte haar wijsvingers ineen.

Tobin bekeek het sombere gezicht dat zo op het zijne leek en toch anders was. 'Zal hij mijn vriend zijn?'

'Nee, jij net als hij. Was veel erger voor jou vóór mamma maakte hekkamari.' Ze haakte haar vingers weer ineen. 'Jij familie.'

'Kunnen Nari en vader hem zien als ik hem roep?'

'Nee, tenzij zij hebben oog. Of als hij wil.'

'Maar jij kunt hem zien.'

Lhel tikte op haar voorhoofd. 'Ik heb het oog. Jij ook, ja? Jij ziet hem?' Tobin knikte. 'Zij kennen hem zonder hem te zien. Vader. Nari. Oude man aan poort. Zij weten.'

Het leek net of Tobin geen adem meer kreeg. 'Zij weten wie de demon is? Dat ik een broer heb? Waarom hebben ze dat nooit verteld?'

'Zij zijn niet klaar voor. Tot dan jij houdt geheim.' Ze tikte op zijn hart. 'Zij weten niet van hekkamari. Alleen jouw mamma en ik. Jij houdt geheim, jij. Laat dit niemand zien!'

'Maar hoe dan?' En dat bracht hem terug bij het oorspronkelijke plan. 'Ik verstop hem steeds op andere plekken, maar...'

Lhel stond op en liep naar de deur. 'Is van jou, kiesa. Jij verbergen. Jij naar huis gaan, nu.'

Broer liep met hen mee terwijl ze terugliepen, nu eens voor hen uit, dan weer achter hen aan. Hij liep, maar het zag er wel raar uit, vond Tobin.

In een wip zagen ze het dak van de wachttoren boven de bomen.

'Maar je woont hartstikke dichtbij!' riep hij uit. 'Mag ik nog eens langskomen?'

'Een keer, kiesa.' Lhel stopte onder een druipende berk. 'Jouw vader, hij vindt niet fijn jij kent mij. Jij nieuwe leraar gauw.' Ze nam zijn kin weer in haar hand en trok met haar duim wat lijnen op zijn voorhoofd. 'Jij groot strijder, kiesa. Ik weet. Jij denkt dan aan mij, dat ik jou help, afgesproken?'

'Doe ik,' beloofde hij. 'En ik zal voor Broer zorgen.'

Met een flauwe glimlach klopte Lhel hem op zijn wang en haar lippen schenen niet te bewegen toen ze zei: 'Je zult alles doen wat gedaan moet worden.'

Ze draaide zich om en beende weg, en wel zo snel dat Tobin niet eens wist in welke richting ze vertrokken was. Broer stond naast hem, met nog altijd die bange blik. Zonder Lhel kwamen alle oude angsten weer boven.

'Weg jij!' beval Tobin haastig. 'Bloed, mijn bloed, vlees, mijn vlees, bot, mijn bot! Ga weg!' Tot zijn opluchting gehoorzaamde de geest onmiddellijk. Maar desondanks voelde Tobin hem toch achter zich aan hobbelen terwijl hij naar de burcht holde.

De rivieroever was snel gevonden en hij bereikte zo de achterkant van de burchtmuur. Toen hij de poort door glipte, waren de gebruikelijke keukengeluiden te horen, maar in de hal was niemand. Als een haas holde hij de trap op; gelukkig had niemand hem zien binnenkomen.

Het hele huis geurde naar versgebakken brood. Snel verstopte hij de pop in de kist, schoof zijn smerige schoenen onder de kast, waste zijn handen en gezicht en liep naar beneden voor het avondmaal.

Nu hij weer veilig thuis was, vergat hij al snel hoe bang hij was geweest. Hij was uren weggeweest, had een avontuur beleefd en niemand die er iets van gemerkt had. Al was hij zo bang geweest, al werd Broer zijn vriend niet, hij voelde zich stukken ouder en dichter bij de strijder die op een dag zijn vaders wapenrusting zou dragen.

Nari en Mynir waren de tafel aan het dekken in de keuken terwijl Kokkie zich met iets lekkers in een ketel boven het vuur bezighield.

'Hè, hè, daar is-ie eindelijk!' riep Nari toen hij binnenkwam. 'Ik wilde je juist gaan halen. Je bent zo stil geweest de hele middag dat het net leek of je weg was!'

Tobin pakte een warm broodje van de stapel die lag af te koelen en nam een grote hap, inwendig glimlachend.

Lhel zou deze ook wel lekker vinden.

14

De volgende dag zat Tobin met de pop op schoot bij zijn speelgoedstad. Nari was met Mynir de stad in en Kokkie kwam nooit de trap op om hem iets te vragen.

De scherpe geur van de verse kruiden steeg op naar Tobins neus; hij keek naar het lege gezicht en vroeg zich voor de zoveelste keer af wat zijn moeder gezien had wanneer ze haar pop aankeek. Zag ze Broer soms? Hij haakte zijn vinger onder het touwtje van haar om de hals van de pop en trok er even aan. Mijn haar, mijn bloed, dacht hij.

En zijn verantwoordelijkheid, had Lhel gezegd, maar daar wilde hij eigenlijk niets van weten. Het was al erg genoeg geweest om Broer op te roepen toen ze bij hem was. Hij moest er niet aan denken het hier in zijn kamer te doen.

In plaats daarvan pakte hij een ganzenveer en inkt uit de kist en legde de pop op de vensterbank waar het licht beter was. Hij doopte de pen in de inkt en probeerde een rond oog op het lege stoffen gezicht te tekenen. De inkt vloeide uit op het katoen en uiteindelijk zag je alleen een zwarte spinachtige vlek. Zuchtend schudde hij wat druppels inkt van de punt van de pen en deed het nogmaals. Dit ging beter en hij trok een cirkel om de vlek. Hij maakte er een grote donkere iris van en eindigde met twee horizontale lijntjes voor de oogleden. Het andere oog tekende hij er ook naast, tot het net leek of hij in de donkere ogen van de Broer staarde. Voorzichtig maakte hij er donkere wenkbrauwen en een stukje neus bij. Toen hij aan de mond begon, maakte hij hem glimlachend. Dat werkte echter helemaal niet, want de ogen keken nog steeds kwaad. Niets aan te doen. Het was niet geweldig, maar het was een hele verbetering ten opzichte van het lege gezicht dat hij zijn leven lang had gezien.

De pop leek nu pas echt van hem, maar het maakte het er niet makkelijker op om Broer op te roepen. Tobin droeg hem naar de hoek die het verst van de deur was en ging in kleermakerszit tegen de muur zitten. Als Broer hem nu eens aanviel? Als hij de stad weer overhoop schopte of naar beneden rende om iemand pijn te doen?

Uiteindelijk zei hij de spreuk toch omdat hij zich herinnerde wat Lhel had gezegd over de honger die Broer had. Hij drukte zich zo dicht mogelijk tegen de muur, kneep zijn ogen bijna dicht en fluisterde: 'Bloed, mijn bloed. Vlees, mijn vlees. Bot, mijn bot.'

Gisteren in de eik had Broer als een bang dier aan zijn voeten gezeten. Maar deze keer moest Tobin rondkijken om hem te vinden.

Broer stond bij de deur alsof hij zojuist als een gewoon mens was binnengekomen. Hij was nog steeds mager en vuil, maar hij had een eenvoudige, schone tuniek aan, net als Tobin. En kwaad keek hij ook niet. Hij stond daar maar en keek Tobin zonder uitdrukking aan, alsof hij ergens op wachtte.

Tobin stond langzaam op zonder hem uit het oog te verliezen. 'Wil... wil je niet hier komen?'

Broer liep niet naar hem toe, maar stond in een oogwenk naast hem en keek hem zonder te knipperen met die zwarte ogen aan. Lhel had gezegd dat hij Broer te eten kon geven door hem naar dingen te laten kijken. Tobin stak hem de pop toe. 'Zie je? Ik heb een gezicht getekend.'

Het leek Broer niet te interesseren. Tobin bekeek het vreemde gezicht heel behoedzaam. Broer had precies dezelfde trekken, op het maanvormige litteken op zijn kin na, en toch zag hij er totaal anders uit.

'Heb je honger?' vroeg hij toen maar.

Broer zei niets.

'Kom op. Dan laat ik je wat dingen zien. Dan kun je weer weg.'

Tobin voelde zich een beetje dwaas zoals hij door de kamer liep om zijn lievelingsspeelgoed aan de geest te laten zien. Hij toonde hem zijn beeldjes en houtsnijwerk en de schatten die zijn vader hem gestuurd had. Zou Broer jaloers worden? Tobin had geen idee. Hij gaf Broer de knop van een Plenimaraans schild. 'Hier, wil je deze hebben?'

Broer nam hem aan met een hand die er net echt uitzag, maar toen de vingers Tobin aanraakten voelde hij alleen een koel zuchtje wind.

Tobin hurkte neer bij de stad en Broer kwam ernaast zitten met de knop in zijn hand. 'Ik ben bezig om alle dingen te repareren die je die dag kapotgemaakt hebt,' zei hij een beetje verbolgen. Hij pakte een bootje op en liet hem de herstelde mast zien. 'Nari denkt dat ik hem gebroken heb.'

Broer bleef maar zwijgen.

'Kan me niks schelen. Je was gewoon bang dat ik Nari de pop zou laten zien, hè?'

Jij moet hem houden.

Tobin was zo verbaasd dat hij het scheepje liet vallen. De stem van Broer was zwak en zonder emotie en zijn lippen hadden niet bewogen, maar het stond buiten kijf dat hij gesproken had.

'Je kunt praten!'

Broer staarde hem aan. *Jij moet hem houden.*

'Dat doe ik ook, ik zweer het. Maar je praatte! Wat kun je nog meer zeggen?'

Broer staarde hem aan.

Tobin stond even met zijn mond vol tanden. Wat moest je nou tegen een geest zeggen? Plotseling wist hij precies wat hij moest vragen. 'Zie je mamma soms in de toren?'

Broer knikte.

'Ga je bij haar op bezoek?'

Nog een knik.

'Wil ze... wil ze me kwaad doen?'

Soms.

Angst en zorgen balden zich in Tobins hart samen. Huiverend bestudeerde hij het gezicht van de geest. Zag hij een glimpje tevredenheid? 'Maar waarom?'

Broer kon of wilde het hem niet vertellen.

'Ga dan maar weg! Ik wil je niet meer zien!' riep Tobin.

Broer verdween en de koperen knop viel rinkelend op de vloer. Tobin staarde er even naar en smeet hem toen keihard door de kamer.

Er gingen verscheidene dagen voorbij voor Tobin genoeg moed verzameld had om Broer nogmaals op te roepen. Toen hij het uiteindelijk deed, merkte hij echter dat hij eigenlijk niet bang meer voor hem was.

Hij wilde dolgraag weten of Nari Broer kon zien, dus beval hij Broer om hem te volgen naar zijn slaapkamer, waar Nari de bedden aan het verschonen was. Ze keek recht naar Broer zonder hem te zien.

En ook de anderen konden hem niet zien toen Tobin hem die avond even meenam naar de keuken, omdat hij verwachtte dat Broer niet meer zo hongerig zou kijken als hij even een blik op de levensmiddelen kon werpen.

Toen hij die avond in bed lag, riep hij Broer weer op om te zien of het uitmaakte. Maar nee, Broer zag er nog even uitgehongerd uit als anders.

'Heb je dat eten niet met je ogen gegeten?' vroeg Tobin toen Broer doodstil aan zijn voeteneind stond.

Broer hield zijn hoofd even scheef alsof hij over de vraag nadacht. *Ik heb alles met mijn ogen opgegeten.*

Tobin huiverde toen Broer hem weer aankeek. 'Haat je me, Broer?'

Lang bleef het stil. *Nee.*

'Waarom doe je dan zo gemeen?'

Broer kon deze vraag niet beantwoorden. Tobin wist niet zeker of hij hem wel begrepen had.

'Vind je het prettig wanneer ik je roep?'

Weer leek hij het niet te begrijpen.

'Zul je aardig tegen me zijn als ik je elke dag even bij me laat komen? En doen wat ik zeg?'

Broer knipperde langzaam met zijn ogen, als een uil die tegen de zon in keek.

Daar moest Tobin het maar mee doen. 'Je moet niets meer kapotmaken of mensen pijn doen. Dat is heel stout. Vader zou dat nooit toestaan als je levend was.'

Vader...

De kille haat die uit het woord sprak, bezorgde Tobin kippenvel. Hij beval Broer weg te gaan en trok de dekens hoog boven zijn hoofd op. Hij staarde naar het flakkerende nachtlampje tot Nari bij hem in bed stapte. Na die avond riep hij Broer alleen nog overdag op.

15

Iya en Arkoniël brachten de zomermaanden in de zuidelijke provincies door. Daar zocht Iya de oude tovenares Ranai op, die in een klein vissersdorpje ten noorden van Erind leefde. Toen Ranai nog een meisje was had ze naast Iya's meester in de Grote Oorlog gevochten en was toen zwaargewond geraakt. Iya had Arkoniël op het bezoek voorbereid, maar toch schrok deze zich wild toen ze de deur opende en hij haar gezicht zag.

Het was een tenger, gekromd vrouwtje. Een demon van een zwarte tovenaar had haar linkerbeen verbrijzeld zodat ze kreupel werd, en hij had ook de linkerkant van haar gezicht met zijn vurige klauwen opengehaald; de huid kleefde aan de schedel in bleke wasachtige stroken die niet bewogen wanneer ze glimlachte of sprak.

Misschien heeft ze zich daarom in dit gat begraven, dacht Arkoniël. De kracht van de vrouw deed hem huiveren.

'Gegroet, vrouwe Ranai,' sprak Iya en ze maakte een buiging voor de oude dame. 'Weet u nog wie ik ben?'

Ranai keek haar even met half toegeknepen ogen aan en glimlachte toen. 'Kijk nou eens, Agazhars meisje, ja toch? Maar een meisje ben je niet meer. Kom binnen, mijn kind. En ik zie dat je nu zelf een leerling hebt. Kom binnen en welkom, jongeman, mijn huis is jullie huis.'

Regen tikte gezellig op het strodak toen de oude dame tussen het vuur en de tafel heen en weer hompelde, terwijl ze hun brood en soep aanreikte. Iya zette er kaas en wijn bij die ze in het dorp gekocht hadden. De nachtwind verspreidde de geur van wilde rozen en de zilte zee door het enige raam van het boerenhuisje.

Onder het eten praatten ze over koetjes en kalfjes, maar toen de tafel was afgeruimd keek Ranai Iya met haar goede oog strak aan en zei: 'Je komt hier vast niet zomaar.'

Arkoniël leunde achterover met zijn beker wijn, want hij wist woordelijk wat er nu zou volgen.

'Vraagt u zich nooit eens af, Ranai, wat wij tovenaars tot stand zouden kunnen brengen wanneer we onze koppen bij elkaar zouden steken?' vroeg Iya.

Dit is de tweehonderddertiende keer, dacht Arkoniël. Hij had het bijgehouden.

'Jouw meester en ik hebben gezien waartoe tovenaars in staat zijn, wat goed en wat kwaad betreft,' antwoordde Ranai. 'Ben je daarom helemaal hiernaartoe gekomen, Iya? Om me dat te vragen?'

Iya glimlachte. 'Ik zou dat niet iedereen durven vragen, maar hier doe ik het wel. Hoe staat u tegenover de koning?'

De gezonde helft van Ranais gezicht kreeg de bekende trek van verwondering en van hoop. Ze maakte een handgebaar en het luik voor het raam sloot zichzelf met een klap. 'Jij hebt van haar gedroomd!'

'Van wie?' vroeg Iya rustig, maar Arkoniël voelde hoe opgewonden ze was.

'De Droevige Koningin, noem ik haar,' fluisterde Ranai. 'De dromen begonnen zo'n twintig jaar geleden, maar Illior stuurt ze nu steeds vaker, vooral op nachten tussen de twee maansikkels. Soms is ze jong, soms oud. Soms een overwinnaar, soms een lijk. Ik heb haar gezicht nooit helemaal goed kunnen zien, maar ze heeft altijd een diep bezorgde trek. Bestaat ze?'

Iya gaf geen rechtstreeks antwoord. Dat deed ze nooit, net zomin als ze de kom in haar tas zou laten zien. 'Ik ontving een visioen in Afra. Arkoniël kan dat getuigen. Daarin zag ik de vernietiging van Ero en toen een nieuwe stad en een nieuw tijdperk van tovenaars... maar een koningin moet die nieuwe stad regeren. U weet dat Erius dat nimmer zal toestaan. Hij volgt Sakor, maar het is Illior die Skala in de Grote Oorlog en daarna beschermde. En Illior beschermt ook de tovenaars. Hebben we de Lichtdrager goed genoeg gediend, door al die jaren te verlummelen terwijl de profetie die aan Thelátimos geschonken is vertrapt en genegeerd werd?'

Ranai tekende lijnen op tafel door met haar vingers door een plasje wijn te gaan. 'Dat heb ik me vaak afgevraagd. Maar vergeleken met zijn moeder is Erius zo slecht nog niet, en ach, hij heeft ook niet het eeuwige leven. Ik leef misschien nog langer dan hij. En die toestand met die vrouwelijke erfgenamen? Dat is ook al eerder voorgekomen. Ghërilains eigen zoon Pelis kaapte de troon voor de neus van zijn zuster weg...'

'... en het land werd overspoeld door de pest die hem en duizenden anderen binnen het jaar wegvaagde,' bracht Arkoniël haar in herinnering.

Ranai trok een wenkbrauw op en in een flits zag hij wat een machtig tovenares zij ooit geweest moest zijn. 'Vertel mij niets over geschiedenis, jongeman. Ik was erbij. De goden namen Pelis snel te pakken. Maar koning Erius regeert nu al twee decennia. Misschien heeft hij gelijk dat het Orakel verkeerd geïnterpreteerd is. Hoewel zijn moeder van Thelátimos afstamde, was ze bepaald geen goed heerseres. Dat weten jullie net zo goed als ik.'

'Misschien was ze gezonden om ons op de proef te stellen,' antwoordde Arkoniël die nu probeerde zo respectvol mogelijk met de oude tovenares te spreken. Hij had er tien jaar en duizenden mijlen over nagedacht. 'Onder koning Pelis was er één ontzagwekkende pestepidemie. Sinds Erius de troon in bezit heeft, zijn er tientallen geweest, al waren die minder omvangrijk. Misschien moeten we die als waarschuwingen zien. Misschien verliest de Lichtdrager zijn geduld. Wat Iya in Afra zag...'

'Heb je van de Haviken gehoord, jongeman?' zei Ranai bits. 'Weet je dat de magiër van de koning hem dient door zijn eigen soort uit te roeien?'

'Ja zeker, Ranai,' kwam Iya tussenbeide. 'We hebben ze aan het werk gezien.'

'Heb je gezien hoe ze bekenden van je executeerden? Nee? Nou, ik wel. Ik moest machteloos toekijken toen een goede vriend van me, een tovenaar die onder vier koninginnen gediend had, op een rad van taxushout verbrand werd omdat hij alleen maar een droom vertelde die precies op die van mij leek, en die van jou ook, als ik me niet vergis. Levend verbrand omdat hij een dróóm vertelde! Stel je eens voor hoe gigantisch de macht van de Haviken moet zijn om zo wreed met leven en dood van anderen om te gaan. En ze jagen niet alleen op ons, maar op iedereen die waagt iets tegen de mannelijke erfopvolging in te brengen. Vooral Illioranen. Bij de Vier, dat hij zijn eigen zuster kon ombrengen...'

De beker viel uit Arkoniëls hand, wijn vloeide uit over de tafel. 'Is Ariani dood?'

Nari's brieven waren regelmatig op de afgesproken plaatsen gearriveerd. Waarom had ze daar niets over geschreven?

'Sinds vorig jaar, geloof ik,' zei Ranai. 'Kende je haar dan?'

'Ja, we kenden haar,' antwoordde Iya kalmer dan Arkoniël onder deze omstandigheden voor mogelijk had gehouden.

'Dan spijt het me dat je het op deze manier moest horen,' zei Ranai.

'Heeft de koning haar vermoord?' bracht Arkoniël schor uit.

Ranai haalde haar schouders op. 'Helemaal zeker ben ik er niet van, maar hij was er in elk geval bij toen ze stierf. Zo zie je maar, dat was de laatste, dus prins Korin erft de troon. Misschien wordt hij de vader van onze Droevige Koningin.'

'Misschien,' mompelde Iya en Arkoniël wist dat ze tegen deze vrouw met geen woord meer over haar visioen zou reppen.

Het werd akelig stil in de kamer. Arkoniël vocht tegen zijn tranen en vermeed het Iya aan te kijken.

'Ik heb Illior en Skala goed gediend,' sprak Ranai ten slotte en ze klonk opeens verslagen en oud. Ze raakte haar verminkte gelaat aan. 'En ik wilde alleen maar in vrede leven.'

Iya knikte. 'Vergeef ons dat we u gestoord hebben. Als de Haviken hier komen, wat zult u ze dan vertellen?'

De oude tovenares was zo eerlijk om beschaamd naar de grond te kijken. 'Ik heb ze niets te zeggen. Je hebt mijn woord.'

'Dank u.' Iya legde haar eigen hand op de verminkte van Ranai. 'Het leven is lang, mijn vriendin, en het bestaat uit water en rook, niet uit steen. Mogen we elkaar in betere tijden terugzien.'

Een vreselijk vermoeden daagde in Arkoniëls hart toen ze het huisje van de tovenares verlieten en via het modderige pad het dorp uit liepen. Hij kon er nog niets over zeggen; hij wist niet of hij het antwoord zou kunnen verdragen.

Vlak bij zee sloegen ze een kamp op onder een flinke sparrenboom. Iya zong een spreuk die het vocht uit de lucht verdreef en Arkoniël waagde het zijn onlangs verbeterde formule voor een bol van zwart vuur uit te spreken; hij bleef in de buurt van hun benen zweven.

'Hè, dat is lekker, zeg.' Iya trok haar doorweekte laarzen uit en warmde haar voeten. 'Knap gedaan.'

Ze zaten een tijdje naar de regen en het ritmische geluid van de golven te luisteren. Hij probeerde iets over Ariani te zeggen, omdat hij uit haar mond wilde horen dat zijn duistere vermoeden onterecht was, maar hij kon de woorden niet vinden. Hij slikte, maar kreeg de brok in zijn keel niet weg.

'Ik wist het,' zei Iya en zijn hart brak.

'Hoe lang al?'

'Sinds het gebeurde. Nari heeft het geschreven.'

'En je hebt het mij niet verteld?' Hij kon Iya niet aankijken, hij keek door de takken boven zijn hoofd naar de hemel. Al die jaren was hij gekweld door herinneringen aan die vreselijke nacht; steeds moest hij weer denken aan het vreemde kind dat ze geschapen en de knappe vrouw die ze verraden hadden. Ze waren sindsdien niet naar Ero teruggekeerd – Iya verbood het – maar toch had hij zichzelf plechtig beloofd terug te gaan om alles recht te zetten, op wat voor manier dan ook.

Arkoniël voelde haar hand op zijn schouder. 'Waarom heb je me dat niet verteld?'

'Omdat er toch niets aan te doen was. Niet tot het kind meerderjarig is. Erius heeft zijn zuster niet gedood, niet rechtstreeks tenminste. Ariani wierp zichzelf uit een torenraam. Naar het schijnt wilde ze het kind in haar val meenemen. Er is niets wat we kunnen doen.'

'Dat zeg je nou altijd!' Boos veegde hij de tranen uit zijn ogen. 'Ik betwijfel heus niet dat wat we doen Illiors wil is. Maar hoe weet je zo zeker dat de manier waarop we het doen de juiste is? Het is nu tien jaar geleden, Iya, en we zijn niet één keer teruggeweest om te zien of ze gezond is, of ze het aankan, of we niet moeten helpen met de puinhoop die Lhel achtergelaten heeft. De moeder van het kind pleegt zelfmoord en je blijft volhouden dat we belangrijker werk te doen hebben?'

Hij was zo van streek dat hij niet stil kon blijven zitten en beende weg naar de branding. Het was hoog tij en het water lag vlak als leisteen onder de gordijnen van regen. In de verte zag hij de dansende lantaarn van een boot, en de lijn van licht die hij over het oppervlak wierp. Arkoniël stelde zich voor hoe hij naar dat schip zwom en zou smeken om een slaapplaats aan boord, te midden van de zeelieden. Hij zou laden en lossen en zeilen hijsen tot zijn handen bloedden en hij zou nooit meer denken aan magie en geesten en vrouwen die uit torens vielen.

'O, Illior!' bad hij stil en hij wendde zijn gezicht naar de maan achter de wolken terwijl hij langs de branding liep. 'Hoe kan dit uw wil zijn als het mijn hart breekt? Hoe kan ik van een meesteres houden, hoe kan ik iemand volgen die niet met haar ogen knippert om dit soort gebeurtenissen en die ze ook nog voor me verzwijgt?'

In zijn hart wist hij wel dat hij nog van Iya hield en haar vertrouwde, maar er was iets helemaal mis met het evenwicht tussen de middelen en het doel, en het leek wel of alleen hij dat inzag. Hoe was dat mogelijk? Hij was nog maar een leerling, een tovenaar voor spek en bonen.

Hij stopte en hurkte neer en legde zijn handen over zijn hoofd. Er was iets mis. Er ontbrak iets, en gold dat niet voor Iya, dan gold het wel voor hem.

Sinds Afra.

Soms had hij het gevoel dat zijn leven sinds die noodlottige zomerdag helemaal opnieuw begonnen was. Hij legde zijn voorhoofd op zijn knieën en riep het felle zonlicht op, de smaak van stof, de hete gladheid van de zondoorstoofde stèle onder zijn vingers. Hij dacht aan de koele duisternis in de grot van het Orakel, waar hij neergeknield was om het antwoord te ontvangen dat helemaal geen antwoord geweest was; een visioen van hemzelf met een jongetje met zwart haar in zijn armen...

Een vreemde leegte daalde over hem neer toen hij het beeld weer voor ogen kreeg.

Het kind. Welk kind?

Nu nam de kilte van de boze geest van het vermoorde kind hem in zijn greep, waardoor zijn handen verstijfden en zijn botten kraakten van pijn. Even leek hij weer onder de kastanjeboom te staan, even keek hij weer toe hoe het kleine lichaampje in de aarde werd opgenomen.

De magie van de heks was niet voldoende geweest om de boze geest binnen te houden.

Het visioen werd steeds duidelijker. Een kind verrees uit de aarde aan zijn voeten, en worstelde met de greep van de wortels en de harde aarde. Arkoniël pakte zijn handen vast en trok, terwijl hij in de blauwe, niet de pikzwarte ogen keek. Maar de wortels lieten het kind niet gaan, ze waren haast één met zijn benen geworden. Een wortel had zijn rug doorboord en kwam naar buiten door de wonde in zijn borst waar Lhel een reepje huid ingezet had met steekjes fijner dan de wimpers van een baby. De boom dronk van het bloed van het kind. Arkoniël zag hoe hij onder zijn ogen wegkwijnde...

Het onnatuurlijke kind bleef zich aan hem vastklemmen, waardoor Arkoniël begon te beven en stijf overeind kwam om als een oude man naar de spar terug te sloffen.

Tovenaars kunnen uitstekend zien in het donker, maar Iya stak toch maar een lichtje aan toen ze voelde in wat voor staat Arkoniël terug kwam strompelen.

Zijn gezicht was asgrauw onder zijn dunne baardje, zijn ogen waren roodomrand en staarden in het niets.

'In Afra!' bracht hij raspend uit en hij viel op zijn knieën naast haar neer. 'Mijn visioen. Dat ik niet... Tobin is mijn weg. Daarom... O, Iya, ik moet gaan! We moeten gaan, nu!'

'Arkoniël, wat raaskal je nou! Wat is er toch?' Iya nam zijn gezicht in beide handen en drukte haar voorhoofd tegen het zijne. Hij beefde en schokte als iemand met voorjaarsgriep, maar koorts had hij niet. Zijn huid was ijskoud. Ze reikte behoedzaam naar zijn geest en kreeg onmiddellijk een visioen: Arkoniël stond op een hoge klif en keek over een donkerblauwe zee uit naar het westen. Vlak voor hem, veel te dicht bij de rand, stond de tweeling van Ariani, die nu lange en slanke jonge mensen waren geworden. Banen van gouden licht verbonden de tovenaar met de kinderen.

'Zie je?' Hij trok zich terug, maar pakte haar handen vast en vertelde haar van het duistere visioen dat hij aan de waterrand had gehad. 'Ik moet naar dat kind. Ik moet Tobin zien.'

'Goed dan. Vergeef me dat ik het je niet heb verteld. Mijn visioen...' Ze stak haar handen met de lege palmen naar boven naar hem uit. 'Het is zo simpel en tegelijkertijd zo onbegrijpelijk. Zolang het kind leeft heb ik andere dingen die ik uit moet knobbelen. Ik denk dat ik vergeten ben hoeveel sneller de tijd voor jou gaat en hoelang het al geleden is dat Ariani dood is. Maar je moet me geloven als ik zeg dat ik het kind niet vergeten ben. Het was ter wille van Tobin dat we uit de buurt zijn gebleven, en nu lijkt het me alleen nog maar belangrijker om Erius' aandacht vooral niet op die burcht te vestigen, nu hij alle tovenaars behalve de zijne wantrouwt als de pest.'

Ze stopte, want opeens besefte ze iets. Ze had nu tweemaal een glimp van de hand van de Lichtdrager op Arkoniël opgevangen en hoewel hij wel altijd in haar visioenen verscheen, verscheen zij niet in de zijne. Dat maakte haar droevig, maar het verontrustte haar ook.

'Nou ja, het ziet ernaar uit dat je moet gaan,' zei ze.

Hij kuste haar beide handen. 'Bedankt Iya. Ik zal niet al te lang wegblijven. Ik wil alleen maar zeker weten dat het kind veilig is en erachter zien te komen wat Illior me wil vertellen. Als ik morgen een schip kan vinden, ben ik met een week wel terug. Waar vind ik je dan weer?'

'O, haast je maar niet. Ik ga gewoon door naar Ylani zoals we van plan waren. Stuur daar maar een briefje heen wanneer je het kind gesproken hebt...' Ze werd weer droevig. 'Dan zien we wel weer verder.'

16

Arkoniël keek nog even om toen hij de volgende dag vertrok. Iya stond bij de spar; ze zag er heel klein en gewoontjes uit. Ze wuifde en hij wuifde terug en richtte zich toen op het dorp, de brok in zijn keel probeerde hij te negeren. Het deed erg vreemd aan, om na al die jaren in zijn eentje op pad te gaan.

Zijn tovenaarsspullen waren veilig en onzichtbaar opgeborgen in de opgerolde deken die hij over zijn schouder droeg. Het was te hopen dat andere weggebruikers zouden denken dat hij gewoon een reiziger met modderige laarzen en een kapotte stoffige hoed was. Toch was hij van plan om Iya's raad op te volgen en zich niet met priesters of andere tovenaars in te laten, en zoals gewoonlijk goed op te letten of niemand het insigne van de Haviken op zijn kleren droeg.

Hij vond een visser die hem voor een paar centen wel naar Ylani wilde brengen, waar hij op een groter schip overstapte dat noordwaarts naar Volchi voer. Toen hij twee dagen later van boord ging, kocht hij een stevig rossig paardje en vertrok naar Alestun en naar de taak die de Lichtdrager daar voor hem in petto had.

Hij wist uit brieven van Rhius en Nari dat de hertog meteen na de geboorte van Ero naar de burcht verhuisd was; tegen die tijd deden er in de stad al geruchten over 'een demon' de ronde. De geest, zei men, gooide voorwerpen naar bezoekers, sloeg en beet hen en verstopte juwelen en hoeden. En die knappe Ariani zwierf in een smerige jurk met een oude lappenpop door de gangen, op zoek naar haar andere kind...

De koning had Rhius met alle plezier laten gaan. De demon liet zich echter niet beetnemen en was de familie naar de burcht gevolgd.

Een koude rilling liep over zijn rug wanneer hij zich dat voorstelde. Onrustige geesten waren afschrikwekkende, schaamteloze wezens en meestal liet je ze over aan priesters en drysianen. Hij en Iya hadden geleerd wat er maar te leren viel van dat soort lieden, aangezien ze wel inzagen dat ze zich vroeg of laat met de geest die ze hadden helpen scheppen zouden moeten bemoeien. Hij had echter nooit gedacht dat hij alleen voor die taak zou komen te staan.

Arkoniël bereikte Alestun op de derde dag van Shemin. Het was een prettig, welvarend marktstadje in het heuvelland dat tegen het Skalaans Gebergte aanleunde. Een paar mijl naar het westen doemde een rij scherpe pieken op tegen de wolkeloze namiddaghemel. Het was hier koeler dan in de kuststreken en de velden vertoonden geen tekenen van droogte.

Hij hield zijn paard in op het plein om de weg te vragen aan een vrouw die kazen verkocht en haar handelswaar op een kar gestapeld had.

'Hertog Rhius? Die woont in die oude burcht bij de pas,' zei ze. 'Hij is nu ruim een maand terug, al geloof ik dat hij weer op het punt staat te vertrekken. Morgen is hij hier bij de tempel om petities in ontvangst te nemen, als je daarvoor komt.'

'Nee, ik ben op zoek naar zijn huis.'

'Volg gewoon de hoofdweg door het bos. Als je wat te verkopen hebt, zou ik geen moeite doen. Ze sturen de wachters op je af, tenzij ze je kennen. Aan vreemdelingen hebben ze een broertje dood.'

'Ik ben geen vreemdeling,' zei Arkoniël tegen haar. Hij kocht een stuk kaas en liep glimlachend naar zijn paard, trots dat hij voor een marskramer versleten werd.

Hij reed verder, langs gouden velden vol gerst en weilanden vol geschoren schapen en vette varkens, tot hij in het donkere woud kwam. Hij was nu zo langzamerhand de enige reiziger op de weg die ze hem gewezen had. Tussen de voren die karrenwielen ooit gemaakt hadden was het gras hoog opgeschoten en hij zag meer sporen van herten en varkens dan van paardenhoeven. De schaduwen begonnen nu steeds sneller te lengen en hij zette zijn zwetende paard tot een volle galop aan. Hoe had hij kunnen vergeten te vragen hoe ver het rijden was!

Hij kwam weer op het open veld naast een rivier, die onder aan een steil weilandje stroomde. Boven aan het weiland lag een hoge grijze burcht met een wachttoren erachter.

Wierp zichzelf uit een torenraam?

Arkoniël huiverde. Terwijl hij verder reed zag hij naast de weg een boerenjongetje zitten.

De gerafelde tuniek van de knaap liet zijn armen en benen bloot. Zijn huid zat onder de modder en zijn donkere haar was dof door zand en verteerd blad.

Arkoniël wilde hem roepen toen hij besefte dat er maar één kind in de wijde omgeving was – een kind met zwart haar. Geschrokken over hoe de prins eruitzag liet hij zijn paard stapvoets naar de jongen lopen om hem te begroeten.

Tobin zat met zijn rug naar de weg naar iets in het lange gras te staren. Hij keek niet op toen Arkoniël naderde. De tovenaar wilde afstijgen, maar bleef toch maar even in het zadel zitten. Door die vreemde onbeweeglijkheid van Tobin vermoedde hij dat hij beter wat afstand kon bewaren.

'Weet je wie ik ben?' vroeg hij ten slotte.

'Je bent Arkoniël,' antwoordde de jongen nog steeds met zijn ogen gericht op wat zijn aandacht gevangen hield.

'Je vader vindt het vast niet goed dat je zo ver van huis bent, in je eentje nog wel. Waar is Nari?'

Het kind deed net of het de vraag niet gehoord had. 'Zou hij bijten?'

'Zou wat bijten?'

Tobin sloeg met een hand op het gras en plukte er een spitsmuis uit; hij hield hem aan één achterpootje vast. Hij zag het gewriemel even aan en brak toen het nekje, snel als een stroper. Een druppel bloed welde op aan de punt van zijn snuitje.

'Mijn moeder is dood.' Hij wendde zich eindelijk naar Arkoniël en de tovenaar keek in twee ogen die zwart als de nacht waren.

Arkoniël kon opeens geen woord meer uitbrengen toen hij doorkreeg met wie hij te maken had.

'Ik weet hoe je tranen smaken,' zei de demon.

Voor hij ook maar iets kon doen, was de demon opgesprongen en had de dode muis naar het hoofd van het paard gegooid. Het dier steigerde geschrokken en Arkoniël viel achterover in het hoge gras. Hij kwam onbeholpen op zijn linkerhand terecht en voelde een onpasselijk makende 'knak' vlak boven zijn pols. De pijn en de val deden hem naar adem happen en hij rolde zich op als een bal om zijn doodsangst en de neiging tot overgeven te onderdrukken.

De Demon. Hij had nooit gehoord van zulke levensechte exemplaren, die bovendien konden spreken. Het lukte Arkoniël om zijn hoofd op te tillen en hij verwachtte dat de demon gehurkt naast hem zou zitten om hem met zijn dode zwarte ogen op te nemen. Maar hij zag alleen zijn paard dat met zijn hoofd schudde en paniekerig bokte, verderop in de wei.

Hij kwam langzaam overeind, voorzichtig zijn gekwetste arm ondersteunend. Zijn linkerhand hing in een rare hoek en voelde koud aan. Een golf misselijkheid kwam naar boven en hij ging snel weer liggen. De zon scheen op zijn wang en insecten kriebelden in zijn oren. Hij keek naar de dansende groene rogge tegen de achtergrond van de hemel en visualiseerde hoe hij langzaam de steile helling naar de burcht op liep.

Maar het lukte hem niet en zijn gedachten keerden weer naar de woorden van de demon. Pas nu drong de betekenis van de woorden goed tot hem door.

Mijn moeder is dood.

Ik weet hoe je tranen smaken.

Dit was niet de amok makende klopgeest die hij verwacht had. Hij was uitgegroeid tot een levend kind en had een soort bewustzijn ontwikkeld. Daar had hij nog nooit van gehoord.

'Lhel, smerige heks, wat heb je gedaan?' kreunde hij.

Wat hadden zij gedaan?

Hij moest even zijn flauwgevallen, want toen hij zijn ogen opendeed, zag hij het hoofd van een man dat het zonlicht tegenhield.

'Ik ben geen marskramer,' mompelde hij.

'Arkoniël?' Sterke handen hielpen hem overeind. 'Wat doe je hier helemaal in je eentje?'

Hij kende die stem en het verweerde, bebaarde gezicht dat erbij hoorde, al was het minstens tien jaar geleden dat hij de man voor het laatst had gezien. 'Tharin? Bij de Vier, wat ben ík blij je te zien.'

Arkoniël wankelde en de kapitein sloeg een arm om zijn middel om hem overeind te houden.

Knipperend met zijn oogleden probeerde hij het gezicht dat iets te dicht bij het zijne was scherp in beeld te krijgen. Tharins blonde haar en baard waren doorschoten met grijs, en de lijnen rond ogen en mond waren dieper, maar de rustige, ontspannen manier van doen was hij niet kwijtgeraakt. 'Is Rhius hier? Ik moet...'

'Ja, hij is hier, al zal het niet lang meer zijn. Morgen vertrekken we naar Ero. Waarom heb je geen bericht gestuurd?'

Arkoniëls knieën knikten en hij schoot haast onderuit.

Tharin hees hem weer overeind. 'Laat maar zitten. Laten we je eerst maar thuis zien te krijgen.'

Langzaam liepen ze naar een groot grijs paard en Tharin tilde hem in het zadel. 'Wat is er in hemelsnaam gebeurd? Ik zag je hier zitten, je keek naar de rivier, en toen gooide je paard je zomaar van z'n rug. Het leek wel of het gek was geworden. Sefus heeft het er verdomd moeilijk mee om het te pakken te krijgen.'

Beneden in de wei zag Arkoniël een man die uit alle macht zijn weggelopen rijdier probeerde te kalmeren, maar het was schichtig en bokte iedere keer als hij naar de teugels reikte. Arkoniël schudde het hoofd, nog niet in staat te vertellen wat hij had meegemaakt. Het was duidelijk dat Tharin de demon niet had gezien. 'Zenuwenbeest.'

'Zeg dat wel. Nou, hoe zullen we naar de burcht gaan? Langzaam en pijnlijk of snel en pijnlijk?'

Arkoniël lachte als een boer met kiespijn. 'Snel.'

Tharin steeg achter hem op, reikte voor Arkoniël langs naar de teugels en spoorde het paard aan tot een drafje. Elke stap zond een vlammende pijn door Arkoniëls arm. Hij hield zijn ogen strak op hun doel gericht, zich zo goed mogelijk met zijn rechterhand vasthoudend.

Boven aan de heuvel reden ze over een brede houten ophaalbrug en door een poort naar de geplaveide binnenplaats. Daar stonden Mynir en Nari al klaar, met een forse vrouw die een koksschort voor had.

Ook Nari was ouder geworden. Ze was nog altijd mollig en blozend, maar er liepen ook grijze strengen door haar dikke bruine haar.

Ze hielpen hem van het paard af en Tharin ondersteunde hem door de sombere, echoënde hal naar de keuken.

'Hoe kom je hier nou weer verzeild?' vroeg Nari terwijl Tharin hem op een bank aan een geschuurde eiken tafel zette.

'Het kind,' zei hij schor, en hij liet zijn tollende hoofd op zijn gezonde hand rusten. 'Moet het zien. Alles in orde met hem?' Tharin nam zijn zwellende pols zacht in beide handen. Arkoniël hapte adem toen de ander tastte waar de beschadiging zat.

Nari keek hem verbaasd aan. 'Natuurlijk is alles in orde. Waarom zou dat niet zo zijn?'

'Ik dacht alleen...' Hij hield zijn adem in toen Tharin nog dieper voelde.

'Je hebt geluk gehad,' zei hij tegen Arkoniël. 'Het is het buitenste bot, en een mooie gave breuk. Als het eenmaal gezet en goed verbonden is, is het ergste leed geleden.'

Mynir zocht een latje en zwachtels.

'Eerst dit maar,' zei de kokkin en ze gaf hem een mok van aardewerk.

Arkoniël sloeg de inhoud dankbaar achterover en hij voelde een troostende warmte via zijn maag naar zijn ledematen gaan. 'Wat is dit?'

'Azijn, brandewijn, met wat papaverzaad en bilzekruid,' zei ze en ze klopte hem op de schouder.

Desondanks schoot er een helse pijn door zijn pols toen Tharin het bot zette, maar Arkoniël liet hem zonder een kik begaan.

Tharin legde het latje tegen zijn onderarm en omzwachtelde de arm en hand. Hij zette het vast met een leren riempje. Toen hij klaar was, leunde hij achterover en grijnsde naar Arkoniël.

'Je bent heel wat taaier dan je eruitziet, jong.'

Arkoniël lachte en nam nog een slok uit de mok. Hij voelde zich opeens behoorlijk slaperig.

'Heeft Iya je gestuurd?' vroeg Nari.

'Nee. Ik vond dat ik mijn deelne...'

'Zo, dus eindelijk heeft een van jullie de tijd gevonden ons met een bezoekje te vereren, hè?' klonk het smalend.

Met een ruk weer wakker zag Arkoniël Rhius met een minachtende blik op de drempel staan.

Tharin stond op en liep naar de hertog, want het zou wel eens op een hardhandig gesprek kunnen uitdraaien. 'Rhius, hij is gewond.'

De hertog schonk geen aandacht aan hem en staarde op Arkoniël neer. 'Schikte het wel om langs te komen? Waar is die meesteres van je?'

'Ze is nog in het zuiden, heer. Ik kwam de laatste eer bewijzen. We waren allebei zeer ontdaan toen we van de dood van de vrouwe hoorden.'

'Zo ontdaan dat je er een jaar over deed om hier te komen?' Rhius ging tegenover hem zitten en wierp een blik op de verbonden pols van de tovenaar. 'Maar ik zie dat je niet van plan bent meteen weer weg te gaan. Ik vertrek morgen naar Ero; jij kunt blijven tot je in staat bent weer te rijden.'

Het leek in niets op het warme welkom waarop ze onder Rhius' dak altijd aanspraak hadden kunnen maken, maar Arkoniël was allang blij dat Rhius hem niet in de rivier liet gooien.

'Hoe is het met de koning?' vroeg hij.

Woedend trok de hertog zijn bovenlip op. 'Uitstekend, dank je wel. De Plenimaraanse invallen lijken tijdens oogsttijd even te stoppen. Het graan staat te rijpen. De zon schijnt nog steeds.' Rhius sprak snel, zonder enige emotie, maar Arkoniël zag dat de strakke, vermoeide ogen niet meenden wat de lippen zeiden.

Op dat moment werd er een akelig bekend gezicht om de deur gestoken. 'Wie is dat, vader?'

De barse blik verdween en Rhius stak zijn hand uit naar de jongen, die zich meteen tegen zijn vader aandrukte en Arkoniël met verlegen blauwe ogen aankeek.

Tobin.

In dit doodgewone, magere jochie was niets van het verborgen prinsesje te bekennen. Lhel had haar werk wel erg goed gedaan. Maar Tobin had dezelfde felblauwe ogen als zijn moeder en, in tegenstelling tot zijn demonenbroertje, zag hij er gezond en schoon uit, al had hij een klein roze litteken op zijn puntige kinnetje. Arkoniël wierp even een blik op het bleke driehoekje huid dat boven aan zijn tuniek te zien was, en vroeg zich af hoe het geïmplanteerde stukje huid er na al die jaren uit zou zien.

Het lange zwarte haar van het kind glansde en zijn tuniek was schoongewassen, hoewel niemand hem in deze kleren voor de zoon van een prinses zou hebben gehouden. Toen Arkoniël een blik op de anderen in de keuken wierp, zag hij dat uit ieders ogen liefde voor dit ernstige kind sprak en hij voelde opeens een diep medelijden met de demon, een verlaten kind dat van de warmte van het gezin buitengesloten werd, terwijl het andere deel van de tweeling in een warme, koesterende omgeving opgroeide. Daar was hij zich van bewust. Dat moest hij voelen.

Tobin glimlachte niet en kwam ook niet naar hem toe; hij hield zijn ogen alleen strak op Arkoniël gericht. Hij was zo stil dat hij haast op zijn spookachtige broertje leek.

'Dit is Arkoniël,' stelde Rhius hem voor. 'Hij is een... vriend die ik hier lang niet gezien heb. Kom, stel jezelf eens netjes voor.'

De jongen boog stijfjes met zijn linkerhand op zijn riem waar eens een zwaard aan zou hangen. Arkoniël zag de wijnkleurige moedervlek op zijn onderarm: als een stempel van een gehalveerde rozenknop. Arkoniël was hem helemaal vergeten, maar het was het enige teken van het ware uiterlijk van het meisje.

'Ik ben prins Tobin Erius Akandor, zoon van Ariani en Rhius.' De manier waarop hij bewoog bevestigde Arkoniëls eerste indruk. Zo gedroeg een normaal kind zich niet. Hij had zijn vaders waardigheid in zich, maar het zou nog jaren duren voor hij die ook waarlijk uit kon dragen.

Arkoniël probeerde al zittend een zo goed mogelijke buiging te maken. Het drankje van Kokkie scheen hoe langer hoe beter te werken, want hij begon al duizelig te worden. 'Zeer vereerd met u kennis te mogen maken, mijn prins. Ik ben Arkoniël, zoon van heer Coran en vrouwe Mekia van Rhemair, pleegzoon van de tovenares Iya. Ik sta geheel tot uw dienst.'

Tobins ogen sperden zich open. 'U bent tovenaar?'

'Ja, mijn prins.' Arkoniël hield zijn verbonden vuist omhoog. 'Als dit een beetje beter is, kan ik misschien wat toverkunstjes voor u uitvoeren.'

Kinderen reageerden meestal juichend of in elk geval lachend op zo'n aanbod, maar Tobin deed een stap achteruit zonder een spier te vertrekken.

Ik wist het wel, dacht Arkoniël en hij keek in die blauwe ogen. Hier zit iets heel erg fout.

Hij probeerde op te staan, maar merkte dat zijn benen en hoofd niet erg meewerkten met die poging.

'Dat drankje van Kokkie is nog lang niet uitgewerkt,' zei Nari en ze drukte hem weer op de bank. 'Heer, hij moet ergens liggen, maar de gastenkamers zijn daar nog niet op berekend.'

'Een strozak bij het vuur is alles wat ik nodig heb,' mompelde Arkoniël en hij werd weer misselijk. Ondanks de brandewijn in zijn maag en de aangename temperatuur hier, had hij het ijskoud.

'We kunnen een bed in Tobins speelkamer zetten,' stelde Mynir voor, die niet op Arkoniëls simpele wens inging. 'Dat is ook niet zo'n enorme klim.'

'Uitstekend,' zei Rhius. 'Laat maar halen wat er nodig is.'

Arkoniël liet zijn hoofd op tafel zakken en wenste dat ze hem hier gewoon bij de haard zouden laten liggen zodat hij het tenminste weer een beetje warm kreeg.

De vrouwen gingen op zoek naar beddengoed. Tobin ging met Tharin en de hofmeester naar buiten, zodat Arkoniël alleen met Rhius achterbleef.

Een tijd lang sprak geen van beiden.

'De demon heeft mijn paard aan het schrikken gemaakt,' vertelde Arkoniël moeizaam. 'Ik zag hem duidelijk langs de kant van de weg zitten.'

Rhius haalde zijn schouders op. 'Hij woont hier nu eenmaal. Ik zie het kippenvel op je arm. Je voelt hem dus ook.'

Arkoniël rilde. 'Ja, ik voel hem, maar ik zág hem in de wei, net zo goed als ik u zie. Hij ziet er precies zo uit als Tobin.'

Rhius schudde zijn hoofd. 'Niemand heeft hem ooit gezien, behalve...'

'Tobin?'

'Bij de Vier, nee!' Rhius maakte een teken tegen het boze oog. 'Dat is hem tenminste bespaard gebleven. Maar ik denk dat Ariani hem zag. Ze had een pop gemaakt om het kind te vervangen en sprak er soms mee alsof het een echt kind was. Maar ik had vaak het idee dat ze niet de pop, maar iemand anders zag. Illior weet dat ze nooit ook maar enige aandacht aan haar levende kind schonk, behalve tegen het eind.'

Arkoniël kreeg weer amper lucht. 'Mijn heer, woorden kunnen nauwelijks uitdrukken hoe...'

Rhius sloeg met zijn vuist op tafel en snauwde: 'Heb niet het hart om om haar te janken! Je hebt het recht niet, net zomin als ik!' Hij beende de keuken uit en liet de geschrokken tovenaar alleen in de keuken waar de geest rondspookte.

De kilte werd er alleen maar erger van en Arkoniël wist zeker dat hij ijskoude kinderhanden om zijn nek voelde. Hij dacht aan de dode spitsmuis en fluisterde: 'Bij de Vier – Schepper, Reiziger, Vlam en Lichtdrager – ik beveel u, ga liggen en rust, Geest, tot Bilairy u door de Poort geleidt.'

De kou nam toe en het licht werd in de keuken gedimd alsof er een donderwolk voor de zon langstrok. Een grote aardewerk pot vloog van de plank en viel aan diggelen tegen de muur ertegenover, waarbij hij zijn schouder op een haar na miste. Een mand uien volgde, toen een houten kom vol deeg, en een bord. Arkoniël liet zich haastig onder tafel glijden, zijn gebroken pols was even vergeten.

Vlakbij viel een ijzeren pook naar beneden die in zijn richting gleed. Hij probeerde een snoekduik naar de deur te maken, maar kwam op zijn gebroken pols terecht en klapte met een gil tegen de tegels, zijn ogen dichtgeknepen van pijn.

'Nee!' klonk de hoge, heldere jongensstem.

De pook kletterde op de vloer.

Arkoniël hoorde gefluister en voetstappen. Terwijl hij zijn ogen opendeed, zag hij dat Tobin naast hem geknield zat. Het werd weer warm in de keuken.

'Hij heeft een hekel aan je,' zei Tobin.

'Gek – dat idee kreeg ik nou ook,' hijgde Arkoniël, blij dat hij even kon blijven liggen waar hij lag. 'Is-ie weg?'

Tobin knikte.

'Heb jij hem weggestuurd?'

Tobin keek hem ontsteld aan, maar zei niets. Over een paar maanden werd hij tien, maar als Arkoniël dat niet geweten had, had hij niet kunnen zeggen hoe oud het kind was. Tobin zag er tegelijkertijd heel jong en heel oud uit.

'Hij luistert naar je, zo is het toch?' vroeg hij. 'Ik hoorde dat je iets tegen hem zei.'

'Niet aan vader vertellen, alsjeblieft!'

'Waarom niet?'

Nu zag Tobin eruit als een klein, bang jongetje. 'Ik – daar wordt hij verdrietig van. Alsjeblieft, niet vertellen wat je hebt gezien!'

Arkoniël aarzelde, want de hertog was behoorlijk tegen hem uitgevaren. Hij probeerde op te krabbelen en zat naast Tobin op de vloer met zijn hand in zijn schoot. 'Ik neem aan...' Hij keek om zich heen naar al het gebroken aardewerk. 'Hij houdt zich voorlopig koest, denk ik?'

Tobin knikte.

'Goed dan, mijn prins, ik zal je geheim bewaren. Maar ik zou erg graag willen weten waarom de demon jou gehoorzaamt.'

Tobin zweeg.

'Heb je hem ook bevolen om borden naar me te gooien?'

'Nee! Dat zou ik nooit doen, erewoord.'

Arkoniël keek het ernstige jochie aan en hij wist dat Tobin de waarheid sprak, maar toch zat er een groot geheim achter die blauwe ogen. Weer een huis vol gesloten deuren, dacht hij, maar hij vermoedde dat hij hier de sleutels wel van kon vinden.

Er klonken stemmen in de hal. 'Hup, wegwezen,' fluisterde hij.

Tobin glipte stilletjes de achterdeur uit.

Dank u, Illior, dat u me hiernaartoe heeft gestuurd, dacht Arkoniël, die hem nakeek. Welke duisternis er ook boven het hoofd van dit kind hangt, ik zal zorgen dat alles goed komt, en aan haar zijde staan tot zij met een kroon op in haar ware gedaante aan het hoofd van haar volk zal staan.

17

Arkoniël wankelde nogal toen Nari en Tharin hem naar boven hielpen. De zon was achter de toppen van de bergen verdwenen en dompelde het hele huis in een mistige gloed. Tharin droeg een lamp en bij dat licht kon Arkoniël de verkleurde, afbladderende verf op de pilaren in de hal zien. De gerafelde banieren uit lang vervlogen veldslagen hingen over de balken boven hun hoofd en de gebutste olielampen zaten vol spinnenwebben. Ondanks de verse kruiden die over de biezen op de vloer gestrooid waren, was de geur van schimmel en muizen onmiskenbaar.

De overloop was nog veel donkerder. Ze brachten Arkoniël naar een stoffige, volgestouwde kamer aan de rechterkant. Een lamp aan een metalen standaard liet een miniatuurblokkenstad zien die aan één kant van de kamer stond. Ander speelgoed lag overal verspreid, maar er leek niet veel mee gespeeld te worden.

Een paar oude kisten en een kast met een gebarsten deur stonden tegen de kale stenen wanden. Een eiken bed stond een beetje scheef bij het raam. Het was een prachtexemplaar, met houtsnijwerk van wijnranken waarin vogels floten; in de hoeken zaten echter nog wat spinnenwebben.

Tharin hielp Arkoniël het bed in en trok zijn laarzen en tuniek uit. De tovenaar kon een zoveelste kreun niet onderdrukken toen de tuniek over zijn gewonde pols gleed.

'Haal nog maar even wat van Kokkies drankje,' zei Nari. 'Ik stop hem er wel in.'

'Ik zal vragen of ze het zo sterk maakt dat je direct in slaap valt,' zei Tharin tegen hem.

De geur van lavendel en cederhout vulde zijn neusgaten toen Nari het dek over hem heen trok en zijn arm voorzichtig op een kussen legde. De vouwen zaten nog in de blauwzijden lakens omdat ze zolang opgeborgen hadden gelegen. 'Veel gasten krijg je hier niet, of wel,' zei Arkoniël die heerlijk weggezonken in het zachte bed lag.

'De hertog ontvangt zijn gasten meestal elders.' Ze streek het dek glad over zijn borst. 'Je snapt wel waarom. Hier is Tobin veilig.'

'Maar niet gelukkig.'

'Daar ga ik niet over. Hij is een beste jongen, onze Tobin. Kan niet beter. En zijn vader is gek op hem... of was dat. Zoals hij vandaag op jou reageerde...' Ze schudde haar hoofd. 'Hij heeft het erg te kwaad sinds de prinses... Hoe ze stierf... Bij het Licht, Arkoniël, volgens mij heeft dat hem kapotgemaakt.'

'Hoe is het dan gebeurd? Ik hoor alleen maar geruchten.'

Nari trok een stoel bij het bed en ging zitten. 'De koning kwam hier om te jagen. Ze zag hem door een raam aankomen en sleurde de arme Tobin naar de toren. Tobin zelf wil er geen woord over zeggen, maar hij had een snee in zijn kin en ik vond bloed op en onder de vensterbank.'

'Dat litteken?'

'Ja, zo heeft-ie het opgelopen.'

'Denk je dat ze hem wilde doden?'

Nari zei niets.

Doezelig van het brouwsel staarde Arkoniël naar haar en probeerde haar zwijgen uit te leggen. 'Je denkt toch niet... Nari, hij is nog geen tien, en een schriepertje! Hoe kan hij nu een volwassen vrouw het raam uit duwen?'

'Dat zeg ik ook niet! Maar soms lijkt hij wel bezeten, net als de demon. Hij heeft zijn hele speelkamer aan gort geslagen. Ik kwam binnen toen hij bezig was! En de torenkamer waar we hem gevonden hebben? Eén grote puinhoop.'

'Dat is belachelijk.'

Nari sloeg haar armen over elkaar en fronste haar voorhoofd. 'O, dat zal best. Geloof me, ik zou liever geen kwaad woord over hem zeggen. Maar hij praat met hem.'

'Met de demon?' Arkoniël dacht aan het gefluister dat hij had gehoord en Tobins smeekbede om het geheim te houden.

'Hij denkt dat ik het niet hoor, maar dat doe ik wel. Soms 's nachts, soms als hij hier in zijn eentje aan het spelen is. Hij is zo eenzaam dat hij met een geest praat om maar iemand te hebben om mee te spelen.'

'Hij heeft jou en zijn vader toch? En Tharin en de anderen lijken ook met hem weg te lopen.'

'O, ja. Maar voor een kind is dat anders, hè? Je bent jong genoeg om je dat te herinneren. Wat zou jij gedaan hebben, opgesloten in een oud slot zoals dit, met alleen bedienden en soldaten? En de mannen zijn meestal niet eens hier. Volgens mij kom jij uit een huis vol kinderen.'

Arkoniël grinnikte. 'Vijf broers had ik. We sliepen met zijn allen in hetzelfde bed en we vochten als leeuwen. Toen Iya me meenam, kwam ik overal waar we heen gingen wel kinderen tegen om mee te spelen. Tot ze doorkregen dat ik anders was.'

'Nou, Tobin is net zoals andere kinderen en hij weet niet eens hoe het is om met een ander kind te spelen. Het zit me niet lekker. Dat zeg ik al jaren. Hoe moet hij nu leren met mensen om te gaan, in een soort fort waar geen mens komt?'

Inderdaad, dacht Arkoniël. 'Wat doet hij zoal overdag?'

Nari snoof. 'Werkt als een boerenkind en traint om een groot strijder te worden. Je zou hem eens bij de mannen moeten zien – als een jong hondje tegen beren. Ik moet nog zien dat hij niet voor een tweede keer deze zomer een vinger breekt. Tharin en zijn vader zeggen dat hij snel is, en hij kan schieten als een volwassen vent.'

'En dat is het?'

'Hij gaat uit rijden als iemand hem mee kan nemen, en hij boetseert en prutst met hout – o, daar is hij zo goed in!' Van de vensterbank pakte ze wat wassen en houten dieren en zette die op de deken. Ze waren écht goed.

'En hij speelt hiermee.' Ze wees glimlachend naar de stad. 'Dat heeft de hertog jaren geleden voor hem gemaakt. Hij is er soms uren zoet mee. Het stelt Ero voor, moet je weten. Maar hij mag niet alleen buiten spelen om rond te zwerven en te vissen, zoals wij. Dat is toch niet normaal voor een kind! Andere jongens van zijn stand en leeftijd zijn nu al pages aan het hof. Dat kan hij natuurlijk nooit worden. Maar Rhius verbiedt zelfs om dorpskinderen uit te nodigen. Hij is als de dood dat iemand iets merkt.'

'Dat zou ook niet zo best zijn. Maar toch...' Arkoniël dacht even na. 'Hoe zit het met de rest van het personeel? Weet iemand ervan?'

'Nee. Soms vergeet ik het zelfs. Hij is onze kleine prins. Ik moet er niet aan denken wanneer het allemaal gaat veranderen. Stel je voor, iemand zegt: "O, trouwens, beste Tobin, je bent geen jongen, maar..."'

Ze zweeg toen Tharin met een mok voor Arkoniël binnenkwam. De kapitein wenste hem goedenacht en vertrok naar de kazerne, maar Nari bleef nog even. Ze fluisterde in zijn oor: 'Jammer dat Iya niet toestaat dat Rhius het aan hem vertelt. Geheimen. Het barst hier van de geheimen.'

De tweede portie had het gewenste effect. Arkoniël sliep als een blok en droomde dat hij met zijn broers in de boomgaard van zijn vader diefje-met-verlos speelde. Opeens merkte hij dat Tobin naar hen stond te kijken, maar hij kon de woorden niet vinden om hem te vragen mee te doen. Toen zat hij met de demon in de keuken van zijn moeder.

'Ik weet hoe je tranen smaken,' zei die weer.

De volgende morgen werd hij laat wakker met een volle blaas en een gore smaak in zijn mond. Zijn linkerkant was gekneusd door de val en zijn arm klopte van pols tot schouder. Met zijn arm tegen zijn borst gedrukt vond hij de pot onder zijn bed en hij was net bezig hem te vullen toen de deur een stukje openging. Tobin gluurde de kamer in.

'Goedemorgen, mijn prins!' Arkoniël schoof de pot weg en ging voorzichtig weer liggen. 'Ik durf het haast niet te vragen, maar zou je zo vriendelijk willen zijn om nog een beker van Kokkies brouwsel te halen?'

Tobin verdween zo rap dat Arkoniël zich afvroeg of hij het wel begrepen had.

En of het Tobin wel was geweest tegen wie hij gesproken had!

Maar de jongen was snel terug met een beker en een klein bruin broodje op een servetje. De verlegenheid van gisteravond was helemaal verdwenen, maar hij glimlachte nog steeds niet. Hij gaf Arkoniël zijn ontbijt en bleef staan staren met die oudemannetjesogen van hem terwijl Arkoniël het broodje soldaat maakte.

Dat was geen probleem. Het brood was nog warm en Kokkie had het opengesneden en er een dikke plak pittige, belegen kaas tussen gedaan. 'Nou, dat is heerlijk!' riep hij uit en hij spoelde het weg met het brandewijnmengsel. Het was niet zo sterk als gisteravond.

'Ik heb geholpen met bakken,' zei Tobin.

'Heus waar? Nou, je bent een fantastische bakker, hoor.'

Dat ontlokte Tobin slechts een miniem lachje. Arkoniël voelde zich als een middelmatig acteur voor een bijzonder kritisch publiek. Hij gooide het over een andere boeg. 'Nari heeft me verteld dat je goed kunt schieten.'

'Vorige week heb ik vijf patrijzen geschoten.'

'Ik kon het ook nogal aardig, al zeg ik het zelf.'

Tobin trok een wenkbrauw op, net als Iya wanneer hij iets zei of deed dat ze afkeurde. 'Doe je het nu dan niet meer?'

'Ik ging me met andere dingen bezighouden en toen had ik er nooit meer tijd voor. Leek het wel.'

'Hoeven tovenaars dan niet te schieten?'

Arkoniël glimlachte. 'We komen op andere manieren aan ons eten.'

'Je bedelt toch niet, hè? Vader vindt het schaamteloos om te bedelen als je sterk en gezond bent.'

'Dat vond mijn vader ook. Nee, mijn meesteres en ik verdienen ons brood door te werken. En soms zijn we bij iemand te gast, zoals ik nu bij jou.'

'Hoe wil je hier werken?'

Arkoniël deed zijn best om niet te grinniken. Dit kind zou straks alles binnenstebuiten keren om te zien of hij geen zilveren lepels gegapt had. 'Tovenaars verdienen hun brood met magie. We maken dingen, we repareren dingen. En we amuseren de mensen.'

Hij strekte zijn rechterhand uit, opende hem en concentreerde zich op de handpalm. Een lichtbal zo groot als een appel verscheen en transformeerde zich in een klein draakje met doorzichtige, vleermuisachtige vleugels. 'Ik heb deze in Aurënen...'

Toen hij opkeek zag hij dat Tobin met grote angstogen achteruitgedeinsd was.

Dat was niet bepaald zijn bedoeling geweest. 'Niet bang zijn. Het is maar een illusie.'

'Is hij niet echt?' vroeg Tobin veilig vanaf de drempel.

'Het is maar een beeld, een herinnering van mijn reizen. In Sarikali heb ik veel van deze ukkepukkies gezien. Sommige worden groter dan deze burcht, maar die zijn zeldzaam en leven in de bergen. Maar deze kleine kruimels scharrelen overal rond. Voor de Aurënfaiers zijn ze heilig. Ze kennen een legende over hoe de eerste 'faiers ontstonden...'

'...uit elf druppels drakenbloed. Mijn vader heeft me dat verhaal al verteld, en ik weet wat de 'faiers zijn,' zei Tobin, hem net zo fel in de rede vallend als zijn vader zou hebben gedaan. 'Er waren er hier eens een paar. Ze maakten muziek. Heb je les gehad van een draak?'

'Nee, een tovenares die Iya heet geeft me les. Je zult haar wel eens ontmoeten.' Hij liet de drakenillusie verdwijnen. 'Wil je wat anders zien?'

Nog steeds klaar om ervandoor te gaan vroeg Tobin: 'Wat dan?'

'O, je zegt het maar. Wat zou je echt graag willen zien?'

Tobin dacht even na. 'De stad.'

'Je bedoelt Ero?'

'Ja. Ik zou graag mijn moeders huis in Ero willen zien, waar ik geboren ben.'

'Hmm.' Arkoniël onderdrukte een verontrust gevoel. 'Ja, daar kan ik wel voor zorgen, maar dan moet ik een andere techniek gebruiken. Ik moet je hand vasthouden. Is dat goed?'

De jongen aarzelde, liep toen langzaam terug en stak hem zijn hand toe.

Arkoniël nam hem aan, en glimlachte bemoedigend. 'Het is heel simpel, maar misschien voelt het een beetje raar aan. Zoiets als dromen hoewel je wakker bent. Doe je ogen dicht.'

Arkoniël voelde de spanning in het stevige en smalle handje, maar Tobin deed wat hem was gevraagd.

'Goed. Nu stel je je voor dat we twee grote vogels zijn die over het bos vliegen. Wat voor vogel zou je willen zijn?'

Tobin trok zijn hand terug en deed een stap achteruit. 'Ik wil geen vogel zijn!'

Was dit angst of wantrouwen? 'Je doet maar alsof, Tobin. Als je speelt doe je toch ook alsof?'

Dit werd beantwoord met een lege blik.

'Doen alsof. Iets voorstellen dat niet echt zo is, maar nep.' Weer fout. Tobin keek zenuwachtig over zijn schouder naar de open deur.

Arkoniël keek naar het speelgoed dat hier rondslingerde. Met een ander kind zou hij de schepen uit de haven over de vloer laten zeilen, of de stoffige paardjes op wielen een rit door de kamer laten maken, maar hij wist dat hij dat met Tobin niet moest proberen. In plaats daarvan liet hij zich uit bed glijden en schuifelde naar de stad. Zo dichtbij was de plattegrond duidelijk nagemaakt, al waren er hier en daar huizen verschoven. Een deel van de westmuur was ingestort en er zaten gaten in de grondplaat van klei waar een aantal houten huisjes was verdwenen. Die nog overeind stonden varieerden van eenvoudige houten blokjes tot fraai besneden en geverfde huizen die de voornaamste huizen en tempels op de Palatijnse Heuvel moesten voorstellen. Het Nieuwe Paleis was zeer gedetailleerd vormgegeven, met rijen zuilen van takjes aan de zijkanten en kleine vergulde schilden van de Vier langs het dak.

Takkenmensjes lagen verspreid over de markten en op het dak van een houten doos die als het Oude Paleis dienst deed. Hij raapte er eentje op.

'Je vader moet zich wel uit de naad hebben gewerkt om dit allemaal te maken. Als je hiermee speelt, stel je je dan niet voor dat je een van deze mannetjes bent, die door de stad wandelt?' Hij pakte een takkenmannetje bij zijn kop en liet hem over de markt paraderen. 'Kijk, nu loop je over de Grote Markt.' Hij maakte een raar hoog stemmetje. '"Wat zal ik vandaag eens kopen? Ik zal maar eens een kijkje nemen in Oma Sheda's kraampje; misschien heeft ze weer nieuwe snoepjes meegebracht. Nu ren ik door de Boogstraat, want ik heb wat nieuwe jachtpijlen nodig."'

'Nee, je doet het fout.' Tobin ging op zijn hurken naast hem zitten en pakte een ander poppetje. 'Jij kan mij niet zijn. Jij moet jou zijn.'

'Ik kan toch doen alsof ik jou ben?'

Tobin schudde categorisch van nee. 'Ik wil niet dat iemand anders mij is.'

'Goed dan, ik ben ik en jij bent jij. Nu, wat zeg je ervan als je alleen van vorm verandert.' Hij legde zijn hand over die van Tobin en veranderde het poppetje van Tobin in dat van een houten adelaartje. 'Zie je, je bent het nog steeds, maar je ziet eruit als een adelaar. Hetzelfde kun je in je hoofd doen. Je stelt jezelf gewoon voor in een andere gedaante. Dat is helemaal geen magie. Mijn broers en ik speelden urenlang door te doen alsof we heel andere wezens waren.'

Hij had er eigenlijk op gerekend dat Tobin het speeltje zou laten vallen en de deur uitrennen, maar hij zat het houten vogeltje geïnteresseerd te bekijken. En hij glimlachte.

'Mag ik je wat laten zien?' vroeg hij.

'Natuurlijk.'

Met de vogel in zijn hand rende Tobin de kamer uit en even later kwam hij terug met beide handen als een kommetje voor zich uit. Hij ging weer bij Arkoniël op de grond zitten en liet een stuk of tien houten beeldjes en figuurtjes van was op de vloer glijden, net als degene die Nari hem had laten zien.

Maar deze waren zelfs nog beter. Er was een vos, een aantal paarden, een hert, en een fraai houten vogeltje ongeveer even groot als het beest dat hij getoverd had.

'Heb jij die allemaal gemaakt?'

'Ja.' Tobin hield zijn vogel en die van Arkoniël omhoog. 'De jouwe is beter dan de mijne. Kun je me niet leren om ze op jouw manier te maken?'

Arkoniël pakte een houten paardje en schudde verwonderd zijn hoofd. 'Nee. En de jouwe zijn echt veel beter. Die van mij is gewoon een trucje. Deze komen uit jouw handen en uit jouw hoofd. Je bent vast een kunstenaar, net als je vader.'

'En mijn moeder,' zei Tobin en de waardering deed hem duidelijk veel plezier. 'Zij maakte ook houtsnijwerk, voor ze poppen ging maken.'

'Dat wist ik niet. Je zult haar wel missen.'

De glimlach verdween. Tobin haalde zijn schouders op en begon de dieren en poppetjes in lange rijen rond de haven te zetten. 'Hoeveel broers heb je eigenlijk?'

'Nu nog maar twee. Ik had er vijf, maar twee zijn aan de pest gestorven en de oudste is in de oorlog tegen de Plenimaranen gesneuveld. De andere twee zijn ook strijders.'

'Maar jij niet.'

'Nee, Illior had andere plannen met me.'

'Ben je altijd al tovenaar geweest?'

'Ja, maar dat wist ik niet tot mijn lerares me vond toen ik...' Arkoniël stopte alsof hij zich iets leuks herinnerde, '... toen ik een klein beetje jonger was dan jij nu.'

'Was je heel verdrietig?'

'Waarom zou ik verdrietig zijn geweest?'

'Dat je geen strijder kon worden zoals je broers. Om Skala niet met hart en zwaard te dienen.'

'We dienen allemaal op onze eigen manier. Wist je dat er tovenaars in de Grote Oorlog vochten? De koning heeft er nu ook een stel in zijn leger.'

'Maar jij zit daar niet bij,' merkte Tobin op. Arkoniël daalde daardoor duidelijk in zijn achting.

'Zoals ik al zei, zijn er veel manieren om te dienen. En een land heeft niet alleen soldaten nodig. Wat is een land zonder geleerden en metselaars en boeren.' Hij hield Tobins vogel omhoog. 'En kunstenaars! Je kunt tegelijk kunstenaar en strijder zijn. Nu, zou je niet graag de grote stad willen zien die jij later zal verdedigen, mijn strijdertje? Ben je er klaar voor?'

Tobin knikte en stak zijn hand weer uit. 'Dus ik moet denken dat ik een vogel ben, maar ik blijf gewoon mezelf?'

Arkoniël grijnsde. 'Je blijft altijd gewoon jezelf, wat er ook gebeurt. Ontspan je nu maar en adem alsof je slaapt, heel rustig. Mooi zo. Wat voor vogel ga je worden?'

'Een adelaar.'

'Dan word ik er ook maar een, anders kan ik je niet bijhouden.'

Deze keer ontspande Tobin zich zonder problemen en Arkoniël stelde een betovering samen die zijn herinneringen in Tobins geest zou projecteren. Hij lette goed op plotselinge overgangen en begon zijn visioen dus met hen beiden in een hoge dennenboom die over de weilanden rond het huis uitkeek. 'Kun je het bos en de burcht zien?'

'Ja,' fluisterde Tobin vol ontzag. 'Het is alsof ik droom.'

'Mooi. Je weet hoe je moet vliegen, dus spreid je vleugels en kom maar met me mee.'

Tobin deed het met verrassend enthousiasme. 'Ik kan Alestun al zien.'

'We vliegen nu naar het oosten.' Arkoniël riep een beeld op van bomen en velden die pijlsnel onder hen door schoten, toverde toen Ero en liet hen hoog boven het Oude Paleis vliegen in de hoop dat de jongen dit uitzicht zou herkennen. Onder hen zag de Palatijnse Ring eruit als een groen oog boven op een overbevolkte heuvel.

'Ik zie het!' fluisterde Tobin. 'Het is precies mijn stad, alleen met veel meer huizen en straten en kleuren. Mag ik de haven en de schepen zien?'

'Dan vliegen we erheen. We moeten het goed zien.' Arkoniël glimlachte. Er zat dus toch een kind achter dat ernstige gezichtje. Samen daalden ze neer naar de haven en vlogen rond de bolbuikige galjoenen en de platbodems.

'Ik wil meevaren op die boten!' riep Tobin uit. 'Ik wil al de Drie Landen zien, en Aurënen ook!'

'Misschien kun je wel met ze meezingen.'

'Nee...'

Het visioen werd vager alsof iets de jongen verstoord had. 'Je moet je wel concentreren,' herinnerde Arkoniël hem. 'Maak je geen zorgen. Maar ik kan dit niet al te lang volhouden. Waar zou je nu nog heen willen?'

'Naar mijn moeders huis.'

'O, ja. Dan gaan we weer naar de Palatijnse Heuvel.' Hij speelde voor gids langs de kronkelige straatjes en steegjes tussen het Oude en het Nieuwe Paleis.

'Dat is mamma's huis,' zei Tobin. 'Kijk maar naar de gouden griffioenen langs de daklijst.'

Rhius had zijn zoon goed onderwezen.

Terwijl ze dichterbij kwamen, wankelde het visioen alweer, maar deze keer lag dat niet aan de jongen. Arkoniël voelde zich steeds onrustiger worden toen de omtrekken van het huis en de tuin duidelijker in beeld kwamen. Hij zag het erf, de schuren en het plein waar de grote kastanjeboom als een zuil op het graf van de dode tweelingbroer stond. Hoe dichter ze naderden, hoe vager en vlekkeriger het beeld werd. Knoestige naakte takken reikten omhoog om hem met hun klauwen te grijpen, zoals de wortels die Tobin vast hadden gehouden in zijn visioen dat hij aan de kust had gehad.

'Bij het Licht!' hijgde hij en hij probeerde zijn visioen uit te schakelen voor Tobin zou zien wat hij niet mocht zien. Het visioen verdween toen een ijskoude windvlaag hen beiden omverwierp. Met een verblindende flits waren ze weer in de speelkamer.

'Nee, nee!' gilde Tobin.

Arkoniël voelde hoe de hand van de jongen uit de zijne werd getrokken. Hij kreeg een snijdende klap op zijn wang. De pijn liet het laatste restje magie verdwijnen en zijn ogen en geest werden weer helder.

Het leek wel een aardbeving. De hele kamer schudde op zijn grondvesten. De kastdeuren vielen met een klap open en sloegen kletterend weer dicht. Kisten schoven keihard tegen de muur en kleine voorwerpen vlogen kriskras door de lucht.

Tobin knielde neer bij de stad en hield het dak van het paleis met beide handen vast. 'Houd op!' schreeuwde hij. 'Ga weg, tovenaar! Alsjeblieft! Donder op!'

Arkoniël bleef staan waar hij stond. 'Tobin, ik kan nu...'

Nari kwam binnengerend en liep naar de jongen toe. Tobin klemde zich aan haar vast en drukte zijn gezicht tegen haar schouder.

'Wat ben je aan het doen?' riep ze verwijtend tegen Arkoniël.

'Ik was alleen maar...' Het dak van het paleis wervelde door de lucht en hij ving het met zijn gezonde hand. 'We keken naar de stad. Die demon van jullie was het daar niet mee eens.'

Hij zag net genoeg van Tobins gezicht om te weten dat zijn lippen bewogen terwijl ze snelle, geluidloze woorden tegen de donkere stof van Nari's wijde schort spraken.

De kamer kalmeerde, maar er bleef een dreigende duisternis hangen, als een stilte tijdens een onweersbui. Tobin wrong zich uit Nari's omarming en holde de kamer uit.

Nari keek naar de rommel en zuchtte. 'Zie je nu waar wij mee te maken hebben? Je weet nooit wat hij gaat doen, of waarom. Dat Illior en Bilairy ons mogen redden van boze geesten!'

Arkoniël knikte, maar hij wist precies waarom de demon deze keer had ingegrepen. Hij dacht terug aan die keer dat hij onder de kastanjeboom over een klein, koud lichaampje gebogen zat, huilend terwijl het steeds dieper wegzonk, zodat zijn tranen op de losse aarde dropen. Ja, hij wist hoe zijn tranen smaakten.

Tobin wilde nadien niets meer met hem te maken hebben, dus hield Arkoniël zich de rest van de dag bezig met een zwerftocht door de burcht. Door de pijn in zijn pols moest hij Kokkie nog een paar keer om een mok van haar brouwsel vragen.

Zijn oorspronkelijke indruk van de burcht werd bevestigd, nu de zon scheen; hij was slechts gedeeltelijk bewoonbaar. De tweede verdieping was bouwvallig en onbruikbaar. Kamers die eens schitterende gastenverblijven waren geweest, waren nu door ratten aangevreten en schimmelden weg. Het dak lekte en de wandtapijten en vloerbedekking waren door en door verrot.

Vreemd genoeg leek het wel of iemand deze trieste kamers nog steeds bezocht. Er stonden diverse voetstappen in het stof dat de kale vloeren bedekte. Vooral één kamer werd druk bezocht door iemand met een kleine schoenmaat, al was er alweer een nieuw laagje stof overheen gevallen. Deze kamer lag halverwege de gang en was niet zo vervallen als de aangrenzende ruimtes, en beter verlicht omdat een van de luiken ontbrak.

Tobin was hier vaak genoeg geweest en ging altijd naar de hoek achter in de kamer. Daar stond een kist van cederhout naar Myceens ontwerp. In het stof op zijn versierde deksel was de rest van het verhaal geschreven. Arkoniël riep een klein lichtje op en boog zich over het deksel om de vette vingerafdrukken te zien. Tobin was hier voor deze kist gekomen. In de kist lagen echter alleen een stel versleten mantels van ouderwetse snit.

Had hij misschien een spelletje bedacht? Maar wat voor spel kon een kind in zijn eentje spelen, een kind dat niet eens wist wat 'doen alsof' was? Arkoniël keek de vuile, halfduistere kamer nog eens rond, en stelde zich Tobin hier in zijn eentje voor. Zijn kleine voetstappen kruisten elkaar keer op keer zodat hij het spel dagenlang gespeeld moest hebben. Weer voelde de jonge tovenaar een steek van medelijden, ditmaal voor het levende kind.

Erg interessant waren ook de sporen die naar het eind van de gang leidden. De deur was nieuw en het was de enige die afgesloten was.

Toen hij zijn hand op de bronzen plaat rond het sleutelgat legde, voelde hij de werking van het slot. Het zou een fluitje van een cent zijn geweest het slot te openen, maar de ongeschreven wetten voor mensen die gastvrijheid genoten, stonden zo'n inbreuk van vertrouwen niet toe. En hij had toch al een vermoeden waar die deur naartoe ging.

Wierp zichzelf uit een torenraam?

Arkoniël liet zijn voorhoofd tegen het koele oppervlak van de deur rusten. Ariani was hierheen gevlucht, haar dood tegemoet gerend, haar kind met zich meesleurend. Of was Tobin haar uit zichzelf achternagegaan? Het was te lang geleden en er waren te veel anderen hier geweest om iets uit de sporen op te maken.

Nari's vage verdenking knaagde wel aan hem. Bezetenheid was zeldzaam en hij kon gewoon niet geloven dat Tobin Ariani opzettelijk pijn gedaan zou hebben. Maar Arkoniël had de razernij van de demon nu driemaal aan den lijve ondervonden; de geest bezat zowel de kracht als de wil om te doden. Maar waarom zou hij zijn moeder doden, die al net zo'n slachtoffer van de omstandigheden was geweest als hij en zijn tweelingzus?

Hij liep naar beneden, doorkruiste de mistroostige hal en ging naar buiten. De hertog was nergens te bekennen, maar zijn manschappen waren bezig met het bepakken van de paarden en het verzamelen van wapens voor de reis terug naar Ero.

'Hoe is het met je arm?' vroeg Tharin die meteen op hem af liep.

'Ik denk dat hij goed heelt. Nog bedankt.'

'Kapitein Tharin repareert ons allemaal, wat er ook is,' zei een jonge donkerblonde soldaat wankelend onder een berg gereedschap. 'Dus jij bent die jonge tovenaar die niet eens een tweejarig telgangertje onder de duim kan houden?'

'Let op je woorden, Sefus, of hij verandert je nog in iets waar we nut van kunnen hebben!' bromde een oude soldaat nors. 'Kom eens hier en help me met dat harnas, nietsnut die je bent.'

'Trek je niks aan van Sefus,' zei een andere jonge vent tegen hem. 'Hij wordt altijd een beetje lastig als hij niet regelmatig naar een bordeel kan.'

'Ik neem aan dat niemand van jullie het hier nu zo leuk vindt. Erg vrolijk is het hier niet.'

'Heb je daar nou de hele ochtend over gedaan, om tot die conclusie te komen?' zei Tharin grinnikend.

'Zijn je mannen vriendelijk tegen de jongen?'

'Dacht je dat Rhius iemand hier ook maar een dag langer zou houden als het niet zo was? Met dat kind gaat de zon op en onder, zo staat hij ertegenover. En dat geldt eigenlijk voor ons allemaal een beetje. Het is Tobins schuld toch niet.' Hij gebaarde naar het huis. 'Niets is zijn schuld.'

De agressieve ondertoon ontging Arkoniël niet. 'Natuurlijk niet,' zei hij. 'Zegt iemand dat dan?'

'Gekletst wordt er toch. Over een demon die de zus van de koning achternazit en ga maar door. Waarom zou Rhius zijn arme vrouwtje en zijn zoon dan hier opsluiten, ver van de gewone wereld? Een prinses, híer? En een prins? Geen wonder... Goed, genoeg daarover. Ze roddelen maar aan. Zelfs in Ero.'

'Misschien heeft Rhius ook wel gelijk. Misschien zou Tobin helemaal niet zo gelukkig zijn in een stad waar hij constant over de tong gaat. Hij is oud genoeg om te begrijpen waarover het gaat.'

'Ja. En dat zou zijn vaders hart breken. En het mijne ook, dat durf ik best te zeggen. Hij is een beste knul, die Tobin van ons. Op een dag krijgt hij wat hem toekomt.'

'Vast en zeker.'

Tharin moest verder pakken en Arkoniël besloot een rondje langs de ommuring van de burcht te maken.

Ook hier was het een en al verwaarlozing en verval wat de klok sloeg. Eens waren hier tuinen geweest. Een paar struikrozen klommen her en der tegen de verbrokkelde stenen op en hij kon hier en daar wat bruine, verdroogde zaadhoofdjes van de zeldzame pioenrozen zien, vechtend om een plaatsje te midden van de wilde zaailingen van margrieten, distels, wilg en brem. Ariani had hele bloembedden vol pioenen in haar tuin in Ero gehad, herinnerde hij zich. In de eerste zomermaanden stonden er overal enorme vazen vol rozerode bloemen en het hele huis geurde ernaar.

Slechts een moestuintje tussen de achterste poort en de oever van de rivier werd nog bijgehouden. Arkoniël plukte wat venkel en kauwde erop terwijl hij de poort aan de achterkant uit wandelde.

Deze leidde naar een achtererf. Hij liep een deur door en stond meteen in de keuken. Kokkie, van wie hij de echte naam niet wist, stond het avondeten klaar te maken, geholpen door Tobin, Nari en Sefus.

'Ik heb geen idee, diertje,' zei Nari geërgerd. 'Waarom vraag je altijd van die rare dingen?'

'Wat voor rare dingen?' Arkoniël ging erbij staan. Terwijl hij plaatsnam op de bank zag hij wat Tobin aan het doen was en hij grijnsde. Vijf witte schaapjes, uit knolletjes gesneden, werden achternagezeten door een paar bietenberen, met behulp van een draak die op het punt stond zijn gedaante als peen te verlaten en die verdomd veel weg had van de draak die Arkoniël vanmorgen voor Tobin getoverd had.

'Kokkie was ooit boogschutter en vocht tegen de Plenimaranen, net zoals vader en Tharin doen,' zei Tobin. 'Maar ze zegt dat de koning geen vrouwen meer in zijn leger wil. Waarom dan?'

'Ben jij soldaat geweest?' vroeg Arkoniël.

Kokkie ging rechtop naast haar ketel staan en veegde haar handen aan haar schort af. Arkoniël had nog niet echt op haar gelet, maar hij zag wel hoe trots ze keek terwijl ze knikte. 'Jazekers. Ik diende bij de laatste koningin, samen met de vader van hertog Rhius, en de koning die na haar kwam. Maar dat was maar een blauwe maandag. Ik zou nog steeds onder dienst zijn – mijn ogen en armen zijn nog opperbest – maar de koning, die moest opeens geen vrouwen meer in zijn leger.' Ze haalde haar schouders op. 'Dus zit ik maar hier.'

'Maar waaróm?' herhaalde Tobin nadrukkelijk en hij zette zijn mesje in een zesde knolletje.

'Misschien omdat meiden niet goed genoeg vechten,' zei Sefus met een vals lachje.

'Ik kon er drie van jouw soort de baas, en ik was niet eens de beste!' beet Kokkie hem toe. Ze pakte een hakmes op en begon op een schapenbout in te hakken of het een Plenimaraanse infanterist was.

Arkoniël herkende Sefus' zelfgenoegzame houding. Hij was die de afgelopen jaren vaak genoeg tegengekomen. 'Vrouwen kunnen prima soldaten zijn, net als tovenaars, als ze zich ervoor inzetten en de training krijgen,' zei Arkoniël tegen Tobin. 'Inzet en training; dat heb je nodig om waar dan ook goed in te zijn. Weet je nog dat ik je vertelde dat ik mijn boog nooit meer oppak? Nou, ik was er vanaf de eerste dag niet echt een held in, en evenmin in het zwaardvechten. Ik was niks waard geweest als strijder. En als Iya geen tovenaar van me had gemaakt, was ik waarschijnlijk manusje-van-alles geworden in plaats van magiër!' Hij wierp een schuinse blik op Sefus. 'Nog niet zo lang geleden kwam ik een oude vrouw tegen die in de oorlogen zowel gevochten als getoverd had. Ze vocht aan de zijde van koningin Ghërilain, die de oorlog won omdat ze zelf zo'n fantastische strijder was. Je hebt toch wel gehoord van de Strijdende Koninginnen van Skala, of niet soms?'

'Ik heb ze in een doos op mijn kamer,' zei Tobin helemaal verdiept in zijn knolsnijwerkje. Met een zangerig stemmetje dreunde hij op: 'Je hebt koning Thelátimos, die van het Orakel hoorde dat hij zijn kroon aan zijn dochter moest geven, toen de Ghërilain de Grondlegger, Tamír de Moordenares, Agnalain die mijn grootmoeder niet is, Ghërilain de Tweede, Iaair die vocht met de draak, Klia die de leeuw doodde, Klië, Markira, Oslie de Zesvingerige, Marnil die zo graag een dochter wilde maar het Orakel gaf haar een nieuwe echtgenoot, en Agnalain die mijn grootmoeder wel is. En dan de koning, mijn oom.'

'O, ja.' Arkoniël dacht even na over de verdraaide opsomming. Tobin begreep duidelijk niet wat hij zojuist afgeraffeld had, op wat vreemde of spannende feiten na. 'Agnalain de Eerste, bedoel je. En koningin Tamír, die vermoord is.'

Tobin haalde zijn schouders op.

'Nou, de namen heb je goed, maar...'

Nari schraapte opvallend haar keel en keek Arkoniël waarschuwend aan. 'Hertog Rhius houdt zich bezig met zijn onderwijs. Hij vertelt de jongen wel precies hoe het zit als de tijd rijp is.'

Hij heeft een echte onderwijzer nodig, dacht Arkoniël en hij hoorde een ander rijtje in zijn hoofd: leraar, vriend, metgezel. Hoeder. 'Wanneer vertrekt de hertog?'

'Morgen bij het ochtendgloren,' zei Sefus.

'Nou, dan zal ik vanavond maar vast afscheid van hem nemen. Eten hij en zijn officieren in de hal?'

'Tuurlijk,' mompelde Tobin. Zijn knolletje was in een tweede draak veranderd.

Arkoniël verontschuldigde zichzelf en haastte zich naar boven om alles op een rijtje te krijgen. Hij hoopte dat het idee dat hem plotseling zo helder voor de geest stond inderdaad door de Lichtdrager gezonden was.

Daar moest hij vast in geloven, want dat wilde hij Rhius vertellen.

En Iya.

18

Bij het avondmaal zat Arkoniël rechts van Rhius en hij werd bediend door Tharin en zijn mannen. Het eten was, hoewel goed gekruid, verbluffend karig en eenvoudig. Daardoor nam de bezorgdheid van de tovenaar alleen maar toe. In Ero en Atyion was Rhius altijd een gulle gastheer geweest. Het waren kleurige en met muziek omlijste festijnen, met honderden gasten die glinsterden van de juwelen, gekleed in zijde en bont. Het leven waarmee Tobin hier kennismaakte, vertoonde geen verschil met dat van een verarmde ridder in het binnenland.

Rhius zelf was sober gekleed in een kort donker gewaad met hier en daar wat vossenbont. Zijn enige sieraad was een grote rouwring. Tobin zag eruit als een page in zijn simpele tuniek. Arkoniël betwijfelde of de jongen meer dan twee stel kleren had, en dit was waarschijnlijk zijn goeie goed.

De hertog besteedde weinig aandacht aan Arkoniël, maar vertelde Tobin verhalen over hoven en oorlogen. Arkoniël luisterde zwijgend en vond het gesprek nogal geforceerd overkomen. Tobin staarde mistroostig voor zich uit. Aan het andere eind van de tafel zag hij dat Nari haar hoofd schudde terwijl ze hem aankeek.

Toen de maaltijd voorbij was, schoof Rhius een grote stoel bij de open haard om peinzend in het laag brandende vuur te gaan staren. Arkoniël had geen teken gekregen dat hij kon vertrekken, dus ging hij aarzelend op het bankje naast de hertog zitten wachten. Luisterend naar het knappende vuur zocht hij naar woorden om zijn verzoek in te kleden.

'Heer?' waagde Arkoniël ten slotte.

Rhius keek niet op. 'Wat moet je nu weer van me, tovenaar?'

'Niets anders dan een kort gesprek onder vier ogen, alstublieft.'

Hij dacht dat de hertog zou weigeren, maar Rhius stond op en nam Arkoniël mee naar buiten, naar een pad door de weide. Ze volgden het naar de oever van de rivier.

Het was een koele, aangename avond. De laatste zonnestralen verlichtten de hemel achter de bergtoppen, wier schaduwen de burcht en de weide bedekten. Zwaluwen waren zoevend op jacht naar hun avondeten boven hun hoofden. Kikkers stemden hun keel op de grens van water en modder.

Een tijdje stonden ze zo naar het water te turen tot Rhius zich tot Arkoniël wendde. 'En? Ik heb je een kind en een echtgenote gegeven. Wat moet je meesteres nu nog van me?'

'Niets, heer, op de veiligheid en het welzijn van uw kind na.'

Rhius lachte spottend. 'Ik begrijp het.'

'Dat betwijfel ik eigenlijk. Als Tobin wordt... wat we willen dat hij wordt, moet hij de wereld begrijpen die hij zal beërven. U heeft er goed aan gedaan hem hier in een beschermde omgeving groot te brengen, maar hij wordt ouder. Hij moet leren hoe hij zich dient te kleden en te gedragen, en hoe het aan het hof toegaat. Hij heeft onderwijs nodig. Hij heeft ook vrienden van zijn eigen leeftijd nodig, andere kinderen...'

'Nee! Je hebt zelf de demon gezien die zijn leven verziekt, dankzij jou en die smerige heks. Moeders van hier tot Ero waarschuwen hun kinderen met verhaaltjes over dat kind met zijn boze geest van de burcht. Wist je dat niet? Ach, hoe zou je dat ook weten, als jullie tovenaars je pas nu verwaardigen om ons eens een keertje te komen opzoeken! Zal ik Tobin en zijn demon maar vast naar het hof sturen om hem voor te stellen aan de koning? Hoe lang zou het duren, denk je, voor een van Erius' magiërs met zijn betoveringen en haviksogen achter het hele verhaal komt?'

'Maar dat kan gewoon niet. Daarom hebben we de heks...'

'Ik waag het voor geen goud! Erius mag vanwege zijn zuster nog een rouwring dragen, maar hoe gevoelig zal hij zijn wanneer hij erachter komt dat het overlevende kind een...' Hij vermande zichzelf en sprak sissend verder. 'Een ware erfgename is? Als je dan nog gelooft dat er ook maar één van ons die bij de geboorte aanwezig was, gespaard zou worden, ben je niet goed bij je hoofd. Mijn eigen dood zal me een zorg zijn, maar denk aan het kind. Zijn we zover gekomen om dat allemaal te vergooien vanwege het geweldige plan van een leerling-tovenaartje dat nog niet droog achter zijn oren is?'

Arkoniël reageerde niet op de belediging. 'Laat me dan een kind hierheen brengen, heer. Een kind uit een andere provincie dat geen weet heeft van de geruchten. Tobin is een prins; hij zou eigenlijk spoedig tot de Koninklijke Gezellen moeten toetreden of zelf een Gezellenkring oprichten. Wat zullen de edelen in Ero zeggen van het neefje van de koning, het kind van een prinses en een hooggeboren edelman, dat als een boer opgroeit? Tobin moet op zijn toekomst voorbereid worden.'

Rhius liet zijn blik over de rivier dwalen, zei niets, maar Arkoniël voelde wel dat hij in de roos geschoten had.

'Tobin is nog wel jong, maar binnenkort vraagt men zich aan het hof toch af waar hij blijft – op zijn minst de magiërs zullen zich dit afvragen. En dan komen ze hem hier opzoeken. Dus hoe dan ook, eens moet hij toch tot het hof toetreden. Hoe minder hij opvalt...'

'Eentje dan. Eén jongen, als kameraad. Maar alleen als je instemt met mijn voorwaarden.' Hij richtte zijn vermoeide ogen op Arkoniël. 'Ten eerste: als dit kind achter ons geheim komt, zal jij hem moeten doden.'

'Maar heer...'

Rhius boog zich naar hem toe en sprak heel zacht: 'Mijn eigen kind moest sterven. Waarom zou het kind van een ander dan in leven moeten blijven wanneer onze plannen in het water dreigen te vallen?'

Arkoniël knikte en wist dat Iya het ook zou beloven. 'En uw tweede voorwaarde?'

Toen Rhius weer sprak was zijn verbolgenheid verdwenen. In de schemering leek hij oud en gebogen – een flauwe afspiegeling van de man die hij eens geweest was. 'Dat je hier blijft en Tobins onderwijzer wordt. Je bent van goede komaf en weet het een en ander over het hof. Ik wil niet nog meer riskeren door een vreemde in dit huishouden op te nemen. Blijf en pas op mijn zoon tot de wereld weer draait zoals hij moet draaien.'

Het duizelde Arkoniël van opluchting. 'Dat zal ik doen, heer. Ik zal mijn uiterste best doen om dit te volbrengen.' Dit was de vervulling van het visioen dat hij in Afra had gezien en Rhius had het hem zelf voorgesteld.

'Maar als u me toestaat, heer,' zei hij, want hij wilde er toch iets van zijn eigen ideeën aan toevoegen. 'U bent een rijk man, maar uw kind groeit op in een somber hol. Kunt u deze burcht geen passend thuis voor hem maken? Ik zal ook kamers voor eigen gebruik nodig hebben, om te slapen en te studeren. De kamers op de tweede verdieping kunnen worden opgeknapt. En we hebben een leskamer voor Tobin nodig...'

'Goed, goed,' zei Rhius kortaf en hij wierp zijn handen in de lucht. 'Regel het maar. Laat werklieden komen. Laat dat dak repareren. Bestel gouden po's als je zo nodig moet, als je mijn kind maar beschermt en mij er niet mee lastigvalt.' Hij richtte zijn blik op de burcht.

De ramen van de kazerne gloeiden warm en ze konden de manschappen horen zingen rond het vuur. Daarachter stond de burcht die wel verlaten leek, op een klein lichtje op de eerste verdieping na.

Rhius slaakte een diepe zucht. 'Bij de Vier, het lijkt inderdaad wel een graftombe. Eens was dit een schitterend huis met tuinen en prachtige stallen. Mijn voorvaderen hielden jachtpartijen, en organiseerden feesten waarop zelfs koninginnen verschenen. Ik bleef hopen dat Ariani weer beter zou worden en dat de oude tijden weer zouden herleven.'

'Een toekomstige koningin noemt dit haar thuis. Maak het mooi voor haar. Want Tobin is een kunstenaar en bij dat slag mensen wordt de ziel door het oog gevoed.'

Rhius knikte. 'Doe maar wat je nodig acht, Arkoniël. Maar de toren blijft zoals die is. Niemand mag naar binnen. De luiken zijn dichtgespijkerd en de deuren hebben geen sleutels.'

'Zoals u wilt, heer.'

De zwaluwen waren terug naar hun nest en bruine dwergvleermuizen namen hun plaats in. Vuurvliegjes schitterden in het hoge gras, tot de weide een spiegel werd van de met sterren bezaaide hemel erboven.

'Binnenkort staat ons weer een echte oorlog te wachten,' sprak Rhius. 'We leveren nu al jaren schermutselingen en schijngevechten, maar Plenimar morrelt steeds harder aan onze grenzen.'

'Oorlog?' vroeg Arkoniël, verrast door de plotselinge verandering van onderwerp. 'Zal Plenimar het verdrag van Kouros dan schenden?'

'Ik stond naast de koning toen Opperste Heer Cyrianus zijn zegel eraan hechtte. Ik zag zijn gezicht. Nee, volgens mij houdt hij zich niet aan het verdrag. Hij moet en zal die Drie Landen tot een keizerrijk verenigen, zoals onder de hierofanten. Maar deze keer zal *híj* op de troon plaatsnemen, niet een priester-koning. Hij wil de landerijen van Mycena en de tovenaars van Skala.'

Dat klonk heel aannemelijk. Aurënen had lang geleden elk contact met Plenimar verbroken; internationale huwelijken waren niet meer noodzakelijk om de erfopvolging van tovenaars onderling veilig te stellen. Toen hij rondzwierf had hij geruchten genoeg gehoord over Plenimaraanse piraten die schepen van de Aurënfaiers aanvielen en krijgsgevangenen maakten die als fokdieren in hokken werden gehouden, alleen om nakomelingen te verwekken.

'De afgelopen jaren hebben ze uitgeprobeerd hoe ver ze met een aanval op onze kusten kunnen gaan,' vervolgde Rhius. 'Ik hoop maar dat Tobin oud en wijs genoeg is wanneer de tijd aanbreekt.'

'We moeten hem op elke mogelijke oorlog voorbereiden.'

'Zeker. Goedenacht, Arkoniël.' Rhius boog en liep als een oude man weer langs het pad naar boven.

De tovenaar bleef bij de rivier staan en luisterde naar de zachte zomeravondgeluiden terwijl hij nadacht over de strijd. Hij had zijn vaders huis verlaten voor hij met een zwaard kon omgaan. Hij glimlachte toen hij zich herinnerde hoe zuinig Tobin op de keuze van zijn roeping gereageerd had.

Toen hij de steile helling beklom viel zijn oog op de toren en hij dacht dat hij een van de luiken zag bewegen. Even leek het of zijn maag zich weer om wilde draaien, maar hij vermande zich. Het was waarschijnlijk alleen maar een vleermuis.

Tobin had de gestalten in de wei zien staan. Hij wist wie het waren; Broer had het hem verteld.

De tovenaar blijft, fluisterde Broer in de schaduwen achter zijn rug.

'Waarom?' wilde Tobin weten. Hij wilde niet dat Arkoniël bleef. Hij mocht hem helemaal niet. Er was iets achterbaks in zijn glimlach, hij was zo lang en luidruchtig, en hij zag eruit als een paard, met die grote tanden. Bovendien deed hij tovertrucjes en hij verwachtte ook nog dat Tobin dat leuk vond!

Tobin haatte verrassingen. Ze liepen altijd slecht af.

'Waarom blijft-ie?' vroeg hij nogmaals, en hij keek om of Broer hem gehoord had.

De vlam van het nachtlampje bij zijn bed was nog maar een vlekje licht. Dat kwam door Broer. Sinds Lhel hen via de pop met elkaar verbonden had kon Tobin de duisternis zien die Broer om zich heen wierp. Sommige nachten zag Tobin helemaal niets.

Daar ben je, dacht hij toen hij een bewegende schaduw tegen de tegenoverliggende muur zag. 'Waar praten ze over?'

Broer verdween zonder iets te zeggen.

Tobin wenste vaak dat hij die rotpop niet gehouden had, dat hij uit het raam gevallen was, samen met mamma. Hij was zelfs voor een tweede keer weggelopen in de hoop Lhel te vinden en haar te vragen de magie terug te nemen, maar deze keer durfde hij de rivieroever niet te verlaten en ze hoorde zijn geroep blijkbaar niet.

Dus was hij maar doorgegaan met haar aanwijzingen op te volgen, en had Broer iedere dag even opgeroepen zodat de geest hem overal kon volgen. Hij wist niet of Broer dat nu leuk vond of niet; hij loerde nog steeds naar hem en knipte met zijn vingers alsof hij hem wilde knijpen of aan zijn haar wilde trekken, zoals hij vroeger deed. Maar Broer deed hem geen pijn meer, niet sinds Lhel zijn bloed en haar in de pop verwerkt had.

Eigenlijk zonder het te merken begon Tobin Broer steeds vaker op te roepen, en liet hem zelfs meespelen met de stad. Broer keek alleen maar toe terwijl Tobin de takkenmensjes door de straten verschoof en de kleine schepen uit liet varen, maar het was altijd beter dan alleen te zijn.

Tobin doorzocht de hoeken van de kamer of hij er bewegingen in ontdekte. Zelfs wanneer hij Broer wegstuurde, was hij nooit ver uit de buurt. De bedienden klaagden nog steeds over zijn buien, maar de enige die hij werkelijk pijn had gedaan, was Arkoniël.

Tobin mocht dan wel een hekel aan de tovenaar hebben, hij was kwaad op Broer die zo'n streek had uitgehaald. Hij had de toverspreuk recht voor zijn neus moeten opzeggen en misschien kon Arkoniël wel liplezen of had hij de woorden gehoord. Als hij het zijn vader zou vertellen, dan zouden ze vroeg of laat de pop vinden. Zijn vader zou zich voor hem schamen en de soldaten zouden hem uitlachen, net als de mensen in de stad, en hij zou nooit een strijder worden.

Tobin kreeg pijn in zijn buik toen hij zich weer naar het raam keerde; misschien hadden zijn vader en Arkoniël het daar wel over! Arkoniël had dan wel beloofd niets te vertellen, maar Tobin vertrouwde hem voor geen stuiver. Hij vertrouwde eigenlijk niemand meer, op Tharin na dan misschien.

Toen het te donker was geworden om zijn vader in de wei te zien, kroop Tobin in bed en lag stokstijf tussen de klamme lakens, wachtend op boze stemmen.

In plaats daarvan kwam Nari in een opperbest humeur naar zijn bed toe.

'Je raadt nooit wat er is gebeurd,' riep ze uit terwijl ze zich begon uit te kleden. 'Die jonge tovenaar mag blijven als jouw onderwijzer. En dat is niet alles, je krijgt ook nog een vriendje! Arkoniël gaat een brief schrijven naar zijn meesteres, en die gaat dan op zoek naar een keurige jongen. Eindelijk krijg je dan een speelkameraadje, jochie, precies zoals elke jonge prins! Wat zeg je me daarvan?'

'En als hij mij nou saai of raar vindt?' mompelde Tobin, denkend aan de mensen in de stad die hem aangestaard hadden en achter hun hand gegiecheld.

Nari klakte met haar tong en klom naast hem in bed. 'Wie vindt jou nou saai, diertje? En wie wil er nou geen vriendje van de prins worden, de enige neef van de koning? Elke jongen zou een gat in de lucht springen!'

‘Maar als ik hém nou niet leuk vind?’ hield Tobin aan.

‘Nou, dan zeg ik meteen dat hij zijn spullen kan pakken,’ zei Nari. Toen voegde ze er zacht aan toe: ‘Maak je nou maar geen zorgen, jochie. Het komt allemaal goed.’

Tobin zuchtte en deed net alsof hij ging slapen. Er was zoveel om zich zorgen over te maken, om te beginnen met chagrijnige geesten en luidruchtige, tovenaars met van die onderzoekende ogen.

19

Iya las Arkoniëls korte briefje een aantal malen terwijl de koerier van de hertog buiten op antwoord stond te wachten. Ze drukte het reepje perkament tegen haar hart en keek uit haar raam naar de drukke haven om haar warrige gevoelens te kalmeren.

Haar eerste reactie leek op die van de hertog. Een kind uit een andere familie in huis nemen was vragen om problemen. Maar in haar hart wist ze dat Arkoniël gelijk had. Ze las de brief nogmaals.

Ik weet dat je mijn beslissing niet goedkeurt, misschien ben je er zelfs kwaad om, maar volgens mij heb ik het bij het juiste eind. De jongen is bijna tien, en vertoont nu al zulk eigenaardig gedrag dat ik vrees dat hij aan het hof later totaal af zal gaan. Hij wordt veel te veel betutteld en beschermd. Dit kind is nog nooit op een hete dag gaan zwemmen, heeft nog nooit een middag in zijn eentje door bossen of weiden rondgestruind. Uit eerbied voor zijn moeder en haar familie, moeten we doen wat we kunnen...

'De jongen, juist,' mompelde Iya, blij dat Arkoniël zo voorzichtig deed. Brieven konden gemakkelijk in verkeerde handen vallen, per ongeluk of met opzet.

De keuze van het vriendje laat ik geheel aan jou over.

Ja, ja, hij probeerde zoete broodjes te bakken, nu alles toch al in kannen en kruiken was.

De jongen moet vrolijk, dapper en niet te zwaar op de hand zijn, en inte-

resse hebben in strijd en jacht, want hij vindt mij een onbenul op dat gebied. Aangezien de burcht zo ver buiten de bewoonde wereld ligt en de prins nog niet aan het hof woont, zou ik een jongen uit een grote familie kiezen, voor het geval hij langer moet wegblijven dan gepland. Zeker geen eerstgeboren zoon.

Ze knikte en begreep de implicatie: het moest een jongen zijn die gemist kon worden.

Ze stopte de brief weg en trok haar plan. Ze zou een aantal edelen bezoeken die hier in de zuidelijke bergen een landgoed bezaten. Ze hadden meestal grote gezinnen.

Door zich hiermee bezig te houden, hoefde ze nog niet te piekeren over het andere deel van de kwestie: Arkoniël zou bij Tobin blijven. Hij was ver genoeg in zijn opleiding om een tijdje zonder haar te kunnen, zelfs om voor zichzelf te beginnen. Andere studenten hadden haar al veel eerder verlaten. Arkoniël wist genoeg om de kom over te nemen als de tijd daar was.

Maar om eerlijk te zijn: ze vond het stierlijk vervelend zo zonder hem. Hij was de beste leerling die ze ooit had gehad, en in staat om nog veel meer te leren dan hij al wist. Meer dan zij hem kon bijbrengen zelfs. Maar goed, een paar jaar alleen zou hem geen kwaad doen.

Wat door haar gedachten spookte was het idee van zijn visioenen, visioenen waaraan zij part noch deel had. Ze moest bekennen dat zij er nog niet aan toe was om een paar jaar zonder hem door te brengen, de zoon van haar hart.

20

Waar Tobin bang voor was geweest, gebeurde, en snel ook. De tovenaar begon allerlei dingen te veranderen, en helemaal niet op de manier die hij verwacht had.

Voorlopig bleef Arkoniël in de speelkamer slapen, maar binnen een week na het vertrek van zijn vader kwamen er karren vol werklieden aangereden die een waar tentendorp in de wei oprichtten. Toen volgden er wagens vol bouwmateriaal, zodat het erf vol kwam te staan met hout, stenen, speciekuipen en zware zakken. Tobin mocht zich niet met de arbeiders bemoeien, dus stond hij uren bij het raam om naar hun bezigheden te kijken.

Hij had nooit geweten hoe stil het tot nu toe altijd op de burcht was geweest. Getimmer en gekletter kwamen de hele dag uit alle richtingen, en daar bovenuit hoorde je het gezang van de bouwvakkers en de kreten die ze elkaar toeschreeuwden.

Een ploeg leidekkers klom het dak op met platen daklei en potten heet lood en teer, zodat het de hele dag leek of het dak in brand stond. Een andere ploeg nam tegelijkertijd de tweede verdieping en de hal onder handen, schoof het meubilair aan de kant en vulde het huis met de opwindende nieuwe geuren van lijm en zaagsel.

Arkoniël steeg een beetje in Tobins achting toen hij erop stond dat Tobin toestemming kreeg om de arbeiders aan het werk te zien. Op een nacht, nadat Nari hem had ingestopt, nam Broer Tobin mee naar de overloop om een heftige ruzie in de hal af te luisteren.

'Kan me niet schelen wat jij of hertog Rhius vindt,' sputterde Nari, met haar handen onder haar schort zoals ze deed wanneer ze van streek was. 'Het is gewoon onveilig! Waarom zitten we hier dan nog, ver weg van het gewone volk...'

'Ik blijf toch bij hem,' viel de tovenaar haar in de rede. 'Bij het Licht, mens, je kunt hem toch niet zijn hele leven veilig onder je vleugels houden? En hij kan er veel van leren. Hij heeft duidelijk aanleg voor die dingen.'

'O, dus je wilt dat hij later een metselaarsvoorschoot draagt in plaats van een kroon?'

Tobin kauwde in gedachten op zijn duimnagel en peinsde over wat ze bedoelden. Hij had er nooit van gehoord: een prins met een kroon. Zijn moeder had er ook nooit een op gehad en zij had nog wel in het paleis gewoond toen ze klein was. Maar als het dragen van zo'n metselaarsvoorschoot inhield dat hij dan een troffel met specie mocht hanteren om muren neer te zetten, zou hij dat helemaal niet erg vinden. Hij had stiekem naar de metselaars op de tweede verdieping gekeken toen Nari beneden was en het zag er interessant uit. Volgens hem was het stukken leuker dan de lessen die hij van Arkoniël kreeg: die liet hem versjes uit zijn hoofd leren en de namen van de sterren opzeggen.

Voor hij erachter kwam wie de ander met argumenten zou verslaan, fluisterde Broer dat hij meteen terug naar bed moest. Hij sloot de deur net voor Mynir langs kwam lopen, vrolijk fluitend en met de sleutels rinkelend aan zijn sleutelring.

Gelukkig won Arkoniël de woordenstrijd en de volgende dag liepen hij en Tobin de arbeiders voor de voeten en keken hen op de vingers.

Het gereedschap van de stukadoors en de steenhouwers, en het gemak waarmee ze dat hanteerden, fascineerden Tobin mateloos. Hele muren werden op één ochtend van vuilgrijs zo wit als zwanen.

Maar de houtsnijder bewonderde hij het meest. Het was een tengere, knappe vrouw met lelijke handen, die met haar beitels en mesjes door hout sneed alsof het boter was. De kapotte trapstijl in de hal was de dag ervoor uitgebroken en Tobin keek met grote ogen toe hoe ze uit een lange paal van donker hout een nieuwe sneed. Het leek wel of ze in het hout groef naar de patronen van wijnranken vol druiven die al binnenin verstopt zaten. Toen hij dit verlegen opmerkte, knikte ze.

'Zo zie ik het ook, Uwe Hoogheid. Ik neem een stuk goed hout in mijn handen en ik vraag: "Wat voor schatten houd jij voor mij verborgen?"'

'Prins Tobin doet hetzelfde met groente en klompjes was,' vertelde Arkoniël haar.

'Ik snijd ook hout hoor,' zei Tobin en hij wachtte tot de houtbewerker hem zou uitlachen. In plaats daarvan fluisterde ze Arkoniël iets in het oor, liep naar een stapel afvalhout verderop en bracht een stuk bleekgeel hout voor hem mee, zo groot als een baksteen. Ze vroeg: 'Zou je willen weten wat er in dit stuk hout zit?'

Tobin bleef de hele middag bij haar op de grond zitten en aan het eind van de dag liet hij haar een dikke otter zien die een beetje scheef op zijn poten zat. Ze vond hem zo mooi dat ze hem haar messen in ruil ervoor aanbood.

Wanneer ze de werklieden niet observeerden, gingen Tobin en Arkoniël een eind rijden of wandelden ze over de bospaden. En ook dit waren lessen, al had Tobin dat niet meteen in de gaten. Arkoniël had dan misschien niet veel kaas gegeten van zwaardvechten of boogschieten, maar hij wist veel over kruiden en bomen. Hij begon met Tobin de soorten die deze al kende op te laten noemen, leerde hem andere, en vertelde hem waarvoor ze gebruikt werden. Ze plukten wintergroen, groeven wilde gember op in de schaduwrijke valleitjes, plukten bosaardbeitjes, en bossen kleefkruid en zuring voor Kokkies soep.

Tobin vertrouwde Arkoniël nog steeds niet helemaal, maar hij verdroeg hem nu wel. Arkoniël was minder luidruchtig en deed geen tovertrucs meer. En al was hij geen jager, over sporen en kennis van het woud wist hij evenveel als Tharin.

Ze klommen hoog de heuvel op en zo nu en dan ontdekten ze een pad of een open plek die Tobin bekend voorkwam. Maar van Lhel geen spoor.

En al wist Arkoniël het niet, Broer ging vaak met hen mee, als een stille, oplettende aanwezigheid.

Zodra de stukadoors hun werk in de grote hal hadden volbracht, begonnen de schilders hun ontwerpen in de verse pleisterlaag uit te krassen. Terwijl een lange lijn figuren boven aan de muur vorm aannam, hield Tobin zijn hoofd scheef en zei: 'Dat ziet eruit als eikels en eikenblaadjes, maar niet helemaal.'

'Het heeft niet de bedoeling om er realistisch uit te zien,' legde Arkoniël uit. 'Het is maar een patroon dat er leuk uitziet. De schilder zal allerlei rijen met figuren maken die hij met vrolijk gekleurde verf opvult.'

Ze klommen de wiebelige steiger op en de kunstenaar liet Tobin zien hoe hij een koperen liniaal en passers gebruikte om de figuren te maken en de lijnen recht te houden.

Toen ze weer naar beneden gingen, rende Tobin naar de speelkamer om de verwaarloosde schrijfspulletjes uit de kist te pakken. Hij zette alles neer op tafel en begon aan een rij figuurtjes, waarbij hij zijn vingers als passer gebruikte en een stuk oefenperkament als liniaal. Hij was halverwege toen hij merkte dat Arkoniël hem vanaf de drempel bekeek.

Tobin werkte gewoon door en leunde achterover toen hij de rij af had. 'Het is niet zo mooi.'

Arkoniël kwam naar hem toe en keek ernaar. 'Nee, maar voor een eerste poging is het ook niet slecht.'

Zo sprak hij nu eenmaal. Terwijl Nari alles wat Tobin maakte de hemel in prees, of het nu mooi of niet mooi was, was Arkoniël meer als Tharin – het goede in een poging zien zonder het hoger aan te slaan dan het verdiende.

'Eens zien wat ik ervan terechtbreng.' Arkoniël nam een vel perkament van de stapel en draaide het om, maar hij trok onmiddellijk wit weg. De andere kant van het blad was bedekt met korte regels die Tobins moeder eens had zitten schrijven terwijl hij zijn overtrekletters oefende. Tobin kon het niet lezen, maar hij zag wel dat Arkoniël ontdaan was door de inhoud.

'Wat staat er?' wilde hij weten.

Arkoniël slikte en schraapte zijn keel, maar Broer trok het vel uit zijn handen en liet het door de kamer zeilen voor hij het voor kon lezen.

'Het was gewoon een versje over vogels.'

Tobin raapte het vel op en schoof het onder de stapel zodat Broer er niet meer opgewonden door zou worden. Op het bovenste vel stonden rijtjes oefenletters, gevlekt en uitgelopen.

'Mamma leerde me letters,' zei hij en hij volgde de vormen met zijn vinger.

'Goed zo. Mag ik eens zien welke je tot nu toe geleerd hebt?' Arkoniël probeerde te glimlachen alsof er niets gebeurd was, maar zijn ogen bleven zoeken naar het vel dat Broer weggegrist had en hij had een droevige blik in zijn ogen.

Tobin schreef ijverig de elf letters die hij had geleerd. Hij had in geen maanden geoefend en ze kwamen er nogal schots en scheef uit. Sommige stonden zelfs op hun kop. Hij was de meeste namen en klanken ook vergeten.

'Nou, dat is een uitstekend begin. Vind je het goed dat ik er nog een stel maak die je kunt overtrekken?'

Tobin schudde zijn hoofd, maar de tovenaar zat al te krabbelen.

Al snel was Tobin zo hard aan het werk dat hij het blad met het versje dat

Arkoniël hem niet had voorgelezen en dat Broer van streek had gemaakt totaal vergeten was.

Arkoniël wachtte tot Tobin in beslag genomen werd door zijn werk en trok toen het laatste vel van de stapel perkament onder de andere weg, net ver genoeg om de regels te kunnen lezen.

Alleen hier in de toren hoor ik vogels zingen
Mijn gevangenis, mijn vrijheid. Mijn hart zingt alleen hier
Met de dood als gezelschap
Alleen de dood spreekt duidelijk, en de vogels

Tobin had zich wel een beetje zorgen gemaakt over de komst van de beloofde kameraad, maar toen niets erop wees dat dat binnenkort zou gebeuren, vergat hij het snel. Misschien was zijn vader wel van gedachten veranderd.

Er waren tenslotte meer dan genoeg mensen in huis. Zo lang hij zich kon herinneren was het hier altijd donker en vredig geweest. Nu liepen de werklieden in en uit en was het van vroeg tot laat een drukte van belang. Toen hij er genoeg van had de vaklui te observeren trok hij zich terug in de keuken, waar Nari en Kokkie erg opgetogen waren over de commotie, hoewel Nari het er nog steeds niet mee eens was dat Tobin zo vrij met de mannen omging.

Maar niemand was meer in zijn sas dan de oude Mynir. Al was het aan de tovenaar te danken dat de hele verbouwing plaatsvond, Mynir had de leiding en hij had er nog nooit zo gelukkig uitgezien als wanneer hij aanwijzingen gaf over de kleuren en patronen die gebruikt moesten worden. Hij ontving de kooplui nu ook in de hal en spoedig hingen er tientallen nieuwe wandtapijten aan de muren.

'Ach, Tobin, dit deed ik nu ook in Atyion!' zei hij op een dag toen hij de tapijten inspecteerde. 'Eindelijk staat je vader me toe om hier een echt thuis van te maken!'

Hij genoot wel van het kijken naar de ambachtslieden, maar vreemd genoeg voelde hij zich een beetje onbehaaglijk over de resultaten. Hoe meer het huis veranderde, hoe moeilijker het werd om zich zijn vader en moeder in dit gebouw voor te stellen. Toen Mynir over het opknappen van zijn slaapkamer begon, sloeg Tobin de deur dicht, zette er een zware kist voor en weigerde naar buiten te komen tot de hofmeester via het sleutelgat beloofd had dat er niets veranderd zou worden.

En zo vorderde het werk. Voor Nari bij hem in bed kroop, sloop hij soms naar de bovenste traptree en keek naar de frisse kleurige hal. Zijn gedachten gingen uit naar zijn vader. Als ze het huis nog meer zouden veranderen, zou zijn vader misschien helemaal niet meer terugkomen.

21

Een passend speelkameraadje voor Tobin was nog niet zo snel gevonden, moest Iya na een tijdje vaststellen.

Ze was al niet dol op kinderen in het algemeen. Ze had al die jaren alleen te maken gehad met kinderen die aanleg voor magie hadden. Geen van haar leerlingen was normaal te noemen, en door training en tijd werd al hun talent wel naar boven gebracht. Met deze kinderen herleefde ze haar eerste wankele schreden op het magische pad, de frustraties en vreugden, en ze was dolblij voor hen wanneer ze de kracht van hun unieke natuur leerden beheersen. Ze waren allemaal verschillend wat hun macht of mogelijkheden betrof, maar dat maakte niet uit. Het was fantastisch om het talent van een novice uit te werken tot de kern was bereikt.

Maar dit... Terwijl haar zoektocht zich weken, maanden voortsleepte, werd haar mening over gewone kinderen er bepaald niet beter op. Kinderen bij de vleet bij de landadel, maar er was er niet eentje bij die haar interessanter voorkwam dan een knolraap.

Heer Evit, wiens huis ze eerst bezocht had, had zes flinke jongens, van wie er twee oud genoeg waren om uit huis te gaan, maar het waren plompe, logge stieren in de dop, met de hersens van een garnaal.

Vervolgens bezocht ze het enorme landhuis van vrouwe Morial, want ze wist dat daar nogal wat kinderen waren geboren. De goede weduwe had een zoontje van tien dat levenslustig genoeg leek, maar toen Iya met haar geest zijn karakter afspeurde, vond ze daar al het begin van hebzucht en jaloezie. En daarmee zou geen prins, of koningin, gediend zijn.

En zo reisde ze voort, langzaam langs de ruggengraat van Skala, en ze kwam nog meer knolrapen, garnalen en slangetjes tegen. Over een week zou ze in Ero zijn, bedacht ze, terwijl de eerste regens van Rhythin neervielen. Ze reed verder, in een miezerige motregen gehuld, op zoek naar het huis van heer Jorvai van Colath, die ze als jongeling gekend had. Twee dagen later – de schemering viel al in en er was nog steeds geen landhuis of schuilgelegenheid in zicht – eindigde de modderige weg waarop ze reed bij de oever van een gezwollen rivier. Ze spoorde haar merrie tevergeefs aan, want het dier weigerde schichtig het water in te gaan.

'Vervloekt!' riep Iya en ze keek rond over de lege velden die haar overal omringden. Ze kon de rivier zo te zien niet wadend oversteken en ze was in geen uren een herberg gepasseerd. Een mijl of vijf terug was ze langs een zijweg gekomen, bedacht ze, terwijl ze haar doorweekte mantel steviger om zich heen sloeg. Die moest toch ergens heen gaan.

Ze wendde haar paard en was pas een halve mijl op weg toen uit de mist een groepje ruiters opdook, die een stuk of wat fraaie paarden voortdreven. Ze vormden een ruig stelletje, soldaten of rovers aan hun uitrusting te zien. Toen ze zich omdraaiden en haar de weg versperden, zag Iya dat een van hen een vrouw was, al zag ze er net zo verbeten en grimmig uit als de rest.

Hun leider was een rijzige, uitgemergelde oude man wiens lange grijze snor een mond vol rotte tanden bedekte. 'Wat moet je hier, vrouw?' gromde hij haar toe.

'En wie ben jij om me dat op zo'n toon te vragen?' beet Iya terug en ze begon de draden van een verblindingsbezwering door elkaar te weven. Ze waren met zijn zevenen. Uit de dreigende blikken die haar werden toegeworpen maakte ze op dat de paarden gestolen waren.

'Ik ben heer Larenth van Eikenbergstee, een vazal van heer Jorvai, over wiens land je rijdt.' Hij wees met zijn duim naar de vrouw en twee anderen. 'Dit zijn mijn zonen, Alon en Khemeus en mijn dochter Ahra. Wij bewaken de wegen op Jorvais land.'

'Ik bied mijn verontschuldigingen aan. Ik ben Iya van Makerswad, vrij tovenares van Skala. En toevallig was ik naar uw heer op zoek, maar ik denk dat ik verdwaald ben.'

'En niet zo'n klein beetje ook. Zijn huis is nog een halve dag gaans vanwaar je kwam,' antwoordde Larenth, nog steeds grommend. 'U kunt vannacht mijn gast zijn, als u nergens anders heen kunt.'

Iya had weinig keus. 'Veel dank, heer Larenth. Ik neem uw aanbod graag aan.'

'Wat wilde u eigenlijk bij mijn heer,' vroeg Larenth terwijl ze naast hem ging rijden.

'Ik moet een kameraad voor de zoon van een edelman zien te vinden.'

De oude ridder snoof. 'Ik heb een huis vol welpen – wat wil je met vier vrouwen – en een lading bastaards bovendien. Beter kun je ze niet vinden. Scheelt me allicht één mond minder te voeden. Staat er een betaling voor het verlies van een arbeidskracht tegenover?'

'Daar staat uiteraard het gebruikelijke tarief tegenover.' Iya wierp een steelse blik op de stugge voorbeelden van zijn kroost en betwijfelde of ze haar beurs onder zijn dak zou moeten openmaken. Hij had echter wel een meid als strijder getraind, wat je tegenwoordig nauwelijks meer tegenkwam. 'Uw dochter dient u. Dat is behoorlijk uit de mode geraakt, dacht ik.'

De jonge vrouw ging rechtop in haar zadel zitten en leek beledigd.

'De mode kan me de reet roesten, en de koning daarbij, met al zijn verbeelding en zijn wetten,' zei Larenth met een grauw. 'Mijn moeder verdiende haar brood door het zwaard, en haar moeder voor haar. En als mijn meisje zo brood op de plank kan krijgen, zal ik het haar niet verbieden, in geen duizend jaar! Bij het Licht, al mijn kinderen kunnen met wapens omgaan voor ze kunnen lopen. En je zult wel zien dat heer Jorvai er net zo over denkt, en dat zal hij zeggen ook. Jij bent een tovenares; jij bent zeker ook niet dol op die nieuwerwetse fratsen en regels?'

'Nee, dat klopt, maar het is niet verstandig om dat zo luid te verkondigen.'

Larenth snoof nogmaals, en zijn snor zakte nog verder.

'Let op mijn woorden, juffrouw. Er komt een dag dat de koning mijn meisje maar wat graag in zijn leger zal opnemen, en de anderen die hij eruit gelazerd heeft ook. Die klootzakken van de overkant zullen het niet bij invallen laten.'

De hoeve van heer Larenth bestond uit een kleine lap onbebouwde grond met een paar schuurtjes en omheiningen voor paarden, die om een ruw stenen huis achter palissaden lagen. Een meute blaffende honden begroette hun komst en krioelde tussen hun benen terwijl ze afstegen. Een stuk of vijf modderige kinderen kwamen aangerend om hetzelfde te doen en sprongen tegen hun vader en grote broers op.

Larenths stuurse gezicht ontspande zich een beetje terwijl hij een kleine meid op zijn schouders zette, en met een handgebaar leidde hij Iya met een boers soort hoffelijkheid naar de vochtige, rokerige hoeve.

Er was hier weinig comfort. Zelfs met alle luiken open was het hier binnen benauwd en rook het niet fris. Wat er aan meubilair stond was armoedig, en wandtapijten waren er al helemaal niet te ontdekken. Zijden spek en lange slingers worstjes hingen aan de balken boven het rookgat van het vuur dat lustig in het midden van de aangestampte aarden vloer brandde. Ernaast zat een mager, zwanger meisje in een soort zakjurk een spinrokken rond te draaien. Ze werd voorgesteld als de vierde vrouw van de oude ridder, Sekora. Naast haar zaten nog wat vrouwen en een achterlijke stiefzoon van een jaar of veertien. Vier peuters met blote billetjes wriemelden zich tussen de honden die aan de voeten van de vrouwen waren gaan liggen.

Zijn overige nakomelingen kwamen binnen geslenterd voor het avondeten. Iya raakte de tel bij vijftien al kwijt. Het was onmogelijk de echte en de onechte kinderen van elkaar te onderscheiden; in huishoudens op het platteland waar alleen de oudste alles zou erven, maakte het ook niet uit. De rest zou het toch op een andere manier moeten zien te rooien.

Het eten was een ongeorganiseerde bende. Schraagtafels werden opgezet en potten boven de haard gehangen. Houten planken met brood werden binnengedragen en iedereen ging zitten waar nog een plekje was. Niemand lette op tafelmanieren; nog meer kinderen kwamen binnengestoven en duwden de kleintjes opzij om hun portie te pakken te krijgen. Rust en vriendelijkheid waren in dit huishouden ver te zoeken, en het eten was ronduit smerig, maar Iya was allang blij dat ze onderdak was. De motregen was in een plensbui overgegaan en af en toe werd het huis door bliksem verlicht.

De maaltijd was bijna voorbij toen Iya de drie jongens bij de open deur opmerkte. Aan hun natte kleren en kleine stukken brood te zien waren ze tijdens de chaotische maaltijd laat binnengekomen. Een van hen, de modderigste van de drie, lachte om iets met zijn broers. Hij was net zo tanig en zongebruind als alle anderen, met dik donker haar dat onder het vuil en de strootjes waarschijnlijk fraai donkerbruin zou zijn. Ze wist niet precies waarom hij haar was opgevallen. Misschien had het iets met die scheve grijns te maken.

'Wie is dat?' vroeg ze haar gastheer, haar stem verheffend om boven het geklets en getik van de druppels op het dak uit te komen.

'Die?' Larenth fronste zijn voorhoofd. 'Dimias, dacht ik.'

'Dat is Ki, vader!' zei Ahra hoofdschuddend.

'Echt of onecht?' vroeg Iya.

Weer met zijn mond vol tanden keek hij zijn dochter vragend aan. 'Echt, van mijn derde vrouw,' zei hij ten slotte.

'Mag ik even met hem praten?' vroeg Iya.

Larenth gaf haar een knipoog. 'Zoveel je wilt, juffrouw, en denk eraan, er zijn nog meer pups in het nest, als hij niet is wie je zoekt.'

Iya waadde tussen de honden, benen en peuters door naar het trio bij de deur. 'Ben jij Ki?' vroeg ze de jongen.

Met zijn mond vol brood kauwde hij snel, slikte het door en boog. 'Ja, vrouwe. Tot uw dienst.'

Al viel hij op geen enkele manier op, Iya wist meteen dat het geen knolraap was. Zijn ogen, de kleur van zijn kastanjekleurige krullen, een goed humeur en intelligentie bewezen dat.

Iya's hart sloeg een slag over: zou hij iets van magie in zich hebben? Ze nam zijn vuile uitgestoken hand, raakte uit gewoonte zijn geest even aan en merkte ietwat teleurgesteld op dat het niet het geval was.

'Is dat je hele naam?' vroeg ze.

Hij haalde zijn schouders op. 'Zo word ik altijd genoemd.'

'Het komt van Kirothius,' hielp een van de oudere jongens hem en hij gaf hem een por in zijn zij. 'Hij hep er een hekel an omdattie het niet kan uitspreken.'

'Welles!' zei Ki tegen Iya en een blos steeg op achter het vuil dat in vegen over zijn wangen lag. Zo te ruiken had hij de hele dag varkens gehoed. 'Ik vind Ki gewoon beter. En het is makkelijker voor vader, nu er zoveel zijn om in de gaten te houden.'

Iedereen die dat gehoord had, barstte in lachen uit en Ki-met-de-afgekorte-naam liet zijn uitstekende voortanden zien in een grijns die haar vrolijkste ervaring in dit hele armzalige krot was, en van de hele armzalige dag als ze eerlijk moest zijn.

'Zo, Ki, en hoe oud ben je?'

'Elf zomers, vrouwe.'

'En je hebt zwaardvechten geleerd?'

De jongen stak zijn kin trots in de lucht. 'Ja, vrouwe. En boogschieten.'

'Maar met de varkensstaf kan hij het best overweg,' zei zijn porrende broer pesterig.

Ki keek hem kwaad aan. 'Amin, hou je kop nou 'ns, joh. Wie hep vorige maand je vinger gebroken?'

Aha, dus die pup kon van zich af bijten, merkte Iya goedkeurend bij zichzelf op. 'Ben je ooit aan het hof geweest?'

'Ja, vrouwe. Vader neemt ons meestal allemaal mee naar het Sakorfestival in Ero. Ik heb de koning en de prins met hun gouden kroon gezien, toen ze met de priesters naar de tempel reden. Op een dag zal ik in dienst van het hof zijn.'

‘Om de koninklijke varkens te hoeden zeker!’ zei Amin weer.

Nu vloog Ki op en sloeg hem met zijn vuist tegen de grond midden tussen een kring kinderen. Iya trok zich haastig terug, terwijl het gesprek overging in een luidruchtig algemeen gevecht waaraan steeds meer kinderen, honden en huilende baby’s hun steentje bijdroegen. Een paar minuten later zag ze Ki en het plagerige broertje in de hanenbalken zitten, grinnikend om de herrie die dankzij hen ontstaan was. De huidige moeder waadde zwaaiend met de soeplepel door de kluwen kinderen.

Iya wist dat ze haar jongen gevonden had, al knaagde er iets aan haar geweten. Als het ergste zou gebeuren, mocht er niet geaarzeld worden en bestond er geen genade. Maar het was toch het risico waard. Wat voor toekomst had de jongen hier? Geen land, geen titel; hij zou hoogstens infanterist of huurling kunnen worden, in welk geval hij waarschijnlijk aan de punt van een Plenimaraanse lans zou sterven. Op deze manier kreeg hij minstens de kans om zijn droom over het hof te verwezenlijken en verwierf hij misschien nog een titel ook.

Toen de kinderen die nacht in diverse groepjes op de grond lagen te slapen, verkocht heer Larenth zijn zoon voor vijf gouden sestertiums en een amulet om zijn bron fris te houden en zijn huis voor instorting te behoeden.

Niemand dacht eraan om Ki te vragen wat hij ervan vond.

Bij zonsopkomst vroeg Iya zich af of ze niet te snel gehandeld had. Ki had zich redelijk schoongepoetst en droeg zelfs schone afdankertjes. Zijn haar had hij met een band vastgebonden in een staartje en het was inderdaad net zo bruin als zijn ogen. Hij was zelfs gewapend met een mes in zijn gordel en droeg een aardige boog en pijlkoker over zijn schouder.

Maar hij vertoonde niets van de sprankelende levenslust en spontaniteit van gisteravond toen hij afscheid nam van zijn familie en te voet naast Iya’s paard vertrok.

‘Alles goed met je?’ vroeg ze terwijl hij honds achter haar aan slenterde.

‘Ja, vrouwe.’

‘Noem me geen vrouwe. Je bent van hogere afkomst dan ik. Je kunt me juffrouw Iya noemen en ik noem jou Ki, zoals je het het liefst hebt. En heb je geen zin om achterop mee te rijden?’

‘Nee, juffrouw.’

‘Heeft je vader je verteld waar we heen gaan?’

‘Ja, juffrouw.’

'Lijkt het je leuk om de kameraad van het neefje van de koning te worden?'

Hij gaf geen antwoord en Iya zag hoe strak zijn kaak gespannen stond. 'Vind je het geen leuk vooruitzicht?'

Ki hees zijn beetje bagage hoger op zijn schouder.

'Ik zal mijn plicht doen, juffrouw.'

'Nou, je mag best wat vrolijker reageren, hoor. Ik zou blij zijn als ik dat ellendige hol kon verlaten. Niemand die verwacht dat je in het huis van hertog Rhius varkens hoedt of onder de tafel slaapt.'

Ki rechtte zijn rug, net als zijn halfzuster de dag ervoor had gedaan. 'Ja, juffrouw.'

Doodop van dit vreemde eenrichtingsgesprek liet Iya hem maar met rust en Ki liep zwijgend achter haar aan.

Bij het Licht, misschien had ze toch een grote fout gemaakt.

Toen ze even naar hem keek, zag ze dat hij mank liep.

'Heb je een blaar?'

'Nee, juffrouw.'

'Waarom loop je dan mank?'

'Ik heb een steentje in mijn schoen.'

Getergd hield ze het paard in. 'Waarom zég je dat dan niet? Bij het Licht, kind, je hebt toch een tong!'

Hij keek haar recht in de ogen, maar zijn kin trilde. 'Vader zei dat ik alleen mocht praten wanneer er iets tegen me gezegd werd,' zei Ki en hij probeerde wanhopig zijn tranen binnen te houden terwijl de woorden eruit vlogen. 'Als u me terug zou sturen omdat ik tegen u kletste of een fout maakte, dan zou hij het geld moeten teruggeven en dan zou hij het vel van mijn rug ranselen en me op straat zetten. Hij zei dat ik bij prins Tobin mijn plicht moest doen en dat ik nooit meer thuis hoefde te komen.'

Het was een hele toespraak en dapper gesproken, op de tranen die over zijn wangen biggelden na. Hij veegde ze af met zijn mouw, maar hield zijn hoofd trots omhoog terwijl hij wachtte om oneervol naar huis te worden gestuurd.

Iya zuchtte. 'Snuit je neus, jongen. Niemand stuurt je naar huis omdat je een steentje in je schoen hebt. Ik heb niet veel ervaring met gewone jongens, Ki, maar jij lijkt me uit het goede hout gesneden. Je zult prins Tobin toch geen pijn doen en je zult toch ook niet weglopen?'

'Nee, vr... juffrouw!'

'Dan is er volgens mij geen enkele reden om je naar huis te sturen. Doe nou je schoen maar uit en kom hier.'

Toen hij het steentje kwijt was trok ze hem achter zich op het paard en gaf hem een klapje op zijn knie. 'Dat is dan geregeld. We redden het best, denk ik.'

'Ja, juffrouw.'

'En misschien kunnen we nu een interessanter gesprek voeren. Het is een heel end van hier tot Alestun. Je mag zeggen wat je wilt en me vragen wat je wilt. Als je niks vraagt, leer je ook niks, zeg ik altijd maar.'

Ki schoof zijn knie tegen de leren schoudertas die steeds tegen zijn been aankwam. 'Wat zit hierin? U verliest hem geen moment uit het oog. U sliep er zelfs mee, gisteravond.'

Ontzet snauwde ze: 'Gaat je niets aan. Maar het is heel gevaarlijk en ik zal je meteen naar huis sturen als je er ooit met je vingers aanzit.'

Ze voelde de jongen ineenkrimpen en ademde diep in en uit voor ze weer wat zei. Het was nog maar een kind. 'Dat was niet zo'n goed begin, hè. Vraag nog maar iets.'

Het was lang stil. Toen: 'Wat voor jongen is prins Tobin eigenlijk?'

Iya dacht terug aan Arkoniëls brief. 'Hij is ongeveer een jaar jonger dan jij. Hij schijnt van jagen te houden en hij traint om een groot strijder te worden. Misschien word jij zijn schildknaap wel als je goed je best doet.'

'Hoeveel broers en zusjes hebtie?'

'Hééft híj,' corrigeerde Iya. 'Bij het licht, aan je uitspraak en grammatica moeten we wel wat doen.'

'Hoeveel heeft-ie er?'

'Geen een, en ook geen moeder. Daarom moet jij hem gezelschap gaan houden.'

'Is zijn moeder dood?'

'Ja, een jaar geleden, in de lente stierf ze.'

'Een jaar? En de hertog heb nog geeneens een nieuwe vrouw genomen?' vroeg Ki verbijsterd.

Iya zuchtte. 'Hertog Rhius hééft nog geen nieuwe vrouw... Bij de vingers van Illior! "Is nog niet hertrouwd", zo zeg je dat, al gaat het je niets aan. Dit huishouden zal wel heel anders zijn dan wat je gewend bent.'

Even was het stil. 'Ik heb gehoord... Ze zeggen dat er een geest in dat kasteel zit.'

'Ben je bang voor geesten?'

'Ja, juffrouw Iya! U niet dan?'

'Niet echt. En jij kan dat ook beter niet zijn, want er ís namelijk een geest in de burcht.'

'Bij de ballen van Bilairy!'

En plotseling voelde ze Ki niet langer achter haar. Ze draaide zich om in het zadel en zag hem met zijn bagage onder de arm midden op de weg staan, neerslachtig in de richting vanwaar ze gekomen waren starend.

'Kom jongen, klim op het paard.'

Ki aarzelde, weifelend waar hij banger voor was, geesten of zijn angstaanjagende vader.

'Doe niet zo belachelijk,' zei ze vermoeid. 'Prins Tobin leeft al zijn leven lang met hem en hij heeft hem nooit kwaad gedaan. Opstappen nu, of ik stuur je terug. De prins heeft geen lafaards nodig.'

Ki slikte en rechtte zijn schouders, precies wat ze verwacht had. 'Mijn vader heeft geen lafaards op de wereld gezet.'

'Ik ben blij dat te horen.'

Toen hij weer achter op het paard zat, vroeg ze: 'Hoe wist je dat eigenlijk van die geest?'

'Ahra vertelde het me vanmorgen, toen ze erachter kwam wat vader geregeld had.'

'En hoe was zij erachter gekomen?'

Ze voelde dat hij zijn schouders ophaalde. 'Zei dat ze het van de soldaten had gehoord.'

'En wat heeft je zuster nog meer gehoord?'

Weer een schouderophalen. 'Dat is het enige wat ze me verteld heb, juffrouw.'

Ki was de rest van de dag nogal sip, al bleef hij beleefd, en die nacht huilde hij zo stil als hij kon nadat Iya volgens hem was ingeslapen. Ze verwachtte half en half dat hij 's ochtends zou zijn verdwenen. Toen ze na zonsopgang haar ogen opendeed, was hij er nog steeds; hij zat naast een nieuw kampvuur en keek haar aan. Hij had grote donkere wallen onder zijn ogen, maar hij had het ontbijt voor hen beiden klaargemaakt en leek meer op de vrolijke knaap die ze eerste avond had gezien.

'Goeiemorgen, juffrouw Iya.'

'Goedemorgen, Ki.' Iya ging rechtop zitten en strekte haar verstijfde ledematen.

'Hoe ver is het nog rijden?' vroeg hij terwijl ze aten.

'O, een dag of drie, vier, denk ik.'

Hij nam nog een hap uit zijn worstje en kauwde luidruchtig. 'Kennu me dan netjes leren praten, zoals u zei?'

'Om te beginnen praat je nooit met je mond vol. En kauw je niet met je mond open.' Ze grinnikte terwijl hij zijn hap snel doorslikte. 'Maar je hoeft je nou ook weer niet te verslikken. Laat eens zien, wat hebben we verder? Geen vloeken gebruiken die naar Bilairy's lichaamsdelen verwijzen. Dat is grof. En dan, zeg me na, "Zou u me netjes kunnen leren praten?"'

'Zou u me netjes kunnen leren praten?' herhaalde hij, overdreven articulerend alsof hij een andere taal leerde. 'En kennu... zou u me iets over geesten kunnen leren?'

'Ik zal het allebei doen, zo goed als ik kan,' beloofde Iya en ze glimlachte. Uiteindelijk wist ze zeker dat ze goed gekozen had. Deze jongen was geen knolraap.

22

Tobin zat met Arkoniël op het dak. Het was laat in de middag in de maand Rhythin en Tobin keek uit over de felle herfstkleuren van het bos; hij dacht er opeens aan dat hij over een paar weken jarig was. Hij hoopte dat niemand anders eraan dacht.

Hij had hier niet willen komen voor zijn ochtendlessen en was in elk geval zo ver mogelijk van de toren af gaan zitten.

Arkoniël probeerde hem voor rekenen te interesseren en gebruikte bonen en linzen om de vraagstukken op te lossen. Tobin wilde wel opletten, maar toch dwaalden zijn gedachten steeds af naar de toren. Hij voelde hem achter zich oprijzen, koud als een schaduw, al voelde de zon nog warm op zijn schouders. De luiken zaten potdicht, maar Tobin wist zeker dat hij er geluiden achter hoorde; voetstappen en het zachte ruisen van lange rokken over de tegelvloer. De geluiden maakten hem net zo bang als de visioenen die hij van zijn moeder achter de torendeur had gehad.

Hij hield zijn mond over die geluiden, of over de droom die hij gisteravond had gehad; hij had die fout al zo vaak gemaakt en iedereen, zelfs Nari, had hem bevreemd aangekeken wanneer de dromen uitkwamen.

In deze droom waren hij en Broer weer naar buiten gegaan, maar deze keer leidde de demon hem door de wei naar beneden, waar ze op iemand moesten wachten. In de droom was Broer in tranen uitgebarsten. Hij huilde zo hard dat er bloed uit zijn neus en mond stroomde. Toen drukte hij één hand tegen zijn hart en de andere over dat van Tobin en boog zich zo ver voorover dat hun gezichten elkaar haast raakten.

'Ze komt eraan,' fluisterde hij. Toen vloog hij door de lucht als een vogel, terug naar de toren, zodat Tobin alleen moest wachten, met zijn blik op de weg gericht.

Hij was hijgend wakker geworden, en voelde Broers hand nog op zijn borst rusten. Wie kwam eraan, dacht hij, en waarom?

Ze zaten in het zonnetje en Tobin vertelde Arkoniël daar niets over. In de droom was hij niet bang geweest, maar wanneer hij daar nu aan dacht en die geluiden in de toren hoorde, werd hij overvallen door een vreemd soort angst.

Daarboven klonk een opvallend harde bons en Tobin wierp een steelse blik op Arkoniël. Hij dacht dat deze dát toch gehoord moest hebben, maar dat Arkoniël er gewoon niets over wilde zeggen.

In hun eerste dagen dat ze samen optrokken had Arkoniël hem vragen over zijn moeder gesteld. Hij had het nooit over de toren of over wat daar gebeurd was, maar Tobin zag aan zijn ogen dat hij daar wel benieuwd naar was.

Tobin zuchtte van opluchting toen Tharin de binnenplaats beneden hen op stapte. Vader en de anderen waren nog ver weg, maar Tharin was thuisgekomen om met hem te trainen.

'Tijd voor mijn oefeningen,' zei hij en hij sprong overeind.

Arkoniël trok een wenkbrauw op. 'Ik zie het. Weet je, Tobin, er is wel meer voor nodig om een edelman te worden dan vechten. Je moet leren hoe de wereld in elkaar zit en...'

'Ja, meester Arkoniël. Mag ik nu gaan?'

Een diepe zucht. 'Ga dan maar.'

Arkoniël zag het kind op een holletje over de leien gaan. Hij betwijfelde of Tobin ook maar de helft van zijn les had opgepikt. Er was iets in de toren geweest wat hem had afgeleid; hij keek steeds over zijn schouder als hij dacht dat Arkoniël het niet zag.

De tovenaar ging staan en bekeek de toren. Die gesloten luiken bezorgden hem op de een of andere manier altijd weer rillingen. Wanneer de hertog thuiskwam, zou hij zijn toestemming vragen de kamer te onderzoeken. Als hij daar kon staan, de lucht in zou ademen, de dingen aan zou raken die ze daar achtergelaten had, misschien zou hij dan een idee kunnen krijgen wat er die dag gebeurd was. Van Tobin zou hij niets te horen krijgen. De paar keer dat Arkoniël het onderwerp ter sprake bracht werden Tobins ogen leeg en zweeg hij op een verontrustende manier.

Arkoniël hechtte ook geen geloof aan Nari's gebabbel over bezetenheid, of haar angst dat Tobin zijn moeders val op zijn geweten zou hebben. Maar hoe langer Arkoniël hier bleef, hoe duidelijker hij de aanwezigheid van het dode kind gewaarwerd. Hij voelde de kou die het uitstraalde. Hij had Tobin soms tegen hem horen fluisteren en hij vroeg zich af wat voor antwoorden de jongen dan gekregen had.

Als Tobin die dag nu eens gevallen was? Dan zouden ze verenigd zijn in de dood, zoals ze in het leven hadden moeten zijn geweest.

'Ik word hier helemaal gestoord van,' mompelde hij en hij strooide de linzen naar beneden voor de vogels.

Misschien zou hij zijn sombere bui kwijtraken als hij naar het oefenterrein ging om Tharin met Tobin aan het werk te zien. Dat was tenminste een vent die met jongens kon omgaan.

Ze hadden allebei een lach om hun mond terwijl ze met hun houten zwaarden naar voren en naar achteren bewogen. Hoe pittig Tharin de training ook maakte, Tobin zette altijd zijn beste beentje voor. Hij aanbad de kapitein met een openheid waar Arkoniël jaloers op was. Tobin droeg een oude leren tuniek en had zijn haar met een stuk band in zijn nek gebonden; een donkere Tharin in het klein.

Arkoniël had zich erbij neergelegd dat Tobin deze lessen oneindig veel belangwekkender vond dan zijn eigen halfslachtige pogingen. Het was nooit de bedoeling geweest dat hij onderwijzer zou worden en hij nam aan dat hij in dit vak ook een hopeloos geval zou blijven.

Dat lag voor een deel aan Tobins wantrouwen. Sinds de dag dat Arkoniël aankwam, had hij het aangevoeld en er was niet veel veranderd. Hij wist zeker dat de demon daar iets mee te maken had. Die wist nog wat er bij de geboorte gebeurd was; had hij er tegen Tobin iets over verteld? Nari dacht van niet, maar Arkoniël was ervan overtuigd dat de demon Tobin tegen hem had opgezet.

Ondanks al deze obstakels was hij zich steeds meer aan het kind gaan hechten. Tobin was slim en ontvankelijk wanneer hij wilde, en tegen iedereen behalve Arkoniël was hij aardig en beleefd.

De laatste tijd was er echter iets gebeurd wat de tovenaar met verwondering en onrust vervulde: de jongen was een paar keer vooruitziend geweest. Een week geleden had Tobin gezegd dat er een brief van zijn vader kwam en hij had de hele middag bij de poort staan wachten tot er een ruiter verscheen met de boodschap dat hertog Rhius helaas toch niet op tijd zou terugkomen voor Tobins verjaardag.

Nog vreemder was dat hij een paar nachten geleden in paniek wakker was geschrokken en Nari en Tharin gewekt had met de mededeling dat ze het bos in moesten gaan om een vos met een gebroken rug te zoeken. Ze probeerden hem gerust te stellen dat het maar een droom was geweest, maar hij was zo van streek dat Tharin uiteindelijk een lantaarn had gepakt en op pad was gegaan. Binnen het uur was hij terug met een dode moervos. Tharin zwoer dat hij te ver van de burcht gelegen had om hem te horen en toen hij vroeg hoe hij dat wist, mompelde Tobin dat de demon het hem verteld had, maar deed er verder het zwijgen toe.

Vanmorgen was hij al onrustig geweest en Arkoniël vermoedde dat hij weer een visioen had gehad, en dat dit de reden was voor zijn onoplettendheid tijdens de rekenles.

Vooruitziendheid was voor een toekomstig heerser natuurlijk een groot voordeel, maar stel dat het op een van de gaven van een tovenaar wees? Zou het volk een toverende koningin accepteren, ook al betekende dat dat ze ondanks haar macht nooit een kind zou kunnen baren?

Hij liet Tharin en Tobin alleen verder trainen en liep de brug over om een boswandeling te maken.

Terwijl de burcht steeds minder zichtbaar werd, voelde Arkoniël hoe zijn humeur verbeterde. De frisse herfstlucht verdreef de verpeste atmosfeer die hij nu al een maand inademde en hij was blij dat hij even weg was van dat vreemde huis en zijn door geesten geplaagde bewoners. Geen reparaties en nieuwe verflagen konden de onderliggende rotting maskeren.

'Die baby nog steeds drukt op je hart,' zei een duidelijke stem.

Arkoniël draaide zich met een ruk om, maar de weg was net zo leeg als ervoor. 'Lhel? Ik weet dat je er bent! Wat doe je hier?'

'Beetje bang, tovenaar?' Nu kwam de spottende stem vanachter de dikke stam van een geelbladige ratelpopulier rechts van hem. Net toen hij dacht dat hij zich vergist had, zag hij een kleine bruine hand verschijnen – niet vanachter de boom maar zomaar, in de lucht voor hem. De wijsvinger kromde zich en wenkte hem dichterbij, en de hand verdween weer alsof hij door een onzichtbaar raam naar binnen werd getrokken. 'Kom maar hier, ik neem angst weg van jou,' klonk het loom en verlokkelijk, vlakbij zijn oor.

'Bij het Licht, laat jezelf zien!' beval Arkoniël dringend, die door het vreemde verschijnsel zowel verrast als geïntrigeerd was. 'Lhel? Waar zit je toch?'

Hij staarde tussen de bomen, zocht naar verraderlijke schaduwen, luisterde naar knisperende voetstappen. Niets, alleen de bladeren op de wind. Het leek wel of ze een deur in de lucht had opengedaan en daardoorheen gesproken had. En haar hand naar buiten gestoken had.

Het was een truc. Hij zag gewoon wat hij wilde zien.

En als dat nu eens niet zo was?

Maar waar het werkelijk om ging was natuurlijk wat ze hier deed, na al die jaren.

'Kom bij me, Arkoniël,' fleemde Lhel achter het scherm van populieren. 'Loop het bos in.'

Hij aarzelde net lang genoeg om een beschermingswand om zijn geest op te roepen, sterk genoeg, hoopte hij, om de eventuele duivelse wezens die zij op kon roepen tegen te houden. Hij raapte al zijn moed bijeen, baande zich een weg door de muur van takken en volgde de stem dieper het bos in.

Het licht was hier gedempt en de grond liep enigszins op. Gelach klonk vanaf de heuvel en hij keek omhoog. Daar zag hij de heks, zwevend naast een enorme eikenboom, een voet of dertig vanwaar hij stond. Lhel glimlachte naar hem, in een ovale lijst van zachtgroen licht. Hij zag rietpluimen en kattenstaart die om haar heen wiegden, met hun stengels in onzichtbaar water dat desondanks het licht weerkaatste. Het visioen was zo duidelijk dat hij zelfs de grens tussen het echte bos en de illusie kon zien, het was als een schilderij dat in de lucht was opgehangen.

Ze wenkte ondeugend en toen spatte het hele beeld als een zeepbel uiteen.

Hij rende naar de plaats waar ze was verschenen en voelde de prikkelende magie nog in de lucht. Hij ademde hem in en voelde een herinnering van lang geleden in zich opkomen.

Jaren terug, toen hij nog een kind was, had Arkoniël een soortgelijk wonder gezien. Hij lag in de hal van een of andere edelman en begon te ontwaken in het vroege morgenlicht. Half slapend zag hij mannen aan het eind van de hal uit het niets verschijnen. Bang en opgewonden tegelijk maakte hij Iya wakker.

Toen hij vertelde wat hij gezien had, was hij diep teleurgesteld dat het gewoon gezichtsbedrog was, waarbij een beschilderde muur en een wandtapijt verderop naast de personeelsingang een rol speelden.

'Dat soort magie, daar bestaat geen spreuk voor in Orëska-toverij,' had Iya hem verteld. 'Zelfs de Aurënfaiers moeten gewoon van de ene naar de andere plaats wandelen, net als wij.'

De ontgoocheling was verdwenen, maar de inspiratie bleef bestaan. Er waren zat formules waarmee je dingen zoals sleutels, deuren of stenen kon verplaatsen zonder ze aan te raken; er moest toch een manier zijn om die om te vormen zodat het ook voor mensen gold. Hij had jaren met de gedachte gespeeld, maar hij was geen stap verder gekomen.

Met gemak stuurde hij een erwt naar alle hoeken van een tapijt, maar hij kon hem niet door een muur of dichte deur verplaatsen, hoe hij ook mediteerde en de verplaatsing visualiseerde.

Arkoniël wantrouwde dus wat er hier was gebeurd. Het was een of andere hekserij, en had te maken met de herinnering die met een schok in hem opgeroepen was.

Lhels flauwe roep kwam weer naderbij, en bracht hem naar een paadje dat rechts afsloeg om een dikke spar heen, waar een helling hem ten slotte naar de rand van een soort moeras voerde.

Lhel stond bij de waterrand op hem te wachten, omgeven door kattenstaarten en verwelkte rietpluimen, precies zoals in het visioen dat hij had gehad. Hij keek haar strak aan, en probeerde te doorzien welke nieuwe illusie ze hem nu weer van plan was te geven, maar haar schaduw lag over de vochtige bodem zoals het hoorde en haar blote voeten zonken weg in de zachte zuigende modder terwijl ze op hem af liep.

'Wat doe je hier opeens?' vroeg hij.

'Ik hier; wacht op jou,' antwoordde ze.

Deze maal deed Arkoniël een stap dichterbij. Zijn hart bonsde, maar bang was hij niet.

Ze zag er kleiner en armoediger uit dan hij zich herinnerde, alsof ze al tijden honger leed. Er zaten bredere strepen wit in haar haar, maar haar lichaam had de tand des tijds doorstaan, het was nog vol rondingen, en haar heupen wiegden nog steeds verleidelijk wanneer ze liep. Ze hief haar hoofd naar hem op, zette haar handen in haar zij als een visvrouw, en keek hem aan met een mengeling van lust en minachting in haar zwarte ogen.

Hij stond vlakbij en rook kruiden en zweet en vochtige aarde, plus nog iets anders wat hij wel eens bij merries die hengstig waren had opgesnoven.

'Wanneer... ben je hier gekomen?' vroeg hij.

Ze haalde haar schouders op. 'Ik altijd hier. Waar jíj al die tijd? Hoe jij let op wat we gemaakt hebben, als jij zo lang weg bent?'

'Je bedoelt dat je hier de hele tijd geweest bent, al die jaren?'

'Ik help vrouwe. Ik volg en houd wacht. Zorg dat geest niet zo boos.'

'Nou, daar is anders niet veel van te merken,' sprak Arkoniël en hij stak de gebroken pols naar haar uit. 'Tobins leven is een en al ellende door zijn gespook.'

'Het zou zijn erger als ik niet deed zoals Moeder zegt,' beet ze terug en ze schudde haar vinger voor zijn gezicht. 'Jij en Iya, weten niets! Een heks maakt geest, zij...' Ze hield haar polsen kruiselings tegen elkaar, alsof ze gebonden waren. 'Iya zegt: "Jij naar huis, heks. Niet terugkomen." Zij weet niets.' Lhel tikte tegen haar slaap. 'Die geest roept mij. Ik zeg haar, maar zij niet luistert.'

'Weet Rhius dat je hier bent?'

Lhel schudde haar hoofd en een oorwurm liet een lok haar los en viel op haar blote arm. 'Ik altijd dichtbij, maar niet te zien.' Ze glimlachte sluw en verdween toen voor zijn ogen in het niets. 'Jij kan dat, tovenaar?' fluisterde ze achter hem en ze was zo dichtbij dat hij haar adem voelde. Als ze bewoog, maakte ze geen enkel geluid en ze liet geen voetafdruk na.

Arkoniël deed huiverend een stap naar achteren. 'Nee.'

'Ik laat jou zien,' fluisterde ze. Een onzichtbare hand streelde zijn arm. 'Laat jou zien jouw droom.'

De herinnering aan de mannen die zomaar uit de lucht schenen te komen schoot hem weer te binnen.

Daar had zij voor gezorgd.

Arkoniël probeerde weg te komen, maar hij was nu gevangen tussen het water en de hand die zijn borst wilde strelen. 'Houd daarmee op! Dit is geen moment voor die pesterijtjes van je!'

Hij kreeg een klap tegen zijn borst en viel languit in de modder aan de waterkant. Een gewicht drukte hem neer, hij kon niet overeind komen en Lhels muskusachtige, ongewassen geur deed hem duizelen. Toen was ze weer zichtbaar en zat ze naakt op zijn borst.

Hij sperde zijn ogen wijdopen. De maan in drie fasen – een volle maan, geflankeerd door een wassende en afnemende maan – was op haar buik getatoeëerd en spiralende slangen bedekten haar volle borsten. Meer symbolen bevonden zich op haar gezicht en armen. Hij had die tekeningen eerder gezien, in de grotten van het heilige eiland Kouros en op rotsen langs de Skalaanse kust. Volgens Iya waren die tekens er al voor de hierofanten naar de Drie Landen kwamen. Had Lhel die lijnen onzichtbaar gemaakt, vroeg hij zich af toen hij onbeweeglijk achterover lag, of waren ze weer een illusie? Dat er magie in het spel was stond buiten kijf. Dat kleine lichaam van haar was niet het enige wat ervoor zorgde dat hij niet weg kon komen terwijl ze zijn gezicht in haar handen nam.

Jij en jouw soort sturen mijn volk altijd weg, net als onze goden. Haar warme stem vloeide zijn geest binnen, ontdaan van accent of rommelige grammatica. *Jullie denken dat we besmet zijn, dat we aan zwarte kunst doen. Jullie zijn machtig, jullie Orëska's, maar jullie zijn vaak dwazen, verblind door trots. Jouw lerares vroeg me om een moeilijke en grootse magie, en daarna toonde ze geen enkel respect voor me. Om haar moest ik de Moeder en de doden kwetsen.*

Ik let nu al tien jaar op die geest en het kind dat ermee verbonden is. Het dode kind had het levende en degenen om haar heen kunnen doden als ik het niet gebonden had. Tot zijn vlees losgesneden is van degene die je Tobin noemt, is hij met mij verbonden en moet ik hier dus blijven, want alleen ik kan het vlees scheiden wanneer de tijd komt.

Arkoniël zag tot zijn verbazing dat er een traan over haar wang biggelde. Toen die losliet viel hij op zijn gezicht.

Al die jaren heb ik hier in mijn eentje gewacht, ver weg van mijn volk, een geest tussen jouw mensen. Voor mij geen vollemaanpriesters, geen oogstoffer of lenteriten. Ik sterf zo langzamerhand inwendig, tovenaar, voor het kind en de godin die jou naar mij gestuurd heeft. Mijn haar wordt grijs en mijn buik is nog leeg. Iya gaf me goud, maar wist niet dat grootse magie een lichamelijke beloning vereist. Toen ze me in mijn visioenen bereikte, dacht ik dat jij voor mij bedoeld was, mijn betaling. Maar Iya stuurde me weg, zonder dat iemand mij bezeten had. Kom jij me nu betalen?

'Dat... dat kan ik niet,' stamelde hij en hij klauwde in de modder toen de betekenis van haar woorden tot hem doordrong. 'Vleselijke... gemeenschap... neemt onze kracht weg.'

Ze boog zich voorover en liet haar tepels langs zijn lippen strelen. Haar huid voelde heet aan. De harde bruine tepel probeerde zijn mond binnen te dringen en met een ruk draaide hij zijn hoofd opzij.

Je hebt het mis, Orëska, fluisterde ze in zijn hoofd. *Het voedt de krachten. Verenig je met me en ik leer jou mijn magie. Dan zal je macht verdubbeld worden.*

Arkoniël rilde. 'Ik kan je geen kind geven. Orëska-tovenaars zijn onvruchtbaar.'

Maar het zijn geen eunuchen. Langzaam gleed ze lenig achteruit tot ze zijn heupen omvatte. Arkoniël bleef stil liggen, zijn lichaam antwoordde haar. *Ik hoef ook geen kind van je, tovenaar. Alleen je lust en de uitbarsting van je zaad. Dat is de beloning die ik zoek.*

Ze drukte zich tegen hem aan en genot dat aan pijn grensde steeg op uit zijn lendenen toen hij haar hete vocht door zijn tuniek heen voelde. Hij sloot zijn ogen en wist dat ze hem zou nemen als ze dat wilde. Hij kon niets doen om het te voorkomen.

En toen waren de druk, de hitte en de handen verdwenen. Arkoniël opende zijn ogen en zag dat hij alleen was.

Maar het was geen hersenschim geweest, hij proefde het zout van haar huid nog op zijn lippen, rook haar muskusgeur op zijn kleren. Aan weerskanten van hem stonden kleine voetafdrukken in de modder die zich nu langzaam met water vulden.

Hij ging rechtop zitten, liet zijn hoofd op zijn knieën rusten en ademde de vrouwelijke lucht in die nog om hem heen hing. Koud, stram en enigszins beschaamd kreunde hij luid toen hij de warmte opriep die hem had aangeraakt.

Ik dacht dat je voor mij was.

Die woorden benamen hem de adem en lieten zijn lid kloppen. Moeizaam kwam hij overeind. Modder en algen kleefden aan zijn haar en dropen over zijn huid onder de tuniek naar beneden, als kleine koude vingers die naar zijn hart zochten.

Illusies en leugens, dacht hij wanhopig, maar terwijl hij zich een weg terug naar de vervallen burcht baande, kon hij maar niet vergeten wat ze had laten zien en hoe ze hem uitgenodigd had: *Verenig je met me, tovenaar, en je macht zal verdubbeld worden.*

23

Tobin kreeg hoofdpijn tijdens zijn zwaardtraining. Het deed zo'n zeer dat hij er misselijk van werd en Tharin stuurde hem zomaar overdag naar bed.

Broer ging mee zonder dat hij geroepen was en zat gehurkt aan Tobins voeteneind, met één hand op zijn borst. Tobin lag met opgetrokken knieën op zijn zij, zijn wang tegen het nieuwe beddengoed dat vader hem uit Ero had gestuurd, staarde naar zijn onheilspellende spiegelbeeld en wachtte tot Broer hem aan zou raken of zou huilen zoals in zijn dromen. Maar Broer deed helemaal niets en de duisternis rondom hem werd alsmaar dikker. Onpasselijk van de hoofdpijn doezelde hij in.

Hij reed op Gosi over het bospad naar de bergen. Rode en gouden bladeren dwarrelden glimmend in het zonlicht rond hem neer. Hij meende een andere ruiter achter zich te horen, maar hij kon niet zien wie het was. Na een tijdje besefte hij dat Broer met zijn armen om zijn middel geslagen achter hem zat. In de droom was Broer levend; Tobin voelde de borst van de ander tegen zijn rug aandrukken en Broers adem in zijn nek. De handen die zijn middel omsloten waren bruin en eeltig en zijn vingers hadden vuile nagels.

Tobin kreeg tranen in zijn ogen van geluk. Hij had een echte broer! Al het andere – demonen, tovenaars en vreemde vrouwen in het bos – was alleen maar een nare droom geweest.

Hij probeerde Broer aan te kijken, om te zien of zijn ogen net zo blauw waren als de zijne, maar Broer drukte zijn gezicht tegen Tobins schouders en fluisterde: 'Rijd eens door, ze is er bijna!'

Broer was bang en daardoor voelde Tobin zich ook angstig worden.

Ze reden verder de bergen in dan Tobin ooit geweest was. IJzingwekkend hoge sneeuwkappen omringden hen aan alle kanten. De hemel verduisterde en een koude wind stak op.

'Wat moeten we doen als het donker wordt? Waar moeten we slapen?' vroeg Tobin en hij keek wanhopig om zich heen.

'Rijd nou door,' fluisterde Broer.

Maar toen ze een bocht genomen hadden, waren ze weer beneden in het weiland bij de burcht en in galop op weg naar de ophaalbrug. Gosi wilde niet inhouden en stoppen...

Tobin werd met een schok wakker. Nari stond over hem heen gebogen en aaide zijn borst. Het was bijna donker in de kamer en het was er ijskoud.

'Je hebt de hele dag geslapen, diertje,' zei ze.

Het was maar een droom, dacht Tobin, en hij was er kapot van. Hij voelde dat Broer dicht in de buurt was, koud en afstandelijk zoals altijd. Er was niets veranderd. Hij wilde onder de dekens kruipen en verder dromen, maar Nari sloeg het dek terug.

'Je hebt bezoek! Je moet opstaan en een schone tuniek aandoen.'

'Bezoek? Voor mij?' Tobin keek haar aan. Hij wist dat hij Broer weg moest sturen, maar het was te laat, nu Nari met zijn kleren bezig was.

Ze drukte haar vingers tegen zijn voorhoofd en klakte met haar tong. 'Je bent ijskoud, jochie! Ach kijk nou – het raam heeft de hele dag opengestaan! Nou, kleed je vlug om, dan kun je je beneden wat opwarmen.'

Tobin had nog steeds barstende hoofdpijn. Rillend liet hij Nari zijn verkreukelde tuniek uittrekken en wrong zich in de stijve schone, met het borduursel erop. Die had in hetzelfde pak als het beddengoed gezeten, met nog meer nieuwe kleren, mooier dan Tobin ooit bezeten had.

Toen hij de kamer uit wilde lopen zag hij nog net hoe Broer in een donker hoekje was gekropen; de demon had precies dezelfde nieuwe kleren aan, maar zijn gezicht was bleker dan ooit.

'Hier blijven,' fluisterde hij. Hij liep achter Nari de trap af, terwijl hij zich probeerde voor te stellen hoe het zou zijn om een echt levend broertje te hebben dat naast hem liep.

De hal was donker, op het flakkerende licht van de haard en een paar toortsen na. Tobin kon een paar mensen bij de haard zien staan hoewel zij hem nog niet konden zien omdat hij buiten het bereik van het licht was. Arkoniël, Kokkie, Tharin en Mynir waren er allemaal bij; ze praatten zachtjes met een oude vrouw in een simpel gewaad dat door de reis behoorlijk vies geworden was. Ze had een bruin, gerimpeld gezicht en droeg haar grijze haar in een dunne vlecht over haar schouder. Was dit de 'zij' waarover Broer gesproken had? Ze zag eruit als een boerin.

Omdat Nari dacht dat hij uit angst aarzelde, nam ze hem bij de hand.

'Niet bang zijn,' fluisterde ze en ze nam hem mee naar de groep mensen. 'Juffrouw Iya is een vriendin van je vader, en een beroemde tovenares. En kijk eens wie ze heeft meegebracht!'

Toen Tobin naderbij kwam zag hij dat er nog een onbekende achter de oude vrouw in de schaduw stond. Iya zei iets over haar schouder en hij stapte het licht in.

Het was een jongen.

Tobin zag het somber in. Dit moest dat kameraadje zijn waarover ze het hadden gehad. Ze waren het dus niet vergeten, al had hij er geen gedachte meer aan verspild.

De jongen was langer dan hij en zag er ouder uit. Zijn tuniek was geborduurd maar gerafeld aan de zomen en er zat een lap onder een arm waar hij gescheurd was. Zijn schoenen zaten vol spetters en zijn kousen werden door touw omhooggehouden. Nari zou Tobin de huid vol hebben gescholden als hij zich zo armzalig zou hebben uitgedost. Toen keek de jongen Tobins kant op en het licht van de haard gleed over zijn gezicht. Zijn huid was rozig van de zon en zijn dikke bruine haar viel in slordige krullen over zijn voorhoofd. Met onrustige opengesperde ogen spiedde hij de hal rond. Tobin bereidde zich maar op het ergste voor toen Nari hem naderbij wenkte. Wist de jongen al dat hij anders was?

Maar zodra de jongen Tobin ontdekte, maakte hij snel een onhandige buiging.

Tharin glimlachte geruststellend. 'Prins Tobin, dit is Kirothius, zoon van heer Larenth van Eikenbergstee in Colath. Hij is gekomen om je kameraad te worden.'

Tobin boog beleefd terug, vervolgens stak hij zijn hand uit voor de strijdersgroet zoals zijn vader het hem geleerd had. Kirothius glimlachte zwakjes toen hij de hand greep. Zijn handpalm voelde aan als die van een soldaat: hard en eeltig.

'Welkom in het huis van mijn vader,' zei Tobin. 'Het is me een eer...' Hij moest even denken over de rest van de rituele groet van een gastheer; hij had hem nog nooit zelf hoeven uitspreken. 'Het is me een eer u de gastvrijheid van mijn haard te kunnen aanbieden, Kirothius, zoon van Larenth.'

'Het is mij een eer die te mogen accepteren, prins Tobin.' Opnieuw zakte Kirothius' hoofd voor een diepe buiging. Zijn voortanden waren fors en staken een beetje naar voren.

Tharin knipoogde naar hem en Tobin voelde een steek van jaloezie. Zijn vriend was blijkbaar al ingenomen met de nieuwkomer.

'En dit is juffrouw Iya,' zei Arkoniël die de oude vrouw voorstelde. 'Ik heb al wat over haar verteld, mijn prins. Ze onderwijst mij, net zoals ik jou onderwijs.'

'Het is me een groot genoegen u te mogen begroeten, prins Tobin,' zei Iya met een buiging. 'Arkoniël heeft me al veel goeds over je geschreven.'

'Dank u, juffrouw.' Tobin was in de ban van haar ogen en stem. Ze zag er misschien uit als een boerin, maar ze straalde zoveel innerlijke kracht uit dat hij ervan moest rillen.

En toch zag hij humor en vriendelijkheid in haar glimlach en kleurloze ogen toen ze haar hand op de schouder van de nieuwe jongen legde. 'Ik hoop dat Kirothius je goed zal dienen. Hij wordt trouwens liever Ki genoemd; daar heb je toch geen bezwaar tegen?'

'Nee, juffrouw Iya. Welkom in mijn vaders huis,' antwoordde Tobin en hij maakte weer een buiging.

Zodra hij die woorden had uitgesproken werd het ijzig koud in de hal en Broer kwam als een orkaan de trap af gestormd. Wandkleden werden van de muren gerukt en een wervelstorm van vonken en as ontstond in de haard. Ki slaakte een kreet toen een kooltje zijn wang raakte en sprong toen meteen tussen Tobin en het vuur.

Behalve de wind was er een diep, langzaam kloppend geluid ontstaan als het slaan op een enorme trommel. Tobin had dat geluid nog nooit gehoord; hij voelde het in zijn hele lichaam resoneren. Een luid gezoem vulde zijn oren – het deed hem denken aan iets ergs van vroeger, maar wat het was wist hij niet.

De tovenares stond onaangedaan te midden van het tumult; alleen haar lippen bewogen. Broer, die een zwarte bewegende schaduw was, smeet een bank naar haar, maar voor hij bij haar was stuiterde hij naar de grond waar hij op zijn kant bleef liggen.

Broer wervelde om Ki heen en rukte aan zijn cape om hem het vuur in de trekken. Tobin greep de arm van de jongen terwijl Ki zijn best deed het koord om zijn nek los te krijgen. Ze bevrijdden zich van de geest en beide jongens vielen achterover toen de mantel de as in gesleurd werd.

Terwijl Tobin overeind krabbelde las hij de doodsangst in Ki's ogen en dat vervulde hem met schaamte.

Nu zou Ki hem vast en zeker haten, dacht hij, want hij wist dat het zijn fout was geweest. Hij had niet zo slordig moeten zijn en Broer weg moeten sturen, toen hij ging slapen. Hij wendde zich van de anderen af en fluisterde: 'Bloed mijn bloed, vlees mijn vlees, bot mijn bot. Ga weg, Broer. Laat ze met rust!'

Onmiddellijk ging de storm liggen. Het meubilair bleef op zijn plaats staan en er daalde een stilte neer in de hal. De prachtige nieuwe stijl aan het begin van de trap spleet luid krakend in tweeën; toen was Broer verdwenen.

Toen Tobin zich omdraaide keken beide tovenaars hem aan alsof ze wisten wat hij had gedaan. Iya keek hem nog even strak aan en mompelde zacht iets tegen Arkoniël.

Ki stond op en keek Tobin aan. 'Bent u gewond, prins Tobin?' Een brandblaar verscheen langzaam op zijn wang.

'Nee.'

Ki keek Tobin nog eens aan, maar hij keek niet boos, hij glimlachte.

'Dat was dus de geest?'

'Dat doet hij soms, het spijt me.' Tobin wilde nog iets zeggen, iets waardoor die warme glimlach op hem gericht zou blijven. 'Ik denk niet dat hij je nog kwaad zal doen.'

'We wisten niet dat we gasten zouden krijgen, juffrouw Iya,' zei Mynir alsof er niets gebeurd was. 'Ik hoop dat u geen slechte indruk van dit huis zult hebben. We zouden een feestmaal georganiseerd hebben als we ervan hadden geweten.'

Iya klopte de oude hofmeester op de arm. 'We kennen de gastvrijheid van de hertog. Wat u in huis heeft is goed genoeg voor ons. Zwaait Catilan nog steeds de scepter in de keuken?'

Ze kletsten alsof ze oude vrienden waren en elkaar al jaren kenden. Tobin vond dit maar niks. Sinds de komst van die eerste tovenaar was alles in huis veranderd. Nu waren ze met zijn tweeën en Broer leek Iya zelfs meer te haten dan Arkoniël. Dat had Tobin tijdens die korte aanval wel gevoeld.

Hij wist zeker dat dit de 'zij' uit zijn dromen was, degene die Broer bloed liet huilen. Toch had Nari verteld dat Iya een vriendin van zijn vader was en behandelde ze haar als een geëerde gast. Hij had even de neiging Broer terug te roepen, gewoon om te zien wat er zou gebeuren.

Voordat hij dat kon doen zag hij de andere jongen naar hem kijken. Ki richtte zijn blik snel op zijn voeten, net als Tobin, al wist hij niet precies waarom.

De hofmeester stond erop dat Kokkie de maaltijd aan de grote eettafel op het podium in de hal zou opdienen, al was Tobins vader niet thuis. Broer had het baldakijn in laten storten, maar dat werd snel weer in orde gemaakt. Tobin moest op zijn vaders plaats zitten tussen Iya en zijn nieuwe metgezel en Tharin vervulde de rol van voorsnijder en kelner. Tobin wilde met Ki praten en hem op zijn gemak stellen, maar tot zijn schrik kon hij geen woord uitbrengen. Ook Ki was stil en Tobin zag hoe hij na elke gang onrustige blikken om zich heen wierp. Tobin hield een oogje in het zeil voor het geval Broer weer zou opduiken, maar de geest gehoorzaamde aan het bevel.

De volwassenen schenen zijn rusteloosheid niet op te merken en babbelden geanimeerd over mensen van wie Tobin nog nooit had gehoord en weer voelde hij zich jaloers. Zodra het laatste vruchtengebak soldaat was gemaakt, excuseerde hij zich om naar boven te gaan. Maar Ki stond ook op en was klaarblijkelijk van plan met hem mee te gaan. Tobin sloeg een andere richting in en liep naar de binnenplaats, met de oudere jongen op zijn hielen.

Een rossige herfstmaan rees op aan de hemel en wierp schaduwen over de keitjes.

Alleen met de onbekende voelde Tobin zich onbehaaglijker dan ooit. Hij wilde dat hij in de hal gebleven was, maar hij wist dat het er wel heel vreemd uit zou zien wanneer hij meteen terugkwam met Ki als een eendenjong achter hem aan.

In de stilte stonden ze een beetje te draaien. Toen keek Ki op naar de burcht en zei: 'Uw huis ziet er indrukwekkend uit, prins Tobin.'

'Dank je. Hoe ziet het jouwe eruit?'

'O, nou, zoiets als die kazerne daar.'

De gerafelde randen van Ki's kleren trokken weer zijn aandacht. 'Is je vader dan arm?' Hij had het nog niet gezegd of hij besefte dat dit eigenlijk behoorlijk onbeleefd was.

Maar Ki haalde zijn schouders op. 'Rijk zijn we niet, dat is een ding dat zeker is. Mijn betovergrootmoeder was met een afstammeling van koningin Klië getrouwd en had eigen land. Maar we zijn met zo'n grote familie dat niemand er eigenlijk meer recht op heeft. Dat is de ellende met onze familie, zegt mijn vader; we hebben geen cent en veel passie. Als we niet in de strijd gedood worden dan fokken we als konijnen. Bij ons thuis slapen de kleintjes in een grote berg op de grond, net een stel jonge hondjes.'

Zoiets had Tobin nog nooit gehoord. 'Met zijn hoevelen zijn jullie dan?'

'Veertien broers en twaalf zussen, bastaards meegerekend.'

Tobin wilde weten wat een bastaard was en of ze andere keren dan niet meegerekend werden, maar Ki kletste maar door. 'Ik ben een van de jonkies, van de derde vrouw, en onze nieuwe moeder moet alweer werpen. De vijf oudsten vechten in het leger van je oom, met vader natuurlijk,' voegde hij er trots aan toe.

'Ik word later ook strijder,' zei Tobin. 'Ik word een groot heer zoals mijn vader en zal de Plenimaranen te land en ter zee in de pan hakken.'

'Ja natuurlijk! Je bent prins of je bent het niet.'

'Ik denk dat je best mee mag als mijn schildknaap. Dan word je ook ridder, zoals Tharin.'

De oudere jongen stak zijn duimen onder zijn riem en knikte. 'Heer Ki? Hé, dat klinkt niet slecht. Thuis zou ik het nooit zover schoppen.'

Daar was die glimlach weer en Tobin kreeg een vreemd gevoel vanbinnen. 'Waarom wil je trouwens Ki genoemd worden?' vroeg hij.

'Zo noemde iedereen me thuis nu eenmaal. Kirothius is zo koleertig lang...' Hij stopte en sloeg zijn hand voor zijn mond. 'O, vergeef me, Tobin! Ik bedoel, prins! Nee, eh, *míjn* prins! O, verdomme!'

Tobin giechelde verrukt, al voelde hij zich een beetje schuldig. Hij mocht absoluut niet vloeken, Nari zei dat alleen het volk dat deed. Maar Tharins mannen deden het zo vaak wanneer ze dachten dat hij het niet hoorde. 'Je mag me wel Tobin noemen hoor, en je hoeft geen "u" te zeggen. Dat doet niemand hier.'

'Nou...' Ki keek zenuwachtig om zich heen. 'Ik zeg liever prins Tobin als er iemand bij is. Vader zei dat hij me verrot zou slaan als hij hoorde dat ik onbeleefd was.'

'Dat zou ik nooit toestaan!' riep Tobin uit. Niemand sloeg Tobin, op Broer na dan misschien. 'We zeggen gewoon dat ik toestemming gegeven heb. En omdat ik prins ben, moet hij doen wat ik zeg. Geloof ik.'

'O, dan is het goed,' zei Ki opgelucht.

'Wil je mijn paard zien?'

In de stal klom Ki over het schot van Gosi's box heen en floot waarderend. 'Prachtbeestje, hoor. Ik heb heel wat van die Aurënfaiers op de paardenmarkt van Ero gezien. Van wat voor soort 'faier hebben jullie hem gekocht?'

'Hoe bedoel je?'

'Nou, je hebt ze in soorten en maten, dat hangt af van de streek in Aurënen waar ze vandaan komen. De mensen bedoel ik, niet de paarden. Je kunt ze uit elkaar houden aan de kleur van hun sen'gai.'

'Hun wat?'

'Die gekleurde doeken op hun hoofd.'

'O, die. Ik heb ooit een paar Aurënfaier tovenaars gezien,' zei Tobin, blij dat hij ook eens wat over de buitenwereld kon vertellen. Ki was de zoon van een arme ridder, maar hij was al naar Ero geweest en wist veel van paarden af. 'Ze deden toverkunstjes en maakten muziek. En ze hadden tekens op hun gezicht. Tekeningetjes.'

'Dat waren 'faiers van de Khatme of Ky'arin-clan, denk ik. Zover ik weet zijn dat de enigen die dat hebben.'

Ze liepen naar het erf rond de kazerne, waar Tobin de houten zwaarden zag die hij en Tharin die ochtend bij de training hadden gebruikt. 'Ik denk dat je met mij moet oefenen. Even proberen?'

Nu ze eindelijk iets gevonden hadden wat ze allebei kenden, groetten ze elkaar en begonnen. Maar Ki vocht niet met de zorgvuldige opeenvolging van slagen die Tharin hem leerde. Hij zwaaide met zijn zwaard en vocht fel alsof het een echt gevecht betrof. Tobin vocht terug zo goed als hij kon, tot Ki hem hard op zijn hand sloeg. Tobin jammerde en stak zijn vingers in zijn mond zonder eraan te denken dat hij 'halt' moest roepen.

Dus kon Ki door zijn dekking komen en hem in de buik steken. 'Jij bent dood!'

Tobin gromde en stak zijn gewonde hand in zijn zij, om niet te laten zien hoe opgelaten hij zich voelde. 'Je bent veel beter dan ik.'

Ki grinnikte en sloeg hem op de schouder. 'Ja, ik had al die broers en zussen met wie ik kon oefenen, en vader natuurlijk. Had je mij moeten zien als ik met hun getraind had! Bont en blauw, over mijn hele lijf. Vorig jaar heeft mijn zus Cytra mijn lip helemaal opengespleten. Ik brulde als een mager speenvarken toen mijn stiefmoeder het dichtnaaide. Kijk, je ziet nog steeds het litteken, hierzo, links.'

Tobin boog zich voorover en tuurde naar het witte lijntje op Ki's bovenlip.

'Dat is ook een mooie.' Ki raakte met zijn duim het litteken op Tobins kin aan. 'Net Illiors maan. Brengt geluk volgens mij. Hoe heb je die opgelopen?'

Tobin dook ineen. 'Ik... ik ben gevallen.'

Hij hoopte maar dat Ki gelijk had en dat het litteken geluk bracht, maar hij wist zeker dat het niet zo was. Als hij er alleen al aan herinnerd werd, voelde hij zich beroerd.

'Nou, maak je maar niet te sappel,' zei Ki. 'Je bent gewoon niet gewend aan mijn manier van vechten. Ik leer het je wel, als je wilt. En langzaam ook. Ik zweer het.' Hij raakte zijn voorhoofd met zijn zwaard aan en grijnsde zijn voortanden bloot. 'Zullen we maar weer, mijn prins?'

Het rotgevoel was snel vergeten toen hij en Ki verdergingen. Deze jongen leek in niets op anderen die hij had ontmoet, al had hij iets van Tharin weg. Al was hij dan ouder en was het zo klaar als een klontje dat hij heel wat wereldwijzer was dan hij, er was niets in zijn ogen of lach dat weersprak wat hij zei. Tobin kreeg steeds een kriebel in zijn buik wanneer Ki naar hem grijnsde, en dat was alleen maar een lekker gevoel, zoals hij zich in zijn droom gevoeld had met Broer achter zich op het paard.

En Ki hield woord. Hij vocht heel rustig en probeerde uit te leggen wat hij deed en hoe Tobin zich het beste kon verdedigen. Zo merkte Tobin dat hij in elk geval dezelfde uitvallen en pareertechnieken gebruikte die Tharin hem had geleerd.

Ze begonnen langzaam en werkten de diverse posities af, maar Tobin zag al snel dat hij aan moest pakken om Ki de baas te blijven. Hun houten klingen klikten tegen elkaar als de snavel van een ooievaar en hun schaduwen sprongen en draaiden als motten in het maanlicht.

Ki was de agressiefste van de twee, maar hij miste de beheersing die Tharin Tobin had bijgebracht. Behendig ontweek Tobin een wilde houw en dook voorwaarts om Ki een tik tegen zijn ribben te geven. De oudere jongen liet zijn zwaard vallen en liet zich in een ordeloze hoop aan Tobins voeten vallen.

'Ik... ben verslagen, Uwe Hoogheid!' bracht hij hijgend uit terwijl hij speelde dat hij alle moeite deed om zijn ingewanden binnen te houden. 'Stuur mijn as... aaargh! maar naar mijn vader!'

Zoiets had Tobin ook nog nooit meegemaakt. Het was zo absurd dat hij in verrast gegiechel uitbarstte, maar al snel hikte hij van het lachen, zeker toen Ki mee begon te doen.

'Naar de bliksem met die as van jou!' grijnsde Tobin en hij genoot van zijn ondeugende opmerking.

Hierop barstte Ki weer in lachen uit en hun stemmen echoden tegen de muren rond de binnenplaats. Ki trok gekke bekken, rolde met zijn ogen naar boven en liet zijn tong een eind uit zijn mond hangen. Tobin moest zo hard lachen dat hij een steek in zijn zij kreeg en de tranen over zijn wangen biggelden.

'Bij de Vier, wat een herrie!'

Tobin draaide zich om en zag Tharin en Nari die hen stonden aan te staren.

'Je hebt hem toch geen pijn gedaan, hè Tobin?' vroeg Nari.

Tharin grinnikte. 'Wat denk je, Ki? Zou je het er levend vanaf brengen?'

Ki krabbelde snel op en maakte een buiging. 'Ja zeker, heer Tharin.'

'Kom mee, jullie twee,' zei Nari en ze joeg hem naar de deur. 'Ki heeft een lange dag achter de rug en jij voelde je ziek, Tobin, weet je nog wel? Hoogste tijd om het bed in te duiken.'

Tobin kneep zijn lippen op elkaar om niet 'Naar de bliksem met je bed!' te roepen en wisselde wat geproest met Ki uit. Achter zich hoorde hij Tharin grinniken terwijl hij tegen Nari fluisterde: 'Je bent te lang opgesloten geweest, meid; je ziet niet eens meer wanneer ze spelen en wanneer niet!'

Pas bij zijn slaapkamerdeur besefte Tobin dat Ki nu zowel zijn kamer als zijn bed zou delen. Ki's beetje bagage lag in een hoopje op de ongebruikte kist waarin Tobin de pop had verstopt; een vreemde boog en pijlkoker stonden in de hoek van de kamer tegen de zijne geleund.

'Maar dat kan toch niet!' fluisterde Tobin en hij trok Nari de hoek in. Wat zou Broer ervan vinden? En stel dat Ki de pop zou vinden of hem ermee zou zien!

'Nou, nou. Je bent al veel te oud om met je kindermeid te slapen,' mompelde Nari. 'Een jongen van jouw leeftijd had al veel eerder met zijn kameraad in één kamer moeten slapen.' Ze wreef in haar ogen en Tobin zag dat ze probeerde niet te huilen. 'Ik had het je moeten vertellen, jochie, maar ik wist ook niet dat hij zo snel hier zou zijn en... Nou ja, zo is het nu eenmaal.' Ze gebruikte haar ferme stem, en dat betekende dat het geen zin had verder te zeuren. 'Ik slaap vanaf nu in de hal met de anderen. Roep maar als je me nodig hebt, net als toen ik naast je lag.'

Ki had hen gehoord. Toen Tobin en Nari weer naar hem toe kwamen stond hij midden in de kamer onzeker om zich heen te kijken. Nari streek het dekbed glad en liep naar de kist om zijn kleren erin te stoppen. 'Zo, we stoppen je spullen hier wel in. Tobin gebruikt...'

'Nee!' schreeuwde Tobin en hij sprong op haar af. 'Nee, dat kun je daar niet in doen.'

'Tobin, schaam je je niet!'

Ki keek naar de vloer alsof hij erin wilde wegzinken.

'Nee, alleen... ik heb daar inktpotten in zitten,' legde hij snel uit. De woorden vlogen eruit en ze waren nog waar ook. De pop lag in de meelzak onder een stapel perkament en zijn schrijfspullen. 'Ik bewaar daar inkt en pennen en was en zo. Dan worden zijn kleren toch vies. Er is nog plaats genoeg in de klerenkast. Leg je dingen daar maar neer, Ki. Die is voor ons samen. Net of we... broers zijn!'

Hij voelde zijn gezicht gloeien. Hoe kwam hij erbij om dat te zeggen? Maar Ki lachte alweer en Nari knikte goedkeurend.

Nari legde de paar spullen van Ki in de kast en zorgde ervoor dat ze hun tanden poetsten en hun gezicht wasten. Tobin deed alles uit op zijn hemd na en stapte in bed, maar Ki scheen weer te aarzelen.

'Kom op, jongen,' zei Nari. 'Kleren uit en erin. Ik heb er een hete steen in gelegd om de kou eruit te nemen.'

'Ik doe nooit mijn kleren uit als ik ga slapen.'

'Ja, dat is dan goed en wel voor buitenlui, maar dit is het huis van een edelman, dus hoe eerder je onze manieren leert, hoe beter.'

Ki mompelde nog wat en bloosde.

'Wat is er aan de hand, jongen?'

'Ik heb geen hemd.'

'Geen hemd?' Nari klakte met haar tong. 'Nou, dan zoek ik er snel een voor je op. Als je maar zorgt dat je die stoffige kleren uit hebt voor ik terugkom. Ik wil geen viezigheid tussen mijn schone lakens.'

Ze stak het nachtlampje aan en blies de kaarsen uit. Toen kuste ze Tobin op zijn wang, en Ki ook, waardoor hij warempel alweer moest blozen.

Hij wachtte tot de deur achter haar was dichtgevallen, deed zijn tuniek, broek en kousen uit en kroop snel onder de dekens om warm te worden. Toen hij erin stapte zag Tobin dat zijn slanke jongenslichaam haast net zo bruin was als zijn gezicht, op een stukje bij zijn heupen na.

'Hoe komt het dat je alleen daar zo wit bent?' vroeg Tobin wiens eigen lichaam 's zomers en 's winters net zo bleek was als een klont verse boter.

Rillend kroop Ki vlakbij hem. 'Als we gaan zwemmen doen we een lendendoek om. Er zitten bijtschildpadden in de rivier en stel je voor dat ze je jongeheer er afbijten!'

Tobin giechelde weer, al was het meer omdat hij iemand anders dan Nari naast zich had en niet om wat Ki vertelde. Nari kwam met een oud hemd van Tobin terug en Ki trok het worstelend onder de dekens aan.

Nari gaf hun nog een nachtkus en deed de deur zacht achter zich dicht. De jongens lagen stil naast elkaar naar het bewegen van het licht over de balken te kijken. Ki rilde nog steeds.

'Heb je het koud?' vroeg Tobin en hij schoof opzij voor een scherpe elleboog.

'Jij niet dan?' zei Ki klappertandend. 'Jij bent eraan gewend zeker.'

'Waaraan gewend?'

'In je nakie te slapen, met maar één mens naast je om je warm te houden. Ik zei toch al dat mijn broers en ik allemaal samen slapen, met onze kleren aan. Meestal erg lekker hoor, vooral in de winter.' Hij zuchtte. 'Maar als Amin ligt te ruften kan het wel eens té warm worden.'

Beide jongens barstten weer in lachen uit; het bed schudde op zijn poten.

'Ik heb nog nooit iemand zo horen praten als jij,' zei Tobin hikkend en hij droogde zijn ogen aan het laken af.

'O, ik klets maar raak. Vraag het maar aan iedereen. Hé, wat is dat?' Hij bekeek Tobins moedervlek. 'Heb je jezelf gebrand of zo?'

'Nee, die heb ik altijd al gehad. Vader zegt dat het betekent dat ik wijs ben.'

'O, ja? Ik heb er ook een.' Ki duwde het dek naar beneden en liet een bruine vlek op zijn rechterheup zien zo groot als een duimafdruk. 'Ongeluksteken, heeft een waarzegger tegen mijn moeder gezegd, maar tot nu is daar niks van te merken. Daar lig ik nou, naast jou in een kasteel! Geluk hebben of niet? Mijn zus Ahra heeft zo'n rooie als jij op haar linkerborst. Een tovenaar in Erind die hem bekeken heeft zei dat het betekende dat ze opvliegend is en een scherpe tong heeft, en volgens mij had hij erin doorgeleerd. Ze heeft een stem die azijn kan laten bederven als ze ergens pissig over is.' Hij trok de dekens weer op en zuchtte. 'Maar meestal kan ze ermee door. Dat is haar oude pijlkoker daar in de hoek. Daar zitten krassen van Plenimaraanse zwaarden op, en een vlek waarvan ze zegt dat het bloed is!'

'Echt?'

'Ja. Laat ik je morgen wel zien.'

Terwijl ze in slaap vielen bedacht Tobin dat een kameraad uiteindelijk helemaal niet zo erg was als hij had gedacht. Vol van zusters en veldslagen merkte hij niet dat er een donkere schaduw in een hoek van de kamer was neergestreken.

Broer wekte Tobin later in de nacht met een koude hand op zijn borst. Toen Tobin zijn ogen opendeed, stond de geest naast het bed en wees naar de kist waarin de pop verborgen zat. Tobin voelde Ki's warme, magere rug tegen die van hem, maar hij zag hem nu ook geknield bij de kist zitten.

Tobin huiverde toen hij de jongen het deksel zag optillen en er een paar dingen uit zag nemen, die hij nieuwsgierig bekeek. Tobin wist dat dit een visioen was. Broer had hem vaker gebeurtenissen laten zien, zoals de stervende vos, en leuk waren ze nooit. Toen Ki de pop vond, veranderde zijn uitdrukking, en Tobin kende die blik maar al te goed.

Toen werd het beeld verplaatst. Het was dag geworden en Iya en Arkoniël stonden met Ki te praten; vader was er ook. Ze legden de pop op de kist en sneden hem met lange messen open, waarna de pop begon te bloeden. Toen haalden ze hem weg en keken naar hem met blikken van onuitsprekelijke droefheid en walging, zodat zijn gezicht bloedrood werd van schaamte.

Het visioen loste op, maar de angst verdween niet. Hoe vreselijk hij het ook vond de pop kwijt te raken, de uitdrukking op ieders gezicht – vooral die van vader en Ki – maakte hem wanhopig verdrietig.

Broer stond nog steeds naast het bed, raakte zijn eigen en Tobins borst aan, en Tobin wist dat hij hem geen verzinsel had laten zien. Nari had nooit aandacht aan de oude kist besteed. Ki zou de pop vinden en alles zou verloren zijn.

Hij lag doodstil en zijn hart bonsde zo luid dat hij Ki's ademhaling nauwelijks kon horen. Wat moest hij nu?

Stuur hem weg, siste Broer.

Tobin herinnerde zich hoe het voelde om met Ki te dollen en te lachen en schudde het hoofd. 'Nee,' antwoordde hij zonder zijn lippen te bewegen. Dat hoefde niet, Broer hoorde hem toch wel. 'En waag het niet hem ooit nog eens pijn te doen! Ik verstop hem gewoon ergens anders. Ergens waar niemand hem kan vinden.'

Broer verdween. Tobin keek om zich heen en vond hem bij de kist. Hij wenkte hem.

Tobin liet zich uit bed glijden en sloop over de koude vloer, biddend dat Ki niet wakker zou worden. Het deksel werd geopend voor hij het aangeraakt had. Even verdacht hij Broer ervan dat die het zou laten vallen zodra hij zijn handen in de kist stak, maar dat gebeurde niet. Tobin tilde de meelzak vanonder het ritselende perkament vandaan en sloop naar de gang.

Het was laat. Er was geen licht in de hal of op de trap. Het ganglicht was uitgegaan, maar de maan scheen hier en daar naar binnen en dat was voldoende.

Broer was nergens te bekennen. Tobin drukte de pop tegen zijn borst en vroeg zich af waar hij heen moest. Arkoniël sliep nog steeds in de speelkamer en zou binnenkort de kamers boven betrekken, dus dat was uitgesloten. Beneden kende hij geen plek waar niemand zou kijken. Misschien moest hij maar weer naar het bos gaan om een droog holletje te vinden. Maar nee, de grendels zaten natuurlijk op de deur en trouwens, 's nachts liepen er bergleeuwen rond op zoek naar een prooi. Tobin rilde en voelde zich ellendig. Zijn blote voeten deden pijn van de kou en hij moest plassen.

Aan het eind van de gang klonk het piepen van scharnieren, de deur werd geopend en in een baan van zilver maanlicht lag daar de trap naar de tweede verdieping.

Ja, er wás natuurlijk een plek waar niemand heen zou gaan, op Broer en hijzelf na.

Broer verscheen op de drempel. Hij keek Tobin aan en liep de donkere trap op. Tobin volgde hem en stootte zijn tenen tegen de onverlichte treden.

In de gang van de tweede verdieping stroomde maanlicht door de nieuwe roosvensters, waardoor kantachtige bloemen van zwart en zilver op de muur ontstonden.

Hij verzamelde al zijn moed om naar de torendeur te lopen; hij dacht dat hij zijn moeders boze geest aan de andere kant hoorde ritselen, terwijl ze dwars door de dikke deur kwaad naar hem keek. Hij bleef een stap van de deur staan en zijn hart bonsde zo luid dat hij nauwelijks adem kon halen. Hij wilde zich omdraaien en ervandoor gaan, maar hij kon zich niet bewegen, niet eens toen hij het slot hoorde openklikken. De deur zwaaide langzaam open en onthulde...

Niets.

Zijn moeder stond daar helemaal niet. Broer trouwens ook niet. Het was er pikkedonker, een vlek maanlicht bij de drempel daargelaten. Een vlaag kille, muffe lucht kronkelde om zijn blote enkels.

Kom, fluisterde Broer vanuit de duisternis.

Kan ik niet! dacht Tobin, maar op de een of andere manier was hij al op weg naar de wenteltrap. Toen hij de eerste twee treden op was sloeg de deur achter hem dicht. De betovering verbrak en Tobin raakte in paniek. Hij liet de pop vallen en tastte in het duister naar de deurklink. Het metaal was zo koud dat het in zijn handen beet. De houten deurpanelen voelden aan alsof er een laag ijs tegen zat, toen hij er met zijn vuisten op sloeg. De deur gaf niet mee.

Naar boven, drong Broer aan.

Tobin ging tegen de dichte deur zitten en haalde snikkend adem. 'Vlees mijn vlees,' bracht hij uit. 'Bloed mijn bloed, bot mijn bot,' en daar was Broer onder aan de trap, gekleed in een gerafeld nachthemd; hij stak zijn hand naar Tobin uit. Toen hij niet bewoog, hurkte Broer bij hem neer en keek hem diep in de ogen. Nu pas zag Tobin dat Broer net zo'n maanvormig litteken op zijn kin had als hij. Toen opende Broer zijn hemd bij de hals om Tobin nog een litteken te laten zien. Tobin zag twee verticale lijnen van minieme steekjes op Broers borst, zeer dicht opeen, ongeveer acht centimeter lang. Ze deden Tobin denken aan de naden van zijn moeders poppen, maar de steekjes waren zelfs nog fijner en eromheen werd de huid samengetrokken en was die een beetje bloederig.

Dat zal wel pijn doen, dacht Tobin.

Ja, en het houdt nooit op, fluisterde Broer. Een traan van bloed gleed langs zijn wang voor hij weer in het niets opging en een illusie van licht met zich meenam.

Tastend in het duister vond Tobin de zak en voelde met zijn blote voeten naar de eerste tree. Het was zo donker dat hij er duizelig van werd, dus kroop hij de trap op handen en voeten op, de zak sleepte hij achter zich aan. Zijn blaas was nu zo vol dat het pijn deed, maar hij durfde niet in die duisternis te plassen.

Terwijl hij hoger klom merkte hij dat hij een paar sterren door de schietgaten boven zich kon zien. Dat gaf hem moed en hij klom vliegensvlug verder tot hij voor de torendeur stond die al open was gezet, zoals hij had verwacht. Hij hoefde alleen de pop maar te verbergen, een po of een open raam te vinden en snel zijn bed weer in te duiken.

De kamer baadde in het maanlicht. Broer had de luiken opengezet. De paar keer dat Tobin zijn gedachten aan deze kamer niet onderdrukt had, dacht hij eraan als een knus kamertje met wandtapijten en poppen op tafel. Zijn herinneringen aan het laatste bezoek waren nog steeds fragmentarisch, maar de aanblik van een gebroken stoelpoot maakte iets bij hem los; een prettig gevoel was het niet.

Zijn moeder had hem hier mee naartoe genomen omdat ze bang was voor de koning.

Ze was het raam uitgesprongen omdat ze zo bang was.

Ze wilde eigenlijk dat hij ook naar beneden sprong.

Tobin kromp ineen van pijn en zag dat het westelijke raam, dat uitzag op de bergen, openstond.

Hetzelfde raam...

Daardoor kwam het licht binnen. Hij ging ervoor staan, alsof de witte gloed van de maan hem kon beschermen tegen alle schaduwrijke angsten binnen in hem. Hij stootte zijn voet tegen een kapotte rugleuning van een stoel, en trapte op iets zachts. Hij had zijn moeder er wel honderden zien maken. Iemand...

Broer

... had zijn moeders spullen door de hele kamer gesmeten.

Lappen waren als proppen in een hoek gegooid en muizen hadden kleine holletjes in de balen wol voor de vulling gemaakt. Hij keek rond of hij de mooie jongenspoppen die ze gemaakt had ergens zag liggen, maar tevergeefs, er lagen alleen oude stukken stof en afgerukte ledematen.

Er viel iets op de vloer, een klosje garen misschien, en Tobin schrok zich lam.

'Mamma?' zei hij met schorre stem en hij hoopte dat ze hier was.

Hoopte dat ze hier níét was!

Want hij wist niet welke kant van haar karakter hij te zien zou krijgen, nu ze dood was.

Hij hoorde weer een plof en een rat schoot voorbij, zijn bek vol wol.

Tobin hield de zak niet meer zo krampachtig vast. Broer had gelijk. Dit was de beste plek.

Er kwam hier niemand.

Niemand zou hier zoeken.

Hij droeg de zak naar een maanverlichte hoek ver van de deur. Hij zette hem op de vloer, trok er een stoel overheen en daaronder legde hij weer een paar schimmelige lappen. Stof dwarrelde omhoog zodat hij moest hoesten.

Ziezo. Klaar.

Hij was zijn angst even kwijt geweest toen hij met iets anders bezig was, maar nu begon hij weer te trillen. Snel ging hij naar de deur en probeerde niet aan die afdaling in het duister te denken.

Hij zag het silhouet van zijn moeder voor het open raam staan. Hij herkende haar aan de vorm van haar schouders en de manier waarop haar haar ze bedekte. Hij zag haar gezicht niet, noch de lijnen om haar mond. Hij wist niet of dit de lieve of de griezelige moeder was die een stap naar voren deed en haar armen naar hem uitstak.

Heel even stond de tijd voor Tobin stil en was er alleen angst.

Ze had geen schaduw.

Ze maakte geen geluid.

Ze rook naar bloemen.

Dat was het raam waar ze hem uit had willen gooien. Ze had hem ernaartoe gesleept, terwijl ze snikte en de koning vervloekte. Ze hád hem er ook uit gegooid, maar iemand anders had hem teruggetrokken en hij had zijn kin geschaafd aan de vensterbank...

De herinnering smaakte naar bloed.

Toen was hij een en al beweging, schoot de deur uit, denderde de trappen af, met één hand tegen de ruwstenen muur, terwijl de versteende vogelpoep en plakken schimmel tussen zijn vingers op de treden vielen. Hij hoorde een snik en de klap van een deur achter zich, maar hij durfde niet om te kijken. Hij kon nu helemaal naar beneden kijken, want de torendeur stond open. Hij rende erdoor en smeet hem achter zich dicht, lette niet op of hij in het slot viel en het interesseerde hem niet meer of iemand hem hoorde of niet. Hij rende de volgende trap af, verdoofd door zijn eigen paniekerige gehijg en hij merkte nauwelijks dat hij zijn hemd en benen onder geplast had. Het idee dat hij het in zijn broek had gedaan, maakte dat hij voor de slaapkamerdeur bleef staan. Hij had totaal niet gemerkt dat het gebeurd was.

Hij drong zijn tranen terug, en sloop naar binnen. Hij luisterde of Ki nog steeds sliep, trok zijn natte hemd uit en doopte een mouw in het restje water dat nog in de waskom stond om zich af te vegen. Hij vond zijn andere hemd in de kast en klom voorzichtig weer in bed. Hij probeerde de matras niet te laten bewegen, maar Ki schoot wakker en staarde met wijdopen ogen naar het eind van het bed. Daar stond Broer die hem aanstaarde.

Tobin greep de schouder van zijn vriend vast zodat hij het niet op een gillen zou zetten. 'Niet bang zijn Ki, hij zal je niet...'

Ki wendde zich met een beverig lachje tot hem. 'Bij de ballen van Bilairy, jij bent het maar! Ik dacht even dat het die geest van je was die naast me in bed kroop. Je bent koud genoeg om ervoor door te gaan.'

Tobin keek naar Broer en toen weer naar Ki. Hij kon niet zien dat Broer daar vol haat naar hem stond te kijken. Hij had het oog niet.

Toch keek Ki zo bang alsof hij hem wel gezien had, toen hij vroeg: 'Zal ik je wat vertellen, Tobin?'

Tobin knikte.

Ki prutste wat aan de rand van de lappendeken. 'Toen die ouwe Iya me vertelde over die geest, was ik bijna naar huis gerend, al wist ik dat mijn vader me in elkaar zou slaan en me de deur zou wijzen. En toen die geest dingen in het rond begon te smijten in de hal? Joh, ik deed het haast in mijn broek van angst. Maar jij stond daar zo, alsof het allemaal niet uitmaakte...' Hij sloeg zijn armen om zijn opgetrokken knieën. 'Wat ik bedoel is dat mijn vader ons niet als lafaards heeft grootgebracht. Ik ben nergens bang voor, behalve voor geesten, en dus houd ik het wel vol als ik iemand die zo dapper is als jij mag dienen. Als je me nog wilt hebben tenminste.'

Ki dacht dat Tobin hem weg zou sturen. Het scheelde een haartje of Tobin had alles eruit geflapt, over Broer, de pop, zijn moeder en het doorweekte nachthemd in een hoop bij de deur. Maar dankzij de toegewijde blik in de ogen van zijn kameraad hield hij het hele verhaal voor zich.

Hij haalde zijn schouders op en zei: 'Iedereen is als de dood voor hem, zelfs Arkoniël. Ik ben eraan gewend, dat is alles.' Hij wilde Ki weer bezweren dat Broer hem geen kwaad zou doen, maar hij was er nog niet honderd procent zeker van en hij wilde niet liegen.

Ki ging op zijn knieën zitten en raakte zijn voorhoofd en hart aan als bij de militaire groet. 'Nou, en toch blijf ik erbij dat je dapper bent, en als je mij in dienst neemt, dan zweer ik bij Sakor en Illior dat ik je tot in de dood trouw zal zijn.'

'Daar houd ik je aan,' antwoordde Tobin en hij voelde zich trots en dwaas tegelijk. Ki had geen zwaard om erop te zweren, maar ze sloegen de handen ineen en toen kropen ze snel weer onder de dekens.

Zo jong als hij was, begreep Tobin toch wel dat er iets heel belangrijks tussen hen had plaatsgevonden. Tot in de dood, had Ki gezegd. Dit riep beelden op van hen tweeën die naast elkaar onder zijn vaders banier op een verafgelegen slagveld streden.

Zolang de pop maar verborgen bleef. Zolang niemand maar zou ontdekken wat er in die torenkamer lag.

Mamma was daar, opgesloten in die toren.

Weer overviel de angst van de afgelopen uren hem en hij duwde zijn rug tegen Ki aan, blij dat hij niet alleen was. Ze was daar en wilde hem pakken. Maar de toren zat dicht en Broer zou niemand anders binnenlaten.

Broer had hem gewaarschuwd en zijn geheim was veilig. Nu zou Ki hem nooit aankijken zoals hij in het visioen had gezien.

'Tobin?' Slaperig gemompel.

'Wat?'

'Die geest van jou, is dat een hij?'

'Ja. Ik noem hem Broer.'

'Pff... Ze zeggen dat het een meisje is.'

'Pff.'

Ki's zachte gesnurk liet Tobin inslapen en hij droomde van twee jongens te paard die naar het oosten reden, naar Ero en de zee.

24

Nadat iedereen klaar was om te gaan slapen, nam Arkoniël Iya nog even mee naar buiten voor een avondwandeling, net als hij en Rhius twee maanden geleden hadden gedaan. Die nacht waren er vleermuizen en vuurvliegjes geweest, en hoorde je kikkers.

Vannacht waren de weilanden en de bossen stil, op de kreten van uilen na. Het was erg koud en de schaduwen van de tovenaars vielen dankzij het felle maanlicht scherp over de berijpte velden terwijl ze over een pad liepen dat de werklieden naar de rivieroever hadden uitgesleten. Het woud en de toppen van de bergen schitterden wit. In de verte brandden nog wat kampvuren bij de tenten die beneden in het weiland stonden. De meeste werklui waren klaar met hun taak. De rest zou spoedig vertrekken, want ze wilden thuis in de stad zijn voor de sneeuw begon te vallen.

Arkoniëls ontmoeting met Lhel, eerder die dag, drukte zwaar op hem. Terwijl ze liepen probeerde hij de juiste woorden te vinden om de gebeurtenis te beschrijven.

'Wat vind je van je nieuwe betrekking?' vroeg Iya voor hij het onderwerp kon aansnijden.

'Nou, als onderwijzer ben ik een nul. Tobin heeft noch interesse in leren, noch in mij, voorzover ik weet. Vechten en jagen, daar gaat het hem om. Hij heeft het alleen maar over de grote strijder die hij wil worden.' Zelfs hier, met zijn tweeën, spraken ze alleen over 'hij' en 'hem'.

'Dus je mag hem niet zo?'

'Integendeel!' riep Arkoniël uit. 'Hij is intelligent, een groot kunstenaar. Je zou die figuurtjes eens moeten zien die hij maakt. Als we de ambachtslieden en werklui observeren kunnen we het best vinden samen.'

Iya grinnikte. 'Dus is het toch niet alleen "vechten en jagen"? Een slimme leraar zou gebruikmaken van die interesses. Er zit een hoop wiskunde in het uittekenen van een mooie boog of de planning van een muurschildering. Het samenstellen van de kleuren lijkt wel alchemie. En om de vormen van levende wezens goed weer te geven, moet je weten hoe ze in elkaar zitten.'

Arkoniël hief zijn handen op aan te geven dat hij zich overgaf. 'Goed, ik geef toe dat ik een okkeloen ben in die dingen. Ik zal het nog eens proberen en dan op die manier.'

'Wees niet te streng voor jezelf, mijn jongen. Dit is geen jonge tovenaar die je traint, maar een jochie van adel. Al wordt hij heerser, dan nog zal Tobin nooit hoeven te weten wat wij allemaal weten. De halve Palatijnse Ring kan lezen noch schrijven, op hun naam na. Ik moet wel zeggen dat ik Rhius' standpunt bewonder; je hoort nog tientallen hoge heren en dames uitroepen dat schrijven werk voor klerken is. Als ze allemaal zelf gaan lezen zou dat broodroof voor diverse welopgevoede koopmansdochters betekenen. Ga nou maar gewoon door en leer hem wat je kunt van de vakken die hij later zou kunnen gebruiken. Aardrijkskunde, geschiedenis – daar heb je geen moeite mee. Hij moet ook wat van muziek weten, en van dansen ook, voor als hij naar het hof wordt geroepen...'

'Heb je daar al iets van gehoord? Denk je dat hij snel wordt opgeroepen?'

'Nee, maar het zal er wel van komen, tenzij Rhius hem voor compleet achterlijk wil laten verslijten. En dat zou onze taak een stuk lastiger maken wanneer het moment daar is. Maar hij is pas tien jaar. Laten we zeggen dat we nog drie jaar hebben, misschien minder, omdat hij familie van de koning is.' Ze fronste haar voorhoofd. 'Ik hoop dat hij tijd genoeg krijgt om naar zijn rol toe te groeien voor hij de stap moet wagen. Je weet het niet.'

Arkoniël schudde zijn hoofd. 'Hij is nog zo jong, zo...' Hij zocht naar het woord. 'Zo wereldvreemd. Het is moeilijk om je voor te stellen hoe zwaar zijn lot op die smalle schouders zal wegen.'

'Neem aan wat de Lichtdrager schenkt,' antwoordde Iya. 'Wat er ook gebeurt, we moeten roeien met de riemen die we hebben. Voorlopig moet je hem beschermen en gelukkig maken. Vanaf nu ben jij mijn ogen. En als er iets met Ki mocht gebeuren... Je weet wel... Misschien moet je je maar niet te veel aan hem hechten.'

'Weet ik. Rhius stelde dat als voorwaarde. Ki lijkt wel het offerlam dat voor het Zomerzonnewendefeest wordt vetgemest.'

'Hij is hier op jouw aanraden. Laat je goede hart je echter niet afhouden van de reden waarom we eigenlijk hier zijn.'

'De goden hebben me aangeraakt, Iya. Dat zal ik nooit vergeten.'

Ze klopte hem op de arm. 'Weet ik toch. Vertel me nu eens wat meer over Tobin.'

'Ik zit een beetje in over zijn angst voor magie.'

'Is hij bang voor jou?'

'Niet speciaal voor mij, maar... Hij doet er zo moeilijk over! Die eerste dag, bijvoorbeeld, toen ik daar aankwam, probeerde ik hem te vermaken met wat grappige trucjes. Je weet wel, die illusiedingetjes die we bij alle kinderen van elke gastheer doen.'

'En hij vond er niks aan?'

'Je zou denken dat ik mijn hoofd afgehakt had en het in zijn richting had gesmeten! Pure afschuw. Het is me één keer gelukt zijn interesse te wekken, met een visioen van Ero, en toen kreeg de demon een aanval waarbij hij de hele kamer zowat kort en klein sloeg. Sindsdien heb ik het maar niet meer geprobeerd.'

Iya trok een wenkbrauw op. 'Toch moet hij hiervan genezen worden, willen we ons doel bereiken. Misschien kan Ki je hierbij van dienst zijn. Hij was dol op die trucjes en betoveringetjes die ik hem onderweg heb laten zien.' Ze glimlachte. 'Je hebt nog niet eens verteld wat je van mijn keuze vindt.'

'Als ik mag oordelen naar wat ik gisteravond zag, lijkt hij me een gouden greep. Ik lette op hem toen de demon aanviel. Hij was doodsbang, maar bleef toch bij Tobin staan in plaats van de benen te nemen. Hij weet al wat zijn plicht is, al kent hij zijn heer nog niet.'

'Nogal uitzonderlijk voor een jonge knaap, vind je niet? En nu die demon: was dat ongewoon, wat hij deed?'

'Niet echt, al was hij wat hardhandiger dan anders. Ik kreeg ongeveer een gelijke ontvangst toen ik aankwam. Hij zei dat hij nog wist wie ik was, dus moet hij jou ook herkend hebben. Maar dat verklaart zijn aanval op Ki niet. Heeft hij een of andere magische kracht in zich?'

'Nee, en dat is pech, want het zou een interessante tovenaar zijn geworden. Maar zo is hij ook prima geschikt voor Tobin. Nu ik hem gezien heb, moet ik je gelijk geven: hij moet echt wat normaler worden en de wereld van normale mensen leren kennen.' Iya ging weer terug naar de burcht. 'Ik hoop alleen wel dat Ki invloed op hem heeft, in plaats van andersom. Ik had Rhius hoger ingeschat.'

'Het was ook niet makkelijk voor hem, met die demon en Ariani's krankzinnigheid. Dat had niemand van ons verwacht.'

'Illior brengt waanzin, maar ook inzicht.' In het koude bleke licht had Iya opeens veel weg van een ijzeren standbeeld, bedacht Arkoniël treurig. Voor de eerste keer in zijn leven gaf hij toe dat ze hard kon zijn en niet zoals de rest van de mensheid. Hij had dat in andere tovenaars gezien, een onthechting van wat hem normaal menselijk gevoel leek. Het kwam door het uitzonderlijk lange leven, had ze eens verteld, maar hij had voor zichzelf steeds ontkend dat zij er ook last van had.

Toen schonk ze hem een droeve glimlach en de duistere gedachte verdween. Zo was ze weer zijn geduldige lerares, de vrouw van wie hij als een tweede moeder hield.

'Zag je iets toen de demon bezig was?' vroeg hij.

'Nee, maar ik voelde hem wel. Hij herinnert zich wie ik ben en vergeeft het me niet. Maar jij schreef toch dat je hem gezien had?'

'Eén keertje slechts, maar wel zo duidelijk als ik jou nu zie. Hij wachtte me op, daar waar de weg uit het bos komt. Hij zag er precies zo uit als Tobin, op de ogen na...'

'Dat heb je mis.' Iya plukte een lange grashalm en draaide hem rond tussen haar vingers. 'Hij ziet er niet uit als Tobin. Tobin lijkt op de demon, of in ieder geval op het dode jongetje, als het was blijven leven. Dat was tenslotte het doel van Lhels magie, om het meisje eruit te laten zien als haar broertje. Alleen Illior weet hoe Tobin er werkelijk uitziet.' Ze pauzeerde, en sloeg met het droge steeltje tegen haar kin. 'Ik vraag me af hoe hij zich na de gedaanteverwisseling zal noemen...'

Het was een wat verwarrende gedachte, maar die maakte hem wel duidelijk, waarom hij hier in de eerste plaats gekomen was.

'Ik heb Lhel vandaag gezien. Als ik haar goed begrepen heb, is ze hier de hele tijd geweest.'

'De heks is hier? Bij het Licht, waarom heeft Nari of Rhius ons hier niets van verteld?'

'Ze weten van niks. Niemand weet het. Ik snap niet hoe ze het gedaan heeft, Iya, maar het schijnt dat ze het kind gevolgd is en hier in de buurt woont.'

'Juist ja.' Iya staarde naar het woud dat de burcht omsloot. 'Zei ze waarom?'

Arkoniël aarzelde en begon toen langzaam uit te leggen wat er tussen hen beiden was voorgevallen. Toen hij het punt bereikte waarop Lhel hem overmeesterd had, kwam hij niet meer verder. Het was zo verleidelijk geweest; als hij er nu alleen maar aan dacht kwam het duistere, spannende schuldgevoel al weer boven. Het was Lhel geweest die de zelfbeheersing had gehad te stoppen, niet hij.

'Ze... ze wilde dat ik mijn celibaat opgaf, als beloning voor wat ze me zou leren. En als betaling voor het in de gaten houden van Tobin.'

'Juist ja.' Arkoniël zag weer iets van haar onverzettelijkheid op haar gezicht terugkomen. 'Wat denk je: zou ze het kind verlaten als jij niet op haar eis ingaat?'

'Nee, want ze moet het met haar eigen goden op een akkoordje gooien wat betreft de schepping van de demon. Dat neemt ze behoorlijk zwaar op. We krijgen haar daar nooit weg, tenzij we haar vermoorden.'

'En daar kunnen we niet aan beginnen.' Iya tuurde in gedachten verzonken naar de rivier.

'Ik heb je dit nooit verteld,' zei ze zacht, 'maar mijn eigen leraar bestudeerde de Oude Magie. Die is krachtiger dan je denkt.'

'Maar dat is verboden!'

Iya snoof. 'Dat is wat wij doen ook, beste jongen. En waarom denk je dat ik haar uiteindelijk heb uitgekozen? Misschien is het het lot van de tovenaars van ons gilde om te doen wat verboden is als het noodzakelijk is. Misschien heeft Illior dit voor jou in petto.'

'Bedoel je dat ik echt bij haar in de leer zou moeten gaan?'

'Ik denk dat ik de magie die ze over Tobin heeft gelegd kan verwijderen. Maar als ik het nu eens verkeerd doe? En stel dat ik sterf voor de tijd daar is, zoals Agazhar bij mij? Ja, het zou niet verkeerd zijn als jij zou leren wat er moet gebeuren, en op haar manier.'

'En die beloning dan?' piepte Arkoniël die het opeens benauwd kreeg. Hij probeerde zich voor te spiegelen dat het een weerzinwekkende gedachte was.

Iya's lippen persten zich preuts samen. 'Bied haar maar wat anders aan.'

'En als ze weigert?'

'Arkoniël, ik heb jou geleerd wat mijn leraar mij geleerd heeft: het celibaat houdt onze macht in stand. Ik heb celibatair geleefd sinds ik mijn oude leven achter me liet. Sommigen weken van die regel af en ze zijn niet allemaal door het experiment verzwakt. Velen, maar niet allemaal...'

Het leek wel of de grond zich onder Arkoniëls voeten opende. 'Waarom heb je me dat nooit eerder verteld?'

'Waarom zou ik? Toen je een kind was, had je er geen behoefte aan. En als een jongeman in je beste jaren? Dat was me te gevaarlijk, de verleiding was maar al te groot. Ik was bijna zo oud als jij, en ik was geen maagd. De aandrang van het vlees is sterk, vergis je niet, en we worden er allemaal door meegesleurd als we niet uitkijken. Pas als een tovenaar zijn eerste leven geleefd heeft en voelt dat zijn kracht is toegenomen, wordt hij wat makkelijker te weerstaan. De vleselijke geneugten verbleken in vergelijking met wat je dan te wachten staat, neem dat maar van mij aan.'

'Ik zal haar weerstaan, Iya.'

'Je zult doen wat onvermijdelijk is, mijn jongen.' Iya nam zijn handen in de hare en keek hem aan; haar huid was koel als ivoor. 'Er is zoveel meer dat ik je nog wil leren. Voor Afra dacht ik dat we de rest van mijn leven samen zouden zijn. Je bent mijn opvolger, Arkoniël, en de beste student die ik ooit gehad heb. Dat weten we al een hele tijd, Illior en ik.' Ze klopte op de tas die over haar schouder hing. 'Maar Illior heeft nu andere plannen met je, zoals we gezien hebben. Voorlopig moet je leren zoveel je kunt en ervan gebruiken wat je denkt dat nuttig is. Als Lhel jou iets kan leren, leer dan maar van haar. Bovendien moet je op je hoede zijn of ze geen slechte bedoelingen met het kind heeft.'

'Je antwoord is helemaal geen antwoord!' gromde Arkoniël, die steeds meer van streek raakte.

Iya haalde haar schouders op. 'Je bent geen kind meer, of een leerling. Er komt een tijd dat een tovenaar op zijn of haar eigen hart moet vertrouwen. Dat doe je nu al een tijdje, al schijn je dat niet door te hebben gehad.' Ze tikte met een vinger op zijn borst. 'Luister hier maar naar, jongen. Volgens mij is het een goede, betrouwbare gids.'

Arkoniël kreeg een vreemd voorgevoel. 'Dat klinkt een beetje als een afscheid.'

Iya glimlachte treurig. 'Dat is het ook, maar alleen voor de jongen die mijn leerling is geweest. De man die voor hem in de plaats is gekomen hoeft niet bang te zijn dat hij me nooit meer ziet. Ik ben te veel op hem gesteld en we hebben samen nog heel wat werk voor de boeg.'

'Maar...' Arkoniël zocht wanhopig naar woorden. 'Hoe weet ik wat ik moet doen om Tobin te helpen en te beschermen?'

'Denk je nou heus dat Illior je hierheen had gestuurd als je de taak niet aankon? Nou dan. En ben je van plan een oude vrouw de hele nacht buiten te houden of mogen we nu eindelijk naar binnen?'

'Oude vrouw, hè? En hoe is dat nou weer gekomen?' vroeg Arkoniël en hij stak zijn arm door de hare terwijl ze de heuvel weer op liepen.

'Dat vraag ik mezelf ook wel eens af.'

'Hoe lang kun je blijven?'

'Niet zo lang, te oordelen naar de ontvangst van de demon. Hoe heeft hij jou behandeld sinds hij je arm gebroken heeft?'

'O, verrassend voorkomend. Af en toe jongleert hij een beetje met het meubilair, maar Tobin schijnt enige macht over hem te bezitten. Volgens Nari is hij sinds Ariani's dood een stuk rustiger.'

'Heel curieus. Je zou denken dat het juist andersom was. Mijn hele leven lang ben ik nog nooit zo'n geest als deze tegengekomen. Ik vraag me af...'

'Wat?'

'Wat voor verrassing hij ons bezorgt als we zijn band met Tobin moeten verbreken.'

Ze gingen terug naar de burcht en hadden al geregeld dat Iya die nacht op Arkoniëls kamer zou slapen. Zodra ze de hal binnenkwamen, voelden ze echter hoe ze door de kwaadaardigheid van de demon omgeven werden. De lucht werd voelbaar zwaarder en het haardvuur sputterde met bleekgele vlammetjes.

Nari en de anderen die rond de haard zaten keken verontrust op.

'Kijk uit, Iya. Je weet nooit wat hij van plan is.'

De dreigende stilte werd doorbroken door een luid gekletter van iets wat aan de andere kant van de hal bij de eettafel op de grond viel. Meer gekletter volgde en Iya richtte een licht op het geluid, waardoor net zichtbaar werd dat het ene na het andere zilveren bord van de planken van de servieskast gesmeten werd. Een voor een vielen schalen en kommen met een bonk op de met biezen bedekte vloer. Elk voorwerp bewoog vanzelf, maar Arkoniël kon zich zonder probleem het nukkige, wilde kind voorstellen dat hij onder aan het weiland had gezien, terwijl het spottend grijnzend over zijn schouder keek en het volgende kopje aan diggelen liet vallen.

De vreemde voorstelling ging maar door en elk bord en elke schaal vloog een beetje verder van de kast en een beetje meer in hun richting.

'En nu is het genoeg,' mompelde Iya. Ze beende de hal door, bleef vlak voor de servieskast staan en trok met haar kristallen toverstafje een kring van wit licht in de lucht.

'Wat doet ze nu?' vroeg Nari.

'Ik weet het niet precies,' zei Arkoniël die de tekens probeerde te ontcijferen die Iya binnen de cirkel schreef. Het had wat weg van een verbanningsspreuk die een drysiaan hen ooit geleerd had, maar de tekens hadden een andere vorm dan hij zich herinnerde.

Misschien was Iya een beetje in de war, want op dat moment vloog een zwaar verzilverd bord uit zichzelf van de plank waarna het met een klap tegen de cirkel botste; het patroon en het stafje explodeerden met een knal en veranderden in blauwwit vuur. Iya schreeuwde het uit en drukte haar hand tegen haar zij.

Arkoniël zag sterretjes, maar rende zo snel hij kon naar Iya toe en trok haar weg van de plek waar de demon het resterende zilver door de kamer smeet. Toen hij klaar was, begon hij banken omver te gooien. Arkoniël beschutte haar met zijn armen en duwde haar hoofd tegen zijn borst. Tharin sprong naar voren om als levend schild voor hen beiden te dienen.

'Naar buiten!' hijgde Iya en ze probeerde beide mannen weg te duwen.

Ze strompelden met de rest van de bevende bedienden naar de binnenplaats en keken om de hoek van de deur naar binnen waar de wandtapijten in het rond vlogen. Er landde er een in de open haard.

'Haal water!' schreeuwde Mynir. 'Hij wil de burcht in brand steken!'

'Naar de kazerne jullie. Daar slapen jullie veilig,' beval Tharin en hij snelde het huis weer in om de anderen te helpen met blussen.

Arkoniël hielp Iya naar de donkere kazerne. Er stond een vuurpot in het halletje en hij knipte met zijn vingers om een klein vlammetje te voorschijn te toveren. Smalle veldbedden stonden langs de wanden en Iya zonk op het dichtstbijzijnde neer. Arkoniël nam haar gewonde hand voorzichtig in de zijne en bekeek hem bij het flakkerende licht. Een lange rode brandwond gaf aan waar het stafje in haar handpalm had gelegen. Kleine sneetjes en stukjes glas zaten eromheen in haar vingers en knokkels.

'Het is niet zo erg als het eruitziet,' zei Iya terwijl Arkoniël de scherfjes kristal uit haar huid peuterde.

'Dat is het wel. Ga eens liggen. Ik moet even een paar spullen pakken, maar ik ben zo terug.'

Hij rende de hal binnen en trof Kokkie en de anderen aan die het vuur in het rokende tapijt uitsloegen en met hun laarzen smeulend riet naar de haard veegden.

'Doof uit!' beval Arkoniël en hij klapte tweemaal hard in zijn handen voor hij zijn handpalmen op de vloer legde. De laatste vonken verdwenen sissend en een stinkende rook was het enige wat aan de brand herinnerde. 'Iya is gewond. Ik heb heelkruid nodig voor een brandwond en schone repen katoen als verband.'

Kokkie haalde meteen wat hij nodig had en Tharin volgde hem naar de kazerne om op het verbinden van haar wonden toe te zien.

'Wat gebeurde er precies?' vroeg de kapitein. 'Wat probeerde je met hem te doen?'

Iya vertrok haar gezicht toen Arkoniël haar hand in een kruidenbad legde. 'Hoe dan ook, het was niet zo slim, lijkt me.'

Tharin gaf haar zwijgend de tijd om een verklaring te geven. Toen ze dat niet deed, knikte hij en zei: 'Blijf maar gewoon hier vannacht. Ik slaap wel in de hal.'

'Dank je.' Ze keek op van Arkoniëls werk. 'Wat doe je hier eigenlijk, Tharin? Rhius is in Atyion, nietwaar?'

'Ik ben prins Tobins zwaardinstructeur. Ik ben gebleven om zijn training voort te zetten.'

'Is dat zo, Tharin?'

Iya zei het op zo'n speciale manier dat Arkoniël met verbinden stopte.

'Ik ken jullie sinds de tijd dat jij en Rhius jochies waren. Zeg me hoe het met Rhius gaat. Ik ben veel te lang weggeweest en ik voel me een vreemdeling hier.'

Tharin wreef met zijn hand over zijn korte baard. 'Hij heeft een zware tijd achter de rug, zoals je je wel kunt voorstellen. Het was al moeilijk, en door Ariani op zo'n manier te verliezen – niet alleen die zelfmoord maar ook al die jaren na de geboorte dat ze waanzinnig was, en hem haatte.' Hij schudde het hoofd. 'Ik snap er nog steeds geen snars van waarom ze hem de schuld van de dood van dat kind gaf, of waarom ze daar maar niet overheen kon komen. Over de doden niets dan goeds, Iya, maar ik vrees dat er meer van haar moeder in haar zat dan iedereen ooit gedacht had. Sommigen zeggen dat het dode kind daarom het levende achternazit, al ben ik daar niet zo zeker van.'

'Wat zeggen de mensen nog meer?'

'O, allerlei onzin.'

'In naam van het kind, vertel het me. Je weet dat wij het niet verder vertellen.'

Tharin keek naar zijn gehavende handen. 'Ze zeggen dat Rhius erachter kwam dat hij niet de vader was en een van de baby's doodmaakte voor men wist wat er gebeurde; daarom zou het dode kind hier rondspoken en Tobin van het hof worden weggehouden.'

'Wat een kolder! Hoe vergaat het de hertog aan het hof?'

'De koning houdt hem zoals altijd dicht bij zich. Hij noemt Rhius "broer", maar... Er hangt nogal wat spanning tussen hen sinds ze dood is, en dat ligt voor een groot deel aan Rhius. Hij heeft zijn kamers in het Nieuwe Paleis laten ontruimen en is teruggegaan naar Atyion. Hij houdt het er gewoon niet meer uit.'

'Niet erg eerlijk tegenover het kind.'

Tharin keek op en eindelijk merkte Arkoniël een schaduw van pijn en schuld in zijn gelaat op. 'Ik weet het en dat heb ik hem ook gezegd. Onder meer daarom heeft hij me teruggestuurd. Ik heb het verder niemand verteld, uit angst dat het zijn weerslag op Tobin zou krijgen. Het zou zijn hart breken en mijn hart heeft een flinke deuk opgelopen.'

Iya nam zijn hand in haar ongedeerde hand. 'Je hebt altijd tegen Rhius gesproken alsof jullie broers waren, Tharin. Ik weiger te geloven dat je echt bij hem uit de gratie bent. Ik zal hem erop aanspreken wanneer ik hem bezoek.'

Tharin stond op. 'Dat is niet nodig. Het gaat wel over. Welterusten.'

Iya zag hem vertrekken en schudde haar hoofd. 'Ik heb er zo vaak spijt van gehad dat ik het hem niet verteld heb.'

Arkoniël knikte. 'Hoe langer ik hier ben, hoe moeilijker het voor me wordt.'

'Laten we de dingen nu maar laten zoals ze zijn.' Iya bewoog haar verbonden hand en vertrok haar gezicht van pijn. 'Ik kan hier wel mee rijden. Ik denk dat ik morgen maar vertrek. Ik wil naar Ero en ik heb wat met Rhius te bespreken.'

'Ero? Dat is het hol van de leeuw. Als je Haviken wil tegenkomen moet je daar zijn.'

'Zeker, maar ze moeten in de gaten worden gehouden. Ik wou dat Illior ons een blik op hén had gegund toen de hele zaak begon. Maak je geen zorgen, Arkoniël. Ik kijk heus wel uit.'

'Als je maar beter uitkijkt dan net in de hal. Wat ging er mis?'

'Ik weet het eigenlijk niet. Bij zijn eerste aanval liep mijn beschermingsring een deuk op als een tentdoek waar de wind op staat. En toen dacht ik dat er een sterkere ring nodig was om hem daarmee de hal uit te duwen en die tot morgenochtend af te sluiten.'

'Vergiste je je in het patroon?'

'Nee, de verbanning was goed uitgesproken. Maar het werkte van geen kanten, zoals je zag. Zoals ik al zei, die geest lijkt in niets op geesten die ik ben tegengekomen. Ik wou dat ik meer tijd had om hem te bestuderen, maar dat zou te storend zijn voor de jongens. Ik durf niet eens meer het huis binnen te gaan. Maar ik wil Tobin wel gedag zeggen voor ik ga. Wil je hem morgen even hierheen sturen? Alleen, graag.'

'Natuurlijk. Maar reken er niet op dat het een lang gesprek wordt. Hij kruipt niet snel uit zijn schulp.'

Iya ging op haar veldbed liggen en grinnikte. 'Dat zag ik al zodra hij binnenkwam. Bij het Licht, je hebt je wel weer ergens in gestort!'

25

Ki stond voor het open raam toen Tobin de volgende ochtend wakker werd. Hij liet zijn kin in een hand rusten en pulkte met lange rusteloze vingers afwezig aan een stukje mos op de vensterbank. Bij daglicht zag hij er jonger uit, en droeviger.

'Mis je je familie?'

Ki's hoofd schoot met een ruk overeind. 'Jij bent zeker ook een tovenaar? Je kunt gedachten lezen.' Maar hij glimlachte toen hij het zei. 'Het is hier wel ontzettend stil, hè?'

Tobin ging rechtop zitten en rekte zich uit. 'Die soldaten van vader maken een hoop kabaal, hoor, wanneer ze hier zijn. Maar ze zitten nu allemaal in Atyion.'

'Daar ben ik wel eens geweest.' Ki hees zich op de vensterbank en ging zitten, zijn blote benen bungelend onder zijn nachthemd. 'Nou ja, ik ben er op weg naar de stad doorheen gereden. Jullie kasteel is het grootste van Skala, op dat in Ero na. Hoeveel kamers heeft het wel niet?'

'Weet ik niet. Ik ben er nog nooit geweest.' Toen hij zag dat Ki grote ogen opzette, voegde hij eraan toe: 'Ik ben nog nergens geweest, alleen in Alestun. Ik ben in het paleis geboren, maar daar weet ik niks meer van.'

'Maar ga je dan niet op bezoek? Wij hebben familie door het hele land en daar gaan we logeren. Als mijn oom koning was, zou ik om de week naar Ero gaan. Er is muziek, er wordt gedanst, en er zijn potsenmakers op straat...' Hij stopte. 'O, vanwege de demon zeker?'

'Weet ik niet. Mamma hield er niet van om op reis te gaan. En vader zegt dat er pest heerst in de steden.' Toch leek Ki zijn reizen prima te hebben overleefd. Hij haalde zijn schouders op. 'Ik ben dit huis eigenlijk niet uit geweest.'

Ki draaide een halve slag om naar buiten te kijken. 'En wat doe je dan de hele dag? Je hoeft zeker geen varkens te hoeden of omheiningen te repareren!'

Tobin grijnsde. 'Nee, daar heeft vader pachters voor. Ik train veel met Tharin en we gaan op jacht in het bos. En ik heb een speelgoedstad die mijn vader voor me heeft gemaakt, maar nu slaapt Arkoniël in die kamer dus dat moet maar even wachten.'

'Goed, dan gaan we op jacht.' Ki liet zich van de vensterbank afglijden en keek onder zijn bed om zijn kleren te pakken. 'Hoeveel honden heb je? Ik zag er niet een in de hal gisteravond.'

'O, er woont een stel oude beesten op de binnenplaats. Maar daar jaag ik niet mee; ik kan niet met honden opschieten, en zij niet met mij. Maar Tharin zegt dat ik goed ben in boogschieten. Ik vraag wel of hij ons mee kan nemen.'

Bruine ogen tuurden hem van over de bedrand aan. 'Mee kan nemen? Bedoel je dat je niet alleen gaat?'

'Ik mag de burcht niet alleen uit.'

Ki verdween weer en Tobin hoorde hem zuchten. 'Goed dan. Het is niet te koud om te zwemmen. We kunnen ook gaan vissen. Ik zag een goed plekje beneden aan het weiland.'

'Ik heb nog nooit gevist,' bekende Tobin en hij voelde zich behoorlijk stom. 'En zwemmen kan ik ook niet.'

Ki kwam weer overeind op zijn knieën en legde zijn ellebogen op de rand van het bed. Hij keek Tobin fronsend aan. 'Hoe oud ben je eigenlijk?'

'Op de twintigste van Erasin word ik tien.'

'En ze laten je niet eens alleen buiten spelen? Waarom niet?'

'Ik weet het niet. Ik...'

'Weet je wat ik denk?'

Tobin schudde zijn hoofd.

'Voor ik mee moest met Iya en ze mijn vader betaald had, vertelde mijn zus dat ze wat over je gehoord had.'

Tobin verkilde tot op het bot.

'Ze zei dat ze aan het hof zeggen dat je door die geest vervloekt bent, of dat je niet goed bij je hoofd bent, en dat je daarom hier woont, ver van iedereen in Ero of Atyion. Weet je wat ik denk?'

Dat was het dus. Gisteravond betekende helemaal niets. Het zou allemaal zo lopen als hij gevreesd had. Maar Tobin deed zijn kin omhoog en keek Ki recht in de ogen. 'Nee. Wat denk je dan?'

'Ik denk dat de mensen die dat zeggen zaagsel in hun kop hebben. En ik denk dat de mensen die je hier opvoeden niet goed bij hun hoofd zijn als ze je niet eens in je eentje naar buiten laten – en ik heb heus veel respect voor hertog Rhius natuurlijk.' Ki grijnsde plagerig en die lach liet alle duistere angsten verdwijnen. 'En ik denk dat het best een pak op ons donder waard is om op zo'n prachtige dag als deze een kansje te wagen en lekker alleen naar buiten te gaan.'

'O, dacht je dat?' vroeg Arkoniël die tegen de deurpost van de tussendeur leunde. Ki ging meteen staan, met een schuldbewuste blos, maar de tovenaar lachte. 'Dat vind ik eigenlijk ook, en voor een pak op je donder hoef je niet bang te zijn. Ik heb eens met Nari en Tharin gepraat en zij vinden ook dat prins Tobin zich eens moet gaan bezighouden met alles wat een gezonde jongen graag zou doen. Nu we jou hebben om met hem mee te gaan, denk ik dat jullie kunnen gaan en staan waar jullie willen, mits je niet te ver gaat natuurlijk.'

Tobin staarde de man aan. Hij wist dat hij dankbaar moest zijn voor de plotselinge verandering van de huiselijke regels, maar hij had de pest in dat de tovenaar dat aangezwengeld had. Wie was Arkoniël nu helemaal, was hij soms heer en meester in dit huis?

'Maar voor je op avontuur gaat, mijn prins, zou Iya je graag nog even willen spreken,' zei Arkoniël tegen hem. 'Ze is in het voorste kazernegebouw. Ki, waarom ga jij niet even kijken wat Kokkie voor ontbijt voor jullie heeft? Ik zie je in de hal, Tobin.'

Tobin keek nukkig naar de deur die achter de tovenaar sloot en begon zijn kleren aan te trekken. 'Wie denken ze wel dat ze zijn, die tovenaars, dat ze hier zomaar binnendringen en me commanderen?'

'Ik vind niet dat hij dat deed,' zei Ki. 'En zit maar niet over Iya in. Ze is niet zo erg als ze eruitziet.'

Tobin deed zijn schoenen aan. 'Ik ben heus niet bang voor haar.'

In een zonnig hoekje van het erf voor de kazerne zat Iya net lekker aan haar ontbijt toen Arkoniël met Tobin aan kwam lopen.

Bij daglicht bleek haar eerste indruk van de jongen correct te zijn geweest. Hij was bleek en tenger van het vele binnenspelen, maar verder was hij onmiskenbaar een jongen. Geen toverspreuk van de Orëska's had meer kunnen bereiken dan een ietwat jongensachtig meisje, en de betovering zou beslist ontdekt zijn. Lhels wrede borduurwerk was intact gebleven. De magie die samen met het reepje vlees was vastgestikt had ervoor gezorgd dat de wond net zomin zichtbaar was als het vrouwelijke lichaam dat eronder zat.

Helaas had Tobin niet de knappe trekken van zijn ouders, op de ogen en fraai gevormde mond van zijn moeder na, en zelfs die werden verhuld door zijn norse, afstandelijke uitdrukking. Het was zo klaar als een klontje dat hij niet blij was haar te zien, maar hij maakte desondanks een beleefde buiging. Te beleefd, eigenlijk. Zoals Arkoniël al gezegd had, was dit een behoorlijk ouwelijk kind.

'Goedemorgen, prins Tobin. En hoe vind je je nieuwe kameraad?'

Tobins gezicht klaarde zichtbaar op. 'Ik vind hem heel erg aardig, juffrouw Iya. Dank u wel dat u hem hier gebracht heeft.'

'Ik moet vandaag weer vertrekken, maar ik wilde even met je praten voor ik naar je vader ga.'

'Gaat u naar vader toe?' Het verlangen sprak zo duidelijk uit zijn woorden dat het haar pijn deed.

'Ja, mijn prins. Zal ik hem de groeten doen van je?'

'Zoudt u hem alstublieft willen vragen wanneer hij weer thuiskomt?'

'Ik was al van plan dat met hem te bespreken. Kom nu maar even bij me zitten, dan kan ik je beter leren kennen.'

Even dacht ze dat hij zou weigeren, maar zijn manieren hadden de overhand. Hij ging op een stoel zitten die ze naast de hare had gezet en keek nieuwsgierig naar haar hand die in het verband zat.

'Hebt u zichzelf pijn gedaan?'

'Je demon was erg kwaad op me gisteravond. Ik heb me gebrand.'

'Net zoals hij mijn paard aan het steigeren maakte, toen ik hem ontmoette,' voegde Arkoniël eraan toe.

'Dat had hij nooit mogen doen.' Tobins wangen werden zo rood alsof hij het zelf had gedaan.

'Arkoniël, ik zou graag even met Tobin alleen willen zijn. Wil je ons excuseren?'

'Natuurlijk.'

'Het was jouw schuld niet, mijn kind,' zei Iya toen Arkoniël buiten gehoorsafstand was. Ze vroeg zich af hoe ze dit vreemde kind uit zijn schulp kon lokken. Toen Tobin niets terugzei, nam ze zijn smalle, eeltige handje tussen de hare en keek hem diep in de ogen. 'Je hebt veel te veel angsten en zorgen in je jonge leventje gehad. Ik zeg niet dat er nog meer tegenslag komt, maar ik hoop wel dat het wat makkelijker voor je zal worden.'

Met zijn hand nog in de hare, begon ze over gewone zaken te praten: zijn paard, zijn houtsnijwerk en zijn lessen van Arkoniël en Tharin. Ze las zijn gedachten niet, maar liet de indrukken via hun handen bij haar naar binnen stromen. Tobin gaf antwoord op elke vraag die ze hem stelde, maar verder ging hij ook niet.

'Je hebt veel angst geleden, niet?' waagde ze ten slotte. 'Om je moeder en de demon?'

Tobin schoof zijn voeten heen en weer en tekende halve bogen in het stof.

'Mis je je moeder?'

Tobin keek naar de grond, maar er ging wel een schokje door haar heen en ze ving een beeld op van Ariani zoals Tobin haar die laatste afschuwelijke dag gezien moest hebben. Dus het was doodsangst geweest waardoor de prinses zich uit het raam had gestort, en geen haat jegens het kind. En met dat beeld kwam nog iets mee: een plotselinge pijnscheut, veroorzaakt door iets wat met die toren verbonden was, iets wat hij dieper in zijn geheugen had weggestopt dan ze bij zo'n jong kind voor mogelijk had gehouden. Ze zag hem opkijken.

'Waarom ben je er nu nog zo bang voor?'

Tobin trok zijn hand uit de hare, vouwde ze in zijn schoot en keek haar niet aan. 'Dat... dat ben ik niet.'

'Niet liegen, Tobin. Je bent er doodsbang voor.'

Tobin zat zo stil als een muisje, maar er school een wervelstorm van emoties achter die stuurse blauwe ogen. 'Mamma's geest is daar nog,' zei hij ten slotte en hij keek weer net zo beschaamd als daarnet. 'Ze is nog steeds kwaad.'

'Wat vreselijk dat ze zo ongelukkig was. Is er nog iets wat je over haar wilt weten? Vraag het dan maar, want al ben ik dan een vreemdeling voor jou, ik heb je familie jarenlang gediend. Ik ken je vader al zijn hele leven, en zijn moeder en grootmoeder kende ik ook. Ik was een goede vriendin van hen. Ik zou ook graag jouw vriendin zijn en je zo goed mogelijk willen dienen. Dat wil Arkoniël ook. Heeft hij je dat verteld?'

'Nari zei zoiets,' mompelde Tobin.

'Het was zijn idee om hierheen te komen en je leraar te worden, en om Ki hierheen te halen. Hij maakte zich zorgen dat je zo eenzaam was, zonder vrienden van je eigen leeftijd. Hij zei ook dat je hem niet erg mocht.'

Ze werd beloond met een schuinse blik en het zwijgen hield aan.

'Zei de demon soms dat je hem niet aardig moest vinden?'

'Het is geen demon. Het is een geest,' zei Tobin zachtjes. 'En van jou moet hij ook niks hebben. Daarom heeft hij je gisteravond zo'n pijn gedaan.'

'Juist ja.' Ze besloot te bluffen, want ze had tenslotte weinig vertrouwen te verliezen. 'Heeft Lhel je verteld dat de geest me niet mag?'

Tobin schudde zijn hoofd, besefte toen pas wat ze zei en keek haar verschrikt aan. Dit was dus een van zijn geheimen.

'Wees maar niet bang, Tobin. Ik weet dat ze hier is. Arkoniël weet het ook. Heeft ze het tegen jou over ons gehad?'

'Nee.'

'Hoe heb je haar ontmoet?'

Tobin schoof onbehaaglijk op zijn stoel. 'In het woud, nadat mamma gestorven was.'

'Ging je alleen het bos in?'

Hij knikte. 'Ga je dat verklappen?'

'Niet als je dat niet wilt, als je me maar de waarheid zegt. Waarom ging je het woud in, Tobin? Riep ze je soms?'

'In mijn dromen. Ik wist niet dat zij het was. Ik dacht dat het mamma was. Ik moest haar vinden, dus ben ik er op een dag tussenuit geknepen. Ik verdwaalde, maar ze vond me en hielp me weer thuis te komen.'

'Wat deed ze nog meer?'

'Ze liet me een konijntje vasthouden en ze legde me uit hoe ik Broer kon roepen.'

'Broer?'

Tobin zuchtte. 'Beloof je dat je het écht niet zult vertellen?'

'Ik zal het proberen, behalve als ik denk dat je vader het moet weten omdat je gevaar loopt.'

Tobin keek haar voor de eerste keer recht in de ogen en zijn mondhoek ging even omhoog. 'Je had kunnen liegen, maar dat deed je niet.'

Heel even had Iya het gevoel dat de jongen dwars door haar heen kon kijken. Als ze niet beter had geweten had ze hem weer onderzocht of hij geen magisch trekje had. In een poging haar verrassing te verbergen, zei ze zo neutraal mogelijk: 'Ik vind het prettiger als we eerlijk tegenover elkaar zijn.'

'Broer, zo moest ik de geest van Lhel noemen. Ze zei dat je de doden geen naam kunt geven als ze er nooit een gehad hadden voor ze stierven. Is dat zo?'

'Zij weet veel van dat soort zaken, dus zal het wel waar zijn.'

'Waarom hebben vader en Nari me nooit over hem verteld?'

Iya haalde haar schouders op. 'Wat vind je van hem, nu je het weet?'

'Hij doet nog wel eens gemeen, maar ik ben niet meer bang voor hem.'

'Waarom heeft Lhel je geleerd hoe je hem moet roepen?'

Hij keek weg, meer op zijn hoede. 'Ze zei dat ik voor hem moest zorgen.'

'Jij zorgde ervoor dat hij ophield met dingen te gooien, is het niet? Doet hij altijd wat je zegt?'

'Nee. Maar ik kan zorgen dat hij niemand pijn doet.' Hij keek weer naar haar hand. 'Meestal dan.'

'Daar ben ik heel blij om.' Voor hetzelfde geld had hij zijn macht kunnen misbruiken. Ze zou dat nog even aan Arkoniël zeggen voor ze vertrok. Buiten de beschermde omgeving van de burcht zou het wel eens bij Tobin op kunnen komen dat te doen. 'Kun je me laten horen wat ze je geleerd heeft?'

'Je bedoelt Broer op te roepen?' Tobin leek van dat vooruitzicht niet erg vrolijk te worden.

'Ja. Ik vertrouw erop dat jij me beschermt.'

Maar Tobin twijfelde nog.

'Goed, ik begrijp het. Als ik mijn ogen nu eens dichtdoe en mijn vingers in mijn oren stop terwijl je doet wat ze je leerde? Tik me maar op mijn knie als ik mag kijken.'

'Zul je echt niet kijken?'

'Ik zweer het op mijn handen, mijn hart en mijn ogen. En dat is de duurste eed die een tovenaar kan doen.' Toen deed ze haar ogen dicht, stopte haar vingers in haar oren en draaide ook haar hoofd naar de andere kant om het af te maken.

Ze hield zich aan haar belofte niet te kijken of te luisteren. Dat hoefde ze ook niet, want ze voelde de spreuk door de lucht zinderen. Het was een oproep of iets dergelijks, maar ze herkende hem niet. De lucht rondom haar werd steenkoud. Ze voelde een tikje op haar knie en opende haar ogen. Ze zag twee jongens voor zich staan. Misschien was het Tobins nabijheid, of lag het aan de spreuk. Misschien had die onvoorspelbare geest zin gehad om zich te laten zien, maar degene die Broer werd genoemd, zag er even tastbaar uit als zijn tweelingbroer, alleen had hij geen schaduw. Maar ook zonder dit kenmerk, zou je je niet in hen kunnen vergissen.

Broer was dodelijk stil, maar Iya voelde dat hij inwendig kookte van woede. Zijn mond bewoog niet, maar ze hoorde de woorden: *Jij komt er niet in* zo duidelijk alsof hij het met zijn bleke lippen in haar oor had gefluisterd. Het haar in haar nek stond recht overeind, want de woorden hadden de bittere zweem van een vervloeking.

Toen was hij verdwenen.

'Zie je nou?' zei Tobin. 'Soms doet hij gewoon waar hij zin in heeft.'

'Maar je zorgde ervoor dat hij me niet aanviel. Dat zou hij gedaan hebben als je er niet geweest was. Dank je, mijn prins.'

Tobin glimlachte zwakjes, maar Iya voelde zich verwarder dan ooit. Een kind, zeker een kind zonder magie, had nooit mogen doen waarvan zij net getuige was geweest.

Ze barstte haast in lachen uit toen dit dappere geestentemmertje met een klein stemmetje vroeg: 'Je verklapt het toch niet, hè?'

'We spreken wat af. Ik vertel het niet aan je vader, of wie dan ook, als jij toestaat dat ik het Arkoniël vertel, en als je belooft dat je wat vriendelijker tegen hem zult zijn en hem om hulp vraagt wanneer je die nodig hebt.' Ze aarzelde en zocht naar de juiste woorden. 'Je moet het hem ook vertellen als Lhel je iets vraagt wat je eng vindt, wat dan ook. Beloof je dat?'

Tobin haalde zijn schouders op. 'Ik ben niet bang voor haar.'

'En dat hoeft kiesa ook niet te zijn, tovenares,' zei een bekende stem op de drempel van het kazernegebouw. 'Ik help hem.' Iya draaide zich om en zag Lhel die haar met een spottend lachje aankeek. 'Ik help jou. En jouw jong tovenaartje ook.' Ze hief haar linkerhand en liet Iya de halvemaan zien die daarop was getatoeëerd. 'Bij de Godin, pas op dat jij mij deze keer niet weggaan laat. Als Broer weggaat, ga ik ook. Jij laat mij werken tot tijd dat ik kan gaan. Jij eigen werk, Iya, om het kind en geest te helpen.'

'Waar kijk je naar?' vroeg Tobin.

Iya keek hem even aan en richtte haar ogen toen weer op de drempel. Lhel was weg.

'O, niks. Een schaduw,' zei Iya afwezig. Al keek ze haar direct aan, ze had geen idee welk soort magie de heks had toegepast. 'Geef me nu je hand, mijn prins, en beloof me dat je zult proberen Arkoniëls vriend te worden. Hij zal zo bedroefd zijn als je het weigert.'

'Ik zal het proberen,' bromde Tobin. Hij trok zijn hand terug en liep weg, maar niet voordat ze gezien had dat hij zich verraden voelde. Hij mocht Lhel dan niet gezien hebben, hij wist wel dat ze loog.

Iya zag hem weglopen en toen ze hem niet meer zag, liet ze haar hoofd in haar gezonde hand rusten, want ze wist dat de heks haar betrapt had, misschien zelfs opzettelijk.

Of ze het nu leuk vond of niet, ze had Lhel jaren geleden dus totaal verkeerd beoordeeld en nu was hun beider lot te zeer verbonden om overhaast te reageren.

De dodelijke kou spoelde weer over haar heen. Broer zat nu aan haar voeten en wreef zich in de handen terwijl hij haar met een van haat vervulde blik aankeek.

Je komt er niet in, fluisterde hij weer.

'Waarin?' vroeg ze.

Maar Broer had zijn eigen geheimen en nam ze mee waarheen hij ook ging.

Iya bleef nog geruime tijd over de dreigende woorden van de geest zitten peinzen.

Nadat Tobin met de tovenaar naar Iya was gegaan, daalde Ki de trap naar de hal af. Hij kon nog steeds niet geloven dat dit voorname huis voortaan zijn thuis zou zijn. Het mocht er dan spoken, maar een leven te midden van edelen en tovenaars deed daar overdag niets aan af.

Zo jong als hij was had hij al heel wat van de wereld gezien en hij had dus allang gemerkt hoe vreemd dit huishouden in elkaar zat. Een prins hoorde thuis in de schitterende paleizen waarvan Ki een glimp achter de Palatijnse muur in Ero had opgevangen, niet verborgen in een uithoek zoals hier. En daarbij, prins Tobin was eigenlijk ook wel een raar ventje. Een saai, donker joch met ogen als van een oud mannetje. Ki was eerlijk gezegd wel even bang voor hem geweest toen hij hem ontmoette. Maar nadat ze de slappe lach gekregen hadden, had Ki iets ontdekt. Tobin mocht dan vreemd zijn, maar niet op de manier waarop iedereen dacht. Ki dacht er weer aan hoe Tobin tijdens die aanval van razernij van de demon zijn mannetje had gestaan, hij had nog niet met zijn ogen geknipperd. Ki's hart zwol van trots, want vergeleken met zoiets zou een levende vijand wel helemaal een eitje voor hem zijn.

Hij liep door en wandelde een stuk op met kapitein Tharin die door een andere deur de hal was binnengekomen. De slungelige blonde officier had een ruw hemd en een verkleurde tuniek aan, net als een gewone infanterist, en hij sliep met zijn mannen in de kazerne, al had Ki van Iya gehoord dat hij de zoon van een rijke ridder uit Atyion was. Nog iemand die hij oprecht mocht, en wel vanaf het eerste moment dat hij hem ontmoet had.

'Goeiemorgen, jong. Trek zeker, na je eerste nacht hier? Kom op, voor de keuken dit trapje af.'

Tharin deed een deur open en ze stonden in de ruime warme keuken waar de kok al over een ketel gebogen stond.

'En hoe vind je het hier tot nu toe?' vroeg Tharin die bij de haard ging zitten om een riempje aan zijn schede te repareren.

'O, geweldig, heer. Ik hoop dat de prins en de hertog tevreden over me zullen zijn.'

'Daar twijfel ik niet aan. Anders zou juffrouw Iya je vast niet meegenomen hebben.'

Kokkie zette wat bouillon en oudbakken brood voor hem neer. Ki ging op de bank zitten en keek naar Tharin die in de weer was met een priem en een draad die met was ingesmeerd was. Tharin had de slanke handen van een edelman, maar de handigheid van vele vaklieden.

'Zal de hertog snel terugkomen?'

'Daar kun je niks van zeggen. De koning houdt hem tegenwoordig aardig bezig in de stad.' Het riempje zat vast en hij legde zijn gereedschap terzijde.

Ki doopte zijn brood in de soep en nam een hap. 'Maar waarom bent u dan niet bij hem?'

Tharin trok zijn wenkbrauw op, maar keek eerder geamuseerd dan geërgerd. 'Hertog Rhius heeft me opgedragen om Tobin te trainen. Tot we weer samen ten strijde trekken, is het me een eer hem van wapens alles te leren wat ik weet. En aangezien ik jullie gisteren bezig heb gezien, zou je daarbij een hele steun voor me kunnen zijn. Tobin heeft iemand nodig tegen wie hij opgewassen is.' Hij nam een slok uit zijn eigen kom bouillon. 'Dat was niet mis wat je gisteravond deed.'

'Wat deed ik dan?' vroeg Ki.

'Je stapte naar voren om Tobin te beschermen toen die demon als een dolle door de hal raasde, ' zei Tharin zo luchtig alsof ze het over het weer hadden. 'Volgens mij dacht je er geen moment over na. Je deed het gewoon, al had je hem maar net ontmoet. Ik heb heel wat schildknapen gekend – ik zat met Rhius bij de Koninklijke Gezellen – en ik kan je wel vertellen, er zijn er niet veel, zelfs de beste niet, die zoiets onder zulke omstandigheden zouden hebben gewaagd. Goed gedaan, Ki.'

Tharin zette zijn kom neer en woelde met zijn hand door het haar van de jongen. 'Als Tobin klaar is, zullen hij en ik je meenemen naar buiten en je eens laten zien hoe goed wij jagen. Ik heb zin in zo'n lekkere fazantenschotel van Kokkie.'

Met stomheid geslagen over al die onverwachte lof, kon Ki alleen maar knikken toen de man weer naar buiten liep. Zoals Tharin gedacht had, had hij gehandeld zonder erbij na te denken en hij vond het dus ook niets bijzonders. Zijn eigen vader merkte het immers ook niet op wanneer hij iets goeds deed, hoogstens wanneer iets niet lukte.

Hij bleef even zitten en met een schietgebedje aan Sakor dat hij altijd de achting van deze man zou blijven verdienen, wierp hij het restant van zijn brood in het vuur.

Toen Arkoniël de binnenplaats voor de kazerne weer betrad, had Iya eindelijk weifelend een besluit genomen.

'Klaar om te vertrekken?' vroeg hij.

'Ja, maar ik wilde nog één ding met je bespreken.'

Ze stond op, nam zijn arm en stapte naar binnen. 'Het ziet ernaar uit dat we elkaar een poos niet zullen zien.' Ze stak haar arm achter het veldbed waarop ze geslapen had en haalde de leren tas te voorschijn die ze in zijn armen legde. 'Ik denk dat het tijd wordt dat je dit van me overneemt.'

Arkoniël keek haar ontsteld aan. 'Dit wordt toch doorgegeven wanneer de oude Hoeder sterft!'

'Nou ja, je hoeft niet meteen mijn as te verstrooien!' Ze deed haar best geïrriteerd te kijken. 'Ik heb nagedacht over wat je vertelde. De Haviken zullen met de dag alerter worden, zeker in Ero, en misschien merken ze dit soort zaken eerder op dan anderen. Het is voorlopig veiliger bij jou.' Hij leek nog niet erg overtuigd en toen greep ze hem stevig bij zijn arm. 'Luister eens, Arkoniël. Je weet wat er met Agazhar is gebeurd. Waarmee denk je dat ik al die jaren bezig ben geweest wat jou betreft? Je bent nu evengoed de Hoeder als ik. Je kent alle spreuken waardoor hij onzichtbaar kan worden en die hem kunnen verhullen. Je kent de geschiedenis, al heeft die niet veel om het lijf. Ik heb je niets meer te leren. Beloof dat je dit voor me doet. Ik ben er klaar voor hem los te laten. Ik moet me nu op Tobin kunnen concentreren.'

Arkoniël klemde de tas tussen beide handen vast. 'Natuurlijk doe ik dat. Dat weet jij ook wel. Maar... je komt toch zeker wel terug, hè?'

Iya zuchtte, vastbesloten niet voor de tweede keer de fout te maken die ze zojuist met Tobin had gemaakt. 'Dat ben ik absoluut van plan, maar het zijn kwade tijden. Als een van ons eronderdoor gaat, moet de ander bereid zijn de taak over te nemen die Illior ons heeft opgedragen. De kom is hier veilig, net als Tobin.'

Ze stond op om te vertrekken en hij drukte haar tegen zich aan, iets wat hij niet meer gedaan had sinds hij een kind was. Nu kwam haar wang tegen zijn schouder, toen was het andersom geweest. Ze omhelsde hem ook terwijl ze dacht wat voor een fijne kerel hij toch geworden was.

26

Iya verkleedde zich als koopvrouw om de stad binnen te komen. Ze had sinds die nacht in Sylara geen amulet meer om gehad en wilde nog steeds liever geen aandacht op zich vestigen. Dat was een goede beslissing geweest, merkte ze al gauw.

Een paar mijl buiten Ero stond langs de kant van de weg een galg. Het lijk van de naakte man dat eraan hing bungelde zachtjes in de wind die van zee kwam. Het gezicht was te zwart en opgezwollen om er iets uit op te kunnen te maken, maar toen ze naderbij kwam zag ze dat hij voor zijn dood jong en goed doorvoed was geweest; het was geen eenvoudige werkman geweest.

Ze hield haar paard in. De grote V van Verrader stond als brandmerk midden op zijn borst. Nare herinneringen aan Agnalain kwamen in haar op. Deze weg was eens overladen geweest met dit soort taferelen. Ze wilde net verdergaan toen de wind het lichaam weer een zet gaf en haar een blik gunde op zijn handpalmen. Het midden van elke hand was bedekt met een fijn getekende zwarte ring.

Deze arme knaap was een novice van de Tempel van Illior geweest.

Tovenaars en priesters, dacht ze grimmig. Bij de poorten van de hoofdstad jaagden de Haviken op de kinderen van Illior en hingen ze op zoals een boer een dooie kraai bij zijn veld hing.

Ze maakte een zegenend gebaar en fluisterde een gebed voor de ziel van de jonge priester, maar toen ze verder reed, spookten de woorden van Broer weer door haar gedachten.

Je komt er niet in.

Ze vermande zich toen ze de wachters bij de poort naderde en wachtte tot iemand haar zou tegenhouden, maar dat gebeurde niet.

Ze huurde een kamer in een eenvoudige herberg in de buurt van de markt en bracht de volgende dagen door met het afluisteren van mensen in zowel gegoede als armoedige buurten om de stemming van het volk te peilen. Ze lette goed op dat niemand haar herkende, of het nu edelen of tovenaars waren.

Prins Korin en zijn Gezellen zag je vaak genoeg in de stad, als ze met hun wachters en schildknapen door de straten galoppeerden. Korin was een leuke, sterke jongen van dertien, het evenbeeld van zijn vader met zijn gezonde kleur en lachende ogen. Iya voelde een steek van spijt toen ze hem de eerste keer langs zag stuiven: als Tobin degene was op wie hij nu leek, en als er een beter heerser op de troon had gezeten, zou hij spoedig oud genoeg zijn om met dit vrolijke stel knullen mee te doen, en hoefde hij niet in het verborgene te leven met de ongewenste zoon van een ridder zonder land als enige kameraad. Zuchtend verdrong ze die gedachte en legde haar oor weer te luisteren, want daarvoor was ze tenslotte gekomen.

Jarenlange droogte en ziekte hadden ook hier hun sporen nagelaten. De straatjes en steegjes in de benedenstad waren daardoor niet meer zo dichtbevolkt. Vele deuren waren nog steeds dichtgespijkerd en droegen de stippen loodwit die aangaven dat de pest er had geheerst, de nalatenschap van de epidemie van vorige zomer. Eén huis in Schaapskopstraat was zelfs in brand gestoken; de woorden PAS OP: PEST stonden met houtskool op een aangrenzende muur geschreven.

Hoger op de heuvel, waar de betere huizen stonden, waren de herinneringen aan de ziekte meteen weggehaald toen de epidemie over zijn hoogtepunt heen was en de lichamen verbrand waren. Toch vond je ook hier wel chique panden die dichtgespijkerd waren, net als een aantal winkels. Onkruid voor de deur gaf aan dat kennelijk alle bewoners aan de pest waren bezweken.

In de nasleep van de dood heerste er een vreemde, opgefokte vrolijkheid. De kleding van de beter gesitueerden was opvallend fel van kleur en met brede geborduurde randen en juwelen nog frivoler gemaakt. Veel rouwenden droegen bovendien een geborduurde beeltenis van hun dierbaren op hun jassen of rokken, met sentimentele dichtregels eronder. Zelfs de mouwen, hoeden en mantels van de gewone kooplieden waren extreem lang, wijd en opvallend.

De overspannen reactie beperkte zich niet tot de mode. Elk wagenspel, iedere pantomimespeler, elk poppenspelersgezelschap nam nu een nieuw, opzichtig personage op in zijn repertoire – de Rood-Zwarte Dood. Rode linten fladderden speels rond zijn masker en tuniek, het bloed symboliserend dat als zweet uit de poriën droop en in de laatste uren van een slachtoffer uit mond en neus gutste. Hij droeg bovendien een overdreven opgevulde broekklep en verdikte bovenarmstukken die de donkere builen in liezen en oksels moesten voorstellen. De andere personages droegen voor de gelegenheid lange snavels en schiepen er genoegen in deze arrogante praalhans te bespotten en op te jagen.

Pomanders met zuiverende kruiden die de ziekteverwekkende lucht zouden zuiveren werden door lieden van elke stand gedragen. Je wist maar nooit of de echte Rood-Zwarte Dood niet terug zou komen om zijn werk af te maken.

De afwezigheid van tovenaars op straat viel Iya erg op. Vroeger zaten op elke markt wel waarzeggers of mensen die goocheltrucs uitvoerden. Tovenaars in dienst van de adel leefden als heer of vrouwe. Nu zag ze vrijwel alleen de in het wit geklede Haviken met hun patrouilles in grijs uniform. Iya dook de schaduw in als ze hen zag naderen, maar hield de gezichten van de andere lieden op straat in de gaten.

Het grootste deel van het volk besteedde er geen aandacht aan, maar er was toch een aantal mensen die hun angst of kwaadheid nauwelijks wisten te verbergen. 'Grijsruggen' werden ze door de brutaalsten genoemd, wanneer ze buiten gehoorsafstand waren. Met 'grijsrug' werd in het gewone taalgebruik een luis bedoeld.

Iya stond bij het kraampje van een Aurënfaier sieradenverkoper toen er een patrouille langs marcheerde. De uitdrukking op de gezichten van de goudsmeden was onder hun ingewikkelde tatoeagepatronen van de Khatme-clan niet waar te nemen, maar hun grijze ogen spuwden vuur en de oudste vrouw onder hen spuugde over haar schouder op de grond toen de laatste soldaat haar gepasseerd was.

'U hebt niet veel met hen op,' zei Iya zacht in hun eigen taal.

'Tovenaarmoordenaars! Ze lachen de Lichtdrager recht in zijn gezicht uit!' De 'faiers waren monotheïsten, en aanbaden alleen Illior, die ze Aura noemden. 'Dit soort praktijken kun je in Plenimar wel verwachten, maar niet hier, in Skala! Geen wonder dat jullie land zo geteisterd wordt.'

Diezelfde avond stond Iya op de grote markt bij de Palatijnse Heuvel naar een pantomimevoorstelling te kijken, toen iemand haar mouw aanraakte. Ze draaide zich om en keek recht in het gezicht van een jonge Havik, geflankeerd door een stuk of tien grijsruggen. De rode vogels op hun tunieken leken haar als aasgieren te omringen toen ze de gelederen sloten.

'Goedendag, juffrouw tovenares,' groette de jonge tovenaar. Hij had een rond, vriendelijk gezicht en onschuldige blauwe ogen die ze al meteen niet vertrouwde. 'Ik heb nog geen kennis met u mogen maken.'

'Ik ook niet met u,' antwoordde ze. 'Ik ben in geen jaren in de stad geweest.'

'Ach, dan wist u misschien nog niet dat alle tovenaars die de hoofdstad binnenkomen zich moeten laten inschrijven bij de Grijze Garde, en hun symbolen openlijk moeten tonen?'

'Nee, jongeman, dat wist ik niet. Die wet bestond nog niet toen ik hier de laatste keer was en niemand heeft me op de veranderde wetgeving gewezen.'

Iya's hart bonsde in haar borst, maar ze probeerde met de waardigheid haar leeftijd eigen enig ontzag in te boezemen. Eerlijk gezegd was ze behoorlijk van haar stuk gebracht doordat ze door zo'n jong ventje ontmaskerd was. Ze had geen magie gebruikt om haar identiteit te verbergen, maar hij zou toch bewust moeite hebben moeten doen om haar te ontdekken. 'Als u zo vriendelijk zou willen zijn me het registratiekantoor te wijzen, dan zal ik me daar direct bekendmaken.'

'In naam van de koning, ik moet u vragen mij te volgen. Waar logeert u precies?'

Iya voelde dat zijn geest de hare aftastte om haar gedachten te lezen. Hij moest haar voor een tovenares van een lage rang hebben aangezien om zo brutaal te zijn. Leeftijd en ervaring waren wel opgewassen tegen dit soort onhandige pogingen, maar ze verdacht hem ervan een leugen wel te kunnen ontdekken.

'Ik heb een kamer in De Zeemeermin, in de Klimopsteeg.'

De jonge Havik gebaarde dat ze mee moest lopen. Een aantal soldaten splitste zich af van de rest, waarschijnlijk om haar kamer te doorzoeken.

Ze was natuurlijk geen partij voor het witte tovenaartje en zijn grijze manschappen, maar tegenstribbelen of in rook opgaan zou als provocatie kunnen worden opgevat. Nu ze haar gezicht kenden was het te gevaarlijk om commotie te veroorzaken.

Ze brachten haar naar een groot gebouw van hout en steen, niet ver van de Palatijnse Poort. Ze kende dit kantoor. Vroeger was het een herberg geweest; nu zaten er alleen soldaten en tovenaars in.

In de ruime kamer moest ze voor een tafel gaan zitten waarachter een witte tovenaar zat. Haar handen moest ze op twee ebbenhouten platen met een ijzeren en zilveren rand leggen. Voorzover ze wist waren er geen tekens in gebrand, maar de combinatie van metalen deed pijn aan haar polsen. Ze kon alleen maar raden waar dit toe diende.

De magiër achter de tafel had een groot, al half volgeschreven boek voor zich liggen.

'Uw naam?'

Hij noteerde hem op een maagdelijke bladzijde.

Hij keek even naar haar hand. 'Ik zie dat u zich bezeerd hebt.'

''n Ongelukje met een bezwering,' zei ze korzelig.

Met een neerbuigend glimlachje keek hij weer in zijn boek, vroeg haar naar de reden van haar bezoek aan de stad. Naast zijn linkerhand stond een mandje met een deksel erop, dat eruitzag als de mand waarin slangenbezweerders hun dieren vervoerden. 'Ik ben hier alleen om oude bekenden weer eens op te zoeken,' verzekerde ze hem. Dat was strikt genomen geen leugen, mocht hier een leugenherkenner aanwezig zijn. Misschien was dat de functie van de metalen platen, dacht ze, en drukte erop met haar vingertoppen.

'Hoe lang bent u al in de stad?'

'Vier dagen.'

'Waarom hebt u zich bij aankomst dan niet laten registreren?'

'Zoals ik de jongeman die me hier bracht al zei, had ik er geen idee van dat er een wet zoals deze bestond.'

'Wanneer was u voor het laatst in E...'

Ze werden onderbroken door het geluid van een handgemeen voor de deur.

'Ik heb helemaal niets gedaan!' riep een man uit. 'Ik draag het teken! Ik heb mijn loyaliteit gezworen! Waar halen jullie het recht vandaan me mee te slepen! Ik ben een vrije tovenaar van Orëska.'

Een stel grijsruggen sleurde een haveloze jonge tovenaar naar binnen, een man in het wit liep achter hen aan. De handen van de gevangene waren met glimmende zilveren banden achter op zijn rug samengebonden en er liep bloed over zijn gezicht, afkomstig uit een diepe snee boven zijn rechteroog. Terwijl hij met een hoofdbeweging een lok lang, zwart, smerig haar naar achteren probeerde te gooien, herkende Iya hem als een van de ijdele, middelmatige studenten van een van Agazhars vrienden. Hij had het niet ver geschopt, maar hij droeg nog altijd de zilveren amulet.

'Deze knaap spuwde naar een van 's konings Haviken,' meldde de tovenaar in het witte gewaad aan de man achter de tafel.

'Nummer, jongeman?' vroeg de administrateur, de ganzenveer gereedhoudend.

'Ik ben tegen jullie nummers!' zei de jonge gevangene snerend. 'Ik heet Salnar, Salnar van Spinnenrust.'

'O, ja. Nu weet ik weer wie je bent.' De tovenaar bladerde in het grote boek terug en noteerde iets bij een naam. Toen hij klaar was gebaarde hij dat de gevangene naar boven moest worden gebracht. Salnar moest geweten hebben wat dit betekende, want hij begon te razen en te tieren en verzette zich uit alle macht tegen de wachters die hem naar de trap duwden. Pas nadat er ergens boven een zware deur werd dichtgeslagen was zijn geschreeuw niet meer te horen.

Onverstoorbaar wendde de inschrijver zich weer tot Iya. 'Goed, waar waren we gebleven?' Hij bekeek zijn aantekeningen. 'Ah, ja. Wanneer bent u voor het laatst in de stad geweest?'

Iya's vingers trilden tegen het donkere hout. 'Ik... ik kan me de juiste datum niet meer herinneren. Het was rond de tijd dat het neefje van de koning werd geboren. Ik ben op bezoek geweest bij hertog Rhius en zijn gezin.' Dit kon link worden, maar ja, wat moest ze anders?

'Hertog Rhius?' Het noemen van die naam deed hem verrast opkijken. 'Ben je een vriendin van de hertog?'

'Ja, hij is een van mijn beschermheren, al heb ik hem al enige tijd niet gezien. Ik reis en studeer.'

De magiër noteerde dit naast haar naam. 'Waarom draag je het teken van ons vak niet?'

Dit was lastiger te omzeilen. 'Ik wilde gewoon niet opvallen,' zei ze, en ze liet haar stem heel geleidelijk als die van een oud, bibberig vrouwtje klinken. 'Door al die executies staan de mensen wantrouwend tegenover ons soort.'

Dit antwoord leek de ondervrager tevreden te stellen. 'Er zijn incidenten geweest, ja.' Hij reikte in de mand naast zich en nam er een ruw gegoten koperen speld uit, met de zilveren maansikkel van Illior erop. Hij draaide hem om en noteerde het nummer op de achterkant in zijn grootboek. 'Je moet deze altijd zichtbaar dragen,' legde hij uit en hij stak haar de speld toe.

Iya haalde haar handen van de platen om hem aan te nemen en hoefde ze niet weer terug te leggen. Ze draaide de lelijke speld om en haar hart leek even stil te staan. Onder het wapen van de Haviken – een kroon met een roofvogel eronder – stond een nummer.

222.
Het getal dat ze in Afra had gezien, in cijfers van vuur.

'Mocht je een iets fraaiere speld wensen, dan kunnen we je een aantal edelsmeden aanraden die zich in deze tak gespecialiseerd hebben. Maar let op dat hetzelfde nummer erin gegraveerd wordt en dat ze hem, voor je hem in ontvangst neemt, hier brengen om het wapen van de koning erin te laten slaan. Is dat duidelijk?'

Iya knikte terwijl ze hem opspelde.

'Ik beloof dat je niets zal overkomen zolang je hem draagt,' zei hij. 'Laat hem aan de poortwachters zien als je een stad verlaat of binnenkomt. Snap je dat? Iedere tovenaar die dat weigert, zal aan verdere ondervraging onderworpen worden.'

Iya vroeg zich af wat die 'verdere ondervraging' voor iemand als die arme Salnar inhield.

Het duurde een tijd voor ze besefte dat ze weer vrij was. Haar benen waren gevoelloos geworden toen ze van haar stoel opstond en het herfstige zonlicht in stapte. Ze verwachtte zelfs dat iemand haar terug zou roepen, zou grijpen om haar kennis te laten maken met de gruwelen die achter de zware deur verborgen waren.

Gedurende de ondervraging had niemand haar openlijk bedreigd en niemand was zelfs maar onbeleefd geweest. Toch was ze zo van haar stuk gebracht door de vertoning dat ze de eerste de beste herberg binnenging en er een uur voor zich uit bleef staren aan het tafeltje dat het verst van de deur lag. Toen deed ze met bevende vingers de speld af en legde hem voor zich neer op tafel.

Zilver was Illiors metaal. Koper en alle andere zonkleurige metalen voor wapens en wapenrustingen behoorden aan Sakor. Deze twee van de Vier waren lange tijd de voornaamste beschermers van Skala geweest, maar sinds Ghërilains tijd werd Illior het hoogst aangeslagen. Nu moest Iya het symbool van de Lichtdrager als een brandmerk van een misdadiger dragen, de prachtige zilveren maan was aan de koperen schijf vastgeketend.

De koning had het lef de vrije tovenaars te nummeren, dacht ze terwijl kwaadheid haar angst verving. Alsof ze deel van zijn kudde vee uitmaakten!

En toch hadden ze haar een nummer gegeven dat door Illior was voorbestemd.

Er viel een schaduw over haar tafel en de angst laaide weer op. Ze keek op en verwachtte de Haviken die zich met hun zilveren en ijzeren handboeien om haar heen verzamelden, maar het was slechts de herbergier.

Hij ging tegenover haar zitten en schoof haar een koperen kroes toe. Hij wees naar de speld en glimlachte wrang terwijl hij zei: 'Drink maar op, juffrouw. Ik kan me voorstellen dat je wel een hartversterkertje kunt gebruiken.'

'Dank je.' Iya sloeg de borrel dankbaar achterover en veegde haar lippen af met vingers die nog steeds trilden. De herbergier was een grote, gemoedelijke vent met vriendelijke bruine ogen. Na de ijzige zakelijkheid van de Haviken was zelfs de troost van een vreemde welkom. 'Ik neem aan dat je er meer gezien hebt zoals ik, als je zo dicht bij, eh, dat gebouw zit?'

'Elke dag, zo'n beetje. Ze grepen je toen je er totaal niet op verdacht was, zeker?'

'Precies. Hoe lang is dit al gaande?'

'Sinds vorige maand pas. Ze zeggen dat het Niryns idee was. Ik geloof dat jullie soort niet bijzonder op hem gesteld is.'

Er klonk plotseling een valse ondertoon in zijn stem. Toen ze hem aankeek ontdekte ze dezelfde ontwapenende onschuld in zijn blik als in de ogen van de jonge Havik.

Ze nam haar beker op en keek hem over de rand met grote ogen aan. 'Hij maakt me bang, maar ik neem aan dat hij alleen zijn plicht tegenover de koning vervult.' Ze durfde de geest van de man niet aan te raken; in plaats daarvan tastte ze hem af of hij iets van magie om zich heen droeg en ze vond het. Onder zijn tuniek droeg hij een amulet die hem tegen gedachtelezen beschermde. Hij was een spion.

Ze had dit in een oogwenk door. Daarom hield ze snel op met onderzoeken, want ze kon tenslotte door anderen in de gaten worden gehouden.

De herbergier probeerde haar ijverig met meer drank tot praten te bewegen, over haarzelf en de executies, waarschijnlijk om haar te verleiden iets te zeggen dat tegen haar gebruikt kon worden. Iya vermeed andere antwoorden te geven dan halfzachte clichés, zodat hij wel tot de conclusie móést komen dat ze een tovenaresje was dat wel heel laag op de ladder stond, want zo dom maakte hij ze niet vaak mee. Ze moest beslist nog eens terugkomen, de deur stond altijd voor haar open, zei hij, en hij ging weer achter de bar staan. Iya dwong zich de borrel rustig op te drinken en ging naar haar kamer om te zien wat de grijsruggen van haar spullen overgelaten hadden.

De angstige blik van de baas van de Zeemeermin was genoeg om te weten dat ze inderdaad huisgehouden hadden. Iya snelde de trap op in de verwachting dat haar kamer ondersteboven zou zijn gekeerd.

Behalve het ontbrekende figuurtje dat ze op de klink van de deur gezet had, wees niets erop dat er iemand in haar kamer was geweest. Haar bagage lag nog precies zoals ze hem op bed gegooid had. Dus wie de kamer ook doorzocht had, hij had het niet met zijn handen gedaan. Iya sloot de deur en deed hem op slot, sprenkelde een cirkel van zand op de vloer en begon met haar vingers de nodige beschermtekens te tekenen om een veilige plek te garanderen. Toen dit eenmaal gedaan was, ging ze midden in de cirkel zitten en opende voorzichtig haar geest om een echo van de mannen die de huiszoeking hadden uitgevoerd op te vangen. Geleidelijk ontvouwde zich een onheilspellend tafereel achter haar gesloten oogleden: een man en een vrouw, met grijsruggen. De vrouw was in het wit en had een glanzend toverstafje van rood obsidiaan. Terwijl ze op Iya's bed zat, had ze er een bezwering mee uitgevoerd van...

Iya concentreerde zich op haar visioen, probeerde de patronen van licht en kleur in de ruimte tussen de handen van de vrouw te zien. Toen de korte flitsen duidelijker werden stokte haar adem. Het was een machtig wapen om iets... of iemand... te zoeken.

Iya spande zich nog harder in, probeerde de woorden van de lippen van de vrouw te lezen, terwijl ze de bezwering uitsprak.

Toen ze het antwoord had, slaakte Iya een kreet van schrik.

De vrouw zocht een jong meisje.

Ze zocht Tobin.

Het visioen werd verstoord en Iya boog zich voorover, haar hoofd in haar handen.

'Kalm blijven,' fluisterde ze tegen zichzelf, maar fragmenten van het visioen uit Afra dansten in de gewelven van haar geheugen: een koningin oud, jong, haveloos, gekroond, dood met een ring om haar nek, met een lauwerkrans vanwege de overwinning. Zoveel van de andere tovenaars met wie ze de afgelopen jaren gepraat had kenden dit visioen. De duizenden kralen van het lot waren nog steeds niet aaneengeregen, ondanks de aanwijzingen van Illior. De koning had een voorgevoel dat zijn troon bedreigd werd en daarom hadden zijn hulpjes de opdracht om elke tovenaar te registreren.

Maar hoe dan ook, zei ze tegen zichzelf, al ondervroegen ze elke zwervende tovenaar die ze te pakken kregen, dan zouden ze de waarheid nimmer te horen krijgen. Lhels vreemde magie beschermde Tobin nog steeds.

Iya nam de gehate speld in haar hand, en dacht eraan hoe de tovenaar gewoon een willekeurige speld uit de mand had gegrepen en dat het nu juist deze moest zijn.

222.

Twee – tweelingen, dualiteit, driemaal herhaald als een toverspreuk. Twee ouders. Twee kinderen.

Twee tovenaars – zij en Arkoniël – met verschillende visies hoe ze dit kind moesten beschermen.

Een glimlachje krulde rond haar lippen. Twee tovenaars – zij en Niryn – met verschillende ideeën over hoe de magiërs van Skala verenigd moesten worden om de troon te dienen.

De Haviken hadden hun nummering misschien bedoeld als methode om de zaak te beheersen of om schaamte op te wekken, maar voor Iya was haar nummer een oproep om ten strijde te trekken.

27

Het kasteelstadje Atyion lag hoog boven de vruchtbare vlakten ten noorden van Ero. Het kasteel zelf lag in een U-bocht langs de meanderende Reigerrivier en zag uit over de Binnenzee. De twee hoge ronde torens konden van mijlen in de omtrek al worden waargenomen en in staat van beleg boden ze beschutting aan ruim duizend personen.

De familie van hertog Rhius had dit kasteel in tijden van oorlog eervol verdiend, maar de grote rijkdom hadden ze zelf vergaard dankzij de hectaren wijngaarden, bossen en grazige, sappige weiden vol paarden die de laagvlakte bedekten. Wat eens een dorp was geweest, lag nu in de beschermende schaduw van het kasteel en was uitgegroeid tot een welvarend marktstadje. De paar pestsymbolen op de huizen waren verkleurd en haast niet meer zichtbaar; Atyion was al tien jaar niet door de ziekte bezocht.

Niet sinds de geboorte van Tobin.

Iya reed door de modderige straatjes en over de neergelaten ophaalbrug die de kasteelgracht overspande. Achter de golvende ringmuur lagen nog meer grazige groene gronden voor flinke kudden en verder bevonden zich hier de kazerne en de stallen van het hertogelijk leger. De meeste waren verlaten; de vazallen en bondgenoten van de hertog waren naar huis teruggekeerd om hun eigen landerijen te verzorgen.

De soldaten die hier rondhingen vermaakten zich met wapenoefeningen en het verzorgen van de dieren. Wapen- en hoefsmeden waren luidruchtig aan het werk boven hun rokende smidsvuren langs de binnenkant van de muur. Een paar zadelmakers zaten onder een afdak om leer te snijden en wapenrustingen te repareren. Uit respect voor de koning had Rhius geen vrouwelijke soldaten in zijn legers, maar er waren er nog enkele in het huishouden werkzaam die vroeger zijn vader met zwaard en boog hadden gediend. Kokkie, die nu kokkin op de burcht was, was een van hen geweest.

Het vechten waren ze nooit verleerd en ze zouden met alle plezier de pollepel voor een zwaard hebben ingeruild als dat bevel gegeven werd.

Een stalknecht nam Iya's paard mee en ze haastte zich de brede trap op naar het gewelfde portaal dat naar de hal leidde. Aan de zijkanten van het portaal stonden zuilen waarop een koepel steunde. Toen Atyion gebouwd werd, was het centrum van het plafond met het Hemeloog van Illior beschilderd, maar nu was er een besneden eiken paneeltje overheen bevestigd. Hierop stond een martiale voorstelling die met Sakor te maken had: een gehandschoende hand die een vlammend zwaard ophield, waaromheen zich laurier en wijnruit slingerden. Het was er door een vakman in gepast; iemand die het huis nooit eerder gezien had, zou niet geweten hebben dat er iets onder verborgen zat.

Net als met de speld, dacht ze, droef en boos tegelijk. Hoe had het zover kunnen komen, dat ze deze goden tegen elkaar hadden opgezet?

Een bejaarde man met een bochel onder zijn blauwe livrei begroette haar in de hal.

'Hoe lang bewaakt Sakor de ingang al, Hakone?' vroeg ze terwijl ze hem haar mantel aanreikte.

'Bijna negen jaar, vrouwe,' vertelde de portier. 'Het was een geschenk van de koning.'

'Aha. Is de hertog thuis?'

'Hij zit thuis, juffrouw. Hij is op de veranda. Ik zal u naar hem toebrengen.'

Iya keek om zich heen terwijl ze de grote gewelfde hal door liep en via een reeks kamers bij de zuilengangen kwam. Atyion was nog steeds een groots kasteel, maar de sprankeling was verdwenen, alsof de matheid van zijn meester op het gebouw was overgegaan. Er waren een paar bedienden aan het werk, ze boenden en schrobden, maar het meubilair en de wandtapijten, zelfs de vrolijk beschilderde muren waren erg dof en vaal geworden.

Er was hier toch muziek en gelach, herinnerde ze zich. En kinderen renden door de hal. Tobin had dit kasteel nooit gezien.

'Hoe gaat het met heer Rhius?'

'Hij rouwt, juffrouw.'

Ze troffen Rhius aan op de veranda die door pilaren werd ondersteund en over de kasteeltuinen uitzag. Aan zijn stoffige laarzen en tuniek te zien, had hij de dag in het zadel doorgebracht en was hij net terug. Een jonge page liep achter hem aan, maar hij kreeg geen aandacht.

Als knaap was Rhius altijd op Iya afgerend als ze kwam. Nu stuurde hij de bediende weg en bleef haar zwijgend aanstaren.

Iya boog en keek naar de verlaten tuinen. 'Je tantes en ooms speelden hier blindemannetje met je in dat bosje walnootbomen.'

'Ook zij zijn nu dood,' zei Rhius vermoeid. 'Allemaal, op oom Tynir na. Hij raakte zijn vrouw kwijt aan de pest en zijn dochter aan de koning. Hij heeft in de noordelijke gewesten een nieuw landhuis gebouwd.'

Er liepen een paar tuinlieden langs die een kar vol goed verteerde stalmest trokken. Een lange, brede man in een jas bestikt met juwelen kwam uit een rosarium om hen aan het werk te zien.

Rhius' mond vertrok toen hij hem zag. 'Kom, laten we binnen maar verder praten.'

Iya keek nog eens naar de onbekende, en probeerde te bedenken wie dat kon zijn. 'Heb je een gast?'

'Een heel stel.'

Rhius ging haar voor naar een kamer die door verschillende lampen werd verlicht. Hij sloot de deur en Iya mompelde een spreuk die spiedende ogen en luistervinken buiten moest sluiten.

'Die kerel in de tuin is heer Orun, kanselier van Financiën. Nu herinner je hem toch wel?' vroeg Rhius, die rondjes om de enorme tafel midden in de kamer liep.

Iya bleef bij de deur staan en keek hoe hij zich als een wolf in een kooi bewoog. 'Ach natuurlijk. Hij logeerde hier ook vaak in de tijd dat je vader hier nog woonde. Tharin had een flinke hekel aan hem.'

'Ja, dat is hem. Hij is hoog gestegen op de hofladder en geldt bovendien als het oor van de koning. Je kunt hem maar beter niet boos maken. Illior zij dank dat Erius Hylus als Opperkanselier behouden heeft. Hij is in staat om de meeste edelen ervan te weerhouden elkaar levend op te vreten.'

'Maar waarom is Orun hier?'

'Hij kende mijn vader goed en nu wil hij ervoor zorgen dat hij ook mij goed leert kennen. Deze keer heeft hij een neefje van hem meegenomen dat volgens hem mooi mijn adjudant kan worden.'

'Hij zet zijn spionnetjes dus uit?'

'Ik struikel erover. Hij heeft me verschillende pages cadeau gedaan en een bijzonder knap minstreeltje dat hij waarschijnlijk als bedgenootje hierheen gestuurd heeft. Ze is vandaag op stap, anders zou ik je aan haar voorstellen zodat ik eindelijk zeker weet wat de bedoeling is.'

Hij ging zitten en richtte zijn afgematte blik op haar. 'Dus nu ben je ook eindelijk teruggekomen? Je hebt weinig haast gemaakt.'

Iya negeerde die opmerking. 'Ik ben alleen gekomen voor een bezoek aan je kind. Prins Tobin zendt zijn groeten en een boodschap. Hij mist je.'

'Bij de Vier, als je eens wist hoe ik hém mis!'

'Tharin deed voorkomen of dat wel meeviel.'

Een blos van boosheid kleurde de wangen van de hertog. 'Leugens planten zich voort als maden op een dood paard, zeggen ze wel eens. Al die tijd heb ik alles wat Tobin betreft voor hem geheimgehouden. Nu is dat geheim tussen ons in gaan staan en heeft hem verdreven.'

'Hoe dat zo?'

Rhius gebaarde naar de kamer, misschien wel naar het hele landgoed. 'Koning Erius heeft liever dat ik in de buurt blijf, nu zijn zuster me niet langer loyaal kan houden. Verder dan dit mag ik niet van Ero verwijderd zijn. Moet ik Tobin dan hier brengen, waar Erius en zijn magiërs me komen opzoeken wanneer ze daar zin in hebben? Nee, daarom stuurde ik een man weg die meer van me houdt dan een broer zou kunnen, stuurde hem terug om een vader te zijn voor Tobin, nu dat mij onmogelijk wordt gemaakt.'

Hij wreef over zijn gezicht. 'Het zoveelste offer.'

Iya ging naar hem toe en greep zijn hand. 'Je kent Tharin, dat zal heus wel meevallen. Hij houdt ook nog steeds van jou en heeft het meestal over jou tegen Tobin. Maar een bezoekje af en toe zal de koning je toch niet misgunnen?'

'Misschien niet, maar het maakt me zo... bang. We weten wat Tobin is en moet worden, maar ze is ook mijn geliefde kind en alles wat me van Ariani rest. Haar veiligheid is me elk offer waard!'

'Dan kun je mij misschien een beetje vergeven; je weet heus wel dat ik daarom zo lang weggebleven ben.' Ze nam de Havikspeld uit een beurs aan haar gordel en smeet hem op tafel. 'Heb ik in Ero gekregen.'

Rhius trok een vies gezicht. 'O, ja. Niryns onderscheidinkje.'

Nu was het Iya's beurt om als een gekooid dier om de tafel te lopen terwijl ze vertelde van haar bezoek aan de stad, eindigend met de huiszoeking in de herberg en haar visioen van de tovenares die een onbekend meisje zocht.

Rhius lachte verbitterd. 'Je bent te lang weggeweest. Niryn is een orakel geworden en beweert te dromen van iemand die Erius van de troon wil stoten – een valse koningin door zwarte kunst tot stand gebracht. Het was niet genoeg alle vrouwen van koninklijken bloede om te brengen, nu zijn ze uit op Tekens en Mysteries.'

'Ik denk dat hij hetzelfde visioen kreeg als ik, maar hij begrijpt het niet. Of hij wil het niet begrijpen. Het was niet genoeg om de adellijke vrouwen te doden, want geen van hen was de ware en daarom duurt de droom voort. Gelukkig heeft hij Tobin nog niet goed kunnen bekijken. Ik denk dat we Lhel daar dankbaar voor moeten zijn. Hoe dan ook, Niryn heeft een idee van wat er gaat komen en de tovenaars van Skala moeten geteld en tegen hun broeders en zusters opgezet worden.'

'Bij het Licht! Als ze ontdekken wie Tobin is voor ze oud genoeg is om ten strijde te trekken, om leider te zijn...'

'Ik denk niet dat we daar nu al bang voor moeten zijn. Ze hebben wel een vermoeden dat er een magische bescherming in het spel is. Waarom zouden ze anders mijn kamer doorzocht hebben om te zien of ik haar daar verborg?'

'Weet je zeker dat ze niets gevonden hebben dat naar haar verwijst?'

'Ik heb er niets van gemerkt. Maar op een kwade dag leggen die spionnen wel een verband tussen mij en je familie. Ik mag hopen dat Arkoniëls aanwezigheid in de burcht niet te veel aandacht trekt.'

'Ik heb ze niets over hem verteld. Zorg dat hij de stad niet in gaat; hij moet ongeregistreerd blijven.'

'Dat was ik al van plan. Heeft Niryn eigenlijk al naar het kind geïnformeerd?'

'Helemaal niet. Maar hij heeft het ook vreselijk druk met de Haviken en hun werk, dat houdt hem voorlopig wel bezig. Hij is bezig een machtig hofkliekje bij elkaar te krijgen.'

'Hoe bedoel je?'

Rhius vlocht zijn vingers ineen om zijn rechterknie en staarde naar de zwarte rouwsteen aan zijn linker middelvinger. 'Er gaan geruchten dat er buiten de stad geheime vergaderingen gehouden worden.'

'En Erius zegt daar niets van? Ik kan me niet voorstellen dat zelfs het kleinste gerucht niet meteen danig uitgeplozen wordt.'

'Ze dienen hem, of dat denkt hij. Zo paranoïde als hij is wat rivalen betreft, zo blind is hij voor de bezigheden van Niryn en zijn volgelingen.'

'Of zo blind is hij gemaakt. Wat vind je trouwens van het gedrag van de koning? Heb je al tekenen van zijn moeders waanzin in hem ontdekt?'

'Op het eerste gezicht lijkt hij geen spat op haar. Die toestand met de kleine meisjes...' Weer zo'n vermoeid gebaar in de ruimte. 'Hij is de eerste niet die over lijken gaat als hij daardoor op de troon kan komen. Niryn heeft hem jarenlang verhalen van verraders en rivalen in gefluisterd, en kreeg schouderklopjes toen hij ook nog mensen liet executeren. Malle Agnalain had geen tovenaars nodig; haar zoon doet geen stap zonder hen. Niryn schept op over zijn visioenen, maar vaart uit tegen Illioranen en magiërs en iedereen die op zou kunnen staan om de Profetie van Afra te verkondigen.'

'Hoeveel Haviksmagiërs zijn er nu?'

'Twintig misschien. Velen van hen zijn nog jong en hij houdt ze goed in de hand. Maar aan het hof zijn er lieden die weten wat macht is en die steunen hem. Heer Orun hoort erbij. Vertel eens Iya, hoeveel tovenaars zijn onze zaak na al die jaren zwerven nu eigenlijk toegedaan?'

Iya hield een vinger tegen haar lippen. 'Meer, maar laat dat maar aan mij over wanneer het moment daar is. En je weet best dat tovenaars alleen Tobin niet op de troon kunnen zetten. We hebben legers nodig. Ben je nog steeds bereid om de kans te wagen?'

Rhius' gezicht werd een ijzeren masker. 'Wat heb ik te verliezen wat al niet van me afgenomen is? Tobin kan toch niet eeuwig verborgen blijven. Hij moet bekendmaken...' Hij wreef over zijn oogleden en zuchtte. 'Eens moet zij bekendmaken wie ze is en ofwel de troon opeisen of sterven. Als ze vóór dat moment ontdekt wordt, zal niemand van ons Erius' wraak kunnen ontlopen. In zo'n geval maakt een strijder zich geen zorgen.'

Iya bedekte zijn hand met de hare en kneep er even in. 'De Lichtdrager heeft zowel voor jou als voor Tobin gekozen. Dat vertrouwen is niet misplaatst. We moeten inderdaad op onze hoede blijven; dat we in Illiors gunst staan is nog geen garantie voor succes.' Ze bekeek het gezicht van de hertog. 'Als we morgen zouden moeten vechten, hoeveel mannen zou je dan in kunnen zetten? Welke edelen zouden achter je staan?'

'Tharin natuurlijk en de mannen van zijn landgoed. Nyanis, denk ik, en Solari ook. Zij staan achter me. Mijn oom is niet gek op de koning en bezit schepen. Zij die vrouwen en dochters door hem zijn kwijtgeraakt – velen van hen zouden graag een rechtmatige koningin op de troon zien en daarvoor knokken als ze ruiken dat ze zouden kunnen winnen. Vijfduizend, misschien meer. Maar niet voor een kind, Iya. Ik denk niet dat ze voor Tobin zouden opdraven. Erius is een sterke koning, op veel gebieden doet hij het niet slecht en Plenimar blijft maar onrustig. Het is net als toen zijn moeder stierf en Ariani nog zo jong was.'

'Niet helemaal. Toen zaten ze met een gestoorde koningin. Nu hebben ze jaren van ziekte en hongersnood achter de rug en wordt er hier en daar over een voorspelling gefluisterd. Er zal een teken gegeven worden, heer, en als het komt zullen de mensen het herkennen.'

Iya stopte en schrok ervan hoe luid haar stem in het kleine kamertje geklonken had, en hoe haar hart tekeerging. In Afra had ze zoveel toekomstmogelijkheden gezien – was het teken waar ze op wachtte hierbij geweest?

Ze ging naast Rhius zitten. 'De koning wil je aan zijn zijde, maar niet vanwege Tobin. Waarom? Wat is er in jullie verhouding veranderd?'

'Weet ik niet. Kijk, bij mijn huwelijk met Ariani kwam de liefde van één kant: ik hield van Ariani en haar broer hield van mijn land. Ik denk dat hij dacht dat ik eerder zou sterven en alles aan haar en dus aan de kroon zou nalaten. Nu denk ik dat hij het via Tobin wil spelen. Erius heeft het vaak over Tobin en dat hij naar het hof gebracht zou moeten worden om zich bij de Gezellen aan te sluiten.'

'Daar is hij nog niet oud genoeg voor.'

'Maar binnenkort wel en al doen er verhalen over ziekelijkheid en de vloek van de demon de ronde, Erius heeft altijd gewild dat de neven elkaar beter leerden kennen. Soms denk ik echt dat dit uit liefde voor zijn zuster is. Maar goed, als Tobin eenmaal aan het hof leeft, is hij niet veel meer dan een gijzelaar.' Rhius keek weer naar de speld en fronste zijn voorhoofd. 'Je weet hoe het hier is; als hij eenmaal in het paleis woont, zul je mijn kind dan nog steeds kunnen beschermen?'

'Met heel mijn hart, heer, dat zal gebeuren,' verzekerde Iya hem, en ze durfde niet te laten blijken dat ze zich ineens helemaal niet zo zeker meer voelde. Als met een handvol dobbelstenen kon het met Tobins toekomst nog alle kanten op.

28

Sinds Ki bij hen woonde reeg de ene gelukkige week zich aan de andere. Arkoniël zou nooit weten wat Iya bij haar bezoek aan Atyion tegen Rhius had gezegd, maar de hertog keerde vrij snel na haar bezoek terug naar de burcht en beloofde tot Tobins verjaardag te blijven. Daar kwam nog bij dat hij weer een beetje de oude Rhius was geworden, enthousiast over de aanpak van het huis en vrolijk genoeg om Arkoniël en Tharin uit te nodigen voor een spelletje in de avonduren. De kloof tussen Rhius en zijn vriend scheen gedicht. De twee mannen leken net als vroeger dikke vrienden.

De hertog vond Ki een aanwinst en prees Tharins training wanneer Ki de maaltijden serveerde of een goede partner voor Tobin bij het zwaardvechten en boogschieten bleek. Toen Tobin op zijn tiende naamdag in de hal neerknielde en vroeg of Ki zijn schildknaap mocht worden, gaf Rhius zijn toestemming dan ook onmiddellijk en stond de jongens toe om diezelfde avond hun eed aan Sakor bij het huisaltaar af te leggen. Tobin gaf Ki een van zijn fraaiste paardenamuletten aan een ketting om hun band te bezegelen.

En toch gedroeg Rhius zich ondanks alles vrij afstandelijk tegenover Ki, wat de jongens een onbehaaglijk gevoel gaf.

Rhius had Ki een nieuw stel kleren en een fraai voskleurig paard gegeven dat Draak heette. Toen Ki hem wilde bedanken zei Rhius alleen: 'Mijn zoon moet goed gediend worden.'

Ki aanbad Tharin en was bereid om Tobins vader dezelfde toewijding te betonen, maar Rhius gedroeg zich soms zo koeltjes dat Ki er zenuwachtig van werd.

Tobin zag dit wel en leed in stilte met zijn vriend mee.

Alleen Arkoniël en Nari begrepen wat de reden voor het gedrag van de hertog was en geen van beiden kon hen troosten door te vertellen wat daarachter zat. Onderling spraken ze ook liever niet over het zwaard van Damocles dat boven de jonge Ki hing.

Op een heldere, koude middag een paar weken later leunden Arkoniël en Rhius tegen de borstwering om naar de spelende jongens in de wei te kijken.

Tobin was op zoek naar Ki die in een holte verderop lag, omgeven door gras waarop een dikke laag stuifsneeuw lag. Het lukte Ki om de stoomwolkjes van zijn adem verborgen te houden, maar uiteindelijk verried hij zijn schuilplaats omdat hij tegen een dode melkdistel aan schopte. Er hingen nog wat gedroogde zaadbollen aan de stengel en toen hij ze aanraakte, barstten ze open en hun zijdeachtige witte zaden stoven op als een rooksignaal op het slagveld.

Rhius grinnikte. 'Aha, nou is hij er gloeiend bij.'

Tobin zag het en rende naar voren om zich op zijn vriend te werpen. De worstelwedstrijd die daarvan het resultaat was deed nog een wolk zaadjes opstuiven. 'Bij het Licht, die Ki is wel een godsgeschenk.'

'Vind ik ook,' zei Arkoniël. 'Ongelooflijk hoe snel die aan elkaar gehecht zijn geraakt.'

Op het eerste gezicht hadden de jongens niet meer van elkaar kunnen verschillen. Tobin was van nature rustig en ernstig; Ki leek nooit stil te kunnen zitten en scheen geen twee minuten zijn mond te kunnen houden. Aan kletsen had hij net zo'n behoefte als aan ademhalen. Hij praatte nog steeds zo plat als vroeger en was soms even grof in de mond als een zigeuner. Nari zou hem af en toe graag een draai om zijn oren hebben gegeven als Tobin er niet steeds tussen was gekomen. Maar de inhoud van wat hij zei was meestal intelligent genoeg, al had hij dan weinig scholing gehad, en het was in elk geval bijzonder vermakelijk.

En als Tobin al niet probeerde om Ki in onbesuisdheid naar de kroon te steken, was het Arkoniël wel duidelijk dat hij ervan genoot. Hij straalde als een volle maan in Ki's aanwezigheid en verlustigde zich in de verhalen over de grote en kleurrijke familie van zijn vriend. En niet alleen Tobin smulde daarvan. Wanneer iedereen zich 's avonds om het vuur schaarde, was Ki meestal hun voornaamste bron van verstrooiing en binnen de kortste keren hield iedereen zijn buik vast van het lachen wanneer hij in beeldende bewoordingen de streken en tegenvallers van zijn zeer diverse familieleden beschreef.

Hij kende ook een indrukwekkende hoeveelheid verminkte fabels en mythen die hij bij de haard in zijn ouderlijk huis gehoord had, verhalen over pratende dieren, spoken en fantastische koninkrijken waar mensen twee hoofden hadden en vogels gouden veren lieten vallen die scherp genoeg waren om de vingers van hebzuchtige lieden in tweeën te snijden.

In een poging om Iya's advies op te volgen, bestelde Arkoniël geïllustreerde versies van de bekende verhalen, in de hoop dat die de jongens zouden verleiden zijn leeslessen te volgen. Tobin worstelde nog steeds met zijn letters en van Ki kon hij weinig hulp verwachten. De oudste jongen was niet ontvankelijk voor geleerdheid, wat heel gewoon was in kringen van de trotse maar verarmde landadel – zijn vader had nog nooit zijn naam in letters gezien en dat zou hem een zorg zijn ook. Arkoniël berispte hem er niet om; in plaats daarvan liet hij een paar boeken met uitzonderlijk aantrekkelijke illustraties openliggen en vertrouwde erop dat de nieuwsgierigheid het werk voor hem zou doen. En inderdaad had hij Ki puzzelend boven een bestiarium gevonden. Tobin was aan het werk gegaan met een geschiedenisboek over zijn befaamde voorouder, Ghërilain de Eerste, een geschenk van zijn vader.

Ki was een betere bondgenoot wat magie betrof. De jongen bezat de normale fascinatie voor alles wat met tovenarij te maken had. Zijn enthousiasme vergemakkelijkte het voor Arkoniël om te proberen die vreemde angst van Tobin weg te vagen. De tovenaar begon met kleine illusies en een paar simpele transformatietrucs. Maar terwijl Ki zich eindeloos en zonder zorgen met die voorstellingen vermaakte, was Tobins reactie wat minder voorspelbaar. Lichtstenen en trucs met vuur vond hij wel aardig, maar van een visionaire reis moest hij niets meer hebben.

Ook Tharin was heel blij met Ki. De jongen had een aangeboren begrip van eer en begon trots aan zijn training voor schildknaap. Hij leerde de basistechnieken van het bedienen aan tafel, al werd er op de burcht weinig formeel gedaan, en hij dook gretig in de technieken van alle andere taken die hem te wachten stonden.

Tobin was wars van al Ki's pogingen om hem te bedienen. Hij wilde geen hulp bij het baden en kleden, en nam ook nog het liefst zijn eigen paard onder handen.

Uiteindelijk bleek Ki het meest van nut bij het zwaardvechten. Hij was bijna een hoofd groter dan Tobin en had met zijn broers en zusters gevochten sinds hij kon lopen. Hij was een uitstekende partner, en sterk op de koop toe. Vaker wel dan niet won hij de wedstrijd en zat Tobin met de blauwe plekken. Het sierde Tobin dat hij daar niet over zeurde en hij luisterde geduldig als Tharin of Ki hem uitlegde wat hij fout had gedaan. Het hielp ook dat Tobin Ki weer de baas was bij het boogschieten en paardrijden. Tot hij op de burcht kwam had Ki nooit een zadel onder zijn achterste gehad. In naam was hij de zoon van een ridder, maar hij had als boerenknecht geleefd. Misschien dat hij daarom nooit een taak weigerde en iedere gunst dankbaar aannam. En Tobin, die te lang tussen de vrouwen had verkeerd, zag elke klus als een spelletje en stond er vaak op te helpen met karweitjes die de meeste zonen van edellieden ver beneden hun waardigheid gevonden zouden hebben. Daardoor werd Tobin met de dag vrolijker en bruiner en de mannen in de kazerne gaven Ki alle eer van die verandering, en waren gek op allebei de jongens.

Wanneer Nari en Arkoniël zich druk maakten over Tobin die de stallen uitmestte of met Ki een schutting repareerde, joeg Tharin ze gewoonlijk snel het huis weer in.

'De demon lijkt zich te gedragen sinds hij er is,' mompelde Rhius hardop en hij onderbrak Arkoniëls gedachtegang.

'O, ja?' vroeg hij. 'Ik ben hier nog niet lang genoeg om daarover te oordelen.'

'En hij doet Tobin nooit meer kwaad, niets sinds... niet sinds zijn arme moeder stierf. Misschien was dat toch het beste voor iedereen.'

'Dat meent u niet, heer!'

Rhius staarde over de weide. 'Je kende mijn vrouw toen ze gelukkig en gezond was. Je hebt haar niet meegemaakt in haar veranderde toestand. Toen was je hier niet.'

Arkoniël had daar niets op te zeggen.

De jongens hadden besloten even op adem te komen. Ze lagen naast elkaar in het besneeuwde gras en wezen naar de wolken die langs de blauwe winterhemel dreven.

Arkoniël keek omhoog en glimlachte. Het was jaren geleden dat hij het wolkenspelletje gespeeld had. Waarschijnlijk was het de eerste keer dat Tobin leerde dat je er vormen in kon ontdekken.

'Kijk,' zei Ki. 'Die wolk is een vis. En die daar lijkt op een pot waar een varken uitklimt.'

Tobin wist niet dat de tovenaar naar hem keek, maar zijn gedachten kwamen op hetzelfde neer. Het leek wel of alles veranderd was sinds Ki bij hem gekomen was, en alleen maar ten goede. Zoals hij hier lag met de zon op zijn gezicht en de kou die optrok door zijn cape was het heel eenvoudig om alles te vergeten wat te maken had met moeders en demonen, en andere schaduwen die in een hoek van zijn bewustzijn wachtten om hem te bespringen. Hij kon zelfs Broer negeren die een paar voet van hen vandaan gehurkt op de grond zat en Ki met zwarte, hongerige ogen bekeek.

Broer had een pesthekel aan Ki. Hij wilde niet zeggen waarom, maar Tobin kon aan de manier van kijken zien dat hij de levende jongen wilde knijpen, slaan en pijn doen. Iedere keer dat Tobin Broer opriep, waarschuwde hij hem om Ki niets te doen, maar dat betekende nog niet dat Ki niet opeens voorwerpen uit zijn handen zag wegvliegen of zijn drinkbeker met een zwieper werd omgegooid. Ki schrok daar altijd van en vloekte binnensmonds, maar rende nooit weg en gilde het ook niet uit. Tharin zei dat dat een teken van ware moed was, om pal te staan wanneer je bang was. Ki kon Broer niet zien, maar na een tijdje dacht hij wel dat hij hem kon voelen wanneer hij in de buurt was.

Als het aan Tobin gelegen had, had hij Broer weggestuurd en hem een tijdje hongerig in het duister laten zitten, maar hij had Lhel nu eenmaal gezworen dat hij voor Broer zou zorgen en hij moest woord houden. Dus riep hij Broer elke dag en de onheilspellende geest zat als een onwelkome hond terzijde wanneer zij hun spelletjes speelden. Hij zweefde in de schaduwen van de speelkamer en ging mee het bos in wanneer ze gingen rijden, want hij kon hun paarden bijhouden zonder te rennen. Tobin had een keer gevraagd of Broer niet net als in zijn droom achter hem op het paard wilde zitten, maar de geest bedankte ervoor met zijn gebruikelijke zwijgen en ogen vol onbegrip.

Ki wees een andere wolk aan. 'Die ziet eruit als die lekkere taartjes die ze thuis met het Bloemenfestival verkopen. En daar, een hondenkop met zijn tong uit zijn bek.'

Tobin trok een paar klitten van stekelzaad uit zijn haar en schoot ze naar de wolkenvormen. 'Ik vind het zo leuk dat ze veranderen als ze verder drijven. Die hond van jou lijkt nu meer op een draak.'

'De grote draak van Illior, alleen wit in plaats van rood,' beaamde Ki. 'Als je vader ons eens meeneemt naar Ero laat ik je de wandschildering in de tempel van Goudsmidstraat zien. Hij is zeker honderd voet lang met edelstenen als ogen en de omtrek van de schubben is met goudverf geschilderd.'

Hij zocht de hemel af. 'En nu ziet de taart eruit als ons dienstmeisje Lilain, met Alons bastaard acht manen in haar buik.'

Tobin wierp een blik op zijn vriend en uit het soort grijns maakte hij op dat Ki weer een verhaal te vertellen had.

En inderdaad, Ki ging verder. 'We dachten dat Khemeus ze allebei zou afmaken, want hij liep al kwijlend om d'r heen sinds ze bij ons werkte. Maar het draaide alleen uit op een knokpartij op het erf. Het regende dat het goot en ze gleden uit in de mestvaalt. Toen zijn ze maar naar de kroeg gegaan en hebben zich een stuk in hun kraag gedronken. Toen Lilains baby eruit was, leek hij trouwens toch op Khemeus, dus was het waarschijnlijk toch van hem, en toen vochten hij en Alon daar ook weer over.'

Tobin staarde naar een wolk en probeerde uit te vogelen waar dit nu allemaal precies over ging. 'Wat is een bastaard?'

'Je weet wel, een baby die komt als een man en een vrouw geen contract getekend hebben.'

'O.' Dat zei hem eerlijk gezegd nog niks. 'Hoe kwam die dan in de buik van het meisje?'

Ki kwam op één elleboog overeind en staarde hem ongelovig aan. 'Weet je dat niet? Heb je nooit beesten bezig gezien?'

'Met wat?'

'Met neuken natuurlijk! Je weet wel, hengsten die op de rug van een merrie kruipen, of een haan op een kip? Bij de ballen van Bilairy, Tobin, je hebt toch op z'n minst wel eens honden zien neuken?'

'O, dat!' Tobin kreeg door waar Ki het over had, al kende hij het woord niet. Hij had zo'n idee dat dit weer een van de woorden was die Nari en Arkoniël niet wilden horen, en sloeg het verrukt op. 'Dus mensen doen dat ook?'

'Ja, hèhè!'

Tobin ging zitten met zijn armen om zijn knieën geslagen. De gedachte was boeiend en verwarrend tegelijk. 'Maar... hoe dan? Vallen ze niet om?'

Ki liet zich schaterend op zijn rug vallen. 'Ik dacht het niet! Je hebt het twee mensen nog nooit zien doen zeker?'

'Jij wel dan?' zei Tobin honend, want hij dacht dat Ki hem uitlachte.

'Bij ons thuis?' proestte Ki. 'Ze deden niet anders! Vader lag altijd wel boven op de een of de ander, en de oudere knullen op de meiden, of soms ook andere kerels. Nog een wonder dat er ook nog geslapen werd! Ik vertelde je toch dat in de meeste huizen iedereen bij elkaar slaapt. De huizen die ik ken tenminste.'

Tobin probeerde zich de daad zelf nog steeds verbouwereerd voor de geest te halen, dus plukte Ki een stel gevorkte plantentakjes uit het gras en gebruikte ze ter illustratie bij zijn gedetailleerde uitleg.

'Bedoel je dat hij groter wordt?' vroeg Tobin met grote ogen. 'Maar doe je het meisje dan geen pijn?'

Ki stak een van de takjes in een mondhoek en gaf Tobin een knipoog. 'Aan de geluiden te horen die ze maken lijkt me dat heel onwaarschijnlijk!'

Hij keek hoe laag de zon stond. 'Ik krijg het koud. Kom op, laten we gaan rijden voor Nari weer zeurt dat het te laat is. Misschien komen we die heks van jou vandaag wel tegen!'

Tobin wist nog steeds niet zeker of het goed was geweest dat hij Ki over Lhel had verteld. Hij wist niet eens meer of ze gezegd had hij dat met niemand over haar mocht spreken, maar hij had het schuldbewuste gevoel dat ze wel een opmerking in die richting had gemaakt.

Op een avond in bed had Ki een oeverloos verhaal over een heks in zijn dorp verteld en Tobin had eruit geflapt dat hij er ook een kende. Natuurlijk moest Ki alle details horen, want zijn eigen verhaal was maar een verzinsel dat hij eens van een verhalenverteller thuis had gehoord. Uiteindelijk vertelde Tobin hem van de dromen. Hij vertelde hem ook dat hij verdwaald was en over de holle eik waarin Lhel woonde, maar over de pop zei hij niets.

Sinds die nacht was het de reden voor vele tochten geweest, met de bedoeling dat Ki haar ook zou ontmoeten.

Elke dag gingen ze uit rijden, maar tot nu toe hadden ze geen spoor van haar gevonden. Tobin kwam altijd met gemengde gevoelens terug. Hij wilde haar graag weer eens zien en te weten komen wat ze hem wilde leren, maar hij was tegelijkertijd opgelucht dat het niet gelukt was, voor het geval ze kwaad was dat hij het aan Ki had verklapt.

Ondanks weken van vruchteloze zoektochten bleef Ki vast geloven dat ze haar zouden vinden, zo spannend vond hij het dat Tobin zijn geheim met hem gedeeld had.

Het was een genoegdoening voor de geheimen die Tobin niet met hem kon delen.

De jongens hielden de stand van de zon in het oog terwijl ze hun paarden aanspoorden. De dagen waren kort geworden en slecht weer daalde neer vanuit de bergen.

Broer bleef altijd in de buurt, met zijn gebruikelijke stijve wandelpas die te langzaam moest zijn om hen bij te houden, maar die dat niet was. Hoe snel ze ook reden, hij zat altijd vlak achter hen.

Ki maakte zich ergens anders druk om. 'Hoe zou die heks van jou in die holle boom van haar de winter doorkomen?'

'Ze had toch vuur om op te koken,' bracht Tobin hem in herinnering.

'Jawel, maar de sneeuw bedekt de ingang natuurlijk. En dan moet ze zich uitgraven als een konijn. En wat kan ze dan te eten vinden?'

Terwijl ze daarover piekerden, lieten ze hun paarden vastgebonden aan een boom achter en gingen te voet verder over een wildspoor dat Tobin een paar dagen eerder ontdekt had. Ze volgden het, maar het liep dood en tot overmaat van ramp was het laatste daglicht bijna verdwenen. De zon raakte de toppen van de bergen al toen ze het maar opgaven en terug wilden lopen; ze zouden hun paarden flink de sporen moeten geven om terug te zijn voor Nari zich zorgen begon te maken.

Ki was net opgestegen en Tobin had één voet in de stijgbeugels toen de paarden schichtig heen en weer begonnen te stappen. Gosi steigerde, zodat Tobin achteroverviel en het paard galoppeerde er meteen vandoor. Met een kreet van verbazing kwam Tobin hard op zijn rug terecht. Hij zag nog net hoe Ki Draak in bedwang probeerde te houden toen die achter Gosi aan rende. Beide paarden verdwenen met Ki om de bocht.

'Verdomme!' riep hij. Hij krabbelde net overeind toen hij een oorverdovend gegrom hoorde en in gebogen houding bevroor. Hij keek langzaam naar rechts en zag dat hij tegenover een bergleeuw stond die plat tegen de grond gedrukt tussen de bomen aan de andere kant van de weg lag.

De bruingele vacht van het grote roofdier stak nauwelijks af tegen de winterse begroeiing, maar zijn grote felgele ogen waren duidelijk op hem gefixeerd. Met zijn buik tegen de grond zwiepte hij met zijn staart heen en weer; dode bladeren en sneeuw stoven op en werden dooreen gemengd. Toen, alsof hij in een nachtmerrie zat, deed het dier één stap naar voren, toen twee, met zijn spieren die zich spanden en over zijn schouders golfden.

Hij besloop hem.

Wegrennen had geen enkele zin. Tobin was te bang om zijn ogen te sluiten.

De bergleeuw deed nog een stap naar voren en bleef toen met de oren plat tegen zijn stompe kop staan omdat Broer tussen hen in verscheen.

De kat kon hem zien. Hij drukte zich nog dichter tegen de grond, gromde zacht en liet zijn gemene kromme slagtanden zien, die zo lang waren als Tobins duim. Hij was nu buiten zichzelf van angst.

De bergleeuw grauwde en sprong als een veer op de geest af. De enorme poot scheerde nog geen twee voet langs Tobins borst, hij voelde de lucht bewegen en zag de klauwen door Broers buik glijden. Maar Broer bleef gewoon staan. Het beest gromde nogmaals en maakte zich op voor een volgende sprong.

Tobin hoorde dat er iemand op hen af kwam. Het was Ki, die met wild fladderend haar terug gerend was. Hij stiet een woeste aanvalskreet uit en holde zwaaiend met een dikke tak recht op de leeuw af.

'Nee!' schreeuwde Tobin, maar het was te laat. De kat sprong en viel boven op Ki's borst. Samen rolden ze over de weg en eindigden met de kat bovenop.

Eén afschuwelijk moment lang leek de tijd voor Tobin stil te staan, net als toen zijn moeder langs de zijkant van de toren naar beneden viel. Ki lag op zijn rug onder de bergleeuw; Tobin kon alleen zijn gespreide benen maar zien en de achterpoot van het beest die tegen zijn buik drukte, klaar om hem als een eekhoorn open te rijten.

Maar noch de kat, noch Ki bewoog en nu stond Broer weer boven hen. Tobin was zich er niet van bewust dat hij rende om boven op de rug van de kat terecht te komen en de enorme kop van Ki's keel trok. Het beest was dood gewicht in zijn handen en de kop viel slap opzij.

'Ki! Ki, ben je dood?' schreeuwde Tobin en hij probeerde het zware karkas van zijn vriends lichaam te sleuren.

'Niet echt, geloof ik,' kwam het zwakke antwoord. Ki begon te worstelen en samen kregen ze het dode beest op de grond. Ki kwam bevend en lijkbleek, maar onmiskenbaar levend overeind. De voorkant van zijn tuniek had een aantal grote scheuren en bloed druppelde neer op de veters vanuit een grote haal in zijn nek. Tobin viel op zijn knieën en keek hem strak aan, het was ook zo ongelooflijk wat er net gebeurd was. Zonder een woord te zeggen keken ze naar de gigantische wijfjesleeuw naast hen. De gele ogen keken zonder iets te zien in de greppel. Donker bloed kleurde de sneeuw onder haar kaken rood.

Ki had zijn stem het eerst weer terug. 'Bij Bilairy's harige ballen!' zei hij schor, met een stem die een octaaf hoger was dan normaal. 'Wat gebeurde er in godesnaam?'

'Ik denk dat Broer haar afgemaakt heeft!' Tobin keek verwonderd naar de geest die nu gehurkt bij de dode kat neerzat. 'Hij kwam tussen haar en mij in en stopte haar aanval. Maar toen kwam jij als een dolle aangerend met... Waar was je in hemelsnaam mee bezig, man, met een tak op een bergleeuw afstormen?'

Ki haalde het paardenamulet dat hij aan een veter om zijn nek droeg tevoorschijn. 'Ik ben je schildknaap. Ik kon niks anders vinden en...' Ki zweeg en staarde met open mond naar iets achter Tobins rug.

Tobins nekharen gingen overeind staan. Joegen bergleeuwen altijd met zijn tweeën? Of in groepen? Hij draaide zich te snel om, verloor zijn evenwicht en viel weer op zijn rug.

Lhel stond een paar stappen van hen vandaan, net zo smerig en haveloos als hij zich haar herinnerde. Ze keek absoluut niet verrast toen ze hem hier met een dode bergleeuw aantrof.

'Jullie mij zoeken, kiesa's?'

'Eh, ja. Ik... ik hoop dat u het niet erg vindt. Ik heb mijn vriend... Hij heeft nog nooit een heks gezien. En u zei dat u me... dingen zou leren en zo,' hakkelde hij. In het schemerlicht kon hij niet zien of ze kwaad was.

'En in plaats jullie vinden grote *maskar*.' Ze duwde met een in lappen omwikkelde voet tegen de dode kat.

'Broer hield hem tegen, maar toen kwam Ki en toen doodde B...'

'Ik dood. Broer maakt niet dood.'

Beide jongens keken haar nu met grote ogen aan. 'U? Maar... maar hoe dan?' vroeg Tobin.

Ze snoof. 'Ik heks.' Ze knielde en nam Tobins gezicht tussen haar twee ruwe handen. 'Jij gewond, kiesa?'

'Nee.'

'Jij?' Ze reikte naar Ki's hals.

Ki schudde het hoofd.

'Mooi.' Lhel grijnsde, waardoor de jongens de gaten tussen haar tanden goed konden zien. 'Jij Tobins dappere vriend. Heb stem, kiesa?'

Ki bloosde. 'Ik weet niet wat ik tegen een heks moet zeggen.'

'Zeg "Hallo, heks" misschien?'

Ki krabbelde overeind en maakte een buiging alsof ze een jonkvrouw was. 'Hallo, vrouwe Lhel. En nog bedankt! Ik sta bij u in het krijt.'

Lhel legde een hand op zijn hoofd. Heel even dacht Tobin dat hij een spoor van droefheid in haar ogen zag en hij kreeg een onaangenaam gevoel in zijn buik. Maar de blik was weg toen ze zich omdraaide en Tobin omhelsde. Hij liet zich stijfjes vastpakken; er hing nog steeds een vreemd geurtje om haar heen.

Terwijl ze hem vasthield, fluisterde ze: 'Dit is goede kiesa. Jij aardig voor hem? Bescherm hem?'

'Beschermen? Tegen wie?'

'Zal wel zien, als tijd daar.' Lhel tikte met een vinger tegen zijn borst. 'Niet jij vergeten.'

'Doe ik ook niet.'

Tobin deed een stap achteruit en was weer los. Broer stond zo dicht naast hem dat hij hem aan kon raken en dat probeerde hij ook, om hem te bedanken. Zoals gewoonlijk raakte zijn hand alleen koude lucht, hoewel Broer er uiterst tastbaar uitzag.

'Hoe wist u dat we hier waren?' vroeg Ki.

'Ik jou zien vele keren voor weten wat goede vriend mijn Tobin heeft. Jullie goede strijders samen.' Ze raakte haar voorhoofd aan. 'Dat zie ik hier.' Ze keek Tobin weer aan en wees naar de burcht. 'Jouw andere leraar. Hij goed?'

'Nee. Hij tovert van alles, maar niet zoals jij. En meestal heeft hij het alleen over lezen en rekenen.'

'Hij probeerde ons ook dansen te leren, maar hij danst zelf als een reiger op het ijs,' vertelde Ki haar. 'Komt u met ons mee naar huis, vrouwe? Ik mag u dan wel geen gastvrijheid betonen, maar u hebt mijn leven gered! En het is koud en... Kokkie maakt een vleespastei met paddestoelen...'

Ze klopte hem op de schouder. 'Nee, ze kent mij niet. Niet zeggen, nee?'

'Geen woord!' beloofde Ki en hij grijnsde Tobin samenzweerderig toe. Het verhaal van de heks was een fantastisch geheim geweest; de heks zelf was nog fantastischer dan hij zich had voorgesteld.

'We moeten naar huis.' Tobin keek bezorgd naar de paarsgouden lucht achter de toppen van de bergen. 'Nu we je weer gevonden hebben, mogen we vaker op bezoek komen? Je zei dat je mijn lerares zou zijn.'

'Als tijd daar. Nog niet.' Ze stak twee vingers in haar mond en liet een schril fluitje horen. De weggelopen paarden draafden naar hen toe, hun losse teugels slepend door de sneeuw. 'Maar jullie kunnen bezoeken, hoor.'

'Waar dan? Hoe vinden we je dan?'

'Jij zoekt. Jij vindt.' En toen deed ze een kleine stap opzij en verdween in de schemering.

'Bij de Vlam!' Ki sprong opgewonden op en neer en stompte Tobin tegen zijn arm. 'Bij de Vlam, ze is precies als je vertelde! Een echte heks. Ze maakte die bergleeuw af zonder hem ook maar aan te raken! En ze heeft onze toekomst voorspeld, ja toch? "Goede strijders samen." ' Hij deed of hij een latere vijand een geweldige slag verkocht en kromp ineen van de pijn in zijn zij. Niet dat hij stopte met het schijngevecht. 'Wij tweeën samen! Prins en schildknaap!'

Tobin hief zijn hand en Ki greep hem vast. 'Samen. Maar we mogen niets verklappen,' bracht Tobin hem meteen in herinnering, want hij wist maar al te goed dat Ki er op de onmogelijkste momenten uitflapte wat hem voor de mond kwam.

'Op mijn woord van eer, heer Tobin, ik zal gehoorzamen. Met geen marteling zullen ze ook maar één woord uit me krijgen. En die krijgen we, als we thuiskomen. De zon is beslist al onder.' Hij keek spijtig naar zijn gescheurde tuniek. 'Hoe moeten we dit nou weer verklaren? Als Nari het te weten komt mogen we nooit meer samen het huis uit!'

Tobin beet een minuut op zijn onderlip en wist dat Ki gelijk had. Al probeerde Arkoniël haar te kalmeren, Nari zeurde en maakte zich altijd overdreven zorgen als ze ook maar even te lang uit haar blikveld waren. De gedachte aan het verlies van één zo'n dag van vrijheid was al onverdraaglijk. 'We zeggen gewoon dat Draak er met jou vandoor ging. Dat is niet eens gelogen.'

29

Voor de maand om was, keerde Rhius naar Ero terug. Zo kregen Arkoniël en Tharin weer de volle verantwoordelijkheid voor de jongens.

Na zijn taken als leraar tot ieders tevredenheid aangepast te hebben, bleek Arkoniël heel wat tijd over te hebben om zijn eigen studie weer op te pakken. Iya had het voldoende gevonden te zwerven, ideeën te verzamelen en haar vak in praktijk te brengen voor hen die dat nodig hadden en het konden betalen. Arkoniël had altijd een groot verlangen gehad naar scheppen en studeren; nu leek het erop dat Illior hem zowel de middelen als de mogelijkheden gegeven had om die wens uit te voeren.

Tegen het eind van Kemmin waren de kamers op de derde verdieping eindelijk weer opgeknapt en ingericht en kon hij er twee voor zichzelf gebruiken: een kleine, prettige slaapkamer en een grote studeerkamer met een hoog plafond daarnaast. Als dank voor zijn werk als begeleider en beschermer van de jongens had de hertog hem een vrijwel onbeperkte toelage gegeven om zijn eigen studie te bekostigen wanneer hij zich niet aan andere taken hoefde te wijden.

Voor de eerste keer in zijn bereisde leven had Arkoniël tijd en geld om ingewikkelde magie onder de knie te krijgen. Lang voor het laatste stucwerk op de tweede verdieping droog was, begon hij zijn werkkamer in te richten. De komende maanden zouden er bijna dagelijks kratten bezorgd worden, vol met boeken en instrumenten die hij op zijn reizen bij anderen had gezien. Uit de metaalgieterijen en ovens van Ylani kwamen de vijzels, alambieken, en smeltkroezen voor de studie van alchemie en de samenstelling van magische stoffen. In Alestun vond hij tafels, komfoortjes en gereedschap om een ander deel van de kamer in te richten. In de mijnen van de noordelijke gewesten bestelde hij fijne, heldere kristallen en hij schreef naar andere tovenaars met het verzoek om kruiden, edelmetalen en andere zeldzame substanties waaraan plaatselijk moeilijk te komen was. Hij vroeg zich af of hij het aan zou durven om nog een kamer te vragen. Als men zo royaal zou zijn, zou hij als dank alle geneeskrachtige planten kweken en drankjes maken die een huishouden als dit kon gebruiken.

Aangezien hij maar weinig nieuws over Tobin aan het papier durfde toe te vertrouwen, schreef hij lange brieven aan Iya met zijn vorderingen, plannen en verwachtingen. In haar onregelmatig verzonden epistels las hij tussen de regels door haar waardering en aanmoediging.

Dit is wat een Derde Orëska zou kunnen worden, schreef ze, want ze koos haar woorden zeer zorgvuldig. *Niet één tovenaar die alleen werkt, maar vele, die hun kennis met generaties studenten delen tot het nut van iedereen. Ik neem aan dat je me iets belangwekkends te tonen hebt wanneer we elkaar weer zien.*

Hij was inderdaad van plan aan die verwachting te voldoen, en iets heel wat belangwekkenders dan een nieuwe spreuk om vuur te toveren.

De eerste heftige sneeuwstorm van het jaar kwam in de vijfde nacht van Cinrin. Toen het dag werd, was de wereld een oogverblindend palet van zwart en wit onder een duizelingwekkend blauwe hemel. De jongens konden geen seconde stilzitten om hun lessen te leren met zo'n landschap dat buiten het raam op hen lag te wachten. Hoofdschuddend liet Arkoniël hen gaan en hij trok zich terug in zijn werkplaats om zich in zijn huidige passie te verdiepen. Al snel hoorde hij van buiten geschater opstijgen. Hij liep naar het raam en zag dat Tharin en de jongens in de wei een sneeuwfort aan het bouwen waren. De helling om hen heen leek op een schitterende vlakte vol fijn zout, ongerept, op het stuk waar ze aan het bouwen waren na. Waar ze liepen en hun sneeuwblokken aan het maken waren leken hun schaduwen wel blauw. De weg en de brug waren onzichtbaar geworden onder de sneeuw. Alleen de rivier was nog te zien, als een dikke zwarte slang tussen zijn opgehoogde witte oevers stromend.

Meer gelach en gebulder van Tharin. Ki had Tobin geleerd wat sneeuwballen waren en hoe je ze maakte. De bouw werd tijdelijk stilgelegd, want er moest een strijd worden uitgevochten. Arkoniël kreeg even zin om mee te doen, maar de warmte en de rust in zijn werkkamer wonnen het pleit.

De eerste stap om magie te scheppen, had Iya hem altijd geleerd, was het visualiseren van het gewenste resultaat. Iets bekends te voorschijn toveren werkte op die manier: als je vuur wilde maken, visualiseerde je de vlam en je liet de spreuk je voornemen gericht volgen.

Het toveren van iets onbekends was eenvoudigweg het uitzoeken van de stappen tussen je voornemen en de realiteit.

De eerste tijd, toen hij zich nog aan moest passen aan zijn nieuwe rol en omgeving, en de opwinding van het inrichten van zijn kamers, prutste hij een beetje met alchemie en andere bekende wetenschappen, en perfectioneerde zijn vaardigheden daarin. Toen de winter zijn intrede deed en zijn werk routine begon te worden, dacht hij steeds vaker aan zijn ontmoeting met Lhel.

De alarmerende kracht van haar seksualiteit drong zijn dromen binnen; dan voelde hij haar hitte tegen hem aan en rook hij haar dierlijke, muskusachtige geur.

Elke keer werd hij met bonzend hart en kletsnat van het zweet wakker. Overdag nam hij het niet zo zwaar op en schreef hij het toe aan het bloed in zijn jonge, onstuimige lichaam. De gedachte haar aan te raken zoals in die dromen verontrustte hem dodelijk.

Vandaag herinnerde hij zich echter niet alleen de lichamelijkheid van hun ontmoeting, maar aan wat hij haar vermoedelijk in het bos had zien doen, en aan een droom van lang geleden.

De projectie van je eigen lichaam was bekende magie; niet eenvoudig om onder de knie te krijgen, maar ook niet zeldzaam. Iya kon het en ook Arkoniël was het een paar keer gelukt, maar in Orëska-magie behelsde het resultaat de omtrek van de tovenaar alleen, een beetje onnatuurlijk ook, als een spook bij daglicht. Die dag bij de weg echter had hij Lhel gezien, staand in een ovaal raam; het licht dat op haar viel was daglicht, en hij had het moeras rondom haar gezien terwijl daar in werkelijkheid geen moeras was en, voor zover hij wist, ook niet in de buurt. Zijn eigen geest had dat detail niet in kunnen vullen; Lhel had hem laten zien waar ze zich bevond, net zo duidelijk alsof ze hem door een gat in de lucht naar zich toe had getrokken.

Een gat in de lucht!

Dat beeld was die ochtend in hem opgekomen toen hij wakker werd. Tot dat moment had hij vertrouwd op verdwijningsspreuken, en door ze te vervormen had hij vorm en beweging willen manipuleren. Maar dat had allemaal niet gewerkt.

En nu, met de restanten van de droom nog in zijn hoofd, had hij een heel nieuw idee van de aanpak gekregen. In de droom had hij Lhel weer zien zweven in dat groengetinte licht dat niet paste bij het zonlicht waarin hij zichzelf bevond. Ze was naakt, wenkte hem alsof ze wilde dat hij het stralende ovaal binnen zou stappen en met haar mee zou gaan zonder zichzelf te vermoeien met eerst de heuvel op te lopen. In deze droom zag hij opeens een soort gat of tunnel die in verbinding stond met een buis vol groen licht. In de droom wist hij dat hij op het punt stond het geheim te ontdekken, maar het beeld van de naakte heks zat hem in de weg en hij ontwaakte met een volle blaas en pijn in zijn ballen.

Nu hij er weer over nadacht, herinnerde hij zich ook dat Iya en hij eens echotunnels in een oude berg in de noordelijke gewesten hadden bestudeerd. De tunnels deden hem denken aan gigantische mollengangen, maar de wanden waren glad als ijs en het leek wel of ze nooit gegraven waren. Iya beweerde dat de berg ze in zichzelf had gemaakt, en liet hem scherven obsidiaan zien met kleine gaatjes erin, miniaturen van de tunnels alsof ze voor mieren waren gemaakt.

Zijn lid bewoog weer toen hij op een stoel bij het raam ging zitten en een poging waagde de onderdelen van de droom op een rijtje te krijgen. Hij dwong zijn lichaam zich te gedragen en concentreerde zich op het beeld: een gat in de lucht – nee, een tunnel! Simpel te visualiseren, maar hoe moest hij zoiets maken als hij niet eens begreep hoe de berg het voor elkaar had gekregen? Ze hadden samen stad en land afgereisd, maar nooit hadden ze magie gezien die ook maar in de verste verte leek op wat hij voor zich zag. Een tunnel om dingen door te verplaatsen.

Arkoniël reikte naar een kom die op tafel stond en nam er een gedroogde kievitsboon uit. Hij was half zo groot als zijn duimnagel en donkerrood met witte vlekjes; de kok bij hen thuis had ze 'rooie kippen' genoemd. Hij wreef hem tussen duim en wijsvinger, om zich zijn gladheid en gewicht in te prenten.

Met het beeld van de boon in zijn hoofd legde hij hem op de eiken tafel voor zich, naast een lege zoutdoos die Kokkie hem brommend had gegeven. Hij concentreerde zich, schoof de boon een paar maal met zijn vingers heen en weer, haalde zijn hand weg en met zijn geest liet hij de boon omhoog zweven tot hij ongeveer een voet boven tafel hing. Toen richtte hij zijn volle verbeeldingskracht op de tunnel waarvan hij gedroomd had en dwong de boon zijn tunnel in te gaan om zo een weg naar de binnenkant van de gesloten zoutdoos te vinden.

De boon bewoog zonder twijfel, maar op de gewone manier. Hij vloog keihard tegen de doos aan alsof hij uit een katapult was afgeschoten en hij kwam er met zo'n kracht tegenaan dat hij in tweeën spleet. De stukjes boon vlogen in tegengestelde richting weg en hij hoorde ze op de tegels tikken waar ze hun voorgangers vonden die overal op de vloer verspreid lagen.

'Bij de ballen van Bilairy!' mompelde hij, en hij zette zijn ellebogen op tafel en liet zijn hoofd in zijn handen rusten. De afgelopen weken had hij al zoveel bonen voor zijn mislukte experimenten verbruikt dat er met gemak twee ketels bonensoep van gekookt hadden kunnen worden.

Hij probeerde nog een uur lang om met zijn geestkracht een gat in de lucht te forceren, maar het enige wat hij bereikte was een barstende koppijn.

Hij gaf het op en concentreerde zich de rest van de middag op normalere magie. Hij schudde een vuurspaander uit een smeltkroes, legde hem op een bord en zei zacht: 'Brand.' Op zijn bevel vlamde de roodbruine spaander op met een klein geel vlammetje dat zou blijven branden tot hij het opdroeg te doven.

Hij zette er een smeltkroes met regenwater op een ijzeren drievoet boven om aan de kook te brengen, liep naar zijn kruidenkabinet en pakte de benodigde ingrediënten voor een slaapdrankje voor Mynir.

Het brouwsel stonk eerst afschuwelijk, maar dat kon Arkoniël niets schelen. Toen de eerste luchtbelletjes naar boven kwamen, voelde hij zich langzaam tevreden worden. Hij had de kruiden zelf in wei en bos bijeengezocht en de spreuken uit zijn geheugen dooreen gevlochten. Zo'n mengelmoes van magie en materiële zaken kalmeerde de zenuwen; het was prettig om aan het eind van zijn magische ritueel een goed, nuttig product in handen te hebben. Ook de vuurspaander was zijn werk. De restanten van de laatste baksteen die hij had getoverd lagen nog op een bank in de buurt, naast de steenhamer die hij had gebruikt om hem tot handzame brokken te hakken. Tezamen zouden ze het huis tot de lente voor instorten behoeden.

Door de geur van de trekkende kruiden moest hij weer aan Lhel denken, deze keer zoals ze zich tijdens hun tocht naar Ero had gedragen. Ze had iedere pauze of stop gebruikt om nuttige zaken te plukken of onder de bladeren bijeen te scharrelen. Hij brandde inwendig van schaamte toen hij zich herinnerde hoe afwijzend hij toen tegenover haar had gestaan. Hij wist nog niet over welke machten ze beschikte.

Zijn gedachten gingen nu uit naar de muskusachtige, getatoeëerde huid en gefluisterde beloften bekropen hem en zijn hart sloeg een slag over.

Kende ze zijn geheime verlangens? Had ze hem expres een glimp van dat kunstje laten zien om hem te verleiden? Tijdens die lange reis naar Ero had hij haar vaak genoeg zijn geest voelen aanraken; hoe vaak was ze in zijn hoofd gedrongen als hij er niet op bedacht was geweest?

Hij liet zich van de hoge stoel glijden en liep terug naar het raam. Late namiddagschaduwen strekten zich als lange blauwe katten rond het huis uit en de wassende maan kwam op. Tharin en de jongens waren verdwenen. Hun fort stond daar als een kleine buitenpost, omringd door een chaos van kleine voetstappen. Ten zuiden daarvan liep een smal spoor van voetstappen over de witte heuvel naar de bocht in de rivier.

In het bos staken de stammen en kale takken zwart af tegen de deken van sneeuw als haren op een molenaarsarm. Spoedig zouden de eerste sneeuwstormen komen en de wegen en paden zouden tot in de lente geblokkeerd zijn. De voorraadkelder van de burcht was vol, brandhout was er genoeg, maar hoe moest een vrouwtje op blote voeten overleven, al was ze een heks? Hoe was ze eigenlijk al die jaren doorgekomen?

En waar zat ze nu?

Hij rekte zijn armen uit en probeerde de nieuwe steek van schuldig verlangen te negeren.

Hij leunde ver uit het raam en liet de koude wind de plotselinge blos op zijn wangen verkoelen.

Van hieruit kon hij het gekletter van kookpotten uit de keuken horen en het gedempte staccato van hoeven op de weg achter de burcht. Arkoniël bedekte zijn ogen met één hand en stuurde een zichtspreuk de bergweg op. Hij beheerste deze truc nu bijna net zo goed als Iya en kon nu al vele mijlen ver kijken, al waren het maar korte periodes.

Met haviksogen zag hij neer op Tobin en Ki die galopperend thuiskwamen, met hun capes wapperend achter zich aan. Ze waren nog vrij ver weg en reden zo hard om de burcht voor zonsondergang te bereiken. Een paar weken terug waren ze veel te laat thuisgekomen en hadden lopen mokken als gekooide beren toen Nari ze voor straf twee dagen huisarrest had gegeven.

Arkoniël glimlachte toen hij hen ontdekte. Zoals gewoonlijk was Ki aan het kletsen en maakte hij Tobin aan het lachen. Plotseling hielden ze hun paarden zo abrupt in dat de dieren steigerden, waarbij hopen sneeuw opstoven. Een derde figuur kwam het blikveld van de tovenaar binnen en hij slaakte een kreet van verrassing.

Het was Lhel.

Ze was in een lange bontcape gewikkeld, haar dikke krullende haar hing los over haar schouders. Beide jongens stegen af en renden naar haar toe. Ze grepen haar handen ter begroeting. Van zo'n afstand kon Arkoniël niet horen wat ze zeiden, maar hij kon hun gezichten goed genoeg zien. Ze waren geen onbekenden van elkaar.

De heks glimlachte warm toen ze Ki's handen vastpakte. Tobin zei iets tegen haar en ze aaide hem over zijn rode wang.

Arkoniël rilde, toen hij zich herinnerde hoe diezelfde vingers gesneden, genaaid en kinderen met elkaar verbonden hadden.

Ze praatten nog even door, toen stegen de jongens weer op en reden verder naar huis. Arkoniël hield zijn blik op de heks gericht, maar hij voelde de kracht van zijn bezwering al afnemen. Hij drukte zijn vingers tegen zijn oogleden, deed zijn best haar op zijn netvlies te houden, maar zijn vermogen om zich te concentreren verdween geleidelijk.

Lhel bleef op de weg staan en zag hen wegrijden. Hij zou het spoedig af moeten breken, maar hij wilde zo vreselijk graag weten waar ze heen ging. Net voor hij het opgaf, hief ze haar hoofd, misschien om naar de maan te kijken. Eén tel leek ze hem recht in de ogen te kijken.

Arkoniël voelde dat het hem te veel werd. Plotseling lag hij met kloppend hoofd op zijn knieën onder het raam, terwijl er gekleurde vonken voor zijn ogen dansten. Toen de ergste duizelingen voorbij leken, krabbelde hij overeind, trok een mantel aan en haastte zich naar de paardenstallen. Tijd om zijn paard te zadelen had hij niet, hij klom zo op zijn vos en galoppeerde de weg op.

Terwijl hij reed verwonderde hij zich over het bonzen van zijn hart en de woeste drang die hem voortstuwde. Hij wist zeker dat Lhel de kinderen geen kwaad zou doen. Wat belangrijker was, hij had ze zien vertrekken. En toch gaf hij zijn paard de sporen, want hij moest hen vinden...

Háár vinden.

En waarom ook niet, vroeg hij zichzelf af. Ze bezat magische geheimen waarvan hij alleen maar kon dromen. Iya wilde dat hij les bij haar zou nemen, en hoe zou dat kunnen zonder oog in oog met haar te staan?

Maar waarom zou ze daar nog steeds staan, op die koude weg terwijl de avond viel?

Tobin en Ki kwamen de hoek om gegaloppeerd en trokken de teugels aan om hem te begroeten. Hij hield zijn paard zo plotseling in dat hij zich aan de manen moest vasthouden om erop te blijven zitten.

'Jullie hebben onderweg een vrouw ontmoet. Wat heeft ze tegen jullie gezegd?' Hij verbaasde zichzelf erover hoe dreigend hij die vraag stelde. Ki schoof onbehaaglijk heen en weer in zijn zadel en keek hem niet aan. Tobin zag hem recht in de ogen en haalde zijn schouders op.

'Lhel zei dat ze het beu is om op jou te wachten,' antwoordde hij en heel even was hij weer dat donkere vreemde kind dat Arkoniël die zomerdag had ontmoet. Erger nog: in het tanende licht, met de schaduwen die zijn ogen zwart kleurden, leek hij griezelig veel op zijn demonische tweelingbroer. Tobin wees naar de weg. 'Ze zei dat je je moest haasten. Lang zal ze niet wachten. Ze heeft het eigenlijk al opgegeven.'

Lhel. Ze. Tobin sprak over iemand die hij kende, niet over een vreemdeling.

Lhel wachtte op hem, maar niet lang.

'Ga maar snel naar huis,' zei hij en hij galoppeerde verder. Hij kon niet op de juiste woorden komen om haar te begroeten, er speelden alleen maar vragen door zijn hoofd. Waar was ze al die maanden geweest? Wat had ze tegen het kind gezegd? Maar belangrijker was: welke magie had ze die eerste keer dat ze Arkoniël in het bos was tegengekomen, gebruikt...

Hij sloeg zichzelf voor het hoofd dat hij zich geen herkenningspunten uit zijn visioen had ingeprent, maar na een mijl maakte het niet meer uit. Daar stond ze, op de weg zoals hij haar het laatst had gezien, haar schaduw een blauwe vlek op de sneeuw. Het stervende licht verzachtte haar trekken, ze leek op een jong meisje, verdwaald in het woud.

Die aanblik verdreef elke vraag uit zijn gedachten. Hij hield zijn paard in en gleed eraf om haar aan te kijken. Haar geur bereikte hem, heet op de koele lucht. Hij kon niets zeggen, kon alleen zijn verlangen voelen groeien. Ze stak haar hand uit om zijn wang aan te raken, net zoals ze met Tobin had gedaan, en die liefkozing veroorzaakte een scheut dierlijke lust die door zijn lichaam raasde en hem de adem benam. Hij kon zijn armen alleen maar naar haar uitstrekken, haar dicht tegen zich aantrekken en haar warme lichaam tegen het zijne persen. Ze kreunde zacht toen zij zich tegen hem aandrukte, met een harde dij tegen het net zo harde antwoord tussen zijn benen.

Gedachten gingen in rook op, alleen de sensatie en het instinct bleven over. Ze moest hem opgeroepen hebben, besefte hij later, maar op dat moment leek hij in een droom te leven, een droom van handen en warme lippen die over zijn huid bewogen. Hij wilde zich verzetten, al zijn rechtschapenheid verzamelen die zijn leven tot nu toe richting gegeven had, maar hij hoorde tegelijkertijd Iya's permissie om te doen waarmee hij nu bezig was: Lhel geven wat ze wilde, als beloning voor de beloofde kennis.

Lhel verspilde geen tijd aan tederheden. Ze trok hem op zich, liggend op de bontmantel en hees haar rok op tot haar taille. Hij frommelde zijn tuniek uit de weg en liet zich op haar vallen, in haar vallen en ze trok hem nog dieper in zich, zo diep dat hij nauwelijks begreep hoe zijn lid zo strak in haar hete greep kon komen, maar toen leek het of hij door de bliksem getroffen werd en een rauwe kreet van verbazing ontsnapte hem. Ze keerde hem op zijn rug en hij voelde hoe de zachte sneeuw hem opving terwijl zij hem onder de eerste avondsterren bereed. Haar hoofd achterover, wild jammerend, hield ze zijn lid in zich met al die sterke spieren die vrouwen daarbinnen bezaten. Nogmaals sloeg de bliksem in, feller en uitputtender dan de eerste keer en Arkoniël werd verblind, luisterde naar zijn eigen kreten en die van haar die als het lied van de wolf door het woud echoden.

Toen snakte hij naar adem, te verbijsterd om te bewegen. Ze boog zich voorover en kuste zijn wangen, oogleden en lippen. Zijn keel deed pijn, zijn lichaam was koud en hun mengeling van lichaamssappen droop in een kriebelige, tergend trage stroom over zijn ballen. Al was er op dat moment een heel regiment cavalerie aan komen denderen, hij had zich niet kunnen bewegen. Zijn paard hinnikte zacht vlakbij, alsof het hem uitlachte.

Lhel ging weer zitten en nam zijn hand in de hare. Door haar ruwe jurk drukte ze hem tegen een stevige borst en grijnsde naar hem.

'Betover me, Orëska.'

Hij blikte haar wazig aan. 'Wat?'

Ze drukte zijn vingers in dat stevige, plooibare vlees en haar grijns werd wijder. 'Maak mij magie.'

Zijn ogen vingen de sterren weer en hij fluisterde een formule ter ere van hen. Een schitterend wit licht kwam boven hen tot leven, stralend als een ster zelf. De schoonheid ervan maakte hem aan het lachen. Hij draaide het licht tot het een soort bol werd en liet hem uiteenspatten in duizend kleine fragmenten die hij als een krans van rijp en diamanten in haar haar terecht liet komen. In het schijnsel van hun etherische licht leek Lhel op een wilde nachtgeest die zich in lompen had verkleed. Alsof ze zijn gedachten las, pakte ze de hals van haar jurk vast en scheurde hem doormidden, zodat de kenmerken van macht op haar lichaam weer zichtbaar werden. Arkoniël raakte ze eerbiedig aan, volgde spiralen met zijn vinger, kringen en halvemaantjes en raakte toen verlegen de plek aan waar hun lichamen nog steeds verbonden waren, vlees tegen vlees.

'Je had gelijk. Iya probeerde het me duidelijk te maken...' bracht hij uiteindelijk uit, gevangen tussen verwondering en verraad. 'Het was een leugen, dat een tovenaar door seks zijn toverkracht kwijtraakt.' Hij hief zijn hand naar de kroon van licht in haar haar. 'Ik heb nog nooit zoiets moois gemaakt.'

Lhel nam zijn hand weer in de hare en legde hem op haar hart. 'Niet voor iedereen leugen, Orëska. Sommigen kunnen de Godin niet dienen. Maar jij? Wat jij voelt hier...' Ze tikte met haar vrije hand tegen zijn borst. 'Dat is wat jij maakt hier.' Ze raakte zijn voorhoofd aan. 'Iya denkt dat. Zij probeerde jou te vertellen.'

'Hoorde je ons dan praten die dag?'

'Ik hoor veel. Zie veel. Zie jou slapen met verlangen in je *raluk*.' Ze spande haar binnenste spieren even aan en knipoogde naar hem. 'Ik probeer mijn woorden in jouw dromen te planten, maar jij koppig! Waarom moet ik kinderen vragen jou te sturen als je zo brandt van verlangen?'

Arkoniël staarde naar de hemel, en probeerde zich de angst die hem een uur eerder in zijn macht had gehad voor te stellen. Hoe was hij hier terechtgekomen, bevredigd en lachend, zonder herinnering aan een besluit dat hij had genomen? 'Heb je me...?'

Lhel haalde haar schouders op. 'Kan niet als lust niet in je is. Die keer in de modderplek was het er niet. Nu wel; ik roep gewoon naar boven.'

'Maar je had me makkelijk kunnen nemen in de... in dat moeras!' Maar terwijl hij het zei, wist Arkoniël dat er sinds die dag van hun ontmoeting iets belangrijks veranderd was.

'Ik neem niet,' zei ze zacht. 'Jij geeft.'

'Maar het was helemaal mijn bedoeling niet om... om...' Hij maakte een hulpeloos gebaar. 'Om dit soort dingen te doen voor ik hier van mijn paard stapte!'

'Wel waar. Hierbinnen.' Lhel nam een lichtpuntje uit haar woeste krullen en legde het op zijn borst. 'Hart vertelt niet alles aan hoofd. Maar lichaam weet. Moet je weten.'

'Ja, ik weet het,' knikte Arkoniël en hij gaf zich over aan haar logica.

Lhel rolde van hem af en stond op. Haar voeten waren in lompen en stukken boombast gewikkeld, maar ze leek geen last van de kou te hebben. Ze trok de gescheurde jurk en de mantel om zich heen en zei: 'Te veel in hun hoofd, jullie Orëska's. Daarom hebben jullie mij nodig voor shaimari anan. En om de shaimari van die kiesa's weer op hun plaats te zetten.'

'Leer je me dat?'

Lhel keek met een opgetrokken wenkbrauw op hem neer. 'Jij betaalt?'

Arkoniël kwam ook overeind en streek zijn kleding glad. 'Bij de Vier, ja, als dat je prijs is. Maar kun je echt niet meekomen naar de burcht?'

Lhel schudde haar hoofd. 'Nee, Iya gelijk had. Ik jullie koning gezien, hart gelezen. Niemand weet, is beter.'

Plotseling sloeg de twijfel bij Arkoniël toe. 'Ik zag dat je met Tobin en Ki praatte, toen ze hier langskwamen. Ze kennen je.'

'Kiesa's weten niet mogen zeggen.'

'Je brengt Ki in gevaar, weet je, als hij te veel weet.'

Lhel haalde haar schouders op. 'Jij geen bezorgd maken om Ki. Godin heeft hem ook gestuurd.'

Dit scheen de grondslag van al haar redeneringen te zijn. 'Drukke tante, die godin van jou.'

Lhel sloeg haar armen over elkaar en keek hem strak aan tot hij zich onbehaaglijk begon te voelen, waarop ze zich omdraaide en hem wenkte.

'Waar gaan we heen?'

Zacht gegrinnik bereikte zijn oren terwijl ze in de schaduw van de bomen verdween. 'Wou je al je lessen op weg hebben, Orëska?'

Met een gelaten zucht pakte Arkoniël de teugels van zijn paard en volgde haar te voet.

Tovenaars kunnen goed zien in het duister, en heksen blijkbaar ook. Lhel struinde zelfverzekerd tussen de bomen door, al was er geen pad te bekennen. Ze neuriede in zichzelf en leek wel te dansen; licht raakte ze takken en stenen aan die ze passeerde. Zonder sterren om hen bij te lichten verloor Arkoniël al snel de weg uit het oog en hij moest zich haasten om haar bij te houden.

Eindelijk hield ze halt onder een gigantische eik.

'Cama!' zei ze hardop en een zachte gloed verspreidde zich vanuit een opening aan de zijkant.

Hij volgde haar naar binnen en bevond zich opeens in een comfortabele beschutte ruimte. Licht dat leek op dat wat hij getoverd had, gloeide zacht op zo'n twintig voet boven hun hoofden, waar de spleet in de eik eindigde. Iya en hij hadden zulke schuilplaatsen wel eens gevonden; oude eiken spleten nu eenmaal zonder te sterven. Lhel had hier een knus huisje van gemaakt. Een met bont bedekte stromatras lag tegen de wand naast een rommelige hoop vodden die voor kleding moest doorgaan; er stonden een paar potten en manden, en de vuurkuil en de bovenkant van de wanden waren zwart doorrookt. Maar toch kon hij zich maar moeilijk voorstellen dat je hier jaren en jaren achtereen zou kunnen wonen.

Lhel trok een hertenvel voor de ingang, ging in kleermakerszit bij het vuur zitten en pakte haar tondeldoos om een vuur aan te leggen.

'Alsjeblieft, een cadeautje.' Arkoniël haalde een zakje spaanders uit zijn tuniek en liet haar zien hoe ze er een moest laten ontbranden. Vlammen lekten naar boven en ze legde hem bij de stapel twijgjes en gebroken takken in de kuil.

Ze gluurde in het zakje en zei: 'Dit goed.'

'Hoe bestaat het dat je hier al zo lang woont?' vroeg hij terwijl hij tegenover haar neerhurkte. In dit licht kon hij de kloven en rimpels op haar gezicht en handen zien, en de wratten en zwellingen op haar vieze blote voeten onder de lappen.

Lhel keek hem over het vuur aan. Het flakkerende licht legde diepe schaduwen in de lijnen rond haar mond en veroorzaakte rossige glimmertjes in de zilveren strengen haar. Toen ze het op de weg deden, had ze zo jong geleken, maar hier leek ze zo oud als de godin zelf.

'Dit goeie plek,' zei ze en ze liet de mantel van haar schouders glijden, zodat de gescheurde panden van de jurk naar haar middel gleden. Haar stevige borsten glansden in het licht van het vuur en de symbolen die hij eerder had gezien waren totaal verdwenen. Ze stak haar hand in het mandje en gaf hem een reep gedroogd vlees. Arkoniël nam hem aan, maar bleef naar haar lichaam staren terwijl ze begon te kauwen. Ze was net zo smerig als altijd en ze was nog meer tanden kwijtgeraakt. Degene die ze over had waren bruingevlekt en verbrokkeld. Maar toen ze hem met haar hoofd schuin toegrijnsde, leek ze gewoon knap, in elk geval erg aantrekkelijk...

Zonder erover na te denken boog hij zich voorover en kuste haar schouder, snoof haar geur op en wilde haar opeens opnieuw bezitten. 'Hoe kun je me zover krijgen?' fluisterde hij, want hij snapte er niets van.

'Hoe oud jij bent?' vroeg ze terwijl het sap van wat oude veenbessen haar lippen rood kleurde.

Arkoniël moest er even over nadenken. 'Eenendertig,' zei hij ten slotte. Voor sommige mannen was dat bejaard, voor een tovenaar was hij nog maar een broekie.

Lhel trok haar wenkbrauwen spottend omhoog. 'Eenendertig jaar niet met vrouw geweest en nu jij niet snapt waarom hij stijf wordt?' Ze snoof, schoof naar hem toe en stopte haar hand onder zijn tuniek om zijn genitaliën te omvatten. 'Jij hebt krácht hier!' Ze haalde haar hand weg en raakte zijn buik, borst, hals en voorhoofd aan. 'Hebt kracht in alle plaatsen. Sommigen kunnen gebruiken. Jij kan.'

'En ga je mij dat leren?'

'Beetje. Voor de kiesa.'

Arkoniël schoof dichterbij tot zijn been tegen het hare aandrukte. 'Die keer bij het moeras zag ik je iets doen wat ik zo graag wil leren. Ik stond op de weg en jij leek wel...'

Lhel glimlachte sluw en hield haar duim en wijsvinger zo of ze iets kleins vasthield. 'Ik zie jou met jouw *krabol*.'

Arkoniël keek haar even aan, grijnsde schaapachtig toen hij begreep waar ze op doelde. 'Met de bonen, bedoel je?'

'Bo-nen.' Ze herhaalde het woord. 'Jij denkt jij schuift hen...' Weer een ingewikkeld gebaar, maar hij snapte wel ongeveer wat ze wilde zeggen.

'Je hebt me gezien terwijl ik ze wilde verplaatsen. Maar hoe deed je dat?'

Lhel hield haar duim en wijsvinger nu als een cirkel in de lucht. Ze raffelde snel een reeks klanken af die niet eens op woorden leken, ze kneep haar lippen samen en blies in de cirkel van haar vingers. Toen ze haar hand liet zakken zag Arkoniël een klein zwart gat in de lucht voor hen, niet groter dan het oog van een paard.

'Kijk,' bood ze aan.

Arkoniël boog zich voorover, tuurde door het gaatje en zag Tobin en Ki. Ze zaten op de vloer naast de speelgoedstad en Tobin leerde Ki hoe hij een houten figuurtje kon snijden. 'Ongelooflijk!'

Lhel gaf hem een por met haar elleboog en sloot het gat met een zwaai van haar hand, maar Arkoniël zag nog net hoe de twee jongens verbaasd opkeken om te zien waar die stem vandaan kwam.

'Ik vergat dat ik je ook kon horen!' riep Arkoniël uit. 'Bij het Licht, het ís een tunnel door de lucht!'

'Wat "tunnel"?' vroeg Lhel.

Toen Arkoniël het probeerde uit te leggen, schudde ze haar hoofd.

'Nee, het is...' Ze beeldde iets uit en hij begreep dat ze iets als een raam met luiken bedoelde. 'Als dit, met twee...' Ze klapte haar handpalmen op elkaar.

Arkoniël dacht er met groeiende opwinding over na. Als een stem er zo makkelijk doorheen kon gaan, dan kon een ding, of zelfs een mens er ook doorheen, leek het hem. Maar toen hij hierover begon, sperde Lhel haar ogen geschrokken wijd open.

'Nee!' waarschuwde ze en ze kneep in zijn arm om dit te benadrukken. Ze legde haar andere hand op zijn voorhoofd en sprak direct tot zijn geest, zoals die keer bij het moeras. *Een tastbaar ding dat door een zichtvenster gaat komt er nooit meer uit, niet aan de andere kant of waar dan ook. Alles wat er in gaat wordt opgezogen en is weg.*

'Leer het me,' sprak hij hardop.

Lhel nam haar handen weg en schudde het hoofd. 'Nog niet. Andere dingen belangrijker. Weet nog niet genoeg.'

Arkoniël ging weer op zijn hurken zitten en probeerde zijn teleurstelling te verbergen. De magie waarop hij had gehoopt was het niet, maar hij was dichter bij zijn doel dan hij ooit zou komen. Hij moest maar afwachten. 'Wat moet ik dan eerst weten?'

Lhel haalde van ergens onder haar rokken een benen naald tevoorschijn. Ze hield hem zo dat hij hem zag, prikte er toen mee in haar duim zodat er een rode druppel verscheen. 'Eerst leren macht van dit, en vlees, en bot, en dood.'

'Zwarte kunst?' Was hij zo verblind door die ene wip dat hij de donkere kant van haar magie vergeten was?

Lhel keek hem met onpeilbare zwarte ogen aan en nu zag ze er weer oud en machtig uit. 'Dit woord ken ik. Jouw mensen zeggen dat als zij wegjagen mijn mensen van land dat van ons. Jij hebt mis.'

'Maar het is bloedmagie...'

'Ja, maar niet kwáád. Zwarte kunst is...' Ze zocht naar het woord. 'Meer slecht, rot, vies.'

'Gruwelijk,' stelde Arkoniël voor.

'Ja, gru-we-lijk. Maar niet dit.' Ze kneep er nog een druppel uit en wreef het uit over haar hand. 'Jij hebt bloed, vlees. Ik ook. Alle mensen. Geen kwaad. Mácht. Kwaad komt van hart, niet bloed.'

Arkoniël keek naar haar handpalm, en zag de dunne laag in de lijnen van haar hand verdwijnen. Wat ze zei druiste tegen alles in wat hij als Skalaan en als tovenaar geleerd had. Maar nu hij hier zo bij haar zat, met deze vrouw en haar aura van macht, voelde hij geen kwade krachten. Hij dacht aan Tobin en de demon, en de moeite die Lhel had gedaan om de zaken zo goed mogelijk te laten verlopen. Met tegenzin luisterde hij naar zijn hart en wist dat ze de waarheid sprak.

Als hij in de toekomst had kunnen kijken, zou hij gezien hebben dat de Skalaanse en Orëskaanse geschiedenis precies op dit moment een andere wending namen.

30

Arkoniël laveerde die winter tussen twee rollen door: die van onderwijzer van twee knulletjes die elke morgen weer met tegenzin aan de slag gingen, en die van leerling bij Lhel in de middag.

Tharin was een onmisbare bondgenoot bij zijn eerste taak, want hij weigerde met wapentraining te beginnen tot de jongens bij Arkoniëls lessen voldoende hun best hadden gedaan. Dit systeem wekte eerst heel wat verontwaardiging, maar toen Tobin eindelijk het alfabet onder de knie had gekregen en een beetje kon lezen, kreeg hij ineens de geest en vond hij leren helemaal niet zo erg meer. Nog enthousiaster werd hij toen Arkoniël hem voorstelde om hem te leren tekenen. Zeker wist Arkoniël het niet, maar Tobin scheen alleen van zijn vaardigheid als tekenaar onder de indruk te zijn.

Ki zat nog steeds te prutsen en zuchtte onophoudelijk, maar Arkoniël zag ook hier wel wat verbeteringen, al wist hij dat dat niet aan zijn onderwijsmethoden te danken was. Voor Ki draaide de hele wereld om Tobin en hij zou zijn best doen voor alles waaraan zijn vriend waarde hechtte.

En de wisselwerking was groot, want Ki had ook zijn weerslag op Tobin gehad: Tobin lachte steeds vaker, en de dagelijkse zwerftochten in de bergen brachten kleur op zijn wangen en wat spieren op zijn lange botten.

Rhius stuurde om de paar weken koeriers met berichten over de toenemende onrust in de landen van overzee.

De Plenimaraanse scheepswerven staan bol van bedrijvigheid, schreef hij in een van zijn brieven, *en de spionnen van de koning maakten melding van grote aantallen Plenimaranen die zich langs de oostelijke grens van Mycena opstellen. Ik ben bang dat ze zich de komende lente niet tot kustaanvallen zullen beperken. Mogen Illior en Sakor ons helpen door de strijd deze keer op andere gronden uit te vechten.*

Arkoniël, die niet veel van oorlogvoering wist, bestudeerde Tharin wanneer deze brieven hardop in de hal werden voorgelezen.

Tharin luisterde geconcentreerd en zijn voorhoofd verried dat hij ondertussen goed nadacht. Daarna ondervroeg hij de koerier. Hoe was het met de garnizoenen in Atyion en Cirna gesteld? Hoeveel schepen lagen in de haven van Ero voor anker? Had de koning nog een lichting rekruten opgeroepen, of mondvoorraad uit de provincie laten komen?

'Ik voel me een groentje, als ik zo naar je luister,' erkende Arkoniël toen hij laat op een avond nog een spelletje bakshi met Tharin speelde. 'Ik mag dan veel gereisd hebben, maar ik heb een beschermd bestaan geleid, vergeleken met het jouwe.'

'Tovenaars vochten altijd voor Skala,' mijmerde Tharin met zijn ogen op de dobbelstenen tussen hen. 'Nu schijnt de koning het prettiger te vinden dat jullie elkaar de kop inslaan.'

'Dat moet toch een keer ophouden.'

Op die momenten was Arkoniël zich erg bewust van het geheim dat tussen hen in stond. Hoe beter hij Tharin leerde kennen, hoe meer hij het betreurde dat de kapitein de waarheid niet kende.

'Ik zou het helemaal niet erg vinden als jij me wat rugdekking zou geven,' ging Tharin verder en hij raapte de stenen op voor een nieuwe worp. Vlammend licht weerkaatste van de blinkende kornalijnen stenen, waardoor het leek of hij vuur en bloed in zijn hand hield. 'Ik weet niet veel van tovenaars, maar mensenkennis heb ik wel. En jij hebt ruggengraat, je hebt pit. En ouwe Iya zou je niet zo lang bij zich hebben gehouden als zij dat ook niet dacht. En dan had ze zeker die ouwe tas niet bij je achtergelaten.'

Hij keek Arkoniël aan voor die de verbaasde uitdrukking van zijn gezicht kon vegen. 'O, wees maar niet bang, ik wil het niet eens weten. Maar ik ben ook niet blind. Als zij je vertrouwt, kan iedereen je vertrouwen, lijkt me.'

Er werd verder niet meer over gesproken, maar Arkoniël was dankbaar dat hij het respect van deze man gewonnen had.

Hij wilde dat hij net zo zeker was van Lhels oordeel over hem. Arkoniël brandde van verlangen naar haar. Hij droomde van haar lichaam en werd midden in de nacht bezweet en stijf wakker, met geen ander alternatief dan zijn eigen hand, een remedie die oneindig minder bevredigend was dan vroeger.

Maar ze bleef onvermurwbaar; hij kon haar alleen ontmoeten als zij er zin in had. Geen zoekspreuk kon haar vinden en het lukte hem al helemaal niet om in zijn eentje de eik terug te vinden. Wanneer hij haar wilde, reed hij het bos in en als zij ook behoefte aan hem had, zou ze zich wel laten zien. Zo niet, dan was hij niet te genieten als hij thuiskwam.

Soms kwam hij haar tegen met de jongens. Dan maakten ze met zijn vieren een fikse sneeuwwandeling, het woud verkennend als een boerenfamilie. Dat waren leuke uren en Arkoniël glimlachte in zichzelf, want bij daglicht zag je goed hoe oud Lhel was, en hij voelde zich meer verwant met Tobin en Ki dan met haar.

Maar als hij Lhel in haar eentje ontmoette, stonden de zaken er anders voor. Ze paarden elke keer – hij stelde haar 'prijs' niet gelijk aan vrijen, dat deed zij ook niet – en elke keer was hij net zo uitzinnig als de eerste keer. Ze vroeg geen liefkozingen van hem en ze deelde ze ook niet uit, ze wilde seks. Met zijn ogen dicht zag Arkoniël wervelwinden, onweersbuien en aardbevingen. Wanneer hij zijn ogen opendeed, zag hij de kracht van Lhels godin in haar blinkende ogen en in de donkere kronkelende tekeningen op haar huid, die alleen dan naar boven kwamen.

Wanneer het voorbij was en ze naakt naast elkaar op haar stromatras lagen, liet ze hem met haar toverij kennismaken, zonder dat ze daarbij een speciaal systeem volgde. Wel pikte ze er vaak zaken uit die zijn aversie tegen bloedmagie weg konden nemen.

Ze begon met hem te leren 'bloed te lezen' zoals ze het noemde. Ze liet hem een met bloed bevlekt lapje zien; door het met vingers en geest af te tasten, leerde hij al snel welk wezen het bloed was kwijtgeraakt. Deze lessen werden uitgebreid met de wijze waarop hij de geest van het wezen kon binnenkruipen wanneer het nog in leven was om door zijn ogen te kijken. Als een vos sloop hij door een weide en groef slome woelmuizen op uit hun tunnels onder het bruine, berijpte gras. Als een arend zweefde hij in cirkels boven de burcht op zoek naar afgedwaalde kippen. De vreemdste ontdekkingsreis maakte hij toch wel als forel, zwemmend onder het gedempte bruine licht dat door het ijs op de rivier viel; zijn oog viel op een damesring, bezet met edelstenen, die schitterde tussen het slijmerige wier dat de rotsen op de rivierbodem bedekte.

Als test gaf Lhel hem een beetje van haar eigen bloed, en hij zat plotseling in haar huid. De eenvoudige geesten van dieren hadden hem slechts een paar visuele beelden van hun leven in diverse grijstinten gegeven. Maar toen hij zich in Lhel bevond voelde hij het intieme gewicht van haar lichaam rondom hem, alsof hij haar vlees als overjas over zijn kleren droeg. Hij voelde hoe haar borsten onder haar rafelige jurk hingen, de pijn in haar linkerenkel, de warmte tussen haar dijen, de plakkerigheid van haar geslacht na hun paring. Even was hij de weg kwijt tot hij in de gaten kreeg dat hij door haar ogen naar zichzelf keek. Zijn lichaam lag op de matras naast het vuur, doodstil onder de deken van bont. Met een mengeling van ergernis en amusement bekeek hij zijn lange benige ledematen, de uitstekende ribben onder zijn witte huid, het donkere vachtje dat zijn borst en rug, armen en benen bedekte. Zijn gezicht drukte nog steeds iets extatisch uit, als het Orakel dat door de god was aangeraakt.

Maar Lhels gedachten kon hij niet horen. Die wilde ze niet met hem delen.

Toen zijn angst voor haar magie begon te zakken, begon ze aan de beginselen van geesten en zielen.

'Hoe heb je die verandering van Tobin voor elkaar gekregen?' vroeg hij op een dag, terwijl de wind om de eik huilde.

'Jij hebt gezien.'

'Ik zag dat je een stukje huid tussen hen verwisselde. Zit daar de magie in?'

'Het maakt van twee huiden één,' antwoordde ze en ze zocht naar de juiste woorden. 'Wanneer Tobin weer meisje moet worden, moet die huid eraf.'

Hij speelde niet altijd voor student bij haar. Hij hielp Lhel zijn taal beter te leren spreken, en liet haar alle manieren zien waarop hij vuur kon maken. Toen ze hun magische gaven vergeleken, ontdekten ze dat ze allebei wind konden oproepen en door elke omgeving konden sluipen zonder sporen na te laten.

Hij leerde haar de Orëskaanse zichtspreuken en als dank probeerde ze hem in te wijden in de 'tunnel in de lucht'-magie. Dit bleek echter veel ingewikkelder dan hij verwacht had. Het ging niet om de gefluisterde toverformule, of zelfs de patronen van handbewegingen die ervoor nodig waren, maar een vreemde geestesinstelling die zij in zijn taal niet kon uitleggen.

'Komt wel een keer,' verzekerde ze hem steeds weer. 'Jij merkt het wel.'

Tot Arkoniëls verdriet kon hij nu met iedereen in de burcht goed opschieten, behalve met Tobin. Het kind was beleefd en leek vastbesloten alles in zich op te nemen wat Arkoniël hem leerde, maar hij hield Arkoniël altijd op een afstand en deze leek niets te kunnen doen om dichterbij te komen.

Er was echter één ding dat Tobin wel met de tovenaar wilde delen, en tot

Arkoniëls verrassing was dat de formule die hij gebruikte om Broer op te roepen. Arkoniël waagde een poging, maar zonder resultaat. Broer reageerde alleen op Tobins oproep.

Toen hij Lhel later vroeg hoe dat zat, haalde ze haar schouders op en zei: 'Zij zijn één vlees. Kan jij niet leren door magie.'

Het speet Arkoniël dit te horen, want de geest nam vaak een kijkje in zijn werkkamer. Hij had hem niet meer gezien sinds die dag dat hij zijn paard aan het schrikken had gemaakt, maar de vijandige aanwezigheid was duidelijk voelbaar. De geest leek er plezier in te scheppen hem te pesten en kwam soms zo dichtbij dat hij er kippenvel van kreeg. Echt kwaad deed hij hem niet, maar hij belette Arkoniël wel om rustig te werken, en hij voelde zich meer dan eens genoodzaakt om Tobin te hulp te roepen.

De lente brak aan met kleine buien. Zoals verwacht sloot koning Erius een verbond met Mycena en zette een campagne op touw om de Plenimaranen daarvandaan te krijgen. Zijn trouwe dienaar, Opperkanselier Hylus, hield tijdens zijn afwezigheid toezicht op het paleis. In een van Iya's zeldzame brieven stond zogenaamd als losse opmerking dat de tovenaar van de koning, heer Niryn, eveneens thuis was gebleven.

Rhius moest natuurlijk met de koning mee, en ook Tharin kon niet meer gemist worden.

De hertog kwam vroeg in Lithion nog even langs om afscheid te nemen en bracht een groep minstrelen en acrobaten mee die een voorstelling gaven. Hij bleef minder dan een week, maar ging elke dag met de jongens op stap en bleef tot laat in de hal zitten om met Tharin en Arkoniël te dobbelen en naar de minstrelen te luisteren. De tovenaar was dolblij dat hij weer op de oude Rhius leek, en Tobin was in de wolken.

Het feestelijke bezoek werd wel behoorlijk overschaduwd door het plotselinge heengaan van Mynir, de oude hofmeester. Hij was op een ochtend niet aan het ontbijt verschenen en toen Nari ging kijken vond ze hem dood op bed. De vrouwen legden het lijk af, strooiden kruiden tussen de lijkwade en maakten hem gereed om naar zijn familie in Ero te worden gebracht.

De oude baas was zeer geliefd geweest in het huishouden en iedereen huilde toen het lichaam voor het huisaltaar lag opgebaard – iedereen, op Tobin na. Zelfs Ki pinkte een traan weg om de arme oude man, maar Tobins ogen bleven net zo droog als wanneer hij zijn offerande aan Astellus bracht. Arkoniël huiverde ervan, maar niemand scheen het op te merken.

De dag van het vertrek kwam veel te vroeg en alle bewoners van de burcht verzamelden zich op de binnenplaats om Rhius en Tharin uit te zwaaien. Arkoniël en Tharin hadden gisteravond bij een beker wijn al uitgebreid afscheid genomen, maar toch voelde de tovenaar iets schrijnen toen hij de lange strijder zijn paard zag bestijgen.

Tobin en Ki hielpen stilletjes met de voorbereidingen en Arkoniël had hen nog nooit zo sip zien kijken.

Toen alles in orde was en zijn vader en Tharin op het punt stonden te vertrekken, ging Tobin bij zijn vaders stijgbeugel staan en keek omhoog. 'Ki en ik zullen elke dag trainen,' beloofde hij. 'Wanneer kunnen we dan komen om jullie te helpen?'

Rhius boog zich voorover en greep glimlachend van trots zijn hand op de soldatenmanier vast. 'Wanneer mijn wapenrusting je past, m'n jongen, en die dag breekt eerder aan dan je denkt. Als hij past...' Hij werd er schor van. 'Bij de Vier, dan zal geen generaal trotser zijn dan ik om zo'n strijder aan mijn zijde te hebben.' Hij wendde zich tot Ki. 'Heb je nog een boodschap voor je vader, mocht ik hem tegenkomen?'

Ki haalde zijn schouders op. 'Als ik hier mijn plicht goed vervul, heer, mag u hem dat vertellen. Ik zou niet weten wat hij nog meer zou willen weten.'

'Ik zal hem zeggen dat geen prins een trouwere schildknaap heeft dan Tobin. Ik dank je hartelijk, Kirothius, zoon van Larenth.'

Arkoniël kon onmogelijk zeggen wiens ogen meer straalden toen ze Rhius weg zagen rijden, die van Tobin of die van Ki.

31

Wekenlang stond Tobin na zijn vaders vertrek voor het raam, en keek uit naar boodschappers op de weg naar Alestun, maar tevergeefs.

Arkoniël zag hem daar een ochtend staan en raadde naar zijn gedachten. 'Mycena ligt nu eenmaal ver weg. Misschien zijn ze nog niet eens aangekomen.'

Tobin wist dat hij gelijk had, maar toch kon hij zijn blik niet van de weg afhouden.

Toen er een maand later op een warme lenteochtend dan eindelijk een ruiter verscheen was het zonder bericht van Rhius.

Tobin en Ki waren bij de bocht van de rivier aan het vissen toen ze het doffe klepperen van hoeven op de weg hoorden. Ze klauterden de oever op en gluurden over de rand. De ruiter zag er woest uit, met een leren kuras en een dikke bos bruin haar tot over de schouders.

De regels ten opzichte van vreemdelingen waren niet veranderd sinds Ki's aankomst: houd afstand en ren naar de burcht. Ki wist dit net zo goed als Tobin, maar in plaats van te gehoorzamen slaakte hij een kreet van vreugde en sprong op om de ruiter te verwelkomen.

'Ki, nee!' schreeuwde Tobin en hij greep zijn enkel.

Maar Ki lachte. 'Kom op, joh, het is Ahra maar!'

'Ahra? Je zus?' Tobin liep achter hem aan, maar bleef verlegen op een afstandje staan. Ahra was nu eenmaal iemand met wie je geducht rekening moest houden, zo was uit Ki's verhalen gebleken.

De ruiter zag hen en hield haar paard meteen in. 'Ben jij dat, Ki?'

Het was inderdaad een vrouw, maar van het soort dat Tobin nog nooit had gezien. Ze droeg hetzelfde soort leren borstkuras over een maliënkolder als zijn vaders soldaten, en een boog en een slagzwaard hingen op haar rug. Haar haar was donkerbruin, net als dat van Ki, en ze droeg het van voren in twee vlechten en van achteren los. Erg veel leek ze niet op Ki, maar ze was dan ook maar een halfzus.

Ze sprong op de grond en nam haar broer in een omhelzing waarbij ze hem pardoes optilde. 'Hé jochie, je bent het echt! Mager als een kerkrat, maar twee koppen groter geworden!'

'Hoe kom je hier zo verzeild?' vroeg Ki toen ze hem had losgelaten.

'Gewoon, effe kijken hoe het met je staat.' Ahra sprak met hetzelfde platte boerenaccent als Ki de eerste maanden op de burcht. 'Ik kwam die tovenares van jou een tijdje geleden tegen en ze vroeg me om een brief naar een andere tovenaar hier te brengen – vriendje van d'r. Zei dat jij het hier best uithield.' Ze grijnsde naar Tobin. 'Wie is dat joch met modder tussen zijn tenen? Iya zei niets over een andere jongen die de prins zou dienen.'

'Let op je woorden,' waarschuwde Ki. 'Dit ís de prins!'

Tobin stapte naar voren om haar te begroeten en de vrouw knielde met gebogen hoofd vlug voor hem neer. 'Vergeef me, Uwe Hoogheid. Ik herkende u niet!'

'Dat kon toch ook niet? Alsjeblieft, sta op!' zei Tobin haastig, want hij geneerde zich als er iemand voor hem knielde.

Ahra stond op en keek Ki kwaad aan. 'Had je wel effe kunnen zeggen.'

'Kreeg d'r weinig kans voor, of wel soms?'

'Blij je te ontmoeten,' zei Tobin en hij greep haar hand op de soldatenmanier. Nu de eerste nieuwigheid eraf was, was hij heel benieuwd naar dit familielid van Ki. 'Mijn vader is er niet, maar je bent welkom, en we zullen je graag als gast beschouwen.'

'Zeer vereerd, Hoogheid, maar mijn kapitein heeft me tot vannacht verlof gegeven. Mijn compagnie zit in Alestun om mondvoorraad in te slaan. We zijn op weg naar Ylani om de aanvallen tegen te houden.'

'Ik dacht dat je naar Mycena zou gaan met Jorvai en vader en zo,' zei Ki.

Ze spuugde op de grond en Tobin zag een glimp van haar befaamde drift. 'Zíj mochten gaan, alle jongens tot en met je moeders Amin toe, net een jaar ouder dan jij. Mocht mee als loopjongen. Maar de koning wil nog steeds geen vrouwen in zijn gelederen, Sakor nog an toe. Wíj mogen met wat ouwe lullen en hinkepoten de kustlijn in de gaten houden.'

Ahra wisselde met Ki wat nieuwtjes van thuis uit, terwijl ze gedrieën naar de burcht liepen. Hun vierde moeder, die maar een jaar ouder was dan Ahra, had het leven geschonken aan een tweeling, twee jongetjes, vlak nadat Ki het huis had verlaten, en ze was alweer zwanger. Vijf kleintjes waren erg ziek geweest, maar er waren er maar twee doodgegaan. Het was erg stil, nu de zeven oudste kinderen het huis uit waren; de oorlog kwam precies op tijd, want Alon zou de volgende dag worden opgepakt door een naburige landheer wiens paarden hij gestolen had. Al was dit oud nieuws, Ki verdedigde zijn broers onschuld net zo heftig als anders en was zwaar beledigd door de beschuldiging.

Tobin luisterde verrukt naar het gesprek; dankzij Ki's verhalen kende hij al die mensen inmiddels wel, en hier liep er een in levenden lijve naast hem. Bovendien mocht hij Ahra graag en vond hij dat Ki haar slechte kanten wel erg overdreven had. Net als hij was ze recht door zee en open, en had ze geen geheimen. Maar vreemd was het wel, om een vrouw met een zwaard te zien rondlopen.

Nari kwam hen tegemoet toen ze de ophaalbrug overliepen en ze keek zo dreigend dat ze alle drie meteen stil bleven staan. 'Prins Tobin, wie is dit en wat komt ze hier doen?'

'Het is de zus van Ki,' antwoordde hij. 'Je weet wel, die met haar paard over het varkenskot wilde springen en midden in de drek terechtkwam.'

'Ahra, is het toch?' zei Nari en ze klonk wat vriendelijker.

Ahra keek schuins naar Ki. 'Je hebt onzinverhalen over me opgehangen, zeker?'

Nari lachte. 'En of! Je hebt geen geheimen meer met Ki in de buurt. Kom meid, gauw naar binnen, want we wilden net gaan eten. Kokkie zal blij zijn om weer eens een vrouw in wapenrusting te zien!'

Ze luisterden naar Kokkie die met Ahra verhalen over haar dagen in het leger uitwisselde, toen Arkoniël binnenkwam met die tevreden glimlach die hij altijd had als hij alleen naar Lhel was geweest.

Maar zijn lach verdween zodra hij Ahra zag. Hij keek nog norser dan Nari tot Ahra hem een brief van Iya overhandigde.

'Nou ja, als zij je gestuurd heeft,' mompelde hij. 'Ik had Ki ook allang een brief naar zijn moeder moeten laten schrijven natuurlijk.'

'Niet dat dat zin had gehad,' zei Ahra afstandelijk maar waardig. 'Bij óns kan niemand lezen.'

Het schaamrood stond op Ki's kaken alsof hij op iets schandelijks was betrapt.

'Heb je nog nieuws over de oorlog?' vroeg Tobin.

'Het laatste nieuws is ook al zeker een maand oud. De koning heeft een gesprek gehad met de Myceense Ouden in Nanta, en er vaart een vloot voor de kust om de Plenimaranen bij de grens tegen te houden. Over je vader niets dan goeds, prins Tobin. Ze zeggen dat hij bij elk frontgevecht te vinden is; echt de rechterhand van de koning.'

'Ben je onlangs nog in de hoofdstad geweest?' vroeg Arkoniël.

Ahra knikte. 'Verleden week kwamen we er nog doorheen. Twee schepen en een kroeg in de fik gestoken toen de havenmeester pest aan boord had gesignaleerd. Toen bleek dat er een stel matrozen aan wal was gegaan en in een kroeg bij de haven zat, hebben de doodsvogels de tent meteen met iedereen er nog in dichtgespijkerd en toen de zaak aangestoken.'

'Wat zijn doodsvogels?' vroeg Tobin.

'Zoiets als helers,' zei Arkoniël met zo'n vies gezicht dat je voelde dat de uitleg niet helemaal juist was. 'Ze reizen door het land en proberen de pest bij alle havens tegen te houden. Ze hebben maskers op met lange punten die op snavels lijken. Die snavel vullen ze op met kruiden die moeten voorkomen dat ze zelf worden aangestoken. Daarom noemen de mensen hen doodsvogels.'

'En die Haviken zorgen ook voor heel wat stampei,' vertelde Ahra verder, en weer wist Tobin niet waarover ze het had, behalve dat ze er niet positief over was.

'Nog meer executies zeker?'

Ahra knikte. 'Drie; een van een priester. De mensen vinden het maar niks, maar durven er niets over te zeggen, niet sinds die arrestaties van een paar maanden geleden.'

'Zo is het wel welletjes,' zei Kokkie. 'Volgens mij hebben die jongens nog nooit vrouwen zien vechten. Nou, Ki wel natuurlijk, maar Tobin ziet vandaag voor het eerst een vrouw in wapenrusting.'

Ze sloten het bezoek af met een klein toernooi voor de kazerne. Ahra vocht hard en gemeen en liet de jongens een paar handige bewegingen zien om de tegenstander te laten struikelen en hem of haar het zwaard afhandig te maken.

'Dat is toch geen manier voor het neefje van de koning!' protesteerde Nari, die van een veilig afstandje toekeek.

'Nee, laat ze maar kijken,' zei Kokkie grijnzend. 'Op het slagveld vraagt niemand naar je geboortepapieren. Hoe meer trucjes een jonge strijder kent, hoe meer kans dat hij het redt.'

Arkoniël bleef in de keuken, en leerde Iya's brief uit het hoofd zodat hij hem kon verbranden. Voor iedereen behalve Arkoniël was het gewoon een rommelig verslag van Iya's ontmoetingen onderweg. Toen Arkoniël echter de juiste formule had uitgesproken, veranderden er hier en daar een stel letters van zwart in zilver. Samen vormden die de ware boodschap. Het bleef nogal cryptisch, maar het was duidelijk dat het een waarschuwing was.

Nog drie vrienden in vlammen opgegaan. De honden jagen nog, maar hebben nog geen spoor geroken. Komt Grijs of Wit, vlucht. Ik bewaar afstand. Illior waakt over je.

Grijs of Wit. Arkoniël stelde zich een colonne van die ruiters voor, aanstormend over de weide, en huiverde onwillekeurig. Hij wierp de brief in het vuur en keek toe tot er geen snipper meer van over was.

'Moge Illior ook over jou waken,' fluisterde hij, en hij sloeg de as met de pook nog fijner.

32

Tegen het eind van de lente begonnen de koeriers uit Mycena binnen te stromen. Vanaf dat moment, de hele zomer en de lange winter erna, leefden de jongens van bericht tot bericht. De hertog schreef zeer onregelmatig; elke brief werd tientallen malen doorgelezen tot het perkament vuil en slap werd en vol ezelsoren zat. De koning keerde in de winter terug naar Ero, maar het voornaamste deel van zijn strijdkrachten moest aan het front blijven. Als een van zijn waardevolste commandanten moest Rhius in het noorden blijven en hij woonde met zijn legers in het kamp op de westoever van de rivier de Eel. De Plenimaranen deden hetzelfde aan hun kant van de rivier en toen het lente werd, begon de strijd van voren af aan.

De zomer daarop was heter dan zelfs Kokkie zich kon heugen. Arkoniël hield de jongens met moeite bij de les, en ze maakten zich alleen maar zorgen over de kans dat de oorlog voorbij zou zijn voordat zij eraan zouden kunnen deelnemen.

Op vier Shemin werd Ki dertien. Zijn stem brak op de lastigste momenten, maar hij liet vol trots een donker donslijntje boven zijn lip zien.

Tobin zou nu spoedig twaalf jaar worden en hoewel zijn wangen en bovenlip onbehaard bleven, was hij nu even lang als Ki. Beide jongens waren nog altijd mager en hun armen en benen waren naar verhouding te lang, maar eindeloze dagen vol rijtochten, werken en gevechtstraining hadden hun een spierkracht gegeven waar stadsjongens jaloers op zouden zijn geweest.

Arkoniël bleef zich verbazen over hun vriendschap. Twee broers zouden niet meer van elkaar gehouden kunnen hebben dan deze twee. En ze konden zeker beter met elkaar opschieten dan menig stel broers. Ondanks het feit dat ze bijna de hele dag in elkaars gezelschap verkeerden en ook nog eens in hetzelfde bed sliepen, hoorde Arkoniël vrijwel nooit een onvertogen woord. Ze daagden elkaar uit als ze op stap gingen en steunden elkaar altijd wanneer een van hen van iemand van het personeel een standje kreeg. Arkoniël verdacht Ki ervan het meeste kattenkwaad uit te halen, maar er zouden toverkunsten of martelpraktijken voor nodig zijn om erachter te komen wie er nu weer een streek had uitgehaald.

Twee jaar onderricht op alle fronten hadden Ki van een ruwe steen in een sieraad veranderd. Hij sprak zo fraai als welke andere heer ook en het lukte hem zowaar nauwelijks meer te vloeken. Al had hij nog jongensachtige trekken, het zat er dik in dat hij een knappe vent zou worden en Arkoniël verwachtte dat hij slim genoeg was om het nog ver te schoppen aan het hof.

Nou ja, zo ver als de zoon van een heer zonder land het dan schoppen kon. Zijn vader was weliswaar ridder, maar die titel stelde in wezen niets voor; alleen het feit dat hij bij Rhius en Tobin in dienst was geweest zou hem aanzien verlenen, tenminste, als Rhius hem officieel zou adopteren – en dat zag het niet naar uit.

Als dit een normaal huishouden was geweest, zou het verschil in stand van de jongens zich allang voelbaar hebben gemaakt, maar dit was op geen enkel punt een normaal huishouden. Tobin wist niets over het hofleven en behandelde iedereen als zijn gelijke. Nari maakte zich daar zorgen over, maar Arkoniël ried haar aan de jongens hun gang te laten gaan. Ki was, alles in aanmerking genomen, de beste kameraad die een jonge prins zich kon wensen, en Tobin was eindelijk gelukkig – het grootste deel van de tijd althans.

Zijn vreemde aanvallen van vooruitziendheid schenen vanzelf te zijn overgewaaid, en met Lhels hulp had Arkoniël het voor elkaar gekregen dat Broer hem vaker met rust liet. De demon was zelfs zo rustig geworden dat Nari af en toe gekscherend riep dat ze het zonder zijn aanvallen in huis zo saai vond. Arkoniël vroeg Lhel of de geest zich misschien eindelijk te ruste zou leggen, maar ze schudde heftig haar hoofd en zei: 'Nee, en als ik was jou, zou ik daar niet om vragen.'

Als Tobin al over de dood van zijn moeder nadacht, dan zei hij er niets over. De enige aanwijzing dat het hem niet lekker zat was zijn afkeer van de toren.

Dus bestonden de enige wolken aan zijn horizon uit de afwezigheid van zijn vader en dat het hem ook niet werd toegestaan zich bij hem in Mycena te voegen.

Sinds Ahra's bezoek van de voorgaande zomer, waren Tobin en Ki zich er pijnlijk van bewust dat jongens die jonger waren dan zij al waren vertrokken om oorlog te voeren. Arkoniël gaf het hem op een briefje dat niemand van Tobins stand, laat staan de Kroonprins, aan de oorlog zou mogen deelnemen. Maar daarmee was zijn gekrenkte trots nog niet genezen.

Vanaf die tijd pasten de jongens tenminste eenmaal per maand de reservewapenrusting van Rhius, en ze zwoeren dat alles bíjna paste, al hingen de mouwen van de maliënkolder minstens een halve voet over hun vingertoppen. Met stugge volharding bleven ze hun wapenoefeningen doen en ze versplinterden genoeg oefenklingen om Kokkie die winter van aanmaakhout te voorzien.

Tobin profiteerde van zijn met moeite veroverde schrijfkunst en had altijd een dik pakket brieven voor de koeriers van zijn vader. Rhius antwoordde maar sporadisch en hij reageerde nooit op Tobins smeekbeden om hem toch maar te mogen komen helpen. Maar hij stuurde wel een smid naar de burcht die gespecialiseerd was in zwaarden. De man nam hun maat met zijn touwtjes en passers; binnen enkele weken hadden ze echte zwaarden om mee te oefenen.

Verder ging het leven zijn gangetje tot Arkoniël op een zomerse avond opving dat ze de afstand tot Ero aan het schatten waren en hoe ze zichzelf aan andere reizigers zouden voorstellen als ze onderweg mensen tegenkwamen. Diezelfde nacht kraste hij een tekentje op hun schouderblad terwijl ze sliepen, voor als hij ze later terug zou moeten vinden.

Ki en Tobin liepen niet weg, maar de hele lange warme zomer maakten ze zich mompelend druk over de oorlog en over Ero.

Ki was maar een paar keer naar de hoofdstad geweest, maar hij liet elk bezoek in geuren en kleuren voor Tobin herleven. 's Nachts zaten ze bij de stoffige speelgoedstad en hij wees dit en dat aan, schilderde afbeeldingen met woorden, en liet een groot deel van Tobins verbeelding ontwaken.

'Hier loopt de Goudsmidstraat, daar ongeveer, en de tempel,' wees Ki. 'Weet je nog dat ik je vertelde over de draak die ze daar op de muur geschilderd hebben?'

Tobin vroeg honderduit over de Aurënfaier paarden en handelaren die hij op de paardenmarkt gezien had en liet hem herhaaldelijk alles vertellen over de schepen in de haven, met hun gekleurde zeilen en banieren.

Maar Tobin leerde Ki weer alles over wat er binnen de muren van de Palatijnse Ring lag, want daar was Ki nooit geweest. Tobin kende alleen de verhalen van zijn vader en Tharin, maar die kende hij dan ook uit zijn hoofd. Hij testte Ki's kennis over de koninklijke stamboom en liet hem de poppenkoningen en -koninginnen op het dak van het paleis opstellen.

Overdag speelden ze woudlopertje of renden door de wei met weinig meer aan dan korte linnen lendendoeken. Het was meestal te heet voor meer. Zelfs Arkoniël kleedde zich na een tijdje zo en het kon hem niets schelen dat ze om zijn bleke, behaarde lijf giechelden.

Ook Lhel paste haar kleding aan de temperatuur aan. De eerste keer dat ze tussen de bomen vandaan stapte met alleen een rok aan, was Tobin hevig geschrokken. Nari was de enige vrouw die hij had gezien wanneer ze zich aankleedde of waste. En Nari had kleine, zachte en bleke borsten. Die van Lhel leken daar helemaal niet op. Ze was bruin over haar hele lichaam en was bijna zo gespierd als een man, al was ze niet plat en hoekig. Haar borsten leken op enorme rijpe pruimen en zwaaiden heen en weer als ze liep. Haar dijen en benen waren stevig, haar heupen breed en rond, en haar taille slank. Haar handen en voeten waren net zo vuil als altijd, maar de rest van haar lijf zag er schoon uit alsof ze zojuist had gezwommen. Tobin wilde na de eerste schrik haar schouder aanraken, gewoon om te weten hoe dat aanvoelde, maar alleen al van het idee kreeg hij een kleur.

Hij zag Ki ook blozen, die eerste keer, al leek hij er niet verlegen mee. Ze waren snel aan haar nieuwe uiterlijk gewend, al vroeg Tobin zich soms af wat er onder dat rokje zat. Ki had verteld dat er tussen de benen van een vrouw iets heel anders zat dan tussen hun eigen benen. Af en toe zag hij Lhel naar hem kijken alsof ze zijn gedachten kon lezen en met een kop als een boei keek hij snel de andere kant op.

33

'Denk jij dat prins Korin de wasketel in het paleis moet vullen?' klaagde Ki terwijl hij en Tobin op het keukenerf met hun emmers zwoegden. Het houten paardje drukte tegen zijn bezwete bruine borst terwijl hij de emmer tot aan de rand van de stomende wasketel optilde. Het was nog niet eens middag, maar het was al om te stikken op deze dag in Lenthin.

Zweetdruppeltjes rolden langs Tobins neus terwijl hij zijn eigen emmer leegde. Over de rand van de ketel hangend blies hij de stoom weg en kreunde van wanhoop. 'Bij de ballen van Bilairy! Nog niet eens halfvol. Nog twee rondjes en dan gaan we zwemmen, hoor. Kan me niet bommen of Kokkie d'r keel schor schreeuwt.'

'Uw wens is mijn bevel, mijn prins,' grinnikte Ki en hij liep naast Tobin de poort uit.

De recente droogte had ervoor gezorgd dat de rivier flink gezakt was. Om het water te bereiken moesten ze over een stel scherpe stenen, begroeid met dode waterplanten, klauteren. Ze waren er bijna toen Ki zijn teen gemeen stootte. Hij stiet een getergd gegrom uit terwijl hij zijn best deed om een woord binnen te houden dat ten strengste verboden was; Nari had zijn oor vanwege zijn hevige gevloek vandaag al een keer omgedraaid. 'Tering!' siste hij in plaats daarvan en hij pakte zijn bloedende teen.

Tobin liet zijn emmers vallen en hielp hem naar het water toe. 'Houd hem maar in het water tot je hem niet meer voelt.'

Ki ging op een kei zitten en liet beide benen tot de knieën in de stroom bengelen. Tobin deed hetzelfde en leunde op zijn ellebogen naar achteren. Deze zomer was hij nog bruiner dan Ki, merkte hij trots, al mopperde Nari dat hij er als een boerenknecht uitzag.

Vanuit deze positie kon hij de rij gouden haartjes zien die in de geul naast Ki's ruggengraat groeide, en de manier waarop zijn schouderbladen onder de gladde huid uitstaken. Ki deed hem denken aan de bergleeuw die ze samen gezien hadden, bruingeel en lenig. Die rug van Ki liet hem plotseling gloeien vanbinnen, al had hij geen idee waarom.

'Die ketel wordt niet vanzelf vol, hoor!' riep Kokkie die in de poort achter hen stond.

Tobin liet zijn hoofd achterovervallen en zag de vrouw nu ondersteboven. 'Ki heeft zijn voet bezeerd.'

'O, en jouw benen zijn zeker gebroken?'

'Volgens mij is er niks mis mee,' plaagde Ki en hij spatte water op Tobins blote buik.

Hij gilde en ging meteen rechtop zitten. 'Verrader! Als je denkt dat ik je nog eens help...'

Broer stond vanaf de andere oever naar hen te kijken. Tobin had hem in de ochtend opgeroepen, maar was hem verder vergeten.

Broer was nu even groot als Tobin, maar bleef vel over been en zo bleek als een vissenbuik. Waar Broer ook opdook, het licht raakte hem nooit zo als bij een levend persoon. Van een afstandje leken zijn onnatuurlijke ogen wel twee donkere gaten in zijn gezicht. Zijn stem was nog zwakker geworden. Het was maanden geleden dat Tobin hem had horen spreken.

Hij bleef Tobin nog even aankijken, draaide zich toen om en keek naar de weg.

'Er komt iemand aan,' mompelde Tobin.

Ki keek naar de wei en toen naar hem. 'Ik hoor anders geen barst.'

Even later vingen ze allebei het eerst gedempte gehinnik in de verte op.

'Aha. Broer zeker?'

Tobin knikte.

Nu hoorden ze de ruiters goed genoeg om te schatten dat het er minstens een stuk of twintig waren. Tobin sprong overeind. 'Zou het vader zijn?'

Ki grijnsde. 'Wie anders zou met zo'n bende ridders hierheen komen?'

Tobin klauterde de rotsen weer op en rende naar de brug om beter zicht te hebben.

De zondoorstoofde planken waren te heet voor zijn blote voeten. Hij danste ongeduldig van het ene been op het andere en rende toen de grasrand af om de ruiters te begroeten.

'Tobin, kom terug! Je mag niet zover de weg op!'

'Ik ga maar een stukje!' Hij keek over zijn schouder en zag dat Ki hinkend naar boven kwam. De andere jongen wees op zijn voet en haalde zijn schouders op.

Tobins hart begon te bonzen toen hij tussen de bomen door een flits zonlicht op staal zag weerkaatsen. Waarom reden ze stapvoets? Zijn vader nam de laatste mijl altijd in galop, waardoor er een stofwolk boven de bomen uitsteeg, lang voor de andere ruiters arriveerden.

Tobin stopte en hield zijn hand boven zijn ogen. Geen stofwolk vandaag. Ongerust ging hij klaarstaan om ervandoor te gaan als het toch vreemdelingen mochten zijn.

Toen de eerste ruiters aan de rand van het weiland verschenen, herkende hij Tharin in de voorste gelederen, met de oude Laris en de anderen vlak achter zich. Er waren twee andere ridders bij. Hij herkende Nyanis aan zijn glanzende lokken en Solari aan zijn dikke zwarte baard en groen-gouden mantel.

De strijd moest voorbij zijn! Hij had gasten meegebracht voor het feest! Tobin schreeuwde even en begon vrolijk naar hem te zwaaien, nog steeds zoekend naar zijn vader te midden van die andere ruiters. Tharin wuifde terug, maar spoorde zijn paard niet aan. Toen ze boven op de heuvel waren, zag Tobin pas dat de commandant een paard aan een lange teugel meevoerde – zijn vaders zwarte strijdros. Met zadel, maar zonder berijder. En toen viel het Tobin pas op dat de manen van alle paarden kort in de nek waren afgeschoren. Hij wist wat dat betekende. De mannen in de kazerne vertelden hem altijd van alles over de strijd.

De lucht naast Tobin verduisterde toen Broer schuin voor hem kwam staan. Zijn stem was boven het gekabbel van de rivier nauwelijks hoorbaar, maar Tobin verstond het goed genoeg.

Onze vader is thuisgekomen.

'Nee.' Tobin marcheerde koppig verder om de strijders te begroeten. Het bloed bonsde tegen zijn slapen. Hij voelde de weg niet onder zijn voeten.

Tharin en de anderen hielden hun paarden in toen hij hen bereikt had. Tobin weigerde hem aan te kijken. Hij keek alleen naar zijn vaders paard en de dingen die op zijn zadel gebonden waren: maliënkolder, helm en boog. En een langwerpige pot die in een net naast het zadel bungelde.

'Waar is hij?' vroeg Tobin en hij staarde naar de versleten lege stijgbeugel. Zijn stem klonk hem net zo zwak in de oren als die van Broer.

Hij hoorde hoe Tharin afsteeg, voelde de handen van de man op zijn schouders, maar bleef strak naar de stijgbeugel kijken.

Tharin draaide hem zachtjes naar zich toe en tilde zijn kin met zijn hand op. Zijn fletsblauwe ogen hadden rode randen en drukten groot verdriet uit.

'Waar is vader?'

Tharin nam iets uit het buideltje dat aan zijn riem hing, iets met een zwarte en gouden schittering in het zonlicht. Het was zijn vaders eikenboomzegelring aan een ketting. Met bevende handen hing Tharin hem om de nek van de jongen.

'Je vader stierf in het harnas, mijn prins, op de vijfde dag van Shemin. Hij is dapper strijdend ten onder gegaan, Tobin. Ik breng zijn as naar jou, naar zijn thuis.'

Tobin keek weer naar de pot in het net en begreep het. De vijfde van Shemin? Dat was de dag na Ki's verjaardag. Ze hadden gezwommen en hij had twee patrijzen geschoten. Lhel hadden ze ook gezien.

Ze hadden van niks geweten.

Broer stond nu naast het paard en liet één hand op de stoffige pot rusten. Hun vader was al bijna een maand dood.

Je hebt me eens verteld over een vos die lag te sterven, dacht hij en staarde Broer ongelovig aan. *En dat Iya eraan kwam. Maar niet dat onze vader dood was?*

'Ik was erbij, Tobin. Wat Tharin vertelt is waar.' Dat was heer Solari. Hij steeg af en kwam naast hem staan. Tobin was altijd gek geweest op de jonge heer, maar hij kon hem nu echt niet aankijken. Toen hij eindelijk verder sprak, klonk het of de man mijlen verderop stond, al zag Tobin Solari's laarzen naast zijn blote voeten staan. 'Zijn oorlogskreet klonk onophoudelijk en al zijn wonden zaten voor op zijn lichaam. Ik zag dat hij minstens vier man doodde voor hij zelf de geest gaf. Geen strijder kan zich een mooiere dood wensen.'

Tobin voelde zich heel licht worden, alsof hij als een distelpluisje door de bries opgetild zou worden. Misschien zag hij vaders geest wel. Hij kneep zijn ogen samen en probeerde zijn vaders schaduw in de pot te zien bewegen. Maar Broer stond alleen, met zijn zwarte gaten op de plaats van ogen; langzaam verdween hij uit het gezicht.

'Tobin?'

Tharins handen lagen stevig op zijn schouders, en drukten zacht op hem zodat hij niet weg kon zweven. Tobin wilde Tharin niet aankijken, wilde de tranen niet langzaam strepen zien trekken door het stof op zijn wangen.

Hij wilde niet dat de andere heren en soldaten zagen dat Tharin huilde.

In plaats daarvan keek hij langs hem heen en zag dat Ki op hem af kwam rennen. 'Zijn voet doet zeker geen pijn meer.'

Tharin bracht zijn gezicht dichtbij dat van Tobin en keek hem met een vreemde uitdrukking aan. Tobin kon nu ook andere mannen horen huilen, iets wat hij nooit gehoord had. Soldaten huilden niet.

'Ki,' legde Tobin uit terwijl zijn blik weer naar zijn vaders paard terug schoot. 'Hij heeft zijn teen gestoten, maar ik denk dat het wel weer gaat.'

Tharin nam een schede van zijn rug en legde het beschermde zwaard van de hertog in Tobins handen. 'Dit behoort jou nu toe.'

Tobin klemde het zware wapen vast, veel zwaarder dan dat van hem. Te groot voor hem. Net als de wapenrusting. Nog iets wat hij voor later moest bewaren. Het zou te laat zijn.

Hij hoorde dat Tharin doorpraatte, maar het leek wel of zijn hoofd met distelpluis was gevuld; hij begreep niet wat er gezegd werd. 'Wat doen we met de as?'

Tharin hield hem stevig vast. 'Wanneer je er klaar voor bent, gaan we naar Ero en leggen hem bij je moeder in de koninklijke graftombe. Dan zijn ze eindelijk weer samen.'

'In Ero?'

Vader had hem altijd beloofd dat hij hem een keer mee zou nemen naar Ero.

Maar nu zag het ernaar uit dat hij vader naar Ero mee moest nemen.

Tobins ogen staken en zijn borst voelde heet aan alsof hij hele einden gerend had, maar er kwamen geen tranen. Hij voelde zich vanbinnen net zo droog als de weg onder zijn voeten.

Tharin steeg weer op zijn paard en iemand tilde Tobin achter hem, met zijn vaders zwaard nog in zijn handen.

Ki kwam hen halverwege tegemoet, buiten adem en hinkend. Hij scheen al te weten wat er gebeurd was en barstte in tranen uit bij de aanblik van de wapens op het zadel van het paard. Hij liep naar Tobin, hield zijn been met beide handen vast en legde zijn voorhoofd tegen zijn knie. Koni kwam naast hem lopen en hees Ki achter zich op het paard.

Terwijl ze de rest van de heuvel beklommen, voelde Tobin zijn vaders zegel met elke stap van de hoeven zwaar heen en weer bewegen tegen zijn hart.

Nari en de anderen kwamen hen bij de hoofdpoort tegemoet en voor Tharin verteld had wat er gebeurd was steeg er al een klaaglijk gejammer op. Zelfs Arkoniël huilde.

Nari drukte Tobin stevig tegen haar borst toen hij zich van het paard had laten glijden. 'Ach, mijn arm diertje,' snikte ze. 'Wat moeten we nu beginnen?'

'We gaan naar Ero,' probeerde hij haar te vertellen, maar hij betwijfelde of ze het had opgevangen.

De wapens en de as werden de hal binnengedragen en voor het huisaltaar uitgestald. Tharin hielp Tobin Gosi's manen te trimmen en het haar met een lok van zijn eigen haar te verbranden om zijn vader te eren.

Vervolgens zongen ze droevige liederen bij het altaar die iedereen, op Tobin na, leek te kennen, en Tharin hield zijn handen onophoudelijk op Tobins schouders terwijl hij gebeden tot Astellus en Dalna richtte om over de ziel van zijn vader te waken, en vervolgens tot Sakor en Illior om het huishouden te beschermen.

Voor Tobin was het één grote woordenbrij. Toen Broer verscheen om een van zijn vieze, kronkelige boomwortels op de plank boven het altaar te leggen, was Tobin te uitgeput om hem eraf te vegen.

Toen de gebeden en de liederen ten einde waren, nam Tharin Tobin even apart, knielde naast hem neer, en trok hem dicht tegen zich aan. 'Ik was bij je vader toen hij stierf,' sprak Tharin zacht en weer had hij die vreemde blik in zijn ogen. 'We hadden het over jou. Hij hield meer van jou dan van wat dan ook en was zo treurig dat hij van je weg moest gaan...' Hij veegde de tranen uit zijn ooghoeken en schraapte zijn keel. 'Hij droeg me op jouw beschermheer te zijn en dat zal ik de rest van mijn leven blijven. Op mij kun je altijd vertrouwen.'

Hij trok zijn zwaard en plaatste het met de punt naar beneden voor hem. Hij nam Tobins hand en legde hem op het versleten gevest; hij omsloot hem met zijn eigen hand. 'Ik zweer bij de Vier en mijn eer om je bij te staan en de rest van mijn leven te dienen. Ik heb je vader dezelfde eed gezworen. Begrijp je dat, Tobin?'

Tobin knikte. 'Dank je wel.'

Tharin stopte zijn zwaard weer in de schede en drukte hem even tegen zich aan. Hij liet hem los en schudde het hoofd. 'Bij de Vier, ik wou dat mijn as in die pot zat, en niet die van hem. Ik zou er alles voor overhebben.'

Het was al donker toen de hele ceremonie voorbij was. Er werd wat gegeten, maar niemand stookte het vuur op en niemand kookte, en iedereen bleef in de hal slapen. Een wake, noemde Tharin het. Toen de nacht viel stak hij een klein lampje op het altaar aan, maar de rest van het huis was pikkedonker.

Een paar bedienden gingen liggen om te slapen, maar de strijders knielden in een halve cirkel neer om het altaar, met hun zwaarden ontbloot voor zich. Nari maakte voor Tobin een provisorisch bed bij de haard, maar hij wilde niet gaan liggen. Hij sloot zich een tijdje bij de mannen aan, maar hij voelde zich buitengesloten door hun zwijgzaamheid. Ten slotte kroop hij in een hoekje van de hal en zakte ineen op het stro onder de trap.

Ki vond hem daar en kwam bij hem zitten. 'Zoiets heb je nog nooit meegemaakt, hè?' fluisterde hij.

Tobin schudde zijn hoofd.

'Maar iets dergelijks moeten ze toch gedaan hebben toen je moeder stierf?'

'Weet ik eigenlijk niet.' Hij dacht eraan en een huivering liep hem over de rug. Ki moet het gemerkt hebben, want hij schoof wat dichterbij en legde een arm om zijn schouders, net als Tharin had gedaan. Tobin kroop dicht tegen hem aan en legde zijn hoofd op Ki's schouder, dankbaar voor de tastbare troost die dat bood. 'Ik weet het niet meer, ik zag haar op het ijs liggen en toen was ze verdwenen.'

Hij had nooit gevraagd wat er met haar gebeurd was. Nari had het hem een paar keer proberen uit te leggen, maar dan hield Tobin zijn handen tegen zijn oren en kroop onder de dekens tot ze op zou houden. Niemand in huis had er toen nog gewag van gemaakt en hij had er nooit naar gevraagd. Het was allemaal al erg genoeg, toen hij doorkreeg dat zijn moeders geest nog steeds in de toren aanwezig was. Wat kon het hem dan schelen waar haar lichaam begraven lag?

Nu hij hier in het donker zat, herinnerde hij zich Tharins woorden. Zijn moeder was in Ero.

Hij herinnerde zich nog maar heel weinig van die dag, maar hij wist wel dat de koning vertrokken was toen hij eindelijk uit bed mocht. En zijn moeder ook.

Als een piepklein steentje dat in een van Arkoniëls alchemistische brouwsels viel, liet die gedachte de halfvergane herinneringen samenkomen tot één besef: de koning had zijn moeder weggehaald. Dit doordrenkte zijn door verdriet bezwangerde geest en bleef erin rondtollen tot het zeer deed.

Nee, fluisterde Broer in het duister.

'Mijn ma ging dood toen ik zes was,' zei Ki zacht en hij kreeg hem zo weer met beide benen op de grond.

'Hoe kwam dat?' Ze hadden zoveel gepraat, maar dit was nog nooit ter sprake gekomen.

'Ze had haar voet aan een zeis gesneden en de wond die wou niet helen.' Het oude plattelandsaccent kwam weer boven. 'Haar been werd helemaal zwart en haar mond kon niet meer open en toen ging ze dood. De grond was bevroren, dus heeft pa haar ingepakt en boven in de koeienstal laten liggen tot het lente was. Soms trok ik de deken opzij om haar gezicht nog even te zien. We hebben haar in de lente begraven, nog voor de bladeren aan de bomen kwamen. Vader had Sekora toen al en haar buik was al dik. Ik weet nog dat ik naar haar keek terwijl we de liederen bij mijn moeders graf zongen.' Zijn stem sloeg over.

'Je hebt een nieuwe moeder,' mompelde Tobin en hij voelde zich opeens zo zwaar en moe dat er geen woorden voor waren. 'Ik heb nu helemaal geen vader of moeder meer.'

Ki verstevigde de greep van zijn arm. 'Ze zullen je wel niet met mij mee laten gaan, hè? Bij ons zouden ze het waarschijnlijk niet eens merken.'

Nog steeds waren zijn ogen droog en nog steeds deed zijn borst zeer, maar langzaam dreef Tobin weg in zijn droom van een hele hoop bruinharige kinderen waar hij en Ki tussen lagen – allemaal knus op een hoopje als een nest jonge hondjes, terwijl hun moeders bevroren op zolder in de koeienstal lagen.

34

Toen de zon begon op te komen, werd Arkoniël met een stijve nek wakker. Hij lag in een hoekje bij het altaar, en had de bedoeling gehad de wake met de anderen vol te houden, maar moest op een gegeven moment toch ingedommeld zijn.

Maar hij was tenminste niet de enige die in slaap gevallen was, dacht hij en hij keek de hal rond.

Het lampje op het altaar brandde nog steeds en bij het vage schijnsel zag hij donkere gestalten op banken en op de biezen bij de haard liggen. Onder de trap zag hij Ki en Tobin, dicht tegen elkaar met hun rug naar de muur.

Alleen de strijders waren wakker gebleven, de hele nacht op hun knieën om de man te eren die ze zolang gevolgd hadden.

Arkoniël bestudeerde hun vermoeide gezichten. Nyanis en Solari waren nieuw voor hem; uit wat hij van Kokkie en Nari had gehoord, waren het allebei loyale vazallen geweest en zouden ze waarschijnlijk toekomstige bondgenoten voor Rhius' dochter kunnen worden.

Weer keek hij naar Tobin; in dit licht had hij een straatschoffie uit de sloppen van Ero kunnen wezen. Arkoniël zuchtte en herinnerde zich wat Iya hem van haar visioenen had verteld.

Hij kon nu toch niet meer slapen en liep naar buiten om op de brug de zon te zien opkomen. Er graasden een paar herten op de weide; andere waren de stenen over geklommen om water te drinken. Een grote witte reiger stapte door het ondiepe water, op zoek naar zijn ontbijt. Het beloofde weer een hete dag te worden.

Hij ging midden op de brug zitten en liet zijn lange benen over de rand bungelen. 'Wat nu, Lichtdrager?' vroeg hij zacht. 'Wat moeten we nu beginnen, als zij die dit kind beschermen een voor een van ons worden afgenomen?'

Hij wachtte en bad om een teken als antwoord, maar alles wat verscheen was Sakors vurige zon die zijn gezicht bescheen. Hij zuchtte en begon in zijn hoofd een brief aan Iya op te stellen waarin hij de hoop uitsprak dat ze nu eens een eind aan haar lange zwerftochten zou maken en hierheen zou komen om hem bij te staan. Hij had echter al in geen maanden van haar gehoord en wist eigenlijk niet eens zeker waar hij de brief naartoe moest sturen.

Hij was nog niet erg gevorderd toen hij de poort achter zich hoorde opengaan. Tharin stapte naar buiten om hem gezelschap te houden. Hij ging met zijn handen tussen zijn opgetrokken benen naast de tovenaar zitten en liet zijn blik over het grasland gaan. Hij was bleek en het verdriet stond op zijn gezicht te lezen. Het ochtendlicht zoog het licht uit zijn ogen op.

'Je bent kapot,' zei Arkoniël.

Tharin knikte langzaam.

'Wat zou er nu moeten gebeuren?'

'Daarom kom ik maar even bij je. De koning sprak met me toen we rond Rhius' brandstapel stonden. Hij wil Tobin oproepen. Hij wil dat hij zich bij prins Korin en de Gezellen voegt.'

Zo verrassend was dat natuurlijk niet, maar Arkoniël kreeg het er toch benauwd van. 'Wanneer?'

'Weet ik niet. Snel. Ik heb hem gevraagd de jongen een beetje tijd te geven, maar hij zei niets terug. Ik stel me voor dat hij Tobin zo spoedig mogelijk ergens wil hebben waar hij hem in de gaten kan houden.'

'Hoe bedoel je?'

Tharin gaf geen antwoord, maar keek naar de herten. Ten slotte zuchtte hij en zei: 'Ik kende je als jongen toen jij en Iya in Atyion te gast waren. Sinds je hier woont heb ik je leren kennen als man. Ik heb je altijd gemogen en ik denk dat ik je kan vertrouwen, vooral wat Tobin betreft. En daarom sta ik op het punt mijn leven in jouw handen te leggen.' Hij keek Arkoniël in de ogen. 'Maar bij de Vier, als je mijn vertrouwen beschaamt, dan zul je me moeten doden om me uit je buurt te houden. Is dat begrepen?'

Arkoniël wist dat dit geen loos dreigement was. Maar achter de strenge woorden van de man voelde hij een spoor van angst, niet voor hemzelf, maar voor Tobin.

Arkoniël hief zijn rechterhand omhoog en drukte zijn linker tegen zijn hart. 'Ik zweer op mijn handen, mijn hart en mijn ogen, heer Tharin, dat ik mijn leven in de waagschaal stel om het kind van Rhius en Ariani te beschermen. Wat wilde je me zeggen?'

'Ik heb je woord dat je het niemand zal vertellen?'

'Iya en ik hebben geen geheimen voor elkaar, maar ik kan geheel voor haar instaan.'

'Goed dan. Ik kan het toch bij niemand anders kwijt. Ten eerste, volgens mij wilde de koning Rhius dood hebben. Ik denk dat hij zelfs heeft meegeholpen hem in een hinderlaag te lokken.'

Arkoniël wist niet zoveel van hofintriges, maar zelfs hij wist dat Tharin zojuist tweemaal zijn leven in Arkoniëls handen had gelegd. Tharin moet dat ook geweten hebben, maar hij aarzelde niet om verder te gaan. 'Sinds de prinses gestorven is, stuurt de koning Rhius naar de gevaarlijkste hoeken van het slagveld. Rhius wist dat ook, maar hij was te trots om er iets van te zeggen. Maar sommige bevelen die we opvolgden waren gewoon veel te onbezonnen. Honderden sterke Skalaanse soldaten zouden in Atyion en Cirna nog rechtop staan en ademhalen, wanneer de koning bij het opzetten van zijn aanvallen zijn verstand had gebruikt.

De dag dat Rhius gedood werd, stuurde Erius ons te paard het moeras in. Aan de andere kant liepen we in de val.'

'En waarom denk je dat de koning er iets mee te maken had?'

Tharin lachte grimmig. 'Je weet niet veel over de cavalerie, wel? Je stuurt geen ruiter hartje zomer zo'n gebied in, zonder dekking en op zompige grond. Niet wanneer er een goede kans is dat de vijand aan de andere kant in loopgraven verscholen zit en zijn oren gespitst houdt. Rhius kreeg al een pijl in zijn dijbeen lang voor we vaste grond onder onze voeten hadden. Ik kreeg er een in mijn schouder en met één pijl werd mijn paard onder me vandaan geschoten. Ik viel en hij trapte me... Het was een slachting. Er moeten zo'n twee- à driehonderd infanteristen geweest zijn, maar waar ze bleven mag Joost weten. Zelfs met die wond vocht Rhius als een wolf, maar Laris vertelde me dat een speer zijn paard doodde waardoor hij viel en onder het dier terechtkwam. De vijand stond al met bijlen op hem in te hakken voor... voor ik bij hem was.'

Er rolde een traan over zijn wang die in zijn korte baard bleef steken. 'Het leven was al bijna uit hem geweken tegen de tijd dat ik bij hem was. We hebben hem weg kunnen slepen, maar verder hebben we niets kunnen doen.'

Meer tranen vielen, maar Tharin scheen het niet te merken. Arkoniël vermoedde dat hij aan het huilen gewend was geraakt. 'Rhius wist dat Bilairy op hem wachtte. Hij trok me dicht bij hem en sprak zo zacht dat alleen ik het kon horen. Zijn laatste woorden waren: "Bescherm mijn kind met je leven, hoe dan ook. Tobin moet Skala regeren."'

Arkoniëls adem stokte in zijn keel. 'Zei hij dat tegen je?'

Tharin keek hem strak aan. 'Ik dacht toen dat de dood zijn verstand al had aangetast. Maar nu ik jouw reactie zie, weet ik dat niet zo zeker meer. Weet jij wat hij bedoelde?'

Vertrouw op je instinct, had Iya gezegd voor ze vertrok. Dat instinct had hem altijd verteld Tharin te vertrouwen. En toch had Arkoniël het gevoel dat hij nu van een hoge klif dook terwijl er beneden hem alleen maar mist en nevel waren. Het geheim was een gevaar voor wie dan ook.

'Dat weet ik. En Iya en ik hebben daar vanaf Tobins geboorte aan gewerkt. Maar je moet me eerlijk vertellen, kun je Tobin nog dienen terwijl je niet méér weet dan je nu hebt gehoord?'

'Ja. Maar...'

Arkoniël bekeek Tharins terneergeslagen gezicht terwijl de man naar woorden zocht. 'Je vraagt je af waarom Rhius je dat niet eerder heeft gezegd?'

Tharin knikte, zijn lippen opeengeklemd.

'Omdat hij dat niet kon,' zei Arkoniël vriendelijk. 'Rhius heeft nooit een seconde aan jouw loyaliteit getwijfeld, dat moet je geloven. Op een dag zal ik je alles kunnen vertellen en dan zul je het begrijpen. Als je maar nooit denkt dat Rhius jouw trouw in twijfel trok. Dat bewees hij met zijn laatste adem, Tharin. Wat hij jou vertelde was het grootste geheim van zijn leven.

Wat Tobin nodig heeft is bescherming en bondgenoten als het zover komt. Hoeveel troepen zouden we vandaag op kunnen roepen als we ze nodig zouden hebben?'

Tharin streek over zijn behaarde kin. 'Tobin is nog geen twaalf, Arkoniël. Dat is te jong om bevelvoerder te zijn, te jong zelfs om de troepen te inspireren alles te geven, tenzij er een machtig heer achter hem staat.' Hij wees naar de burcht achter zich.

'Nyanis en Solari zijn prima kerels, maar Rhius was de opperbevelhebber, de leider. Als Tobin zestien of zeventien zou zijn, misschien zelfs vijftien, dan was het een ander verhaal, maar zoals het er nu voorstaat, is het enige familielid met macht de koning. En toch...'

'Ja?'

'Er zijn edelen, en dit moet tussen jou en mij blijven, die niet willen dat welk kind dan ook uit de vrouwelijke lijn van Skala kwaad gedaan wordt, en daar ook voor vechten. En anderen die reden genoeg hebben om zich te herinneren wie Tobins vader was.'

'Ken je die edelen? Wie zou Tobin kunnen vertrouwen?'

'Er zijn er maar heel weinig voor wie ik mijn hand in het vuur zou durven steken, want het hof is niet meer wat het geweest is, maar ik ben mijn hele leven met de hertog opgetrokken en ik was zijn vertrouwenspersoon. Ik weet wel zo ongeveer hoe de vlag erbij hangt.'

'Tobin zal je kennis nodig hebben. En hoe staat het met de soldaten die trouw aan Rhius zwoeren?'

'Het voetvolk is gebonden aan het land waarop ze werken. Ze dienen dus degene aan wie het land toebehoort. Tot Tobin de leeftijd heeft om zelf over zijn land te heersen, stel ik me voor dat dat degene is die de koning hier neerzet.' Hij schudde het hoofd. 'En tussen vandaag en morgen kan er veel gebeuren. Erius benoemt altijd zijn eigen regenten in dit soort gevallen.'

'Er is al zoveel veranderd voor het kind,' mompelde Arkoniël. 'Maar goed, hij mag in zijn handen knijpen dat hij zo'n loyaal man als jij achter zich weet.'

Tharin sloeg Arkoniël op zijn schouder en stond op. 'Sommigen dienen uit loyaliteit of glorie, sommigen voor het geld,' zei hij. 'Ik diende Rhius uit liefde en Tobin ook.'

'Liefde.' Arkoniël stond op, aangedaan door iets in de stem van Tharin. 'Ik heb je er nooit naar gevraagd. Je hebt een landgoed ergens. Heb je geen gezin of zo?'

'Nee.' Voor de tovenaar zijn gezicht kon zien draaide Tharin zich om en beende naar de burcht.

'Dat goede man,' fluisterde Lhel onzichtbaar, haar stem verscholen in het kabbelende water onder zijn dunne benen.

'Weet ik,' antwoordde Arkoniël, en hij werd warm van haar lichaamloze aanwezigheid. 'Weet je het al van heer Rhius?'

'Broer heeft verteld.'

'Wat moet ik nu beginnen, Lhel? De koning wil dat hij naar Ero vertrekt.'

'Zorg Ki blijft bij hem.'

Arkoniël grinnikte terneergeslagen. 'Is dat alles? Blij dat te horen. Lhel?'

Maar ze was alweer verdwenen.

35

De ochtend na de wake werd Tobin met een vreemd hol gevoel wakker. Ki lag nog tegen zijn schouder aan te slapen, met zijn hoofd tegen Tobins wang. Tobin bleef heel stil zitten, en probeerde de leegheid onder zijn ribben thuis te brengen. Het was een andere leegte dan bij zijn moeders dood; zijn vader was een heldendood gestorven.

Ki was zwaar. Tobin verschoof een stukje en Ki schoot wakker. 'Tob, alles goed met je?'

'Ja.' Hij kon tenminste praten. Maar die holte in hem voelde aan als een zwart gat, of de koude diepe bron naast Lhels wooneik. Net of hij in het donkere water staarde en op iets wachtte. Maar wat het was, wist hij niet.

Hij stond op en liep naar het altaar om voor zijn vader te bidden. Tharin en de edelen waren weg, maar Koni en een paar anderen zaten nog steeds op hun knieën.

'Ik had de wake samen met jou moeten houden,' mompelde hij en hij schaamde zich dat hij in slaap gevallen was.

'Niemand verwachtte dat van je, Tobin,' zei Koni vriendelijk. 'Wij hebben samen met hem bloed laten vloeien. Maar je zou de offerandes voor het altaar kunnen maken. Eenenvijftig waspaardjes, een voor elk jaar dat hij heeft geleefd.'

Koni zag het stuk boomwortel dat Broer daar had neergelegd en wilde het weggooien. Maar Tobin hield hem tegen. 'Laat maar liggen.' Er lag nu ook een eikel naast.

Samen met Ki bleef hij de hele morgen in zijn speelkamer met een grote klomp bijenwas. Hij had nog nooit zoveel figuurtjes achter elkaar gemaakt en zijn handen deden pijn, maar hij wilde er niet mee ophouden. Hij liet Ki de was kneden zodat hij soepeler werd, maar stond erop dat hij alle paardjes zelf maakte. Hij maakte ze zoals hij ze altijd had gemaakt, met gebogen nekken en kleine smalle hoofden, zoals de Aurënfaier paarden waarop hij en zijn vader reden, maar deze keer gaf hij ze met zijn duimnagel heel korte borstelmanen, die op rouw duidden.

Ze waren nog bezig toen Solari en Nyanis met hun rijkleding aan binnenkwamen.

'Ik kom afscheid nemen, prins Tobin,' zei Nyanis en hij knielde voor hem neer. 'Wanneer je naar Ero komt, kun je me tot je vrienden rekenen.'

Tobin keek op van zijn was en knikte, verbaasd hoe grauw en dof Nyanis' haar geworden was sinds de laatste keer dat hij hem zag. Toen hij klein was vond hij het prachtig hoe het licht van het vuur in dat haar weerkaatst werd als ze bij de haard bikkelden.

'Ook op mij kun je rekenen, prins,' zei Solari en hij legde zijn vuist tegen zijn borst. 'Vanwege je vader zal ik mezelf altijd een bondgenoot van Atyion blijven noemen.'

Leugenaar, siste Broer die vlak achter de man zweefde. *Hij heeft de kapitein verteld dat hij over een jaar zelf heer van Atyion wil zijn.*

Ontzet riep Tobin: 'Over een jaar?'

'Over een jaar en altijd, mijn prins,' antwoordde Solari, maar toen Tobin in de ogen van de man keek, zag hij dat Broer weer eens gelijk had gehad.

Tobin stond op en boog voor beide heren, zoals zijn vader gedaan zou hebben.

Toen ze zich omdraaiden en de gang doorliepen, weerkaatste Solari's gebrom tegen de muren. 'Kan me niet schelen wat Tharin zegt. Die jongen is niet helemaal...'

Tobin keek Broer aan. Misschien lag het aan het licht, maar het leek wel of Broer glimlachte.

Nari wilde Tobin bemoederen, bood zelfs aan in het grote bed met hem te slapen zoals vroeger, maar hij duwde haar weg. Arkoniël en Tharin lieten hem met rust, maar leken hem wel in de gaten te houden.

Het enige gezelschap dat Tobin verdragen kon was Ki, en de volgende dag bleven ze uren buiten de burcht. Binnen de officiële rouwperiode was rijden vier dagen lang verboden, net als warme maaltijden en vuur na zonsondergang, dus wandelden ze over de wildsporen en langs de oevers van de rivier.

Het gevoel van innerlijke leegte verdween niet; Ki leek het aan te voelen, want hij was opmerkelijk stil voor zijn doen. Hij had het ook nooit over het feit dat Tobin nog geen traan had gelaten, al huilde hij er zelf af en toe nog steeds om.

En hij was niet de enige. Tijdens die eerste dagen liep Tobin vaak Nari en Arkoniël tegen het lijf terwijl ze hun ogen depten, en zelfs de grootste kerels in de kazerne hoorde je snuffen. Er was beslist iets mis met hem. Hij ging 's nachts alleen naar het altaar en wentelde zijn handen in de pot met as, om zo de tranen op te wekken, maar ook dat had geen succes.

De derde nacht na de wake was het te heet om te slapen. Hij lag uren wakker, keek naar de motten die rond het nachtlampje fladderden en luisterde naar het gezang van de kikkers en krekels in de wei beneden hen. Ki lag in diepe rust naast hem, breeduit op zijn rug, zijn blote huid bepareld met zweet. Zijn rechterhand lag vlakbij Tobins dij en af en toe trilden de vingers wanneer hij droomde. Tobin keek naar hem, jaloers op het gemak waarmee zijn vriend in slaap was gevallen.

Hoe meer Tobin naar slapen verlangde, hoe wakkerder hij werd. Zijn ogen voelden aan als koude sintels in de haard en het bonzen van zijn hart leek het bed op en neer te laten schommelen. Een straaltje maanlicht viel pal op de maliënkolder op zijn standaard in de hoek, compleet met het zwaard dat ze hem gegeven hadden. Te vroeg voor het zwaard, dacht hij bitter, en te laat voor de wapenrusting.

Zijn hart sloeg nu harder dan ooit. Hij stapte het bed uit, deed een verkreukeld hemd aan en liep de gang in. Er lagen bedienden te slapen in de hal en als hij naar boven zou gaan, zou Arkoniël hem op kunnen merken als hij nog wakker was. Tobin had geen zin om met hem te praten. Dus liep hij naar de speelkamer.

De luiken stonden open en de maan scheen naar binnen. In haar licht leek de blokkenstad net echt. Heel even stelde hij zich voor dat hij een uil was die over nachtelijk Ero vloog. Hij deed een stap dichterbij en het was weer speelgoed geworden, het schitterende speelgoed dat zijn vader voor hem gemaakt had en waarmee ze zoveel heerlijke uren hadden doorgebracht, terwijl hij hem de hoofd- en zijstraten leerde.

En de koninginnen.

Tobin hoefde niet meer op een stoel te gaan staan om de plank te bereiken waarop de doos met de poppetjes stond. Hij pakte hem, ging naast de stad zitten en zette de koningen en koninginnen in een rij op het dak van het Oude Paleis: koning Thelátimos en zijn dochter Ghërilain de Grondlegger stonden naast elkaar, zoals altijd. Na Ghërilain kwam de arme vergiftigde Tamír, slachtoffer van haar broer die koning wilde worden. Dan kwam de eerste Agnalain, Klia en al de anderen tot aan oma Agnalain de Tweede. Die was al net zo gek als haar dochter geweest. Arkoniëls geschiedenislessen waren veel gedetailleerder dan de verhalen van zijn vader en Nari. Hij wist alles van oma's galgen langs de weg, en van haar kraaienkooien, waarin gevangenen naakt werden opgesloten om na een tijd als aas voor kraaien te dienen. En van al haar vergiftigde en onthoofde prinsen-gemaal. Niet zo vreemd dat de mensen oom Erius de Profetie onder het tapijt hadden laten vegen en de troon hadden laten bezetten toen ze stierf.

Hij nam het laatste, vaak herstelde houten figuurtje uit de doos: De Koning Jouw Oom. Hij was nauwelijks meer dan een naam in een verhaal, een gezicht dat hij maar één keer vanuit zijn kamer had gezien.

Hij had mamma meegenomen.

Tobin draaide het kleine figuurtje om en om in zijn handen, en dacht terug aan al die keren dat zijn vader de lijmpot tevoorschijn had gehaald en hem na de zoveelste aanval van Broer weer in elkaar had gezet. Het was jaren geleden dat Broer dat voor het laatst had gedaan.

Een geluidje deed hem opkijken; hij zag dat hij het hoofd van de koning had afgebroken. Hij liet de stukken ergens in de schaduw van de citadel vallen.

Nu zou zijn vader de lijmpot niet meer pakken om hem te repareren.

Deze herinnering wekte weer andere op, beeld voor beeld van zijn vader die lachte, uitlegde, speelde, reed. Maar huilen kon hij niet.

En toen hoorde Tobin een zachte tred achter zich en hij rook houtvuur en vertrapte groene scheuten. Lhels zwarte haar kriebelde tegen zijn wang toen ze zijn hoofd tegen haar borst drukte.

'Ik zal je iets vertellen nu, kiesa,' fluisterde ze. 'Je vader, hij maakt deze stad voor jou en jou voor de stad.'

'Wat bedoel je?' Hij trok zich los en zat meteen weer alleen in het maanlicht.

'Wat zit je hier nou weer te doen?' mompelde Ki slaapdronken op de drempel. Toen Tobin geen antwoord gaf, kwam Ki naar hem toe en nam hem mee naar bed. Hij ging weer breeduit liggen met een hand op Tobins hart, en hij sliep zodra hij zijn ogen sloot.

Tobin wilde erachter komen wat Lhel bedoeld zou kunnen hebben, maar de druk van de hand van zijn vriend en de geur van de heks susten hem in slaap, een droomloze slaap deze keer.

36

Erius liet er geen gras over groeien. Nog geen twee weken na Tharins terugkeer stond Arkoniël voor het raam in zijn werkkamer en zag een stofwolk oprijzen op de weg naar Alestun.

Er zou minstens een eskadron ruiters voor nodig zijn om zo'n wolk te veroorzaken en Arkoniël twijfelde er niet aan wie daarachter zat.

Zichzelf voor het hoofd slaand dat hij niet alerter was geweest, stond hij op het punt een zichtspreuk te gebruiken om te zien waar de jongens uithingen, maar toen doken ze al op aan het andere eind van de wei. Halfnaakt zoals altijd in de hitte, zaten ze in de schaduw van een wilg op de oever.

'Rennen!' riep Arkoniël uit, want hij wist dat ze de stofwolk van daar niet konden zien, of de paarden naast de stroom niet konden horen. Natuurlijk konden ze hem ook niet horen, maar ze werden ineens wel onrustig. Ze waadden door het lange gras naar het bos aan het andere eind van de wei.

'Goed zo, jongens,' mompelde hij.

'Ruiters!' riep Tharin op de binnenplaats beneden.

Hij en de anderen waren bezig geweest met reparaties aan het dak van de kazerne. Tharin stond daar bovenop met zijn hand boven zijn ogen tegen de zon en hij keek op naar de tovenaar. 'Wie is het?'

Arkoniël bedekte zijn ogen en gebruikte snel een zichtspreuk. 'Een man of veertig, gewapend, in galop. Vooraan rijden de Koninklijke Heraut, en een edelman – ik ken hem niet.'

'Welke kleuren?'

'Zie ik niet, met al dat stof,' antwoordde Arkoniël. De tunieken konden best wel eens grijs zijn. Toen hij zijn ogen weer opende, was Tharin de ladder al af gegaan.

De tovenaar stond te trillen op zijn benen, maar hij besloot zijn kamers af te sluiten en naar beneden te gaan. Als er nu eens een Haviktovenaar te midden van die ruiters zou zitten? Hij had geen idee wat voor macht zo iemand had, en of hij bekwaam genoeg was die te weerstaan.

Hij kwam Nari tegen die uit Tobins kamer kwam. 'Ik zag ruiters!' riep ze handenwringend uit. 'O, Arkoniël, stel dat ze er eindelijk achter zijn gekomen. Als ze het nou eens weten?'

'Kalm, kalm, Nari. Volgens mij is het alleen maar een heraut,' zei hij, maar het klonk niet overtuigend en hij was al net zo benauwd als zij. Ze haastten zich de trap af en vonden Tharin en zijn mannen gewapend in de hal.

'Flinke escorte voor een boodschapper, vind je ook niet?' merkte Tharin grimmig op.

'Het is beter als ze me hier niet zien,' zei Arkoniël. 'Begroet jij hem maar. Ik ga de jongens zoeken en houd ze uit het zicht tot we weten dat het goed volk is. Stuur Koni naar de rand van het bos als je denkt dat er niets te vrezen valt.'

'Mag ik niet met je mee,' smeekte Nari.

'Nee. Blijf hier en heet hen welkom.'

Hij glipte de hoofdpoort uit en rende naar het bos. Hij kon de ruiters nu goed horen. Ze konden elk moment opduiken.

Hij was halverwege de rivier toen Lhels gezicht en schouders voor hem opflakkerden. 'Daar!' siste ze en ze wees hem terug naar een plek die hij net voorbij gerend was.

Arkoniël dook tussen twee bomen door en schrok zich een hoedje toen de grond onder hem vandaan gleed. Hij rolde een hellinkje af en kwam in een greppel vol bladeren tussen de bomen terecht, met zijn benen omhoog en zijn arm in een modderig stroompje. Hij krabbelde overeind en ontdekte Lhel en de jongens. Hij tuurde voorzichtig over de rand van de greppel. In hun besmeurde lendendoeken, met dode bladeren die op hun armen en benen plakten, hun messen klaar om toe te stoten, leken Tobin en Ki net een stel struikrovertjes.

'Wie komt er dan aan?' vroeg Tobin en hij hield de weg boven hen in de gaten.

'Gewoon een boodschapper van de koning. Hoop ik.'

'En waarom zei Broer dan tegen Tobin dat we ons moesten verstoppen?' vroeg Ki.

'Nou ja, hij heeft nogal veel... Zei Broer dat tegen je?' Hij keek naar de heks. 'Maar ik nam aan...'

'Ik kijk ook uit.' Lhel wuifde naar de weg. 'Broer zegt: tovenaar erbij.'

'Zijn het de Haviken?' vroeg Ki.

'Weet ik niet.' Arkoniël tastte naar de kristallen toverstaf in zijn buidel en bad vurig dat Lhel en hij ze lang genoeg op zouden kunnen houden zodat Tharin Tobin weg zou kunnen smokkelen. 'Daarom kunnen we voorlopig maar beter uit de buurt blijven.'

Tobin knikte en scheen het allemaal doodnormaal te vinden. Ki schoof even opzij om een dikke stok te pakken, en ging meteen weer naast de prins zitten, klaar om korte metten te maken met een legioen tovenaars.

De ruiters kwamen tevoorschijn uit het bos en denderden de heuvel op naar de ophaalbrug. Arkoniël kroop naar de rand van de weg om een blik op hun aankomst te werpen en zag dat hun aanvoerder met iemand bij de poort sprak. Een stuk of twaalf ruiters reden de binnenplaats op, de rest liet de dorstige paarden bij de rivier drinken.

Ze konden niets anders doen dan wachten. Het stof daalde langzaam weer neer op de weg. Krekels zaagden hun zinderende liedje. Een bende kraaien ruziede luidkeels met elkaar, af en toe afgewisseld door het klaaglijke geroekoe van de duiven. Even later hoorden ze een enkele, onverwachte roep van een uil. Arkoniël zag dit als een geluksteken en dacht: Lichtdrager, bescherm dit kind!

Langzaam vergleed de tijd. Tobin ving een glimmend groen torretje en liet het over zijn vingers wandelen, maar Ki bleef waakzaam; zijn ogen schoten heen en weer en hij volgde ieder geluidje.

Tobin keek opeens op van zijn torretje en fluisterde: 'De tovenaar is een man met blond haar.'

'Weet je het zeker?' vroeg Arkoniël. Dit was de eerste keer sinds maanden dat Tobin weer een voorspelling deed.

'Dat zegt Broer.' Hij keek naar de leegte naast hem om het te bevestigen.

Dus was het geen voorstelling, maar een waarschuwing geweest. Voor één keertje was Arkoniël blij dat Broer zo mededeelzaam was.

Eindelijk kwam Koni langs de bosrand aangerend. Arkoniël wilde Lhel waarschuwen, maar ze was al verdwenen.

'Hierzo!' riep Ki en de jonge soldaat stopte en holde naar beneden.

'De koning...' zei hij hijgend. 'De koning heeft een heer gestuurd met een boodschap. Heer Orun.'

'Orun?' Arkoniël had de naam eerder gehoord, maar wist niet meer in welk verband.

Koni rolde met zijn ogen. 'De Grote Machtige Hoge Pief in hoogsteigen persoon, jawel. Kent Tobins familie al van lang geleden. Hij is nu Kanselier van Financiën en beheert de schatkist. Een vette, opgeblazen... nou ja laat ook maar. Tharin zegt dat jullie kunnen opdraven. Als het lukt gaan we achterom; Nari heeft kleren klaargelegd in de keuken.' Hij wendde zich tot Arkoniël. 'Geen witte tovenaar te bekennen, en ook geen pimpelpaarse trouwens, maar Tharin zegt dat je misschien beter op de achtergrond kunt blijven.'

'Geen tovenaar?' Tobin had zo zeker van zijn zaak geklonken. Maar het was beter geen risico te nemen. 'Maak je geen zorgen, Tobin. Ik blijf wel in de buurt.'

Tobin kon het allemaal weinig schelen. Hij rechtte zijn schouders en liep met Koni naar de burcht zonder Arkoniël nog een blik waardig te keuren.

Tobin was absoluut niet bang. Broer was bij hem en zou het wel zeggen als er gevaar dreigde. En Ki was er tenslotte ook, trouw als een schildknaap uit een bekende ballade. Tobin keek tersluiks naar zijn vriend en glimlachte; bewapend met een mes en een kromme tak zag Ki er net zo onvervaard uit als die keer toen hij een bergleeuw te lijf was gegaan.

Ze bereikten de keuken zonder dat een van de ruiters hen opmerkte. Nari en Kokkie stonden hen al op te wachten.

'Beetje opschieten, diertje. Heer Orun wil alleen maar met jou praten, en hij heeft vreselijke haast.' Zenuwachtig wurmde ze hen in hun beste tunieken en kamde ze de bladeren uit hun haar. Ze zei er niets over, maar Tobin voelde wel dat ze die Orun net zomin mocht als Koni. Hij zag dat ze zich zorgen maakte en haar best deed dat niet te laten merken. Tobin boog zich voorover en kuste haar zachte wang. 'Maak je niet dik, Nari.'

Ze sloeg haar armen om hem heen. 'Wie zegt dat ik me ergens dik om maak, brutaaltje?'

Tobin wurmde zich uit haar greep en liep naar de hal, met Ki en Koni aan weerszijden alsof hij de burchtheer zelf was.

Hij weifelde even toen hij rijen soldaten in de houding zag staan. Tharin en zijn manschappen waren er ook, maar met de manschappen van de koning vergeleken was het een ongeordende bende. De meesten hadden hun werkkleding aan in plaats van uniformen en ze zagen er maar half zo indrukwekkend uit als de koninklijke garde, die een rood-gouden kruis op hun zwarte tunieken droegen. Hij keek er snel langs, er waren er meerdere met blond haar, maar geen van hen droeg de kleren van een tovenaar.

Terwijl die gedachte zich opdrong, zag hij dat Broer zich achter een van de soldaten verscholen had, een blonde man met wangen die verbrand waren door de zon. Broer raakte hem niet aan, maar staarde zo strak naar hem dat de man begon te schuifelen en zenuwachtig in het rond gluurde.

Er stonden twee heren in dure kleren voor de soldaten, plus nog wat schildknapen en knechten. De man met laarzen aan en gekleed in een stoffige blauwe tuniek, droeg de zilveren hoorn en de witte stok van de Koninklijke Heraut. Hij deed een stap naar voren en maakte een diepe buiging voor Tobin. 'Prins Tobin, ik stel u voor aan een afgezant van uw oom, de koning. Heer Orun, zoon van Makiar, Kanselier van Financiën en Beschermheer van Atyion en Cirna.'

Tobin verstijfde. Atyion en Cirna waren gewesten van zijn vader.

Heer Orun deed een stap voorwaarts en boog. Hij droeg een kort gewaad van vermiljoenrode zijde met bijzonder overdreven mouwen, afgezet met bungelende gouden bolletjes. Zijn onderkleed was met bloedige veldslagen geborduurd, maar Tobin betwijfelde of deze man ooit een zwaard in zijn handen had gehad. Hij was oud en vrij lang, maar zacht en bleek als een vrouw, met diepe lijnen rond een vochtige, weke mond. Hij was zo kaal als een kikker; zijn grote hoed van zijde leek wel een kussen dat in wankel evenwicht op een gekookt ei balanceerde. Hij glimlachte met zijn dikke lippen naar Tobin, maar zijn ogen deden niet mee. 'Wat heb ik ernaar verlangd eindelijk met de zoon van Rhius en Ariani kennis te maken!' riep hij uit en hij greep Tobins handen in de zijne. Zijn enorme handen waren griezelig koud en vochtig, als grote weidechampignons.

'Welkom,' kon Tobin net uitbrengen, al wilde hij zich meteen omdraaien en de trap op rennen.

Oruns ogen gleden naar Ki en boog zich naar hem voorover. 'En wie is dit knaapje, mijn prins? Een jagersknechtje?'

'Dit is de schildknaap van prins Tobin, Kirothius, zoon van heer Larenth, ridder in dienst van heer Jorvai,' vertelde Tharin nors.

Oruns glimlach verdween op slag. 'Maar ik dacht... Ik bedoel, de koning was zich er niet van bewust dat er reeds een schildknaap voor de jonge prins gekozen was.'

'Hertog Rhius heeft de eed enige tijd geleden afgenomen.'

Tharin vertelde het beleefd, maar Tobin voelde wel hoeveel spanning er tussen die twee hing.

Heer Orun keek Ki nog even strak aan en gebaarde naar de heraut.

De heraut legde zijn staf aan Tobins voeten, boog nogmaals en haalde een rol perkament vol zegels en linten tevoorschijn. 'Prins Tobin, uw oom, koning Erius, laat u het volgende mededelen.' Hij verbrak de zegels en rolde het perkament met een zwierig gebaar uit.

'Van Erius van Ero, Koning van Skala, Kouros en de Noordelijke Gewesten, aan Prins Tobin van Ero in de Burcht van Alestun, geschreven deze negende dag in de maand Shemin.

Neef, het valt mijn oneindig zwaar u te schrijven bij de gelegenheid van de dood van uw vader, onze geliefde zwager Rhius. Uw vader was mijn meest gewaardeerde commandant en hoewel hij een nobele dood gestorven is, een die een waarachtig strijder past, heb ik geen woorden voor de vertwijfeling die zijn verlies mijn hart heeft ingegeven.

Uit eerbied voor de herinnering aan uw geliefde moeder – moge Astellus haar ziel rust gunnen – en uit liefde die ik u, als naaste verwant, toedraag, erken ik u als mijn pupil tot u de leeftijd bereikt waarop u de landerijen die u zijn nagelaten door uw hooggeachte ouders zal gaan beheren, en u uw vaders plaats als een van mijn raadslieden zal innemen. Ik draag mijn trouwe dienaar, heer Orun, op het regentschap over uw gewesten te vervullen tot u de leeftijd van eenentwintig jaren bereikt en hij zal toeziend voogd zijn tot ik in Skala terugkeer.

Ik heb heer Orun de opdracht gegeven u naar Ero te geleiden, waar u uw plaats zult kunnen innemen te midden van de Koninklijke Gezellen van mijn zoon. Het is mijn diepste verlangen dat u een geliefde broer voor prins Korin zult wezen en hij voor u. Bij de Gezellen zult u opgeleid worden zodat u hem kunt bijstaan wanneer zijn tijd gekomen is om de regering ter hand te nemen, zoals uw vader mij gediend heeft.

Ik zie er ten zeerste naar uit u weer te omhelzen, zoals ik in de nacht van uw geboorte deed. Bid voor onze overwinning in Mycena.'

De heraut keek op. 'Getekend en van het grootzegel voorzien door "Uw liefhebbende en toegenegen oom, Erius van Ero, Koning van Skala." Mijn prins, dit was het bericht.'

Iedereen keek naar Tobin in de verwachting dat hij hierop zou antwoorden, maar zijn tong zat vastgeplakt tegen zijn gehemelte. Toen Tharin zei dat ze naar Ero zouden gaan, had hij het zich voorgesteld als een rijtocht met zijn vrienden. Hij zou zijn intrek nemen in zijn geboortehuis, of misschien in Atyion.

Hij keek naar zijn zogenaamde voogd en haatte de man nu al. Iedereen kon zien dat dit geen strijder was, maar een vet, zwetend varken met ogen als krenten die in het weke deeg gedrukt waren. De komst van de soldaten had hem geen enkele angst aangejaagd; de gedachte aan deze man die hem mee zou nemen deed hem huiveren en zijn maag draaide zich om. Nee! wilde hij schreeuwen, maar hij kon nog steeds geen woord uitbrengen.

Broer gaf het antwoord dat hij wilde geven. Sneller dan het licht greep hij de rol perkament uit handen van de heraut, scheurde hem finaal in tweeën en mepte tegelijkertijd heer Oruns belachelijke hoed van zijn hoofd. Zijn dienaars verspreidden zich; sommigen probeerden de hoed op te rapen, anderen renden weg om zich te verstoppen.

Een harde wind stak op uit het niets, zodat het haar van de soldaten in hun ogen waaide en hun insignes en dolken door de ruimte vlogen. Sommige wachters deinsden achteruit en de nette opstelling verdween. Heer Orun gilde als een mager speenvarken en dook onder de dichtstbijzijnde tafel. Tharins mannen sloegen zich op de dijen van het lachen en Tobin deed bijna mee, voor één keer dankbaar voor Broers streken. In plaats daarvan kreeg hij zijn stem weer terug en riep: 'Genoeg!'

Broer hield onmiddellijk op en kwam tot rust bij het altaar, met zijn ogen op Tobin gericht. Het gezicht van de geest vertoonde geen emotie, maar op dat moment wist Tobin dat Broer bereid was een moord voor hem te plegen.

Wat zou hij met Orun doen als ik het vroeg? mijmerde Tobin, maar hij onderdrukte die oneerbiedige gedachte zo snel hij kon.

Tharins mannen hadden nog steeds lol. De chagrijnige gardisten mompelden wat tegen elkaar en de formatie werd hersteld. Onder de weinigen die op hun post waren gebleven was ook de blonde man die Broer hem had aangewezen. Hij keek naar Tobin met een glimlach die alleen in zijn ogen zichtbaar was. Tobin wist niet wat hij daarmee aan moest, behalve dat hij hem stukken aardiger vond dan heer Orun, die nu door zijn dienaren vanonder de tafel geholpen werd.

'Ik heet u allen welkom in mijn huis,' begon Tobin en hij probeerde boven het geroezemoes uit te komen.

'Stilte voor de prins!' brulde Tharin met zijn slagveldstem waarvan zelfs Tobin schrok. Het werd meteen stil en iedereen keek zijn kant op.

'Ik heet u allen welkom in mijn huis en beschouw u als mijn gasten,' zei Tobin weer. 'Heer Orun, u kunt hierbinnen rusten bij de haard. Mijn dienaren zullen u van water en wijn, en een maaltijd voorzien. Uw mannen kunnen in de wei wat rusten; ook zij zullen een maaltijd krijgen.'

Heer Orun werd zichtbaar nijdig. 'Mijn jonge heer, het bevel van de koning...'

'... heeft prins Tobin nogal verrast, mijn heer. Hij rouwt en treurt nog steeds om het verlies van zijn vader,' viel Tharin hem in de rede. 'Ik weet zeker dat de koning niet wil dat zijn enige neef nog meer van streek raakt.' Hij boog zich dicht naar Tobin alsof hij een gefluisterd bevel aanhoorde en wendde zich weer tot Orun. 'U zult Zijne Hoogheid moeten toestaan zich even terug te trekken om de woorden van zijn geachte oom in zich op te nemen. Wanneer hij gerust heeft staat hij weer tot uw beschikking.'

Orun was zijn drift een beetje de baas geworden en kon zowaar nog een diepe buiging maken, al stond de onderdrukte woede nog duidelijk op zijn voorhoofd te lezen. Tobin moest moeite doen zijn lachbui te smoren. Hij draaide zich snel om en wandelde zo nonchalant als hij kon de trap op; Ki en Tharin volgden hem. Tharins tweede bevelvoerder blafte wat commando's die de accommodatie van de bezoekers betroffen.

Arkoniël wachtte hun in Tobins slaapkamer op.

'Ik heb het grootste deel op de overloop opgevangen,' zei hij en hij keek ongewoon nors. 'Tharin, het wordt tijd dat je ons eens vertelt wat je over het hof weet. Ken je die heer Orun?'

Tharin trok een vies gezicht. 'Hij behoort tot het koningshuis, een of andere verre achterneef van moederskant. Hopeloos op het slagveld, maar hij schijnt het als kanselier niet gek te doen, en hij is het kanaal waardoor veel informatie bij de koning terechtkomt.'

'Ik mag die kerel niet,' gromde Ki. 'Hij mag mij betitelen zoals hij wil, maar hij sprak tegen Tobin of hij een afwashulp voor zich had. "Mijn jonge heer"!'

Tharin knipoogde naar hem. 'Wind je niet op. Orun is een opgedirkte varkensblaas: allemaal lucht.'

'Moet ik met hem mee?' vroeg Tobin.

'Ik denk het wel,' antwoordde Tharin. 'De oproep van een koning mag je niet negeren, zelfs jij niet. Ik ga wel met je mee, en Ki natuurlijk ook.'

'Ik... ik wil eigenlijk niet,' zei Tobin en hij schaamde zich voor de trilling in zijn stem. Hij schraapte zijn keel en voegde eraan toe: 'Maar het moet maar.'

'Zo erg is het niet,' zei Tharin. 'Je vader en ik hebben ook bij de Koninklijke Gezellen van Erius gezeten toen we jongens waren. Het Oude Paleis is een schitterend gebouw en je zult trainen met de beste strijders van het land. Niet dat zij jou veel kunnen leren, met alle oefening die je hier gehad hebt. Ik wed dat jullie twee die stadsjongetjes nog wel een lesje kunnen leren!' Hij grijnsde naar hen, warm en zelfverzekerd zoals hij was.

'Prins Korin is best een leuke knul. Je mag hem vast wel. Dus niet getreurd. Je moet iedereen tenslotte laten zien wie de zoon van prinses Ariani is en ik houd die ouwe Orun wel in de gaten.'

Arkoniël en Tharin lieten de jongens even een beetje bijkomen en liepen naar Arkoniëls werkkamer. Van hieruit hadden ze een prima uitzicht over de soldaten die in de wei lagen te wachten.

'Jij en Tobin hadden de touwtjes aardig in handen daar beneden.'

'Ja, hij deed het best goed hè, toen hij eenmaal op dreef was. Een echte prins, rechtop in het zadel. En ik geloof dat dit de eerste keer was dat ik blij was dat die demon zich weer eens vertoonde.'

'Ik ook. Trouwens, volgens mij weet je meer over Orun dan je daarnet aan de jongens vertelde.'

Tharin knikte. 'De eerste keer dat ik aan heer Orun werd voorgesteld was hij te gast bij Rhius' vader in Atyion. Ik was ongeveer zo oud als Ki. Orun was stomdronken en liep wankelend weg van het feest. In een donker gangetje liep hij mij tegen het lijf, hij drukte me in een hoek en bood me een goedkoop verguld ringetje aan als ik me door hem liet nemen.'

Arkoniël moest er even bij gaan zitten. 'Bij de Vier! Wat heb je gedaan?'

Tharin lachte smalend. 'Ik zei dat hij er waarschijnlijk niet zo goed in was als hij ervoor moest betalen en ik nam de benen. Een dag of twee later zag ik dat ringetje aan een vinger van een van de keukenmeiden. Zij was zeker minder kieskeurig.'

Arkoniël keek hem met open mond aan. 'En dit sujet stuurt de koning naar ons toe om zijn neefje te halen?'

Tharin haalde zijn schouders op. 'Lieden als Orun hebben het nooit op hun eigen soort voorzien. Ze houden het op bedienden en boerenmeisjes, want die durven niet te klagen en niemand zal naar hem luisteren als ze het wel doen.'

'Ik ben ook wel eens van die engerds tegengekomen toen ik klein was. Maar Iya leerde me een paar toverspreuken om ze kwijt te raken. Maar jij was geen boerenjochie.'

'Nee. Zoals ik zei, hij was ladderzat. Hij heeft geluk gehad dat ik zo kwaad en beschaamd was dat ik er niets van zei, en hij was te ver heen om me later nog te herkennen, dus heb ik het daar maar bij gelaten. Kijk, Tobin zal hij toch met geen vinger aanraken.'

'Maar is Ki wel veilig?'

'Dat zou ongelooflijk stom van hem zijn, gezien zijn status, maar ik zal Ki wel even apart nemen. Maak je geen zorgen, Arkoniël. Ik blijf bij hen tot ze veilig bij de Gezellen zijn ingekwartierd. Wapenmeester Porion is een fijne kerel en hij houdt zijn jongens altijd in het oog. Bij hem zijn ze veilig. Als Orun zich voor die tijd toch niet in zou kunnen houden, wil ik me maar al te graag nog een keer voorstellen.' Hij wachtte even. 'Begrijp ik het goed dat jij geen kans ziet met ons mee te gaan?'

'Iya wil dat ik hier blijf, niet lastiggevallen door de Haviken. Maar mocht je me nodig hebben, het is maar een dag rijden.'

'Dat het zover moest komen.' Tharin streek zijn blonde haar naar achteren. 'Weet je, ik was vlak achter Rhius tot dat laatste fatale moment. Als mijn paard niet geraakt was – als ik geweest was waar ik had moeten zijn, waar ik altijd geweest ben, verdorie...' Hij legde zijn hand over zijn ogen.

'Je hebt toch geen invloed op vliegende pijlen.'

'Dat weet ik ook wel! Maar bij de Vier, Rhíus had hier moeten zitten en met je moeten praten, niet ik! Of we hadden allebei dood moeten zijn.'

Arkoniël nam Tharins door verdriet getekende gezicht op, overdacht nog eens hun gesprek op de brug na de wake. 'Je hield ontzettend veel van hem.'

Tharin keek Arkoniël aan en zijn uitdrukking werd iets milder. 'Niet meer dan hij verdiende. Hij was mijn vriend, net als Tobin en Ki...'

Er werd zacht op de deur geklopt. 'Tharin, ben je hier?' riep Nari paniekerig.

Arkoniël liet haar binnen. Ze was in alle staten, de tranen stonden haar in de ogen en ze kwam handenwringend binnen. 'Heer Orun zet de boel beneden op stelten! Hij is als de dood voor de demon en hij eist dat Tobin binnen het uur met hem vertrekt. Hij zegt dat zijn opdracht hem het recht geeft het kind te dwingen. Dat moet je niet toestaan! Tobin heeft niet eens iets om aan te trekken aan het hof. Ki heeft zijn zwaard getrokken en zegt dat hij iedereen doodt die hun slaapkamer durft binnen te komen!'

Tharin was al op weg naar beneden voor ze klaar was. 'Heeft iemand dat dan geprobeerd?'

'Nog niet.'

Tharins ogen spuwden vuur en hij wendde zich tot Arkoniël. 'Wat doen we nu, tovenaar? De hufter ziet een wees die omringd is door bedienden en denkt dat hij de baas kan spelen in het huis van een dode.'

'Nou ja, bloedvergieten lost niets op.' Arkoniël dacht even over de situatie na en glimlachte. 'Ik denk dat het tijd is om prins Tobin zijn eigen voorwaarden te laten stellen. Stuur Tobin maar naar boven; ik moet even met hem praten. Tharin, probeer jij Ki maar te kalmeren en neem Nari mee.'

Een paar minuten later kwam Tobin zijn kamer binnen, bleek maar beheerst.

'Ki heeft toch nog niemand gedood, hè?'

Tobin lachte niet. 'Heer Orun zegt dat we meteen moeten vertrekken.'

'Wat denk je van heer Orun?'

'Hij is een vet, verwaand varken dat de koning heeft achtergelaten omdat hij niet kan vechten.'

'Je hebt echt mensenkennis. En wie ben jij?'

'Ik? Hoe bedoel je?'

Arkoniël sloeg zijn armen over elkaar. 'Jij bent prins Tobin, zoon van prinses Ariani, die volgens het Orakel Koningin van Skala had moeten zijn. Je bent de eerstgeboren zoon van heer Rhius, heer van Atyion en Cirna, de rijkste heer en beste strijder van het hele land. Je bent de neef van de koning en zijn zoon, de toekomstige koning. Hoeveel voogden ze ook tussen jou en wat jou rechtens toebehoort proberen te zetten, pas op dat je daar geen letter van vergeet en laat het vooral ook de anderen nooit vergeten. Denk nu maar niet dat je vader een oen als deze nog hoffelijk zou behandelen als daar alleen beledigingen als deze tegenover gesteld zouden worden! Als iemand je een klap in je gezicht geeft, sla je meteen terug, en harder. Begrijp je dat?'

'Maar... hij is een heer en mijn oom heeft hem...'

'En jij bent een prins en een strijder. Je koning zal dat met eigen ogen zien als hij terugkeert. In de tussentijd kun je mooi aan je reputatie werken. Wees hoffelijk tegen degenen die respect voor je hebben, maar treed keihard op tegen degenen die dat niet hebben.'

Hij zag hoe Tobin dit allemaal opzoog en overwoog. Ten slotte stak hij zijn kin vooruit en knikte. 'Dan hoef ik dus niet beleefd te zijn tegen heer Orun, al is hij mijn gast?'

'Hij heeft zich beledigend tegenover je uitgelaten. Je bent hem niets meer verschuldigd dan een veilig verblijf onder jouw dak. Daar heb je al voor gezorgd door Broer terug te fluiten.' Arkoniël glimlachte weer. 'Dat was trouwens een goeie zet van Broer. Als jij Broer zou vragen om weer wat leven in de brouwerij te brengen, zou hij dat dan doen?'

'Dat weet ik niet. Ik heb hem nooit gevraagd iets te doen, alleen maar ergens mee te stoppen.'

'Zou je dat niet willen weten?'

Tobin fronste zijn voorhoofd. 'Ik wil niet dat hij iemand kwaad doet. Zelfs Orun niet.'

'Natuurlijk niet. Maar dat hoeft heer Orun toch niet te weten? Ga maar naar beneden en deel je gast mee dat je tot morgen tijd nodig hebt om in je huishouden orde op zaken te stellen.'

'En als hij dat nu eens niet wil?'

'Dan hoop ik dat Broer zijn best doet om hem op andere gedachten te brengen. Is hij hier? Waarom niet? Roep hem dan maar.'

Tobin keek nog steeds een beetje verlegen terwijl hij de geest opriep, al was het niet de eerste keer dat de tovenaar erbij aanwezig was. Arkoniël voelde de lucht afkoelen en zag aan de manier waarop Tobin zijn hoofd opzij deed dat Broer achter hem verschenen was. De tovenaar begon onbehaaglijk te schuiven op zijn stoel, hij had het niet zo op onzichtbare geesten achter zijn rug.

'Wil je me helpen?' vroeg Tobin.

'Wat zegt hij?'

'Niks, maar ik denk dat hij wel meewerkt.' Tobin dacht nog ergens aan. 'Waar moet heer Orun slapen, als hij vannacht blijft? De enige gastenkamer is die links van jouw kamer.'

Arkoniël wist dat de slaapkamer van Rhius en Ariani ook beschikbaar was, maar vond het geen goed idee om Orun dicht bij de jongens te laten slapen. 'O, we kunnen hem altijd in de torenkamer zetten.' Hij had het grappig bedoeld, maar Tobin keek zo verschrikt dat de glimlach op zijn lippen bestierf. 'Het was maar een grapje, Tobin, en een slecht grapje bovendien. Hij blijft maar lekker in de hal. Laat de bedienden maar een mooi bed maken met een draperie of zo, en ook een goede slaapplaats voor de heraut. Ze mogen niet klagen, we zitten hier niet in een paleis in de stad.'

Tobin draaide zich om en wilde vertrekken, maar Arkoniël werd opeens door angst bevangen en omdat hij Tobin nu eenmaal erg graag mocht, riep hij hem terug. Toen Tobin voor hem stond wist hij niet echt wat hij moest zeggen. Hij legde verlegen een hand op Tobins schouder en zei: 'Je zult toch met hem mee moeten gaan. En het wordt een heel ander leven voor je in de stad. Je hebt hier zo'n rustig leventje gehad, met mensen die je kon vertrouwen. Aan het hof ligt dat anders.' Hij zocht wanhopig naar de juiste woorden. 'Als iemand jou...'

Tobins gezicht verried niets, maar hij verstijfde en keek zo onbehaaglijk naar de hand van de tovenaar dat deze hem snel terugtrok. 'Nou ja, pas nou maar op voor vreemde mannen,' vervolgde hij slapjes. 'Als er iets raars gebeurt, praat er dan over met Tharin of Ki. Ze kennen de wereld nu eenmaal beter dan jij.' Overdreven vrolijk wuifde hij hem weg. 'Maar je leert snel genoeg.'

Zodra de deur achter de jongen in het slot viel, sloeg Arkoniël zijn handen tegen zijn gezicht. 'Nou, een mooie afscheidsgroet was dat!' gaf hij zichzelf op zijn kop. Twee jaar van goede bedoelingen hadden dus tot niets geleid. Hij wilde Tobin eigenlijk alleen maar beschermen tegen valse kerels als die Orun, hij had hem op zijn minst moeten waarschuwen. Dat was hem dan goed gelukt, maar niet heus. Hij had net zo goed slangen uit de muur kunnen laten kruipen en een kopie van zijn hoofd uit zijn nek kunnen laten groeien.

37

Tobin vergat Arkoniëls laatste vage advies, maar peinsde nadrukkelijk over de onthulling dat hij het recht had om die nare man beneden te trotseren. Toen hij bij zijn kamer kwam, wilde hij die nieuwe wetenschap wel eens testen.

Broer liep als een schaduw achter hem aan. Jarenlang was Tobin zo bang voor de geest geweest dat hij hem zo veel mogelijk meed. Toen hun broze wapenstilstand eenmaal tot stand was gekomen, had Broer af en toe wat informatie verstrekt, zoals de onverwachte opmerking over heer Solari, maar Tobin had nog nooit iets aan hem gevraagd.

Hij stopte aan het eind van de gang en fluisterde: 'Help je me? Wil je heer Orun bang maken wanneer hij me weer beledigt?'

Over het gezicht van Broer gleed iets wat een spottend glimlachje had kunnen zijn. *Jouw vijanden zijn mijn vijanden.*

Achter zijn eigen deur hoorde hij Nari snikken. Toen hij binnenkwam zag hij dat zij en Ki hun weinige bezittingen in kisten aan het pakken waren. Zijn vaders wapens en maliënkolder lagen in een bundel in een hoek. Tharin stond met een ongewoon sombere blik bij het voeteneind van het bed.

Iedereen keek naar hem toen hij binnenkwam.

'Ik heb je beste tuniek klaargelegd,' zei Nari en ze veegde haar ogen droog met haar schort. 'Je moet je snijgereedschap en je boeken zelf maar pakken. We kunnen vast wel nazenden wat je mist.'

Tobin vermande zich en zei: 'Ik vertrek niet vanavond. Onze gasten kunnen een bed krijgen in de hal.'

'Maar heer Orun heeft bevolen...'

'Dit is mijn huis en hier geef ik de bevelen.' Ze staarden hem allemaal met grote ogen aan, dus voegde hij er schaapachtig aan toe: 'Dat zegt Arkoniël tenminste. Ik moet het heer Orun gaan vertellen. Ga je mee, Tharin?'

'Jouw wens is mijn bevel, mijn prins,' antwoordde hij en hij voegde er zacht tegen Ki aan toe: 'Dat zouden we voor geen goud willen missen.'

Met een grijns volgde Ki hen tot boven aan de trap waar hij Tobin nog snel een bemoedigende knipoog gaf voor hij zich achter de balustrade verschool.

Met Tharin links van hem en Broer die voor hem uitliep, voelde Tobin zich al wat sterker toen hij de hal weer in kwam. Orun liep geërgerd voor de haard te ijsberen. De heraut en een stel soldaten zaten aan een tafel vlakbij; de blonde tovenaar zat bij hen.

'Zo, ben je eindelijk klaar om te vertrekken?' vroeg Orun korzelig.

'Nee, heer,' zei Tobin en hij probeerde als zijn vader te klinken. 'Ik heb een huishouden te regelen en ik moet toezien op het pakken van mijn bezittingen voor de reis. Ik zal morgen zo vroeg mogelijk met u meegaan. Tot dan bent u mijn gast. Er wordt een maaltijd geserveerd en in de buurt van de haard zal een bed voor u worden neergezet.'

Orun stond stil en keek hem strak aan; de grijze wenkbrauwen zaten zowat tegen zijn hoed. 'Jij zal wát?'

Broer zweefde zachtjes als mist boven een rivier naar de man toe.

'Ik ben niet helemaal naar deze gribus gekomen om me door een snótneus...'

Heer Oruns ongelukkige hoed vloog weer af. Deze keer landde hij midden in de smeulende haard achter hem, waar hij als een stinkende bloedrode bloem van verbrande zijde en veren opbloeide. Oruns handen rezen omhoog naar zijn kale kruin, en balden zich tot vuisten terwijl hij op Tobin af liep. Broer trok hard aan zijn mouw en gouden kralen rolden her en der over de stenen vloer; toen hurkte hij neer om hem als een bergleeuw met ontblote tanden naar de strot te vliegen.

'Stop,' fluisterde Tobin geschrokken en hij hoopte dat hij de verdwijnspreuk niet ten overstaan van al deze mensen hoefde uit te spreken. Broer gehoorzaamde en verdween uit het zicht.

'Wees voorzichtig, heer!' De blonde tovenaar nam Orun bij de arm.

Maar Orun rukte zich los en keek Tobin met een vals lachje aan. 'Zoals u wenst, Hoogheid. Maar ik voel me niet zo op mijn gemak met de geest in deze hal. Hebt u geen comfortabele gastenkamer voor onverwacht bezoek?'

'Nee, heer, die heb ik niet. Maar ik verzeker u dat niemand die achter me staat onder mijn dak ook maar een haar gekrenkt zal worden. Wilt u misschien een eindje met me gaan rijden tot het maal gereed is?'

Het was nogal frustrerend om zich boven in het huis te verstoppen, maar Arkoniël nam er genoegen mee om de wacht te houden. Aangezien hij geen aanwijzingen had gezien dat de door Broer beschreven tovenaar aanwezig was, stond hij zichzelf af en toe een zichtspreuk toe, waardoor hij Tobin en zijn vrienden, die heer Orun en zijn escorte een plezierige tocht over een pittig bergpaadje aanboden, in de gaten kon houden.

Hij stelde in zijn gedachten een brief aan Iya op toen Nari op zijn deur klopte en haar hoofd naar binnen stak. 'Er is hier iemand met wie je beter even kunt spreken, Arkoniël.'

Hij schrok zich lam toen ze een lid van Oruns gewapende escorte naar binnen leidde. Het leek een aardige vent, maar Arkoniël had alleen oog voor het rood-gouden insigne en zijn zwaard. Hij begon de woorden voor een dodelijke bezwering op te roepen terwijl hij opstond en een buiging maakte.

'Wat kan ik voor u doen?'

De gardist sloot de deur en maakte eveneens een buiging. 'Iya laat u groeten en zei me u dit als bewijs van goed vertrouwen te geven.' Hij stak hem zijn hand toe.

Arkoniël kwam voorzichtig naderbij omdat hij nog steeds een aanval verwachtte, maar zag dat de bezoeker een kiezelsteentje in de handpalm had.

Arkoniël nam het aan, sloot zijn vuist eromheen en voelde de geest van Iya in de steen besloten liggen. Het was een van haar verbondspenningen, die ze gewoonlijk achterliet bij hen die later in Tobins zaak van nut konden zijn. Hoe deze man daaraan gekomen was, was een raadsel.

Toen hij opkeek schrok hij voor een tweede keer in enkele minuten. In plaats van de soldaat zag hij een man die nog maar weinig gelijkenis vertoonde met de soldaat die net binnen was gekomen. Hij had een lichte huid en blond haar en uit zijn trekken sprak zonder meer zijn Aurënfaier afkomst. 'Ben je een vormveranderaar?'

'Nee, alleen maar een geestbenevelaar. Ik heet Eyoli van Kes. Ik heb uw lerares vorig jaar ontmoet terwijl ik me als bedelaar en zakkenroller voordeed. Ze had me door en zei dat ze beter werk voor me in gedachten had. Ik had geen idee, zie je.'

'Je wist niet dat je een tovenaar was?'

Eyoli haalde zijn schouders op. 'Ik wist dat ik geesten kon benevelen en domme lieden naar mijn pijpen kon laten dansen. Ze stuurde me naar een vrouw met de naam Virishan, in Ilear. Ken je haar?'

'Ja, we brachten daar een paar jaar geleden vrijwel de hele winter door. Ik heb wel eens geestbenevelaars ontmoet, maar dit...' Arkoniël schudde bewonderend het hoofd toen Eyoli langzaam zijn oude gedaante als soldaat weer aannam. 'En om ermee rond te lopen zonder ontdekt te zijn. Een zeldzame gave.'

De jongeman glimlachte verlegen. 'Het is dan ook meteen het enige waar ik goed in ben, maar Viri zegt ook dat ik de beste ben die ze ooit is tegengekomen. Ik heb de dromen gehad, Arkoniël. Dat zag Iya aan me. Ze zegt dat Ariani's zoon deel van dat droombeeld uitmaakt en dat hij beschermd moet worden. Ze stuurde me een brief toen ze hoorde dat de hertog was gestorven. Ik kwam net op tijd in Ero aan om me te melden voor dat clubje van O...'

'Wacht.' Arkoniël hield zijn hand omhoog. 'Hoe weet ik dat je niet liegt? Hoe weet ik dat je nu mijn geest niet aan het benevelen bent, gedachten uit me trekt en ze op jouw manier weer naar binnen stuurt?'

Eyoli nam Arkoniëls hand en legde hem tegen zijn eigen voorhoofd. 'Raak mijn geest aan. Lees mijn hart. Iya zegt dat je dat kunt.'

'Het kan pijn doen.'

'Dat weet ik,' antwoordde hij en Arkoniël begreep dat hij eerder aan dergelijke tests onderworpen was. 'Doe nou maar. Ik weet dat je er behoefte aan hebt.'

Arkoniël deed wat hij moest doen; geen lichte streling van de geest, maar een diepe duik in het wezen van de man die zo vol vertrouwen voor hem stond. Een aangename betovering was het niet, maar Eyoli verzette zich niet, zelfs niet toen hij hardop kreunde en zichzelf aan Arkoniëls schouder vastgreep om niet om te vallen.

Arkoniël duwde de substantie van zijn leven uit zijn geest als sap uit een rijpe druif. Het was een kort leven, een armzalig leven vanaf het begin. Eyoli was een jochie uit de haven, dat al vroeg wees geworden was en te midden van vuil en ellende was opgegroeid, waarbij hij zijn aangeboren vaardigheid gebruikte om van jongs af aan voor zichzelf te zorgen. Zijn talent was maar pover en ongepolijst tot Iya hem opmerkte. Toen hij het eenmaal kon ontwikkelen was zijn potentieel enorm. Hij zou inderdaad nooit een ware tovenaar worden, maar als spion was hij uniek.

Arkoniël liet hem gaan. 'Je zegt dus dat dit alles is wat je kunt?'

'Ja. Ik kan niet eens vuur of licht toveren.'

'Nou ja, wat je wel kunt, komt geweldig van pas. Heb je gezworen over Tobin te waken?'

'Op mijn hand, mijn hart en mijn ogen, meester Arkoniël. De Haviken hebben me geen nummer gegeven, dus ik kan komen en gaan wanneer ik wil. De anderen denken dat ik al jaren bij hen ben. En ze zullen me niet missen als ik er niet ben.'

'Ik sta versteld. Waar is Iya nu?'

'Geen idee, meester.'

'Wel, ik ben blij met je hulp. Houd hem goed in de gaten, en ook Ki natuurlijk.' Hij stak zijn hand uit en Eyoli schudde hem vol respect, ineenkrimpend onder de vaste greep.

Toen hij vertrokken was, onderzocht Arkoniël de nagel van zijn pink. Lhel had hem geleerd om hem puntig te vijlen en iemands hand zo vast te pakken dat hij een krasje kon maken zonder hem pijn te doen, net diep genoeg om een 'ietsepietsie rood' te kleuren.

Hij kneep het bloed onder de nagel vandaan en smeerde het beetje in de groeven van zijn duim. Toen hij het patroon in zich had opgenomen sprak hij de heksenspreuk uit die Lhel hem geleerd had. 'In deze huid kruip ik, door deze ogen zie ik, naar dit hart luister ik.'

In Eyoli's hart trof hij een verzengende haat tegen de Haviken aan en een visioen van Virishans school. Ook zag hij een schitterend witte stad in het westen, vol tovenaars die hun wezen verwelkomden. Voor dat visioen was Eyoli bereid om alles te doen wat men van hem vroeg. Arkoniël zag ook een beeld van Iya zoals de jongeman haar gezien had. Ze zag er ouder en vermoeider uit dan Arkoniël zich herinnerde.

Hoe dan ook, hij zuchtte van opluchting en voelde zich minder alleen dan de jaren ervoor. Nu was het Derde Orëska waarlijk begonnen.

Tharins verhaal over Orun bleef Arkoniël door het hoofd spoken, maar de lastige edelman ging vroeg slapen, na zijn zenuwen met een grote beker kruidenwijn te hebben gekalmeerd. Hij lag net als de heraut al spoedig te snurken. Ondertussen zorgde Tharin ervoor dat de Koninklijke Garde goed in het oog werd gehouden in hun inderhaast opgetrokken kampement in de weide voor de burcht.

Terwijl een diepe stilte over het huis neerdaalde, zat Arkoniël stil in zijn verduisterde werkkamer, zijn oren spitsend voor iedere verstoring die in de hal zou kunnen plaatsvinden.

Hoewel hij door zijn taak geheel in beslag werd genomen, was hij toch zeer verbaasd om te horen dat er iemand op zijn tenen langs zijn deur liep. Hij deed een zichtspreuk en zag dat het Tobin in zijn verkreukte nachthemd was. Hij aarzelde of hij aan zou kloppen, maar besloot het niet te doen en sloop verder.

Arkoniël liep naar de deur en opende hem op een kiertje, al wist hij dat er maar één plaats was waar Tobin in dit deel van de burcht naar op weg zou kunnen zijn.

Arkoniël had al diverse keren op het punt gestaan om de toren binnen te gaan en Ariani's werkkamer te bezichtigen, de plaats waar vanuit ze haar dood tegemoet was gegaan. Maar iets – eergevoel, angst, respect voor de wens van de hertog – had hem steeds weerhouden.

Tobin stond nu bij de deur naar de torenkamer, met zijn armen om zich heen geslagen of hij het koud had, al was het klam en warm vannacht. Arkoniël keek toe, deed aarzelend een pas de gang op, stopte en zette nog een stap. Hij voelde zich een spion.

Toen haalde hij adem en fluisterde: 'Tobin? Wat doe je daar toch?'

De jongen draaide zich met een ruk om, zijn ogen wijd opengesperd. Als hij het voorafgaande niet gezien had, zou Arkoniël gedacht hebben dat hij slaapwandelde.

Tobin drukte zijn armen nog steviger om zich heen toen Arkoniël hem naderde.

'Kan ik je helpen?'

Grote vertwijfeling, ogen die verwilderd om zich heen keken – naar Broer misschien? Toen zuchtte hij en richtte zijn ernstige blauwe kijkers op Arkoniël. 'Jij bent ook een vriend van Lhel, hè?'

'Natuurlijk. Heeft het iets met haar te maken?'

Weer die zijdelingse blik. 'Ik moet iets halen.'

'Uit de toren?'

'Ja.'

'Wat het ook is, Tobin, ik weet zeker dat Lhel zou willen dat ik je hielp. Wat kan ik voor je doen?'

'Meekomen.'

'Dat lijkt me geen probleem. Heb je een sleutel, of moet ik een toverspreuk gebruiken?'

Alsof zijn woorden gehoord werden, sprong de deur vanzelf wijd voor hen open. Tobin schrok en staarde naar de wenteltrap alsof hij daar iemand verwachtte te zien. Misschien deed hij dat ook wel. Maar de tovenaar zag alleen wat uitgesleten treden die naar de duisternis erboven leidden.

'Heb je Broer gevraagd open te doen?'

'Nee.' Tobin ging voorzichtig naar boven met Arkoniël op zijn hielen.

De zomernacht was bedompt, maar zodra ze begonnen te lopen werden ze omgeven door een kilte als in een grafkelder. Door de smalle schietgaten in het metselwerk zagen ze af en toe de maan.

Het was duidelijk dat Tobin doodsbang was, maar toch liep hij voorop. Halverwege hoorde Arkoniël een gesmoorde snik, maar toen Tobin hem even aankeek was zijn gezicht droog. Nog zo'n snik liet Arkoniëls haren te berge rijzen. Het was de snik van een vrouw.

Boven aan de trap stond de deur naar de kleine vierkante kamer open. De ramen aan alle zijden waren door middel van luiken gesloten. Arkoniël riep een lichtje op en slaakte bijna een kreet.

De kamer was een chaos. Het meubilair was aan diggelen geslagen en lag verspreid door de hele ruimte. Schimmelende hoopjes stof en wol slingerden over de vloer.

'Mamma maakte haar poppen hier,' fluisterde Tobin.

Arkoniël had over die latere poppen gehoord: jongens zonder mond.

Het gesnik klonk hier duidelijker, al was het nog zwak, alsof het uit een andere kamer kwam. Als Tobin het al hoorde, reageerde hij er niet op. Toen hij naar een hoek kroop, zag Arkoniël wel dat hij steeds naar het fatale westelijke raam keek.

Wat had het kind op die laatste dag meegemaakt? Hoe had hij het halvemaanvormige litteken opgelopen? Arkoniël sloot zijn ogen en fluisterde een bloedzoekersformule. Een paar oude spatjes bloed lichtten helder op bij het westelijke raam. En er was nog een spoor, een dun, halvemaanvormig vlekje aan de rand van de stenen vensterbank. De buitenrand, onder de luiken.

Tobin zat in de hoek in een stapel rommel te graven.

Het gesnik werd luider en Arkoniël kon het ruisen van zijden rokken horen, alsof de snikkende vrouw heen en weer liep door de kamer.

Arkoniël wist niet of hij nu bang of verdrietig moest zijn en probeerde zich geestbezweringen te herinneren, maar alles wat hem te binnen schoot was haar naam.

'Ariani.'

Het was voldoende. De luiken van het westelijke raam sloegen open en daar stond ze, een donker silhouet tegen het maanlicht. Broer stond naast haar, net zo groot als zijn tweelingbroer, al was hij dood.

Arkoniël deed een stap in haar richting en stak zijn hand uit, oog in oog met de vrouw die hij zo ellendig behandeld had.

Het licht viel over haar gezicht. Zwart bloed kleefde tegen de linkerhelft, maar haar ogen waren helder en levendig en ze keek hem verward aan. Dat bracht hem meer van zijn stuk dan welk vertoon van woede dan ook.

'Vergeef me, vrouwe.' Een echo van tien jaar geleden.

Hij voelde dat Tobin naast hem kwam staan en zijn arm vastgreep. 'Zie je haar?' vroeg hij fluisterend.

'Ja. O, ja.' Hij strekte zijn linkerhand naar de meelijwekkende verschijning uit. Ze neigde haar hoofd opzij alsof het haar verbaasde, en strekte haar hand toen uit alsof ze zijn uitnodiging tot een dans aanvaardde. Toen hun handen elkaar raakten voelde hij heel even een kus van sneeuw die van een takje wordt geschud. Toen was ze verdwenen en Broer met haar.

Arkoniël bracht zijn hand naar zijn neus en hij rook de flauwe geur van haar parfum, vermengd met bloed. Toen werd hij omhuld door een koudevlaag. Het leek wel of iemand in zijn borstkas graaide en zijn hart greep om al het leven eruit te knijpen. Een andere hand, die hard en warm was, sleepte hem echter de kamer uit. Deuren sloegen achter hen dicht en hij vluchtte met Tobin de trappen af.

In zijn werkkamer deed Arkoniël zijn deur op slot en de luiken dicht, en stak een lampje aan. Toen liet hij zich trillend op de vloer zakken, met zijn handen voor zijn ogen. 'Bij het Licht!'

'Je zag haar, ja toch?'

'O, ja. Dat de Schepper me vergeve, ik zag haar.'

'Was ze kwaad?'

Arkoniël dacht aan het krampachtige gevoel in zijn borst. Had zij dat gedaan? Of Broer? 'Ze keek verdrietig, Tobin, en verdwaasd.' Hij keek op en zag toen pas wat Tobin uit de toren had meegenomen. 'Moest je dat halen?'

'Ja.' Tobin knelde een oude meelzak tegen zijn borst. 'Ik... ik ben blij dat je me betrapte vanavond. Ik denk niet dat ik het nog eens alleen aangedurfd had en ik had nooit iemand kunnen vragen het voor me te doen...'

'*Nog eens*? Je bedoelt dat je dat al eens gedaan hebt? Helemaal alléén?'

'Toen ik het daar verstopte. De eerste nacht dat Ki hier was.'

'Toen zag je je moeder ook zeker?'

Tobin knielde naast hem neer en begon aan het touw te prutsen waarmee de zak was dichtgebonden. Hij rilde. 'Ja. Ze strekte haar arm naar me uit, alsof ze me weer het raam uit wilde gooien.'

Arkoniël wilde iets zeggen, maar hij kreeg de woorden niet uit zijn keel.

Tobin zat nog steeds aan de zak te sjorren. 'Je mag hem nu wel zien. Hij was van mijn moeder. Ze heeft hem gemaakt.' De knoop was los en hij haalde er een oude lappenpop uit met een onhandig getekend gezicht. 'Ze droeg hem altijd met zich mee.'

'Je vader vertelde erover in zijn brieven.'

Hij dacht aan de schitterende poppen die ze in Ero had gemaakt. Alle edele vrouwen hadden er eentje gewild, en de heren net zo goed. Het geval dat Tobin vasthield was een symbool van haar gestoorde geest.

Deze gedachte werd al snel vervangen door een andere, en voor de tweede keer die nacht rezen de haren hem te berge. De pop droeg een halssnoer van haar dat strak om zijn nek gewikkeld was. Zo zwart als dat van Tobin. Of van zijn moeder.

Dit moest het zijn, dacht hij triomfantelijk. Dit was het geheim.

Hij had vanaf de eerste dag geweten dat de woorden die Tobin sprak niet genoeg waren om de geest zijn wil op te leggen. Er moest meer zijn; een talisman of iets anders wat hem en Broer verbond. Iets wat van moeder op zoon was overgedragen.

'Heeft je moeder je dit gegeven?'

Tobin keek naar de pop. 'Lhel heeft mijn moeder geholpen hem te maken. Daarna heeft ze gezorgd dat hij van mij werd.'

'Met je haar?'

Tobin knikte. 'En mijn bloed.'

Natuurlijk. 'En hiermee kun je Broer oproepen?'

'Ja. Ik mag hem niemand laten zien, dus heb ik hem in de toren verstopt. Ik denk dat Broer daarom niet altijd echt weggaat wanneer ik het hem zeg. Toen heer Orun zei dat ik naar Ero moest, wist ik dat ik hem moest pakken...'

'Maar waarom laat je hem niet hier? En Broer ook?'

'Nee, ik moet voor hem zorgen. Dat zei Lhel.'

'Als een tovenaar zich zou inspannen, zou hij hem kunnen vinden.'

'Dat heb jij anders nooit gedaan.'

Arkoniël grinnikte schuldbewust. 'Inderdaad, maar ik was er niet naar op zoek. En dan nog, het stikt van de tovenaars in Ero. Je moet goed voor hen oppassen, vooral voor degenen die de witte gewaden van de Haviken dragen.'

Tobin keek verschrikt op. 'En die ene die Orun bij zich heeft?'

'Een blonde jongeman die gekleed is als soldaat?'

'Ja, die.'

'Hij is een vriend, Tobin. Maar je mag nooit laten merken dat je dat weet. Iya heeft hem gestuurd om in Ero over je te waken. Maar iedereen denkt dat hij soldaat is; het is een geheim.'

'Ik ben blij dat hij geen boze tovenaar is. Hij keek zo aardig.'

'Ja, maar beoordeel mensen nooit op hun gezicht...'

Arkoniël zweeg, want hij wilde Tobin niet bang maken, en hij wilde ook niet dat een Havik te veel in Tobins geest zou kunnen lezen. 'Er zijn zoveel soorten mensen in de wereld, Tobin en net zoveel soorten tovenaars. Ze hebben niet allemaal het beste met je voor. Bij de Vier, je vertrouwde mij helemaal niet en ik wilde je alleen maar tegen het kwaad beschermen! Blijf altijd op je hoede, al glimlacht hij of zij nog zo lief tegen je.' Hij keek nog eens naar de pop. 'Blijf je erbij dat je hem mee moet nemen? Kun je hem niet bij mij laten?'

'Nee, Lhel zegt dat ik hem bij me moet houden en voor Broer moet zorgen. Dat kan niemand anders. Hij heeft mij nodig, en ik hem.'

Hem.

O, jee, dacht Arkoniël. Hier was een ander plan dat te goed gewerkt had. Dankzij Lhels magie had de koning in de nacht van de geboorte een dood meisje gezien en zo was het verhaal de wereld in gekomen; Tobin wist hoe het zat. Als iemand Broer zou zien en Tobin over 'hem' sprak, zou dat wel eens vragen kunnen oproepen.

Tobin keek hem aan met ogen die te veel wisten en Arkoniël voelde hoe fragiel de nieuwe band was die tussen hen in de toren was ontstaan.

Hij dacht aan Iya's tas die onder zijn werktafel lag; geen tovenaar kon hem daar zien omdat hij in zijde en bezweringen gewikkeld was. Even nam hij zich voor net zo'n tas voor de pop te maken. Hier had hij in elk geval de magie voor, en het materiaal: donkere zijde en zilverdraad, een kristallen toverstokje, naalden en mesjes van ijzer, wierookbranders voor hars en gom. Alles was in een wip te krijgen. Daar kon hij een tas mee fabriceren die Broer binnen zou houden en waardoor geen Havik met zijn scherpe ogen kon kijken.

Maar de tas zelf zou iedereen zien. Iya en hij konden zo'n ding natuurlijk zonder bezwaar dragen, maar een gewoon kind van elf dat strijder moest worden uiteraard niet.

Hij zuchtte en pakte de zak op.

Gewoon. Zo gewoon als een oude pop die een aandenken aan een dood kind voorstelde.

'Dit verandert alles, weet je,' mijmerde hij en het idee nam vorm aan.

'Die vertoning in de hal was gewoon een van die rare buien van de huisgeest. Aan het hof kan iemand, en vooral jij, zich nog niet het kleinste blijk van zwarte kunst veroorloven, en een heleboel mensen zouden aannemen dat je daarmee te maken hebt wanneer je Broer in je macht blijkt te hebben. Je mag niet meer over hem praten, behalve als ze het over de demonentweeling hebben. Het is een oud verhaal daar.'

'Weet ik. Ki zegt dat er zelfs mensen zijn die denken dat de geest een meisje is.'

Arkoniël liet zijn verrassing niet blijken; hij dacht dat als er al geruchten in de wereld zouden komen, ze vooral van Ki afkomstig zouden zijn. Dat scheelde hem weer werk. 'Laat ze dat maar denken. Ontken het niet en beaam het niet. Zeg er maar niets over en laat niemand de pop of Broer zien. En je mag je ook nóóit laten ontvallen dat je iemand als Lhel kent. Haar soort magie heeft wel niks met zwarte kunst te maken, maar de meeste mensen denken van wel en daarom zijn haar zusters en zij uit Skala verbannen.' Hij knipoogde samenzweerderig naar Tobin. 'Wij zijn dus ook vogelvrij, jij en ik.'

'Maar waarom zou vader haar kennen als...'

'Die vraag moet je maar eens stellen als je wat ouder bent, mijn prins. Vertrouw nu maar op je vader zoals je altijd hebt gedaan, en beloof me dat je Lhel en Broer geheimhoudt.'

Tobin bewoog een van de beentjes van de pop op en neer. 'Ik kan dat wel doen, maar soms doet hij echt zijn eigen zin.'

'Nou ja, als je maar zo goed mogelijk je best doet. En Ki ook.'

'Ki?'

Arkoniël leunde met zijn ellebogen op zijn knieën. 'Hier in de burcht gaan jij en Ki met elkaar om als vrienden, als broers. Als gelijken in elk geval. Aan het hof kan dat niet meer. Tot jij meerderjarig bent, wordt Ki alleen beschermd door jouw vriendschap en door de grillen van je oom. Als jij beschuldigd zou worden van zwarte kunst zou de koning jou in bescherming kunnen nemen, maar Ki zou onmiddellijk en op gruwelijke wijze terechtgesteld worden en niemand zou hem nog kunnen redden.'

Tobin verbleekte. 'Maar Broer heeft toch niets met hem te maken!'

'Dat maakt niet uit, Tobin. Daarom probeer ik het je uit te leggen. Het heeft niets te maken met de waarheid. Het gaat erom of een Haviktovenaar je beschuldigt. Dat gebeurt veel tegenwoordig. Wijze tovenaars die nooit een vlieg kwaad hebben gedaan, worden vanwege een of ander krankzinnig gerucht levend verbrand.'

'Maar waarom?'

'Omdat ze zich zo uitsloven om de koning te dienen, zijn ze een andere weg ingeslagen dan de rest van ons. Ik kan het ook niet beter uitleggen omdat ik het ook niet helemaal begrijp. Als je maar goed inziet dat je heel voorzichtig moet zijn, en ervoor zorgt dat Ki zijn mond ook niet voorbijpraat.'

Tobin zuchtte. 'Ik wou dat ik niet weg hoefde. Niet op deze manier. Ik wilde met vader mee, Ero en Atyion zien en dan ten strijde trekken, maar...' Hij wreef in zijn ogen.

'Weet ik toch. Maar Illior stuurt ons een weg op zonder dat we weten waar hij precies naartoe gaat. Vertrouw daar nu maar op, en op de vrienden die Illior met je meestuurt.'

'Illior?' Tobin keek hem vragend aan.

'En Sakor natuurlijk ook,' voegde hij er snel aan toe. 'Denk maar aan wiens teken je op je kin hebt.'

'Maar wat moet ik nu met die pop?'

Arkoniël liet hem de meelzak zien. 'Dit lijkt me goed genoeg.'

De jongen keek hem wanhopig aan. 'Je begrijpt er niks van. Als de prins hem nu eens ziet? Of de wapenmeester? Of Kí?'

'Hoezo?' Tot Arkoniëls verbazing begon Tobin te blozen.

'Dacht je soms dat Ki je daarom een kleuter zou vinden?'

'Waarom dacht je dan dat ik hem in de toren verstopte?'

'Nou, ik heb hem toch ook gezien, en voor mij ben je heus geen kleuter.'

Tobin sloeg zijn ogen ten hemel. 'Je bent een tóvenaar.'

Arkoniël lachte. 'En ben ik daarom geen man?'

'Je bent geen stríjder!' Tobin werd nu pas echt emotioneel, zijn ogen flitsten en zijn stem sloeg over. 'Strijders hebben geen poppen. Ik heb hem ook alleen maar omdat Lhel zegt dat het moet. Voor Broer.'

Arkoniël keek hem strak aan. De manier waarop Tobin de lelijke pop tegen zich aandrukte, stond in schrille tegenstelling met zijn woorden.

Háár woorden, verbeterde hij zichzelf. Voor de eerste keer in heel lange tijd, stond Arkoniël zich toe om deze correctie te maken, al kon hij de verborgen prinses niet in het boze jongetje voor hem ontdekken – behalve in die sterke, eeltige handjes die de pop noch verscheurden, noch weggooiden, hoewel er duidelijk sprake was van schaamte.

'Ik denk dat je je vriend verkeerd beoordeelt,' zei hij rustig. 'Het is een aandenken aan je dode moeder. Wie zou je daarom uitlachen? Maar je moet het maar doen zoals jij het het beste vindt.'

'Maar...' Verwarring en koppigheid tekenden zijn gezicht.

'Wat dan?'

'De nacht dat Ki kwam, liet Broer het me zien. Hij liet me zien hoe Ki de pop zou vinden, en hoe teleurgesteld iedereen was dat ik hem had. Net als vader me verteld had. En alle andere zaken die hij me heeft laten zien waren toch ook waar? Weet je nog die vos met die gebroken rug? En ik wist precies wanneer Iya kwam. En... En hij vertelde me ook dat heer Solari Atyion van me wil afpakken.'

'Is dat zo? Ik zal dat eens aan Tharin vertellen. En wat de rest betreft, ik weet het niet. Misschien kan Broer best liegen als hij daar zin in heeft. En wat hij je laat zien, kan in de loop der tijd veranderen, of misschien vat je het verkeerd op.' Hij klopte de jongen op zijn schouder en eindelijk liet Tobin dat eens toe. 'Je bent geen tovenaar, maar je kunt een beetje vooruitzien. Je had je visioenen aan Lhel of mij moeten vertellen. Wij begrijpen er meer van en dat is ons werk.'

Tobin liet zijn schouders hangen. 'Het spijt me, meester Arkoniël. Je hebt me altijd geholpen en ik ben nogal onbeleefd tegen je geweest.'

Arkoniël wuifde zijn verontschuldigingen weg. Voor de eerste keer sinds zijn aankomst voelde hij dat er een band tussen hen gesmeed was. 'Ik verwacht heus niet dat je het allemaal begrijpt, maar ik heb nu eenmaal gezworen dat je geen kwaad zou overkomen. Misschien herinner je je later opeens wat we vanavond samen hebben gedaan en snap je dat ik je vriend ben. Al ben ik dan maar een tovenaar.' Hij grijnsde en stak zijn hand uit als bij een soldatengroet.

Tobin klemde zijn hand in de zijne. De oude wantrouwige blik was nog niet helemaal weg, maar in zijn ogen las de tovenaar iets van respect dat er eerder niet was geweest.

'Ik zal eraan denken, tovenaar.'

Totaal uitgeput kroop Tobin weer in bed, nadat hij de pop diep onder in een van de reiskisten verborgen had.

Hij probeerde Ki niet wakker te maken, maar toen hij eenmaal lag voelde hij ineens Ki's hand op zijn arm.

'Ben je ziek, Tob? Je was zo'n tijd weg.'

'Nee...' Arkoniël vond dat hij Ki over de pop moest vertellen en opeens popelde hij om zijn geheim te delen. Misschien kon het Ki inderdaad niet schelen. Hij haatte geheimen en de pop was zo dichtbij, nog geen meter. Maar de herinnering aan Broers woede-uitbarsting toen hij probeerde hem aan Nari te laten zien lag te vers in zijn geheugen.

'Ik wilde afscheid nemen van Arkoniël,' mompelde hij.

'We zullen hem missen. Wedden dat hij een paar toverspreuken achter de hand heeft die heer Orun het zwijgen op zouden kunnen leggen?'

Het was te heet voor dekens en nachthemden. Ze lagen op hun rug naar de schaduwen te staren.

'Wat een kloteweken waren het, hè?' zei Ki na een tijdje. 'Met je vader...' Hij slikte even. 'En die ouwe Schijtebroek beneden? Niet echt zoals we naar Ero hadden willen trekken.'

Tobin kreeg een brok in zijn keel en schudde het hoofd. Zijn vaders dood, zijn moeders geest, de sommatie uit Ero, de waarschuwingen van Arkoniël, en dat gedoe met Broer, al die onbekenden die beneden op hem zaten te wachten...

Alle tranen die hij de afgelopen jaren vergeefs had gezocht, kwamen nu allemaal tegelijk en ze stroomden uit zijn ogen zijn oren in. Hij wilde ze niet wegvegen omdat Ki het dan zou merken.

'Het zou tijd worden,' snifte Ki en Tobin begreep dat zijn vriend ook lag te snotteren. 'Ik begon te denken dat je niet wist hoe het moest. Je moet rouwen, Tobin. Dat doen alle strijders.'

Tobin vroeg zich af of dat die pijn dan was. Maar het was zo erg. Als hij zich liet gaan, zou hij omvallen en reddeloos verloren zijn. Het was makkelijker zich weer in stilzwijgen te hullen, zoals hij altijd had gedaan. Hij stelde zich voor dat de stilte als vloeibare duisternis in hem stroomde, zijn longen vulde, door zijn armen en benen en hoofd vloeide tot hij niets meer was dan een zwart niets.

'Dat niet goede manier, kiesa.'

Tobin keek op en zag Lhel op de drempel staan. Het was ochtend.

Ze wenkte hem en verdween in de richting van de trap. Hij snelde achter haar aan, maar zag alleen de gerafelde zoom van haar rok terwijl ze de deur van de grote hal uitglipte. Heer Orun snurkte luid achter de beddengordijnen. Tobin haastte zich door de poort, net op tijd om te zien hoe Lhel in het bos aan de andere kant van de brug verdween.

'Wacht!' riep hij en hij sloeg geschrokken zijn hand voor zijn mond. De kletsnat bedauwde weide stond vol tenten met Oruns escorte. Hij dacht gisteren dat er maar een stuk of veertig waren, maar nu leken het er wel honderd. Een paar soldaten zaten rond het ochtendvuurtje van de kok, maar niemand merkte dat hij blootsvoets het bos in rende.

Zodra hij in de beschutting van de bomen kwam, begreep hij het. Dit was geen echt bos; het was het bos dat hij na zijn moeders dood zo vaak in zijn visioenen had bezocht.

Deze keer had hij Broer niet nodig om de weg te vinden. Hij vond het rivierpaadje zonder problemen en volgde het naar de open plek met de twee hertjes, die bij het gat in de grond graasden. Toen hij de opening in kroop, bevond hij zich in Lhels eik.

De heks en zijn moeder zaten bij het vuur. Zijn moeder had een baby aan de borst. Lhel had de pop in plaats van een konijn op schoot.

'Dit is een voorspellende droom, kiesa,' zei Lhel.

'Weet ik.'

Lhel gaf hem de pop en zwaaide met haar vinger. 'Jij niet vergeten, hoor!'

'Dat doe ik ook niet!' Waar was hij anders de hele nacht mee bezig geweest?

Zijn moeder keek op van de baby, haar blauwe ogen stonden helder en normaal, maar verdrietig keek ze wel. 'Ik wil daar ook heen, Tobin. Laat me niet in de torenkamer zitten!' Ze hield de baby naar hem op. 'Hij zal het je wel laten zien.'

Lhel schrok op, alsof ze haar niet eerder had opgemerkt. 'Daar moet je kiesa niet mee lastigvallen. Eruit!'

Ariani en de baby verdwenen en Lhel trok Tobin bij zich op haar bed. 'Maak je maar geen zorgen om haar. Die last hoef jij niet te dragen. Jij zorgt al voor Broer en Ki.'

Ze wierp een handjevol kruiden en botjes in het vuur en bestudeerde het patroon waarin ze verbrandden. 'Deze kale man? Mag hem niet, maar... jij moet gaan. Ik zie jouw pad. Neemt jou naar stinkstad van koning. Jij kent koning nog niet. Jij kent niet zijn hart.' Ze wierp nog meer kruiden op het vuur en wiegde zichzelf langzaam naar voor en naar achter, met de ogen toegeknepen. Toen zuchtte ze en boog zich zo ver voorover dat Tobin alleen haar gezicht kon zien. 'Jij ziet bloed? Niemand vertellen. Niemand!'

'Zoals de pop.' Goed dus dat hij het toch niet aan Ki had verteld.

Lhel knikte. 'Jij houdt van vriend, jij zegt niks. Jij ziet bloed, jij komt hier, naar mij.'

'Wat voor bloed, Lhel? Ik ben een strijder. Ik zal heel wat bloed zien!'

'Misschien wel, misschien niet. Maar als je ziet...' Ze raakte zijn hart met haar vinger aan. 'Je weet hier. En jij komt naar Lhel.'

Ze prikte hem harder in zijn borst, en Tobin werd in zijn eigen bed wakker terwijl Ki naast hem lag te snurken.

Tobin ging op zijn zij liggen, en dacht na over de droom. Hij voelde Lhels vinger nog in zijn borst prikken en de zachte bontlagen waarop hij gezeten had. Een voorspellende droom, had Lhel gezegd.

Terwijl hij erover nadacht of hij hem nu aan Arkoniël moest vertellen, viel hij langzaam weer in slaap.

DEEL 3

Uit de memoires van koningin Tamír II

Ero
Wanneer ik nu terugdenk aan de stad, de plaats die ik maar zo kort gekend heb, is die bedekt met het beeld van de eenvoudige blokkenstad die mijn vader voor me maakte. In mijn dromen bevolkten takkenmensjes, schapen van klei en ganzen van was de bochtige straatjes. Platbodems met perkamenten zeilen gleden ruisend door een stoffige haven.

Alleen de Palatijnse Heuvel is in mijn herinnering nog zoals hij was, en hetzelfde geldt voor hen die binnen de muren van dat doolhof woonden.

38

Op de drieëntwintigste dag van Lenthin reed Tobin weg van de burcht; hij keek niet meer om. Bij het aanbreken van de dag had hij afscheid genomen en de vrouwen hadden gehuild. Met Ki en Tharin naast zich, de as van zijn vader aan de zadelknop en een escorte achter zich, zette hij koers naar Ero, vastbesloten de eer van de familie kost wat kost hoog te houden.

Tot zijn verrassing hoorde hij van heer Orun dat het maar een dag rijden was. Zonder zware bepakking konden ze lange stukken galopperend afleggen en spoedig lag Alestun ver achter hen. De bekende weg kwam samen met een andere die hen door een donker woud voerde. Na een paar uur kwam de bosweg uit op een pad door de glooiende heuvels, met beekjes en boerderijen die her en der verspreid lagen.

Heer Orun stond erop dat de rit volgens het protocol werd uitgevoerd, wat inhield dat Tobin naast hem in de voorhoede moest rijden, en Tharin en Ki achter hen met de heraut en de bedienden. De soldaten uit de kazerne van de burcht werden nu Prins Tobins Garde genoemd en ze reden in colonne met de andere soldaten. Tobin keek of de vermomde tovenaar ertussen zat, maar hij had hem niet gezien voor hij gemaand werd zijn eigen positie weer in te nemen.

Halverwege de ochtend kwamen ze bij een uitgestrekt meer waarin de wolken weerspiegeld werden, net als het fraaie stenen landhuis aan de andere kant. Een grote zwerm ganzen zwom en graasde langs de oevers.

'Dat landgoed hoorde eens toe aan een tante van je moeder,' merkte Tharin op terwijl ze erlangs reden.

'En van wie is het nu?' vroeg Tobin die zijn ogen uitkeek, zo mooi lag het landhuis daar.

'De koning.'

'Is Atyion net zo groot?'

'Zet er maar tien van dit formaat naast elkaar, dan zit je aardig in de buurt. Maar Atyion staat midden in een stad, tussen de velden, en heeft echte ringmuren.'

Toen Tobin over zijn schouder keek zag hij dat de bergen een stuk kleiner waren geworden. 'Hoe lang moeten we nog rijden voor we in Ero zijn?'

'Als we flink doorrijden, kunnen we er voor zonsondergang zijn, mijn prins,' antwoordde heer Orun.

Tobin spoorde Gosi aan en verbaasde zich erover dat Alestun zo ver had kunnen lijken terwijl de hoofdstad maar een dag rijden was. Plotseling leek de wereld een stuk kleiner dan hij had gedacht.

Ze kwamen net na twaalven door een marktstadje dat Korma heette. Het was groter dan Alestun en de bekende marktkooplui en boeren stonden op het grote plein, net als Aurënfaiers met ingewikkelde paarse tulbanden op. Een aantal van hem gaf een concert op harpjes en fluiten.

Heer Orun stopte bij de grootste herberg voor het noenmaal en om de paarden te laten rusten. De herbergier maakte een diepe buiging en boog nog dieper toen prins Tobin werd voorgesteld. Hun gastheer maakte grote drukte om het Tobin naar de zin te maken en serveerde hem allerlei soorten eten; hij weigerde betaling en wilde alleen de herinnering aan Tobin als betaling. Tobin was niet gewend aan zo'n behandeling en was blij toen ze weer verdergingen.

Op het heetst van de dag deden ze het wat kalmer aan en heer Orun nam de taak op zich om Tobin bezig te houden. Hij vertelde over de Koninklijke Gezellen en hun opleiding, en wat Tobin aan vrolijkheid en vermaak tegemoet kon zien.

Hij hoorde onder meer dat hij alles kon krijgen waar zijn jongenshart naar uitging, simpelweg door zijn vaders zegelring te gebruiken die hij nog altijd om zijn nek droeg. Koni had de ketting wat korter gemaakt voor hem.

'O, ja,' verzekerde Orun hem. 'Prachtige kleren, een echt zwaard, snoep, honden, dobbelen... Een jongeman van jouw stand moet zijn pleziertjes hebben. Een nieuwe sport, de valkenjacht, is onlangs uit Aurënen bij ons geïntroduceerd, en zij hebben het weer van de Zengati's. Die 'faiers weten wel waar je die barbaarse sporten vandaan haalt! Maar goed, ze fokken uitstekende paarden. Maar dat gedoe met die valken is de nieuwe rage bij de jongelui.'

Hij pauzeerde en zijn dikke lippen plooiden zich in een glimlachje. 'Je snapt natuurlijk wel dat voor elke transactie die wat meer om het lijf heeft – zeg, de verkoop van land of het opzetten van een eigen legertje, de aankoop van graan of ijzer, of het ophalen van de pacht van je landerijen – niet alleen je vaders zegel maar ook dat van je oom of van mij nodig is, tot je meerderjarig bent. Maar je bent nog te jong om je daarmee te vermoeien. Alles zal voor je geregeld worden.'

'Dank u, heer Orun,' zei Tobin plichtmatig. Hij had gisteren meteen een hekel aan de man gehad en nu hij hem de hele tijd naast zich had werd dat alleen maar erger. Er was iets inhaligs in dat vette glimlachje; het deed Tobin denken aan iets kouds en glibberigs dat in het donker rondsloop.

Behoorlijk beledigend was de manier waarop hij Ki en Tharin behandelde. Hoewel hij zich in zijn omgang met prins Tobin welgemanierd betoonde, ging hij met de andere twee om of het zijn eigen bedienden waren en herhaaldelijk wees hij Tobin erop dat hij een veel geschiktere schildknaap kon krijgen wanneer hij aan het hof was. Als Arkoniël hem niet had gewaarschuwd, had hij onmiddellijk Broer weer opgeroepen. Heimelijk dacht hij erover na hoe hij van zijn vrienden zulke hoge heren kon maken dat Orun voor hen zou moeten buigen.

Ki zag ook wel dat Tobin zich ellendig voelde naast heer Orun, maar er was niet veel aan te doen. De lange rit verschafte hem wel de mogelijkheid eindelijk een goed gesprek met Tharin te voeren sinds hij uit Mycena was teruggekeerd.

Ki had meteen gezien dat Tharin zeer verdrietig was, maar hij wist niet wat hij tegen hem moest zeggen, al wist hij in zijn hart wel wat de reden was. Tharin dacht dat hij Rhius in de steek had gelaten. Een schildknaap kon niet zonder zijn heer thuiskomen. Maar Ki had uit de verhalen van de soldaten kunnen opmaken, dat het niet Tharins schuld was geweest dat Rhius gevallen was. Tharin had juist geprobeerd hem te redden. Ki geloofde onvoorwaardelijk in dat verhaal, Tharin was immers zijn held.

Nu waren ze in de volgende ellendige situatie terechtgekomen, en Tharin leek het allemaal niet meer aan te kunnen.

Ki hield Draak in zodat hij naast Tharin kwam te rijden en vroeg zacht: 'Moeten we nu voortaan bij hém wonen?'

Tharin schudde het hoofd. 'Nee, jullie wonen in het Oude Paleis bij de andere Gezellen. Jullie moeten af en toe wel met heer Orun dineren, zodat hij zijn rapport aan de koning kan uitbrengen.'

Ki had al torens van het paleis over de stadsmuren heen gezien. 'Het is zo groot! Hoe leren we er ooit de weg in kennen?'

'De Gezellen hebben hun eigen kamers. En de anderen helpen jullie wel.'

'Met zijn hoevelen zijn ze?'

'Zeven of acht, dacht ik, en hun schildknapen.'

Ki verschikte zijn teugels. 'Die andere schildknapen – zijn die zoals ik?'

Tharin keek hem aan. 'Hoe bedoel je?'

'Ah, je weet wel.'

Tharin glimlachte droef. 'Ik neem aan dat het allemaal zonen van adellijke ridders en hoge heren zijn.'

'O.'

'Ja.' Ki wist dat Tharin het begreep door de manier waarop hij het zei. 'Maar laat je er niet onder krijgen. Ze zullen je misschien pesten, maar er is maar één andere jongen die kan zeggen dat hij schildknaap van een prins is. En ik zeg je nu al, Ki, er is er niet één die zo integer is als jij.' Hij knikte naar Tobin. 'Houd hem op een ereplaats in je hart en je zult altijd weten wat je te doen staat.'

'Ik wil hem niet teleurstellen. Dat zou ik niet kunnen verdragen.'

Tharin greep Ki's arm zo hard vast dat het pijn deed. 'Dat gebeurt ook niet,' zei hij streng. 'Je moet van nu af aan in mijn plaats op hem passen. Zweer op je eer als schildknaap dat je dat zult doen.'

De opdracht deed hem meer pijn dan het vasthouden van zijn arm. Ki ging rechtop in het zadel zitten en verdrong alle twijfel uit zijn gedachten. 'Ik zweer het!' zei hij met duidelijke stem.

Tharin liet hem met een goedkeurend knikje los. 'We worden zijn persoonlijke wachters genoemd, maar jij bent degene die altijd aan zijn zijde staat. Je moet mijn ogen en oren zijn. Wanneer je ook maar een beetje onraad ruikt, Ki, kom je onmiddellijk naar me toe.'

'Reken maar, Tharin!'

Even dacht Ki dat hij het overdreef en de man kwaad had gemaakt, maar Tharin grinnikte alleen maar. 'Dat weet ik toch.'

Maar Ki zag dat hij zich nog steeds zorgen maakte vanwege de manier waarop hij de riempjes van zijn schede nakeek. Hij had nooit gedacht dat de rit naar de hoofdstad een tocht naar vijandelijk gebied zou zijn. Als hij maar wist waar het aan lag.

De dag ging voorbij. De weg liep nu door laagland dat door pachters bebouwd werd. Sommige stukken land lagen braak en waren dicht begroeid met onkruid. Andere waren ingezaaid, maar de planten kwamen maar magertjes op of waren aangetast door ziekte. Hele akkers graan lagen grijs te rotten op het veld.

In de dorpjes eromheen zag Tobin kinderen met magere beentjes, opgezwollen buikjes en zwarte kringen onder hun ogen. Ze deden hem denken aan hoe Broer eruit had gezien. De paar koeien die de mensen hadden waren broodmager en er lagen karkassen in de greppels langs de weg waar de raven op neer waren gestreken. Veel van de huisjes in de dorpen waren verlaten, sommige waren in brand gestoken. Degene die nog overeind stonden droegen met krijt de maan van Illior op hun voordeur.

'Vreemd,' zei hij. 'Je zou denken dat ze hier Dalna voor gezondheid en een goede oogst aanriepen.'

Niemand antwoordde.

Toen de zon langzaam achter hun rug begon te dalen, stak er een koele bries uit het oosten op, die hun haar van hun voorhoofd blies en het zweet erop liet verdampen. Hij droeg een nieuwe interessante geur mee die Tobin niet kende.

Orun zag dat hij de lucht opsnoof en glimlachte weer. 'Dat is de zee, mijn prins. Nog even en we kunnen hem ook zien.'

Verderop kwamen ze een kar tegen waarop de vreemdste lading lag die Tobin ooit had gezien. Een stapel groenbruine planten trilde mee met elke hobbel die de wielen tegenkwamen. Er steeg een vreemde geur uit op, zoutig en aards.

'Wat is dat?' vroeg hij en hij trok zijn neus op.

'Zeewier, van de kust,' legde Tharin uit. 'De boeren gebruiken het als mest.'

'Uit zee?' Hij stuurde Gosi dichterbij en voelde aan het goedje. Het was koud en nat, en voelde leerachtig aan als de gelatine die Kokkie van kalfspootjes maakte.

Droge bruine heuvels als schouders zonder hoofd doken tegen zonsondergang op. Het zilveren sikkeltje van Illiors maan rees boven hun hoofden, terwijl Tobin toekeek. Orun had gezegd dat ze tegen zonsondergang in Ero zouden zijn, maar het leek erop dat ze nu in een of andere woestenij terecht waren gekomen.

De weg liep steil omhoog. Voorovergebogen staand in de stijgbeugels spoorde hij Gosi aan ook de laatste paar meters tot de top te nemen, en toen dat gelukt was zag hij een ongelooflijke golvende watermassa recht beneden zich. De blikken die hij er in zijn visionaire reizen met Arkoniël op geworpen had, hadden hem hier niet op voorbereid; ze waren wazig geweest omdat hij zich op andere zaken geconcentreerd had.

Ki dreef zijn paard naast het zijne. 'Wat vind je d'r van?'

'Het is... enorm!'

Vanaf hier kon hij zien hoe het water aan de horizon een flauwe bolling maakte, in de verte doorbroken door eilandjes van diverse grootte die uit de golven oprezen. Tobin keek zijn ogen uit en probeerde de uitgestrektheid in zich op te nemen; daarachter lagen alle plaatsen waarover zijn vader en Arkoniël hem verteld hadden: Kouros, Plenimar, Mycena en het slagveld waar zijn vader zo dapper gevochten had voor hij stierf.

'Denk je eens in, Ki. Op een dag zijn wij daar ook, jij en ik. Dan staan we op het dek van een of ander schip en kijken we naar deze kust en denken we eraan hoe we hier eens stonden.' Hij hield zijn hand omhoog.

Grijnzend pakte Ki hem stevig vast. 'Strijders zijn we dan. Net als...'

Hij stopte net op tijd, maar Tobin wist wat hij bedoelde. Net als Lhel had gezegd, de eerste keer dat ze Ki op die besneeuwde bosweg ontmoette.

Tobin keek weer om zich heen. 'Maar waar ligt de stad?'

'Nog een paar mijl naar het noorden, Hoogheid.' Het was de blonde tovenaar. Hij salueerde naar Tobin en verdween weer in de colonne.

Ze volgden de weg over de heuvels en voor het licht in het westen was verdwenen, reden ze een laatste heuvel over en daar zagen ze Ero liggen, als een schitterend juweel naast haar grote haven. Heel even was Tobin teleurgesteld; op het eerste gezicht leek het in niets op zijn speelgoedstad die zijn vader voor hem had gemaakt. Er stroomde een brede rivier naast en de stad was op verschillende heuvels gebouwd die zich naar de baai uitstrekten. Toen hij beter keek, zag hij de golvende lijn van de ringmuur rond de basis van de grootste berg. Boven op deze heuvel lag de Palatijnse Ring en hij dacht dat hij zelfs het dak van het Oude Paleis kon zien, glanzend als goud in het strijklicht van de laatste zonnestralen.

Voor de eerste keer voelde hij zijn vaders geest naast zich, met die bekende glimlach, terwijl hij hem alles liet zien wat hij hem geleerd had. Hier was zijn vader naartoe gereden wanneer hij de burcht verliet, over deze weg had hij gereden, naar die markt, die heuvel – naar al die schitterende paleizen en tuinen. Tobin kon zijn stem haast horen, wanneer hij vertelde over de koningen en koninginnen die hier geheerst hadden, en de priester-koningen die hen vooraf waren gegaan en de Drie Landen vanaf hun hoofdstad op het eiland hadden geregeerd, toen Ero nog maar een vissersdorpje was, dat door rovers uit de heuvels werd belaagd.

'Wat is er met je, Tobin?' vroeg Tharin bezorgd.

'Niets. Ik dacht alleen aan vader. Het is net of ik de stad al een beetje ken...'

Tharin glimlachte. 'Dat zou hem goed doen.'

'Maar er is heel wat dat hij nog niet kent,' zei Ki praktisch als altijd. 'Hij weet nog niks van al die huizen en steegjes en zo. Maar de hoofdwegen heeft hij wel in zijn hoofd.'

'Als jullie tweeën maar uit die steegjes wegblijven,' waarschuwde Tharin en keek hen streng aan. 'Jullie zijn nog veel te jong om hier op ontdekkingsreis te gaan. Ik hoop dat Meester Porion jullie zo bezighoudt dat je alleen maar aan je bed denkt als je klaar bent. Hoe dan ook, jullie moeten me beloven dat jullie jezelf gedragen.'

Tobin knikte, nog helemaal in de ban van de wonderlijke stad die zich aan zijn voeten uitstrekte.

In galop reden ze langs de haven en de zilte lucht reinigde hun keel van al het stof. Een gigantische stenen brug lag over de rivier, breed genoeg om er met tientallen naast elkaar overheen te rijden. Aan de overkant bereikten ze de buitenwijken van Ero en hier merkte Tobin meteen waarom de hoofdstad vaak Stinkend Ero werd genoemd.

Tobin had nog nooit zoveel mensen op elkaar gezien, en zo'n stank geroken. Hij was niet meer gewend dan rook van het keukenvuur, dus de gecombineerde stank van rottend afval en menselijke fecaliën wekte braakneigingen bij hem op, maar hij klemde zijn lippen op elkaar. De huisjes die tegen elkaar aan in de nauwe straatjes stonden waren krotten, veel erger dan in welke sloppenwijk van Alestun ook.

En het leek wel of iedereen hier op de een of andere manier verminkt was, met stompjes waar handen of voeten moesten zitten, of met gezichten aangevreten door ziekte. In sommige karren zag hij tot zijn schrik een stel lijken liggen. Ze waren als brandhout op elkaar gestapeld en de ledematen slingerden bij elke hobbel. Sommigen hadden zwarte gezichten. Anderen waren zo mager dat de botten door hun vel staken.

'Ze gaan daar naartoe,' zei Ki en hij wees naar een zwarte brandstapel in de verte. 'Lijkverbranding.'

Tobin keek naar de pot met as aan zijn zadelknop. Was zijn vader ook op zo'n dodenkar naar de brandstapel gereden? Hij schudde zijn hoofd en verdrong die gedachte.

Toen hij langs een taveerne reed, zag hij twee vuile kindertjes die bij het lijk van een vrouw zaten. Het lijfje van haar rafelige jurk was opengescheurd en je zag haar slappe borsten; de rok was tot haar dijen opgetrokken. De kinderen hielden hun hand op voor aalmoezen, maar de mensen liepen gewoon langs hen heen en keken niet op of om. Tharin zag hem kijken en hield zijn paard even in om een zilveren halve sestertium in hun richting te werpen. De kinderen doken erop af, naar elkaar slaand als katten. De vrouw stond opeens op en joeg ze allebei een kant uit. Ze greep de munt, bood Tharin grijnzend haar ene borst aan en schuifelde weg met haar kinderen jengelend achter zich aan.

'Mensen zijn niet altijd wat je denkt, mijn prins. Deze straat heet Bedelaarsgang. Ze komen hier om boeren uit te kleden die naar de markt gaan.'

Zelfs op dit tijdstip was de zuidpoort vol wagens en ruiters, maar de heraut blies op zijn zilveren bazuin en de menigte week uiteen.

Tobin geneerde zich nogal toen Tharin tegen de wachter bij de poort zei wie hij was. Toen hij opkeek zag hij Illiors maansikkel en Sakors vlam in de top van de poort gebeiteld staan en hij raakte zijn hart en zwaard aan toen hij door de poort reed.

Binnen de poort werden de wegen steeds breder, ze waren geplaveid en er lagen goten naast. Niet dat het qua stank veel uitmaakte, aangezien de bewoners hun emmers met afval zo in de goot leegden, maar het leek iets schoner.

De straten die omhoogliepen naar de Palatijnse Ring werden geleidelijk steiler, maar de stadsbouwers hadden hier en daar terrassen aangelegd voor markten, parken en tuinen. Huizen en winkels waren echter tegen de heuvelwand opgebouwd zoals in Tobins blokkenstad. Ze waren eerder hoog dan breed, sommige telden vier of vijf verdiepingen en ze waren van hout op een fundering van steen; er lagen pannen op de daken.

Ondanks al zijn lessen, wist Tobin nooit zeker waar ze nu waren. Zoals Ki al verteld had bestonden er duizenden zijstraten tussen de hoofdwegen en je wist nooit precies in welke straat je zat, tenzij je het vroeg. Blij met zijn escorte liet hij Orun voorop rijden en richtte zijn blikken op de stad terwijl het steeds donkerder werd.

De eerste winkels plaatsten al luiken voor hun uitstalling, maar hoger op de heuvel bleven ze langer open en werden er toortsen opgehangen.

Behalve bedelaars en dode honden, varkens en vuile kinderen zag je nu ook heren en dames die te paard passeerden met op hun gehandschoende vuist een valkje met een kapje op, en een dozijn lakeien op hun hielen. Ook waren er Aurënfaiers, ongetwijfeld ook heren, want ze waren deftiger gekleed dan de Skalanen en heer Orun boog voor hen als ze voorbijreden.

Toneelspelers en muzikanten in uitheemse kledij traden op bij fakkellicht op kleine podia op de pleinen. Er waren gemaskerde mannen en pasteienverkopers, drysianen en priesters. Ook zag hij een paar vreemde gasten in lange gewaden met een snavelachtig masker op; dat moesten de doodsvogels zijn over wie Arkoniël verteld had.

Kooplui verkochten hun waren vanuit kraampjes, open karren of winkels met een open voorkant. Op een brede binnenplaats zag Tobin allemaal houtsnijders aan het werk en hij vroeg of ze mochten stoppen, maar Orun schudde zijn hoofd en spoorde hem extra aan door te rijden.

Tovenaars waren er ook, met gewaden en zilveren symbolen. Ook zag hij een van die witte tovenaars voor wie Arkoniël hem gewaarschuwd had, maar Tobin vond dat hij er hetzelfde uitzag als de anderen.

'Hup, hup,' zei Orun terwijl hij een gouden pomander onder zijn neus hield. Ze sloegen linksaf en volgden een brede vlakke weg die evenwijdig liep aan de haven, sloegen weer een hoek om en reden nu de Palatijnse Poort tegemoet.

De wacht sprak even met Orun, hief zijn toorts op en boog voor Tobin.

Binnen de muren van de Palatijnse Ring was het stil en donker. Tobin zag niet veel meer dan een paar raampjes en het donkere silhouet van een groot gebouw. Er speelde een briesje door zijn haar en hij rook water, bloemen, wierook en de zee. Op dat moment waren koningen en koninginnen geen namen uit een geschiedenisles meer. Ze waren familie en ze hadden gestaan waar hij nu stond.

Alsof Tharin zijn gedachten kon lezen, boog hij zich voorover en zei: 'Welkom thuis, prins Tobin.'

Ki en de anderen zeiden hetzelfde.

'De Kroonprins staat vast te popelen om je te begroeten,' zei Orun. 'Kom, hij zit waarschijnlijk nog aan tafel met de Gezellen.'

'En mijn vader dan?' zei Tobin en hij legde zijn hand op de urn. Ook zijn vader had hier rondgewandeld. Plotseling werd het Tobin allemaal te veel.

Orun trok een wenkbrauw op. 'Je vader?'

'Heer Rhius wilde graag dat zijn as in het graf van prinses Ariani in de koninklijke graftombe werd bijgezet,' legde Tharin uit. 'Misschien is het beter dat we eerst de doden begroeten voor we ons naar de levenden begeven. Alle riten zijn al uitgevoerd. Dit is het enige wat nog moet gebeuren.

Prins Tobin heeft zijn last lang genoeg gedragen, dunkt me.'

Orun deed zijn uiterste best zijn ongeduld te bedwingen. 'Natuurlijk. Nu we veilig zijn aangekomen meen ik dat we het wel zonder escorte af kunnen. Kapitein Tharin, u en uw manschappen kunnen zich terugtrekken en uitrusten. Uw oude kwartier staat tot uw beschikking.'

Tobin keek Tharin gekweld aan, wanhopig dat hij het in deze onbekende omgeving nu alleen met Orun moest stellen.

'Prins Tobin, we gingen met uw vader mee waar hij ook ging. Staat u ons toe dat we hem ook naar zijn laatste rustplaats begeleiden?' vroeg Tharin.

'Maar natuurlijk, heer Tharin,' zei Tobin opgelucht.

'Vooruit dan maar,' verzuchtte Orun en hij stuurde zijn eigen gardisten naar hun kazerne.

Tharin en Koni leenden toortsen van de soldaten bij de poort en reden voorop over een brede laan met hoge olmen. De oude bomen waren in de vorm van een ruisende tunnel gegroeid en door hun takken zag Tobin verlichte raampjes en toortsen, hoog tegen de muren.

Na de bomengang kwamen ze aan bij een laag gebouw met een plat pannendak dat gedragen werd door dikke zwarthouten pilaren. De wachters maakten een dubbele rij naar de ingang.

Tobin steeg af en nam de urn in zijn armen. Met Tharin en Ki naast zich droeg hij zijn vaders as de tombe binnen.

Op een stenen podium stond een altaar met een eeuwig brandende vlam in een bak olie. Deze vlam verlichtte de gezichten van de levensgrote beelden die in een halve cirkel om het altaar stonden. Tobin nam aan dat het de koninginnen van Skala waren. Zij Van Vroeger.

Een priester van Astellus verscheen en leidde hen een stenen trapje achter het altaar af; daar waren de catacomben. Bij het licht van zijn toorts zag Tobin allemaal stoffige potten zoals de zijne, in beschaduwde nissen. Hier en daar lagen bundels botten en schedels op planken.

'Dit zijn de oudste doden, mijn heer, uw verste voorouders,' zei de priester. 'Wanneer een niveau vol is, wordt er een nieuw plateau gekapt. Uw weledelgeboren moeder ligt op de jongste laag, helemaal beneden.'

Ze daalden vijf smalle treden af naar een koude, benauwde ruimte. De muren waren van laag tot hoog gevuld met nissen en de vloer lag vol katafalken. Hierop lagen lichamen die stevig met wit band omwikkeld waren.

'Je vader wilde graag dat je moeder gebalsemd werd,' zei Tharin zacht en hij leidde Tobin naar een van de nissen in de muur. Een ovaal portret met haar beeltenis bedekte haar gezicht en haar zwarte haar lag in een dikke vlecht op haar in linnen gewikkelde borst. Ze zag er tenger en klein uit.

Haar haar zag er nog net zo uit als toen ze leefde, dik en glanzend in het licht van de toorts. Hij strekte zich uit om het aan te raken, maar trok zijn hand snel terug. Haar portret was knap geschilderd, maar ze glimlachte gelukkig en zo had hij haar nog nooit gezien.

'Jullie hebben dezelfde ogen,' fluisterde Ki en Tobin herinnerde zich nu pas dat Ki zijn moeder nooit gekend had. Soms leek het of Ki altijd al bij hem was geweest.

Met Tharins hulp tilde hij de urn uit het net en zette hem tussen zijn moeders lichaam en de muur. De priester mompelde gebeden, maar Tobin wist niets te zeggen.

Toen ze klaar waren keek Ki de crypte rond en floot zacht tussen zijn tanden. 'Zijn dit allemaal familieleden van je?'

'Als ze hier liggen, dan zal dat wel.'

'Wat vreemd dat er zoveel meer vrouwen zijn dan mannen. Met al die oorlogen en zo zou je denken dat het eerder andersom was.'

Tobin moest Ki wel gelijk geven, al had hij het eigenlijk niet opgemerkt. Er stonden wel wat urnen, maar er lagen toch vooral gebalsemde lichamen met vlechten, en sommige waren niet eens volgroeid; hij telde minstens tien meisjes en kleuters.

'Kom op,' zuchtte hij, want zoveel doden kon hij niet meer aan.

'Wacht,' zei Tharin. 'Het is gebruikelijk een lok haar mee te nemen als herinnering. Moet ik wat voor je afsnijden?'

Tobin hief zijn hand naar zijn lippen en zijn vingers raakten afwezig het kleine litteken op zijn kin aan. 'Een andere keer misschien. Nu liever niet.'

39

Nadat ze de graftombe verlaten hadden, bracht heer Orun hen terug naar de plaats vanwaar ze gekomen waren en reed een laan in door open gebied waarlangs nog meer bomen stonden. De maan stond nu hoog aan de hemel en wierp een bleek licht over hun omgeving.

Dit deel van de Palatijnse Heuvel was een donkere warboel van tuinen en platte daken. Tobin ving een bewegend geschitter op; er lag daar een groot meer, aangelegd door een van de koninginnen. Voor hen, achter een grote groep bomen, kon hij een onregelmatige verzameling daken zien die als een berg tegen de oostelijke kant van de citadel omhoog rezen.

'Dat is het Nieuwe Paleis,' legde Tharin uit, en hij wees naar het hoogste silhouet links van hen, 'en wat vlak voor ons ligt is het Oude. Daaromheen liggen allerlei kleine paleisjes en chique huizen, maar daar heb je voorlopig niets mee te maken. Wanneer je een beetje gewend bent, laat ik je het huis van je moeder zien. '

Tobin was te uitgeput om meer op te nemen dan tuinen en zuilengangen. 'Ik wou dat ik daar mocht wonen.'

'Dat gaat ook gebeuren, als je volwassen bent.'

Uit de duisternis voor hen doemde de entree van het Oude Paleis op, geflankeerd door torenhoge zuilen, flakkerende toortsen en een hele rij wachters in zwart-witte tunieken.

Tobin greep Tharins hand vast en drong zijn tranen terug.

'Dapper zijn, mijn prins,' zei Tharin zacht. 'Ki, zorg dat ik trots op je kan zijn.'

De scheiding kon niet langer worden uitgesteld. Tharin en de anderen salueerden en reden de duisternis tegemoet. Onbekenden in livrei drongen zich om hen heen en ontfermden zich over hun bagage en paarden.

Heer Orun dook op hen af zodra Tharin verdwenen was.

'Kom, kom, prins Tobin. Prins Korin mag niet langer in spanning worden gehouden. Hé, knul.' Dat was tegen Ki. 'Haal als de bliksem de bagage van de prins!'

Ki wachtte tot de man hem zijn rug had toegekeerd en maakte een obsceen gebaar. Tobin grijnsde hem dankbaar toe, net als een stel bedienden.

Orun dreef hen voor zich uit de trap op, waar nog meer bedienden in wit-gouden livrei hen opwachtten voor een enorme dubbele bronzen deur met vechtende draken erop. Ze openden de deuren en een stijve lakei met een witte baard ging hen voor door een lange gang.

Tobin keek met grote ogen rond. De muren waren beschilderd met schitterende patronen en midden in de brede gang lag een ronde vijver waarin kleurige vissen onder klaterende fonteintjes zwommen. Zoveel pracht en praal had hij niet verwacht.

Ze liepen door een reeks kamers met plafonds die zo hoog waren dat ze niet te zien waren in de schaduw. De muren waren weer bedekt met die verbleekte, maar prachtige muurschilderingen en de meubels waren wondertjes van houtsnijwerk, ingelegd met allerlei reepjes hout. Goud en juwelen schitterden waar hij maar keek. Gebukt onder zijn zware last leek Ki net zo overdonderd.

Na weer enkele hoeken omgeslagen te hebben opende de oude lakei een krakende zwarte deur en liet Tobin een enorme slaapkamer binnen die ongeveer half zo groot was als de hal in de burcht. Een groot hemelbed met zwart-gouden gordijnen stond op een podium midden in de kamer. Een balkon zag uit over de hele stad. Vervaagde jachtscènes bedekten de muren. De kamer rook lekker naar de zee en de hoge dennen die in de tuin stonden.

'Dit is uw kamer, prins Tobin,' meldde de man hem. 'De kamer hiernaast is van prins Korin.'

Ki stond met open mond om zich heen te kijken tot de man hem naar een hoek van de kamer bracht waar kasten en kisten stonden, en een inloopkast waarin je een rondedans kon maken. Achter een deur zat een bedstee die weliswaar met dure dekens en lakens was opgemaakt, maar Tobin vond het iets weg hebben van de tombe waarin zijn moeder lag.

Orun dreef hen de kamer weer uit en ze volgden het geluid van muziek en schaterend gelach naar een zaal waarin allerlei optredens plaatsvonden. Er waren minstrelen, halfnaakte acrobaten, jongleurs die ballen, messen en brandende toortsen in de lucht hielden – zelfs egels – en een meisje in een zilveren hemdje dat danste met een beer die ze aan een zilveren ketting vasthield. Op een podium helemaal achter in de zaal zat een bonte groep jongemannen en meisjes onder een hemel van zijden stoffen. De minst opvallende was beter gekleed dan Tobin zich ooit had kunnen voorstellen. Opeens voelde hij de dikke laag stof op zijn eenvoudige kledij.

De jongelui besteedden weinig aandacht aan de artiesten, maar kletsten en lachten boven de vol beladen tafel. Bedienden renden af en aan met schalen en kannen wijn.

Maar toen Tobin hen naderde, keken ze op. Een jongeman met zwart haar, die in het midden van de tafel zat, stond op en liep snel op hem af om hem te begroeten. Het was een tengere jongen van een jaar of vijftien, met kort krullend haar en lachende zwarte ogen. Zijn wijnrode tuniek was met gouddraad geborduurd; robijnen glinsterden op het heft van zijn dolk en in één oor bungelde een gouden oorbel.

Tobin en Ki deden de diepe buigingen na die de ander maakte, en namen aan dat dit prins Korin moest zijn.

De jongen in het rood keek hen onzeker afwisselend aan. 'Neef, ben je eindelijk aangekomen?' zei hij tegen Ki.

Tobin ging rechtop staan en stak hem zijn hand toe. 'Gegroet, prins Korin. Ik ben je neef, Tobin.'

Korin glimlachte en schudde zijn hand. 'Ze hadden gezegd dat je zo heette, maar ik was het even kwijt. Ik ben blij je eindelijk te ontmoeten.' Hij keek naar Ki's gebogen hoofd. 'En wie is dit?'

Tobin raakte Ki's arm aan en deze hief zijn hoofd op. Voor hij kon antwoorden mengde heer Orun zich in de conversatie.

'Dit is prins Tobins schildknaap, Uwe Hoogheid, de zoon van een van heer Jorvais ridders van lage adel. Het schijnt dat hertog Rhius hem uitgekozen heeft voor hij daarover met uw vader gesproken had. Het leek me beter dat ik dit even meedeelde...'

Ki liet zich op één knie vallen en hield zijn linkerhand op het gevest van zijn zwaard. 'Mijn naam is Kirothius, zoon van heer Larenth van Eikenbergstee, een ridder in uw vaders dienst in Mycena, mijn prins.'

'En mijn goede vriend,' voegde Tobin daaraan toe. 'Iedereen noemt hem Ki.'

Tobin zag een miniem glimlachje rond Korins mond spelen terwijl hij snel van Orun naar Ki keek. 'Welkom Ki. Laten we maar snel een plaatsje aan de schildknapentafel zoeken. U zult wel naar uw bed verlangen na zo'n urenlange tocht, heer Orun. Goedenacht.'

De kanselier keek zuur, maar hij kon de prins moeilijk tegenspreken. Met een laatste buiging beende hij de zaal uit.

Korin bleef staan tot de man verdwenen was en gebaarde Tobin en Ki hem te volgen naar de tafel waarop de resten van het banket te zien waren. Hij sloeg een arm om Tobins schouders en vroeg zacht: 'Wat vind je van de voogd die mijn vader voor je heeft uitgekozen?'

Tobin haalde licht zijn schouders op. 'Ik vind hem weinig hoffelijk.'

Korin rook sterk naar wijn en Tobin vroeg zich af of hij misschien een beetje dronken was. Maar zijn ogen stonden helder en hij waarschuwde dan ook meteen: 'Ja, maar machtig is hij ook. Pas op voor hem.'

Ki liep vlak achter hen en boog zich naar voren om iets te vragen. 'Vergeef me dat ik voor mijn beurt spreek, mijn prins, maar is het zo dat de koning een andere schildknaap voor Tob... prins Tobin had uitgekozen?'

Korin knikte en Tobin zonk de moed in de schoenen. 'Aangezien je zo ver van het hof bent opgegroeid, vond mijn vader het beter dat je iemand naast je kreeg die alles over de omgangsvormen aan het hof weet. Hij vroeg heer Orun om iemand te zoeken, en die koos Moriël, de derde zoon van vrouwe Yria. Zie je die knaap aan de andere tafel met die witte wenkbrauwen en een neus als de snavel van een specht? Dat is 'm.'

Ze liepen het podium op en Tobin zag de tafel van de schildknapen rechts van de lange Gezellentafel. Korins beschrijving was perfect. Moriël kwam al naar hem toe om zich voor te stellen. Hij was ongeveer even oud en even lang als Ki, met een onopvallend gezicht en witblond haar.

Tobin wilde protesteren, maar Korin was hem voor. 'Ik weet heus wel hoe het zit.' Hij gaf Tobin een knipoog en fluisterde: 'Niet verder vertellen, maar ik heb Moriël altijd een behoorlijke kwal gevonden. Ik verzin wel wat.'

Moriël viel onmiddellijk door de mand door een diepe buiging voor Ki te maken. 'Prins Tobin, uw dienaar en schildknaap...'

'Nee, dat is zijn schildknaap.' Korin trok Moriël aan zijn arm omhoog en wees Tobin aan. 'Dat is prins Tobin. En aangezien je geen verschil ziet tussen een prins en een schildknaap, kunnen we dat baantje beter aan iemand geven die dat wel kan.'

Moriëls gezicht werd rozerood. Zij die het gesprekje hadden gehoord, barstten in lachen uit. Moriël boog nogmaals en nog dieper voor Tobin. 'Mijn nederigste verontschuldigingen, prins Tobin. Ik... ik bedoel, ik zag niet...'

De anderen staarden hem nu aan, zowel de edelen als de bedienden. Tobin glimlachte naar de huiverende jongeling. 'Het is al goed, Moriël. Mijn schildknaap en ik zijn even stoffig.'

De anderen lachten weer, maar Moriël werd alleen maar roder.

'Mijn Gezellen, vrienden en vriendinnen,' begon Korin. 'Ik stel u voor aan mijn geliefde neef, prins Tobin van Ero, die ons eindelijk met zijn gezelschap komt verblijden.' Iedereen stond op en boog. 'En zijn schildknaap, heer Ki van...'

'Dit lijkt me niet de bedoeling, mijn prins,' gromde een diepe stem achter hen. Een zwaargebouwde man met een fikse bos grijs haar stapte het podium op en keek prins Korin nors aan. Zijn korte eenvoudige tuniek en brede leren riem waren geen kleding van een edelman, maar elke jongen op Korin na boog voor hem.

'Uw vader heeft heer Orun opdracht gegeven een schildknaap voor prins Tobin te kiezen, dacht ik,' zei hij.

'Maar zoals u ziet, meester Porion, hééft prins Tobin al een schildknaap; de verbintenis is gewettigd door zijn vader,' legde Korin uit.

Dit was dus de koninklijke wapenmeester over wie Tharin zo lovend had gesproken. Korin had geen buiging voor hem gemaakt, maar hij sprak hem respectvol aan, iets wat hij bij heer Orun had nagelaten.

'Dat heb ik gehoord. Heer Orun is net bij me langs geweest...' Porion nam Ki even op. 'Uit de provincie, zeker?'

'Ja, heer.'

'Dus niet gewend aan het hofleven, is het wel?'

'Ik ken Ero. Een beetje.'

Een paar Gezellen grinnikten om zijn antwoord en Moriël zette zijn borst op.

Porion sprak beide jongens aan. 'Vertel eens, wat is de belangrijkste taak van een schildknaap? Moriël?'

De jongen weifelde. 'Zijn heer te dienen op welke manier dan ook.'

Porion knikte goedkeurend. 'Ki, wat zeg jij daarop?'

Ki zette zijn hand op zijn gevest. 'Zijn leven in dienst stellen van zijn heer, wapenmeester. Voor hem te strijden op leven en dood.'

'Allebei goede antwoorden.' Porion haalde een gouden insigne uit de hals van zijn gewaad en liet het met een plof tegen zijn buik vallen. Hij greep het en dacht even na. 'Als Meester van de Koninklijke Gezellen heb ik bij afwezigheid van de koning het recht in deze zaak te oordelen. Naar oud gebruik is de verbintenis die gesloten is door de vaders van prins Tobin en schildknaap...' Hij boog zich voorover en fluisterde hoorbaar: 'Hoe heette je ook alweer, jongen?' '...en zijn schildknaap Kirothius, zoon van Larenth van Eikenbergstee, heilig voor Sakor en dient dus erkend te worden. Ki is gerechtigd toe te treden tot de Gezellen tot de koning anders beslist. Trek het je niet aan, Moriël. Niemand wist dit toen ze jou kozen.'

'Mag ik me terugtrekken, Hoogheid?' vroeg Moriël.

Korin knikte en de jongen verliet de kamer. Tobin zag dat hij Ki een giftige blik toewierp voor hij de deur sloot.

'Heb je al een titel, jongen?' vroeg Porion aan Ki.

'Nee, wapenmeester.'

'Geen titel!' riep Korin uit. 'Nou, dat kan écht niet als je een prins van Skala wilt dienen! Tanil, mijn zwaard.'

Een van de jongemannen aan de schildknapentafel haastte zich met een schitterend zwaard naar voren. 'Kniel neer voor de ridderslag,' beval hij Ki.

De anderen riepen hoera en roffelden met hun zware drinkbekers op tafel.

Tobin straalde, maar Ki aarzelde en keek vragend naar Tobin.

Tobin knikte. 'Je wordt ridder.'

Ki boog het hoofd en knielde voor de prins. Korin raakte zijn beide schouders en beide wangen met het plat van zijn zwaard aan. 'Sta op, ridder Ki... hoe was het ook weer? Kirothius, Ridder van Ero, Gezel van de Kroonprins. Zo. Klaar!' Korin wierp het zwaard terug naar zijn schildknaap en iedereen roffelde weer met zijn beker.

Ki stond op en keek onzeker rond. 'Ben ik nu ridder?'

'Zeker,' zei Porion en hij sloeg hem op zijn schouder. 'Verwelkom jullie nieuwe wapenbroeder, schildknapen. Geef hem een volle beker en schuif op zodat hij tussen jullie in kan zitten.' En weer kletterden de kroezen.

Met een laatste aarzelende blik naar Tobin ging Ki bij de anderen zitten.

Korin bracht Tobin naar de lange tafel en bood hem een mooi bewerkte stoel rechts van hem aan. Het banket was allang voorbij, het tafelkleed was bedekt met schillen, korsten brood, botjes en notendoppen, maar er werden al nieuwe schalen en kannen aangedragen en voor hem neergezet.

'En nu wordt het tijd je nieuwe broeders te leren kennen,' kondigde Korin aan. 'Ik zal je nu maar niet vermoeien met al die stambomen. Dit is Caliël.' Korin rommelde door het haar van de knappe jongen naast hem. 'Die grote rode beer met de stoppelbaard naast hem is de oudste van ons, Zusthra. Dan hebben we Alben, Orneus, Urmanis, Quirion, Nikides en kleine Lutha, de benjamin voor jij binnenkwam.'

Alle jongens stonden op en ze begroetten hem op de soldatenmanier, de een wat vriendelijker dan de ander. Er was iets vreemds aan hun ferme handdruk. Het duurde even tot hij begreep dat het aan hun zachte, gladde handen lag.

Lutha glimlachte breeduit naar hem. 'Welkom, prins Tobin. Nu zijn we tenminste weer met een even aantal voor het sparren.' Hij had een spits gezichtje dat Tobin aan een muis deed denken, en zijn bruine ogen straalden vriendelijk.

Het feest werd voortgezet. Korin was de gastheer en iedereen leek hem als heer van het kasteel te respecteren. Op Zusthra na was iedereen vrijwel even oud als Korin, maar ze praatten alsof ze enorme landgoederen te besturen hadden, en ze hadden het alleen over paarden, oogsten en veldslagen. Ze dronken wijn als mannen. Prins Korins kroes verliet zijn hand nooit en er stond een bediende met een volle kan achter zijn schouder. Meester Porion was aan het andere eind van de tafel gaan zitten en leek een oogje op de prins te houden zonder dat het opviel.

De rest van het gezelschap bestond uit zonen en dochters van de Skalaanse adel en van hoogwaardigheidsbekleders. De jongemannen en jongens droegen geborduurde tunieken en dolken met juwelen en ringen aan hun vingers. Een stuk of tien meisjes droegen fluwelen jurken met brede stroken borduurwerk en lange linten of juwelen die op een ingewikkelde manier in hun haar gevlochten waren, voorzover je onder hun dunne sluiers kon zien. Tobin kon al die namen en titels niet onthouden. Hij prentte zich één jongen echter goed in het hoofd: hij werd voorgesteld als een Aurënfaier van Gedre. Tobin had hem eerder niet opgemerkt, want hij was net zo gekleed als de rest en had geen sen'gai op.

'Gedre? Je komt uit Aurënen?'

'Ja. Ik ben Arengil í Maren Ortheil Solun Gedre, zoon van de Gedre Khirnari. Welkom prins Tobin í Rhius.'

Een van de oudere meisjes boog vanachter zijn stoel naar Tobin, haar arm leunde op de rugleuning. Ze had dik kastanjebruin haar en zowel sproetjes als een jeugdpuistje op haar puntige kin. Tobin deed zijn best zich haar naam te herinneren. Aliya zus-en-zo, dochter van een hertog. Haar groene jurk was met parels bestikt en de eerste vrouwelijke rondingen waren goed te zien. 'Die 'faiers zijn gek op hun lange, chique namen,' zei ze spottend. 'Wedden om een sestertium dat je niet weet hoe oud Ari is?'

Iedereen kreunde, zelfs Korin. 'Aliya, laat hem toch met rust.'

Ze trok een pruilend mondje naar hem. 'O, laat hem toch raden. Hij heeft waarschijnlijk nooit eerder in zijn leven een 'faier gezien.'

De Aurënfaier jongen zuchtte en liet zijn kin op zijn hand rusten. 'Toe maar,' zei hij.

Tobin had een paar 'faiers gezien en zijn vader en Arkoniël hadden hem er altijd veel over verteld. Deze jongen moest zo oud als Ki zijn, dus verdubbelde hij de jaren. 'Negenentwintig?' raadde hij.

Ari's wenkbrauwen schoten omhoog. 'Vijfentwintig, maar je bent er dichter bij dan de meesten.'

Iedereen lachte toen Aliya een munt naast Tobins kroes gooide en er snel vandoor ging.

'Niet op letten,' grinnikte Korin, die nu echt dronken begon te worden. 'Ze is uit haar hum sinds haar broer naar Mycena moest.' Hij zuchtte en gebaarde naar de rest. 'En dat zijn we allemaal een beetje. Alle oudere jongens zijn vertrokken op mij na, en alle pechvogels die mijn Gezellen zijn. We zouden allemaal op het slagveld staan als er een tweede erfgenaam was die mijn plaats kon innemen. Het zou er anders uitzien als mijn broertjes en zusjes in leven waren gebleven.' Hij nam een flinke teug uit zijn drinkbeker en keek Tobin ongelukkig aan. 'Ja, als mijn zusters niet waren doodgegaan, had Skala haar koningin terug kunnen krijgen zoals de maanpriesters het willen, maar ze moeten het maar met mij doen. Dus word ik hier in de watten gelegd om later te kunnen regeren.' Korin zakte naar achteren in zijn stoel en keek broeierig in zijn beker. 'Een erfgenaam extra, daar ontbreekt het nog maar aan. Een extra erfgenaam...'

'Ja, zo kan-ie wel weer, Korin,' zei Caliël vermoeid. 'Moeten we hem niet eens wat over de paleisgeesten vertellen?'

'Geesten?' Korins gezicht klaarde weer op. 'Bij de Vier, we hebben hier hele colonnes. De helft bestaat uit oma Agnalains ouwe minnaars die ze liet vergiftigen of onthoofden. Is het niet, schildknapen?'

De jongens schreeuwden instemmend en Tobin zag dat Ki zijn ogen wijd opensperde.

'En dan die ouwe koningin zelf natuurlijk, die zo gek was als een deur,' voegde Zusthra eraan toe. 'Ze wandelt hier 's nachts door de gangen, rinkelend met haar wapenrusting. Je hoort haar gewonde been slepen terwijl ze omhoog en omlaag gaat, op zoek naar verraders. Ze kon volwassen kerels optillen om hen naar de martelkamers onder het paleis te brengen, waar ze hen in haar roestige kooien opsloot om ze de hongerdood te laten sterven.'

'En had jij ook niet een geest, T...' begon Korin, maar Porion schraapte zijn keel.

'Hoogheid, prins Tobin heeft een zeer vermoeiende dag achter de rug. U zou hem op zijn eerste avond niet zo lang op moeten houden.'

Korin boog zich naar Tobin. Zijn adem stonk naar wijn en hij sprak met dikke tong. 'Arm neevje vamme. Ja? Wil je naar bedje toe? Je slaapt in de kamer vamme dooie broertje, wist je dat? Misschien spookt het er wel, maar dat kan jou niet schelen, toch? Elarin was zo'n lieve knul...'

Porion stond achter de stoel van de prins en hielp hem overeind. 'Mijn prins,' mompelde hij.

Korin keek Tobin nog even met een charmante glimlach aan waardoor hij opeens weer nuchter leek. 'Trusten dan.'

Tobin stond op en vertrok, blij deze bende dronken vreemdelingen te kunnen ontvluchten.

De stramme bediende verscheen met Ki op de hielen en bracht hen terug naar hun kamer. Porion bracht hen tot hun deur.

'Beoordeel de prins niet op wat je vanavond van hem zag, prins Tobin,' zei hij treurig. 'Het is een goeie jongen en een groot strijder. Dat is het nu net, ziet u. Het valt hem heel zwaar dat hij niet ten strijde kan trekken, hoewel hij er oud genoeg voor is. Zoals hij zei is het niet niks om de enige erfgenaam van de troon te zijn. Van dit soort partijtjes...' Hij wierp een minachtende blik naar de hal. 'Zijn vader is veel te lang weg. Nou ja, wanneer hij morgen weer uitgerust is zal hij je wel op een aangenamere manier welkom heten. Morgen zul je met Opperkanselier Hylus in de audiëntiezaal kennismaken. Kom daarna maar naar het oefenterrein, want ik wil wel eens zien wat je kunt. Verder heb ik begrepen dat je geen wapenrusting hebt.'

'Nee.'

'Daar ga ik dan wel achterheen. Slaap lekker, mijn prins, en welkom. Ik wou nog zeggen dat ik je vader altijd bewonderd heb, als mens en als strijder. Het is een groot verlies voor je.'

'Dank u, wapenmeester,' zei Tobin. 'En bedankt dat ik Ki als schildknaap mag houden.'

Porion knipoogde. 'Een oude vriend van je kwam me even opzoeken, toen je net aangekomen was.'

Tobin fronste zijn wenkbrauwen en lachte toen. 'Tharin?'

Porion legde een vinger tegen zijn lippen, en knikte. 'Ik weet niet wat Orun zich in het hoofd heeft gehaald. Als de vader een schildknaap kiest, kun je die niet zomaar terzijde schuiven.'

'Dus het lag niet aan mijn antwoord?' vroeg Ki een beetje sip.

'Jullie hadden het allebei goed,' zei Porion. 'En als ik jou was zou ik proberen Moriël voor me te winnen. Hij kent de Palatijnse Heuvel en de stad. Goeienacht, jongens, tot morgen.'

Bedienden hadden tientallen lampen in hun kamer aangestoken en droegen nu emmers heet, geurend water naar een koperen badkuip. Een page stond bij het bed en een ander stond gereed met borstels en handdoeken, waarschijnlijk om Tobin schoon te schrobben.

Hij stuurde allebei de bedienden weg, kleedde zich uit en liet zich tevreden kreunend in het water glijden. Een heet bad kreeg je maar zelden op de burcht. Hij viel bijna in slaap met zijn neus net boven het wateroppervlak toen hij Ki aan de andere kant van de kamer hoorde giechelen.

'Geen wonder dat Moriël zo pissig was,' riep hij vanaf de bedstee. Al het prachtige beddengoed was verdwenen. 'Hij had zijn spullen zeker al over laten brengen in afwachting van de aankomst van Zijne Hoogheid. Ik heb alleen nog een stromatras. En daar heeft hij volgens mij op gepist als aandenken, die kleine rotzak.'

Tobin ging zitten en sloeg zijn armen om zijn knieën. Hij had er nog niet bij stilgestaan dat ze hier apart moesten slapen.

'Het is wel een enorme kamer,' mompelde Ki.

Tobin grijnsde en vermoedde dat zijn vriend hetzelfde dacht. 'Groot bed trouwens ook. Plek zat voor twee.'

'Dat dacht ik ook al. Maar ik ga de bagage van Uwe Hoogheid maar eens uitpakken,' zei Ki grinnikend.

Tobin wilde alweer in het water terugzakken toen hij zich herinnerde dat de pop onder in de kist zat.

'Nee!'

Ki snoof. 'Dat is mijn werk nu eenmaal, Tob.'

'Dat hoeft nu toch niet. Het water wordt koud als je er nu niet in stapt. Kom op, jouw beurt.'

Tobin ging snel overeind staan en wikkelde zichzelf in een van de badlakens.

Ki keek hem wantrouwend aan. 'Je doet al net zo zenuwachtig als Nari. Maar ja...' Hij snoof even onder zijn oksels. 'Ik stink ook behoorlijk.'

Zodra Ki in bad zat vloog Tobin de inloopkast in en opende de kist.

'Ik zei toch dat ik dat wel doe!'

'Ik pak alleen mijn nachthemd.' Tobin pakte een vers gewassen hemd, groef de meelzak op en keek om zich heen naar een veilige bergplaats. Tegen de muur stonden een beschilderde klerenkast en een aantal kisten. Daartegenover bevond zich een hoge kast die bijna tot het plafond reikte.

Als hij de deuren opendeed kon hij via de krakende planken omhoogklimmen. De meelzak paste er nog net bovenop. Die lag er voorlopig wel veilig.

Toen hij naar beneden klom, kon hij nog net de deuren dichtdoen en de spinnenwebben van zijn hemd vegen, voor Ki in een handdoek binnenslenterde.

'Wat ben je aan het doen, ben je het dak aan het controleren of zo?'

'Gewoon. Op onderzoek.'

Ki keek hem weer aan en blikte nerveus over zijn schouder. 'Denk je dat er hier echt geesten zitten?'

Tobin liep weer naar het slaapgedeelte. 'Als ze er zijn, dan zijn ze familie van me, net als Broer. En daar ben je toch ook niet bang meer voor?'

Ki haalde zijn schouders op, gooide zijn handen in de lucht en gaapte dat het een aard had. 'We kunnen beter gaan slapen. Als die meester Porion ons morgen eenmaal aan het werk heeft, laat hij ons waarschijnlijk geen seconde lang stilstaan!'

'Ik vind hem aardig.'

Ki sloeg de zwarte gordijnen weg en al kopjeduikelend kwam hij aan de andere kant van het bed terecht. 'Ik zei ook niet dat ik dat niet deed. Ik denk alleen dat hij ons nog harder laat trainen dan Tharin. Dat zeggen die andere schildknapen tenminste.'

Tobin liet zich op zijn rug vallen en kroop naast zijn vriend.

'Hoe zijn ze eigenlijk?'

'Die andere schildknapen? Kan er nog niks van zeggen. De meesten waren zat en zeiden niet zoveel tegen me, behalve Korins schildknaap, Tanil. Hij is de zoon van een hertog en hij lijkt me heel geschikt. En Barieus ook, die hoort bij die kleine Gezel die op een ratje lijkt.'

'Lutha.'

'Precies.'

'Maar de anderen niet?'

Ki haalde zijn schouders op. 'Te vroeg om er iets over te zeggen. Al die anderen zijn tweede of derde zoontjes van hoge piefen...'

Het was te donker om de uitdrukking van Ki te zien, maar Tobin voelde wel dat er iets schortte.

'Nou ja, je bent tenminste geridderd. En ik maak je zo snel mogelijk een hoge pief, met een landgoed erbij,' zei Tobin. 'Daar heb ik al de hele dag over na lopen denken. Arkoniël zegt dat ik moet wachten tot ik meerderjarig ben, maar zo lang houd ik het niet uit. Als de koning terugkomt, vraag ik meteen hoe ik dat kan regelen.'

Ki hees zichzelf omhoog op één elleboog. 'Dat meen je echt, hè? Dat doe je gewoon.'

'Ja, natuurlijk.' Tobin lachte naar hem. 'Als je maar niet meer zoveel kinderen maakt dat ze allemaal in een wriemelende hoop op de vloer moeten slapen.'

Ki ging met zijn handen onder zijn hoofd achterover liggen. 'Ik weet het niet. Van wat ik ervan gezien heb, is kindertjes maken verdomd leuk. En ik heb heel wat leuke meiden gezien vanavond! Dat mokkeltje in die groene jurk? Ik zou best wel eens onder die rokken willen gluren, hoor!'

'Ki!'

Ki haalde zijn schouders op, aaide even over zijn donkere snorretje en grijnsde. Hij was al snel aan het snurken, maar Tobin lag nog een tijd wakker, en luisterde naar de herrie op de binnenplaats. Thuis had hij nooit iemand dronken gezien. Hij werd er zenuwachtig van.

Dit was niet waarnaar hij op zoek was geweest, toen hij al die jaren geleden over de Alestunweg reed. Hij was een strijder, geen hoveling die de halve nacht in opgedofte kleren wijn zat te drinken. Met meiden erbij!

Hij keek naar Ki's vredige profiel. Het zachte dons op zijn wangen ving het flauwe licht dat door de bedgordijnen naar binnen viel. Tobin wreef over zijn eigen zachte wangen en zuchtte. Hij en Ki waren even lang, maar zijn schouders waren nog steeds smal, en puistjes en haar hier en daar had hij ook niet. Hij woelde nog even verder, en toen drong het tot hem door dat hij Broer helemaal vergeten was.

Zonder zijn lippen te bewegen sprak hij de spreuk uit. Broer verscheen aan het voeteneind, zonder bepaalde uitdrukking op zijn gezicht.

'Je mag hier niet gaan rondzwerven,' zei hij. 'Blijf bij me en doe wat ik zeg. Het is hier niet veilig.'

Tot zijn verbazing knikte Broer. Hij kroop langzaam naar boven en raakte Tobins borst aan, toen zijn eigen borst en ging weer aan het voeteneind zitten.

Tobin ging languit liggen en gaapte. Het was prettig om nog iemand van thuis bij zich te hebben, al was het dan maar een geest.

In het Nieuwe Paleis, in een vleugel die aan de nu lege kamers van de koning grensde, rilde de tovenaar Niryn in zijn slaap, lastiggevallen door een vaag beeld dat maar geen vaste vorm wilde aannemen.

40

Bij zonsopgang werd Tobin wakker en bleef nog even naar de nieuwe ochtendgeluiden liggen luisteren. Hij kon een paar mensen bij zijn deur horen lachen, praten en fluisteren. Buiten hoorde hij ruiters en vogels, klaterend water en de verre kakofonie van de ontwakende stad. Zelfs hier kon de geur van bloemen en dennen de stank die binnen zweefde op de warme zeebries niet maskeren. Was het echt nog maar een dag geleden dat hij wakker werd in zijn eigen bed? Hij zuchtte en dreef de heimweegevoelens uit zijn hoofd voor hij erdoor overmand zou worden.

Ki was een zacht snurkende bobbel aan de andere kant van zijn bed. Tobin gooide een kussen naar hem, liet zich tussen de zware gordijnen door glijden en stapte het balkon op.

De zoveelste heldere zomerdag. Vanaf hier kon hij over de Palatijnse ringmuur naar het zuidelijk deel van de stad en de zee kijken. Het was ongelooflijk. Door de mist boven het water en de bijna horizontale zonnestralen was het niet uit te maken waar de hemel ophield en de zee begon. Nu de dag aanbrak leek Ero wel uit vuur en bomen opgetrokken.

Beneden hem strekte een kleurige tuin zich uit tot een heuvel die met iepen was begroeid. Er waren al tuinlieden aan het werk met tuinscharen en manden, als bijen boven een veld.

Links en rechts van hem zag hij andere balkons, pilaren en pannendaken in allerlei vormen, met beeldhouwwerk en versierde dakranden.

'Volgens mij kunnen we via het dak zo van het Oude naar het Nieuwe Paleis springen,' zei Ki die achter hem was komen staan.

'Geen enkel probleem,' zei een meisje instemmend, dat boven hun hoofd leek te zweven.

Beide jongens draaiden zich naar boven en zagen nog net een dikke bos donker haar tussen de spijlen van het balkon boven hen verdwijnen. De snelle voetjes over de tegels verrieden dat ze zich snel terugtrok.

'Wie was dat?' lachte Ki en hij keek of hij naar boven kon klimmen.

Voor ze daarachter kwamen trad er een bediende binnen met een hele reeks andere achter zich aan, beladen met kleding en pakjes. Hij liep naar het bed, maar zag hen op het balkon staan en maakte een diepe buiging.

'Goedemorgen, mijn prins. Ik ben uw kamerheer in dit paleis. Ik heet Molay. En zij...' – hij wees op de rij bepakte en bezakte bedienden achter zich – 'hebben geschenken van uw edele familie en bewonderaars bij zich.'

De bedienden kwamen een voor een naar voren, en boden fraaie gewaden en tunieken aan, tere hemden en mooie broeken, zachte fluwelen baretten, juwelen in prachtige kistjes, versierde zwaarden en dolken en kleurige gordels, twee jachthonden die in elkaar doken en hun tanden lieten zien toen Tobin ze wilde aaien, en een mooi valkje met gouden ornamenten op haar huif met vederdos van prins Korin. Er waren dozen vol snoep, flesjes parfum, zelfs manden vol brood en bloemen. Bij de juwelen viel hem een oorring op die leek op degene die Korin droeg, en een ring met een gesneden edelsteen van heer Orun. Maar het mooist vond hij toch de twee glanzende, soepele maliënkolders die Porion had laten sturen.

'Eindelijk een die past!' riep Ki uit en hij deed hem over zijn nachthemd aan.

'Het is een oud gebruik wanneer een nieuwe Gezel in de stad aankomt,' legde Molay uit toen hij Tobins ontsteltenis zag. 'Misschien kan ik u in zaken als deze van dienst zijn?'

'Nou, graag!'

'Uwe Hoogheid moet uiteraard eerst de kleren dragen die door de Opperkanselier voor uw audiëntie vanochtend zijn gezonden. Ik zie dat hij een zwart pak gestuurd heeft, uit respect voor uw verlies – maar u hebt nog geen rouwring!'

'Nee. Ik wist niet hoe ik daar aan moest komen.'

'Ik zal een edelsmid naar u toe sturen, mijn prins. Misschien kunt u zolang dit sieraad van de Kroonprins dragen en de ring van uw voogd.'

'Ik dacht al dat ik stemmen hoorde!' Korin kwam via de inloopkast binnen met Caliël op zijn hielen. Beiden droeg een leren borstkuras met fantastisch ingewikkelde leren patronen en metalen ringen. Tobin vroeg zich af hoe ze zich in zo'n geval konden bewegen; hij zou zelfs bang worden dat het beschadigd zou worden.

'Onze kamers zijn met elkaar verbonden,' legde Korin uit en hij nam Tobin mee naar de kleedkamer om hem een paneeltje te laten zien dat op een kort stoffig gangetje uitkwam. Aan het eind zag hij wat rood-gouden gordijnen en een stel honden die netjes zaten te wachten tot hun meester terugkwam. 'Je kunt het alleen van mijn kant openmaken, maar als je klopt kun je zo bij mij naar binnen.'

Ze liepen Tobins kamer weer in om de stortvloed van cadeaus te bekijken. 'Geen slechte buit, neefje. Ik ben blij dat iedereen je het benodigde respect heeft getoond, al kent niemand je nog. Hoe vind je mijn valk?'

'O geweldig!' riep Tobin uit, al was hij in werkelijkheid een beetje bang voor de roofvogel. 'Wil je me leren hoe ik ermee moet jagen?'

'Of hij dat wil? Hij doet niets liever, op zwaardvechten na dan,' riep Caliël uit en hij streelde de gladde veren van de valk.

'Met alle plezier, maar Caliël is wel onze beste valkenier,' zei Korin bescheiden. 'Hij heeft Aurënfaier bloed, weet je.'

'Ze heet Erizhal,' zei Caliël tegen Tobin. 'Dat betekent "pijl van de zon". De koninklijke valkenier zal haar in vorm houden. En we moeten Ari ook meenemen, die is een tovenaar met valken.'

Met de hulp van de oudere jongens zocht Tobin de geschenken uit. Die van lagere edelen werden gewoonlijk aan de schildknaap gegeven, dus Ki kwam ook mooi weg. Korin maakte een lijstje met geschikte geschenken om te bedanken en Tobin gebruikte zijn vaders zegel om de bestelling te tekenen.

'Zo, nu ben je een echte edelman uit Ero,' lachte Korin. 'En daar hoort bij dat je belachelijk veel geld uitgeeft en belachelijk veel wijn drinkt. Dat laatste doen we later wel.'

Eer ze klaar waren, stond de zon al een stuk hoger aan de hemel. Korin en Caliël gingen weg zoals ze gekomen waren, met de belofte Tobin later op het oefenveld weer te zien.

Molay hielp de jongens met aankleden, en tegen de tijd dat hij klaar was, herkenden ze elkaar nauwelijks meer. Tobins wambuis van Opperkanselier Hylus was van de fijnste zwarte wol, had een split in het midden, een nauwe taille en de Draak van Skala op de borst was met rood en gouddraad geborduurd. De mouwen waren opengewerkt om de ondermouwen van rode zijde te laten zien. Toen hij ook zijn schoenen van zacht rood leer aanhad en de eerste sieraden van zijn leven droeg, herkende hij zichzelf niet meer. En Ki zag er in roodbruin en groen uit als een parmantig vosje. Toen ze samen voor de bronzen spiegel stonden, barstten ze dan ook in lachen uit. Molay gaf hen een nieuw zwaard, maar de gewone hielden ze ook, omdat ze uitstekende klingen hadden en omdat zijn vader ze geschonken had.

Molay was zeer in zijn sas met hen en werkte ook hun haar en nagels nog bij, beter dan Nari ooit gedaan had. Toen hij tevreden was zond hij de jongste page uit voor hun escorte. Tot Tobins teleurstelling was dat niet Tharin, maar heer Orun. Hij zag er deftiger uit dan ooit, met glimmende zijden kleding in fel goud, met een zwart-gouden schouderbedekking die bij zijn functie hoorde. Een driekante steek van zwart fluweel bedekte zijn kale schedel.

Hij bleef op de drempel staan en trok waarderend een wenkbrauw op. 'Wel, wel, nu ziet u er werkelijk als een jonge prins uit, Hoogheid. Ah, en ik zie dat u mijn presentje hebt ontvangen. Ik hoop dat het u bevalt?'

'Dank u, heer. Het was zeer genereus van u,' zei Tobin en hij toonde de ring. Na het incident met Moriël gisteravond en vanwege de waarschuwing van Korin, was hij blij dat hij zijn voogd nu een plezier kon doen.

De audiëntiezaal lag in het Nieuwe Paleis. Dat lag ver genoeg om te paard te gaan; toen ze de paleispoort uit kwamen, stonden de dieren al gezadeld voor hen klaar. Ki keek de zadelriemen bijzonder overdreven na voor Tobin op mocht stijgen. Daarna reed hij links van Tobin, zoals Tharin het hem had geleerd.

Het Nieuwe Paleis was grootser van formaat en uitstraling dan het Oude. Vele patio's lieten het geklater van even zoveel fonteinen door de zuilengangen eromheen klinken. Ramen met gekleurd glas wierpen patronen op de witmarmeren vloer en altaren zo groot als de toren van de burcht vulden het paleis met de geur van wierook.

De audiëntiezaal was gigantisch, net als de rest. De witmarmeren koepel werd gedragen door hoge pilaren waaromheen zich stenen draken slingerden.

De zaal was vol mensen die op vele verschillende manieren gekleed gingen, van lompen tot de duurste gewaden. Er waren Aurënfaiers in witte tunieken, bezet met edelstenen en sen'gai in allerlei kleuren, maar ook andere buitenlanders die Tobin helemaal niet herkende – mannen in blauwe tentjurken, en mensen in gestreepte gewaden die zelf de kleur van donkere thee en zulke korte dikke krullen als Lhel hadden.

Sommigen stonden dicht opeen en spraken op gehaaste, dringende toon. Anderen lagen languit op de banken of zaten keuvelend op de rand van de fontein, en speelden met hun valken, of honden of grote gevlekte katten die aan een leiband zaten.

Op een enorm podium aan het eind van de zaal stond een schitterende gouden troon, maar hij was leeg. Er hing een mantel met het wapen van de koning overheen en er stond een kroon op de zitting.

Twee mannen zaten er in lagere stoelen voor. De oudste luisterde naar ieder die een petitie kwam indienen, net zoals Tobins vader naar zijn pachters had geluisterd. Hij had een witte ringbaard en een paar gouden kettingen en zegels rond zijn nek, hij droeg lange zwarte kleren en een hoed als een roodfluwelen pannenkoek.

'Dat is Opperkanselier Hylus, de regent van de koning,' vertelde Orun terwijl ze hem naderden. 'Hij is nog verre familie van je.'

'En de ander?' vroeg Tobin, al wist hij dat eigenlijk al.

De ander was een stuk jonger en had barnsteenkleurige ogen en een gevorkte baard die zo rood als koper glansde in het zonlicht. Maar het eerste wat Tobin opmerkte waren zijn kleren. Ze waren wit als door de zon beschenen sneeuw, met prachtige patronen van zilverdraad over de schouders en borst. Dit was een van de Haviken voor wie Arkoniël hem had gewaarschuwd. Hij wist zeker dat hij Broer gisteravond had teruggestuurd, maar voor de zekerheid keek hij snel om zich heen.

'Dat is de tovenaar van de koning, heer Niryn,' zei Orun en Tobins hart sloeg een slag over. Dit was dus niet gewoon een Havik, het was dé Havik.

Hij was bang dat ze de hele ochtend op hun beurt moesten wachten, maar heer Orun leidde hem meteen naar voren en boog voor Hylus.

Tobin dacht dat Opperkanselier Hylus wel een streng gezicht zou hebben, want hij had een bakker, die verdacht werd van de verkoop van broden die onder het gewicht lagen, bijzonder hard aangepakt. Zodra Orun Tobin aan hem voorstelde, keek hij warm uit zijn ogen en glimlachte naar hem. Hij stak hem zijn hand toe en Tobin beklom de verhoging.

'Alsof je lieve moeder uit je ogen naar me kijkt! ' riep hij uit en hij klemde Tobins hand tussen de zijne, die aanvoelden als botjes waar wat oud leer over was gespannen. 'En haar grootmoeder ook. Zeer uitzonderlijk. Kom snel een keer bij me dineren, mijn jongen, want ik kan je heel wat verhalen over hen vertellen. Heb je mijn kleinzoon Nikides van de Gezellen al ontmoet?'

'Zeker, heer.' Tobin dacht dat hij zich de naam wel herinnerde, maar wie daarbij hoorde wist hij niet meer. Er waren ook zoveel nieuwe gezichten geweest gisteravond.

Dat deed de kanselier duidelijk genoegen. 'Ik weet zeker dat hij een goede vriend van je zal worden. Heb je al een schildknaap toegewezen gekregen?'

Tobin stelde Ki voor die nog bij Orun beneden stond. 'Heer Larenth?

Die naam ken ik niet. Maar het is een flinke knaap, hoor. Welkom, allebei.' Hij keek Tobin nog even indringend aan en wendde zich toen tot de man naast zich. 'Ik wilde je nog even voorstellen aan de tovenaar van je oom, heer Niryn.'

Tobins hart bonkte tegen zijn ribben toen hij knikte terwijl Niryn boog. Maar het klopte vooral zo hard vanwege Arkoniëls waarschuwing, want de man zag er doodgewoon uit. De tovenaar informeerde beleefd naar zijn reis en of thuis alles in orde was, sprak vriendelijke woorden over zijn ouders, maar vroeg toen: 'Vindt u het leuk om wat tovenarij te zien, mijn prins?'

'Nee,' zei Tobin snel. Arkoniël had ten slotte zijn uiterste best gedaan hem voor trucjes en visioenen te interesseren – waar Ki zo dol op was – maar Tobin vond het allemaal nog steeds erg verontrustend. Hij wilde deze onbekende beslist niet aanmoedigen.

De tovenaar scheen het geen belediging te vinden. 'Ik herinner me de nacht van uw geboorte nog, prins Tobin. Toen had u dat teken op uw kin nog niet. Maar er was wel iets anders, was het niet?'

'Het is een litteken. Maar u hebt het zeker over mijn moedervlek.'

'Ach ja. Interessante dingen, die vlekjes. Mag ik zien hoe hij zich ontwikkeld heeft? Ik bestudeer die tekens.'

Tobin rolde zijn mouw op en liet Niryn en Hylus de rode vlek zien. Nari had het altijd een rozenknopje genoemd, hij zag er meer het hart van een patrijs in.

Niryn legde er twee vingers op. Zijn uitdrukking veranderde niet, maar Tobin voelde onprettige prikjes door zijn huid trekken. De barnstenen ogen van de man werden koud en afwezig, net als die van Arkoniël wanneer hij met magie bezig was. Maar Arkoniël had nooit iets magisch met hem gedaan zonder het te vragen.

Geschrokken trok Tobin zijn arm terug. 'Wilt u niet zo onbeleefd doen, heer!'

Niryn maakte een buiging. 'Mijn verontschuldigingen, mijn prins. Ik las alleen uw moedervlek. Het is inderdaad een teken van wijsheid. U bent een gelukkig mens.'

'Hij zei toch dat hij niet van tovenarij hield,' mompelde Hylus geïrriteerd en hij keek Niryn met gefronst voorhoofd aan. 'Zijn moeder was precies hetzelfde rond zijn leeftijd.'

'Neemt u me niet kwalijk,' zei Niryn. 'Ik hoop dat u me toestaat het een keer goed te maken, prins Tobin.'

'Zoals u wilt, heer.' Voor de eerste keer was Tobin blij dat Orun achter hem opdoemde om hem weg te leiden. Toen hij er zeker van was dat ze ver uit de buurt van de verhoging waren, trok hij zijn mouw nogmaals omhoog om te zien of er iets aan zijn moedervlek veranderd was. Maar hij zag er nog hetzelfde uit.

'Dat is niet al te slecht verlopen,' snoof Orun toen hij hen naar hun kamers terugbracht. 'Maar je kunt je beter wat beleefder tegen Niryn gedragen; hij is erg machtig.'

Tobin begon zich af te vragen of er machtige mannen in Ero waren die voor de verandering wél aardig waren. Orun sprak nog af dat hij binnenkort met Tobin zou dineren en vertrok.

Ki stak zijn tong uit achter Oruns rug en keek Tobin bezorgd aan. 'Heeft die tovenaar je pijn gedaan?'

'Nee. Maar ik houd er niet van als ze aan me zitten.'

Molay had een stel leren buizen op bed klaargelegd, net als die van Korin en Caliël, maar Tobin vond ze veel te stijf en te chic.

Hij liet Ki de oude vertrouwde leren borstkurassen halen die ze mee hadden genomen. Molay was zichtbaar ontsteld dat Tobin zulke versleten spullen aantrok, maar Tobin trok zich daar niets van aan, blij dat hij weer eigen kleren aanhad. Ze grepen hun zwaarden, helmen en bogen en ze volgden de wachtende page naar de hoofdingang.

Hij was zo blij dat hij eindelijk weer iets ging doen dat met strijd te maken had dat hij de scheve blikken die op hen geworpen werden niet opmerkte, tot Ki hem aan zijn mouw trok en hem op twee edellieden attent maakte die hen afkeurend aanstaarden.

'Ik moet jouw spullen dragen,' mompelde Ki. 'Nou denken ze dat we een stel uit de klei getrokken soldaten zijn die hier zijn komen binnenwandelen.'

De page hoorde hem. Hij trok zijn schouders naar achteren en riep met een stem als een klok: 'Aan de kant voor Zijne Hoogheid, prins Tobin van Ero!'

Die woorden deden wonderen. Alle smoezende, giechelende edelen weken uiteen en maakten een diepe buiging toen Tobin en Ki op hun stoffige schoenen en in toegetakelde leren kurassen langs marcheerden. Tobin probeerde Oruns hooghartige knikje na te doen, maar Ki's geproest aan zijn zijde deed het effect behoorlijk teniet.

Bij de paleisingang ging de page aan de kant en boog diep voor hen, maar niet snel genoeg om zijn eigen grijns te verbergen.

'Hoe heet je?' vroeg Tobin.
'Baldus, mijn prins.'
'Prima actie, Baldus.'

De Gezellen trainden op een breed open veld midden op de Palatijnse Heuvel. Je kon er rijden, er waren stallen, schietbanen, ringen waar zwaard gevechten werden gehouden, en een hoge stenen tempel voor de Vier, waar de jongens iedere morgen de dag met een offer aan Sakor begonnen.

De Gezellen waren aan het boogschieten toen Tobin en Ki naar hen toe liepen. Tobin zag al van ver dat ze net zulke chique kleren aanhadden als Korin. En er stonden allerlei andere mensen rond de baan. Tobin herkende een paar gasten die aan het banket hadden aangezeten, al wist hij niet meer hoe ze heetten.

Er waren ook veel meisjes, met felgekleurde jurken en lichte zijden capes die in de ochtendbries wapperden als de vleugels van een vlinder. Sommigen reden op hun telganger rond de baan. Anderen schoten eveneens met hun lichte bogen of hadden een valk op hun vuist. Ki bekeek ze allemaal en Tobin vermoedde dat hij de roodharige Aliya zocht.

Meester Porion kon het klaarblijkelijk niet schelen wat ze aanhadden.

'Aan jullie kurassen te zien hebben jullie met beren en bergleeuwen gevochten!' zei hij lachend. 'De anderen zijn aan het schieten, gaan jullie daar ook maar heen.'

Korin mocht dan heer en meester in de eetzaal zijn, hier was meester Porion de baas. Toen hij naderbij kwam, draaiden alle achttien jongens zich om en bogen vol respect, met de vuist op het hart. Een paar moesten tegelijkertijd hun andere hand voor hun mond houden om het niet uit te proesten bij de aanblik van de kurassen die Tobin en Ki droegen. Iemand langs de zijlijn lachte hardop en Tobin dacht dat hij een glimp van Moriëls bleke gelaat opving.

De oefenpakken van de Gezellen waren al net zo fraai versierd als hun avondkleding, met opgehoogde patronen en kleurige jacht- en strijdscènes. Goud- en zilverwerk glinsterde op hun schedes en pijlkokers. Vergeleken bij hen voelde Tobin zich zo saai als een mus. Zelfs de schildknapen zagen er beter uit dan hij.

Hij moest niet vergeten wiens zoon hij was, dacht hij, en hij rechtte zijn schouders.

'Vandaag word je pas echt een Koninklijke Gezel,' zei meester Porion. 'Ik hoef je niets over eer en trouw te leren; ik weet wiens zoon je bent. Maar hier zul je er nog iets aan moeten toevoegen: het Devies van de Gezellen – Houd Samen Stand. We houden stand voor de Kroonprins, we houden stand voor de koning en voor Skala. Onderling wordt niet gevochten. Heb je een klacht over een van je maten, breng het dan naar de ring.' Hij wees op de stenen cirkel die de ring voor een zwaardduel aangaf. 'Woorden worden met woorden bevochten en ik zal daar rechter over zijn. Slagen worden alleen hier uitgedeeld. Een andere Gezel aanvallen is een ernstig vergrijp en zal met een afranseling op de trap van de Tempel bestraft worden. Een Gezel die tegen deze regels zondigt wordt bestraft door Korin, een schildknaap door zijn eigen heer. Klopt toch, hè Arius?'

Een van de schildknapen die besmuikt gegniffeld had om Tobins kuras knikte schaapachtig naar de wapenmeester.

'Maar ik neem aan dat dat voor jullie niet aan de orde zal zijn. Kom op, en laat ons eens zien hoe jullie schieten.'

Toen Tobin de baan opstapte, voelde hij zich iets minder onzeker. Dit waren tenslotte dezelfde doelen als waarmee hij thuis geoefend had: staande wip, schietschijf en strozakken voor doel schieten en kleine doelwitten die omhoog geworpen werden voor het jachtschot. Tobin controleerde de pees en de wind zoals hem was geleerd, zette de ene voet ver voor de andere en legde een van Koni's beste pijlen op de pees. De baard was gemaakt van gestreepte uilenveren die hij een keer in het bos had gevonden.

Een plotselinge windvlaag joeg zijn eerste pijl uit de baan, maar de volgende vier zaten midden in de roos, vlak bij elkaar. Hij schoot er nog eens vijf op de zak en het lukte hem ook nog om drie van de vijf palen te raken die in de grond waren gezet. Hij had wel eens beter geschoten, maar toen hij klaar was, juichte men en hij werd op de schouders geslagen.

Ki was de volgende en ook hij schoot uitstekend.

Vervolgens gingen ze naar de zwaardring en Tobin kreeg de mollige, donkerblonde Nikides als partner toegewezen, de kleinzoon van de Opperkanselier. Hij was ouder dan Lutha, maar had ongeveer Tobins lengte. Zijn stalen helm blonk als een spiegel en had prachtig bronsbeslag langs de rand en op de neusbeschermer, maar erg vast stond hij niet op zijn benen. Tobin zette zijn eigen oude helm op en stapte de ring in. Toen zij elkaar met hun houten oefenzwaarden groetten, herinnerde Tobin zich het eerste partijtje met Ki. Hij zou zich door een nieuwe tegenstander niet meer zo snel laten overrompelen.

Porion liet hen geen vaste reeks slagen afwerken, maar stak zijn eigen zwaard in de lucht, liet hem zakken en schreeuwde: 'Daar gaat-ie, jongens!'

Tobin viel uit en brak zonder enig probleem door Nikides' verdediging. Hij verwachtte snel teruggepakt te worden, maar Nikides bleek onhandig en langzaam. Binnen een paar minuten had Tobin hem al naar de rand van de cirkel gedreven, hem het zwaard uit handen geslagen en de dodelijke punt van zijn zwaard op zijn hart gezet.

'Sterk gevecht, prins Tobin,' mompelde de jongen en ze sloegen de handen ineen. Weer voelde Tobin hoe week zijn hand aanvoelde, vergeleken met de strijders met wie hij was opgegroeid.

'Laat ons eens zien wat je met een pittiger tegenstander doet,' zei Porion en hij riep Quirion in de ring. Hij was veertien, een stuk groter dan Nikides en slanker gebouwd. Hij was bovendien links, maar Tharin had hem laten oefenen met Maniës en Aladar, dus was er wat dat betrof geen vuiltje aan de lucht. Hij zette zijn gewicht op het andere been en weerde Quirions openingsaanval met gemak af. De jongen was een betere vechter dan Nikides en gaf Tobin een forse blauwe plek op zijn dijbeen. Tobin was snel weer op de been en kreeg zijn kling onder die van Quirion, drong hem naar boven en sneed zijn buik open. Ki barstte in een jubelkreet uit.

Deze keer zei Porion niets, maar gebaarde Lutha dat hij de ring in moest komen. Lutha was kleiner dan Tobin, maar had een scherpe blik, was heel snel en had het voordeel dat hij Tobin al had zien vechten. Voor hij wist wat er gebeurde werd Tobin al naar de rand gedreven en moest hij draaien om niet over de grens van stenen heen te komen. Lutha had een grote grijns op zijn gezicht terwijl hij vocht en Tobin kon Tharin haast horen zeggen: Een echt vechtertje, die kleine.

Tobin vermande zich, kwam weer terug en liet het slagen op het hoofd van zijn tegenstander regenen, waarbij Lutha weinig anders kon doen dan afweren. Tobin hoorde vaag gejuich om zich heen, maar hij zag alleen dat gebogen figuurtje voor zich. Hij was er zeker van dat Lutha zo achterover zou vallen toen zijn kling brak. Lutha sprong overeind en Tobin moest opzij duiken om een dodelijke zwaai te ontwijken. Hij nam meteen zijn toevlucht tot een van de trucjes die Ki's zuster hem geleerd had en maakte gebruik van Lutha's wankele stand om hem te laten struikelen. Tot zijn grote verbazing werkte het nog ook en Lutha viel plat op zijn buik. Tobin sprong op zijn rug voor hij overeind kon komen en nam hem in de houdgreep, waarbij hij ook nog deed of hij hem met zijn gebroken zwaard keelde.

'Dat kan niet!' protesteerde Caliël.

'Het kan als je weet hoe het moet,' zei Porion droog.

Tobin klom van Lutha af en hielp hem overeind.

'Wie heeft je dat geleerd?' vroeg de jongen en hij sloeg het stof van zijn kleren.

'Ki's zuster.'

Bij dat antwoord verstomde iedereen. Tobin zag een mengeling van ongeloof en hoon op de gezichten van de toeschouwers.

'Een meid?' sneerde Alben.

'Ze is een strijder,' zei Ki, maar niemand scheen hem te horen.

Lutha greep Tobins hand. 'Nou, het is een goeie zet. Je moet me die maar eens leren.'

'En wie is de volgende die onze wilde bergleeuw wil bevechten?' vroeg Porion. 'Kom op, hij heeft er drie van jullie van tafel geveegd. Nee, jij niet Zusthra. Je weet best dat je te zwaar voor hem bent. Hetzelfde geldt voor jou, Caliël. Alben, van jou heb ik de laatste tijd niet veel gezien.'

Alben was veertien jaar, lang, donker, met een pruillip en glanzend blauwzwart haar in een lange paardenstaart op zijn rug. Hij nam er de tijd voor die in zijn nek tot een wrong te draaien, slenterde de ring in en ging tegenover Tobin staan. De meisjes drongen naar voren, Aliya en haar vriendinnen stonden vooraan.

'En nou geen trucjes meer, prins Bergleeuw,' mompelde hij en hij draaide zijn houten zwaard tussen zijn vingers als een trommelstokje.

Tobin wantrouwde al dat arrogante vertoon en deed een stap achteruit. Hij nam de groetpositie in met een zwaard dat Ki hem aangereikt had. Met een langzame knik deed Alben hetzelfde.

Tijdens het gevecht was er van die hooghartigheid weinig meer te bekennen. Alben vocht als Lutha, hard en vaardig, maar met forsere en krachtiger bewegingen. Enigszins vermoeid van de vorige partijen, moest Tobin zijn uiterste best doen om zijn verdediging stabiel te houden, en een aanval zat er voorlopig niet in. Zijn armen deden pijn en zijn dijbeen waarmee hij Quirions klap had opgevangen deed zeer. Als dit een oefenpartij met Tharin was geweest had hij opgegeven, of een tijdelijke wapenstilstand gevraagd. Maar hij dacht aan die smalende toon waarop deze knaap over Ki's zuster had gesproken en ging er met volle kracht tegenaan.

Alben vocht ruw en duwde hem met zijn schouders en hoofd opzij wanneer hij een opening zag. Maar Tobin kende dit soort duw- en trekpartijtjes wel, dankzij Ki, en hij gaf hem lik op stuk. Hij begon net te denken dat het achteraf toch wel een lollig partijtje was, dat hij en Alben op deze manier best vrienden konden worden, maar daar leek zijn tegenstander toch een tikkeltje anders over te denken. Hij vond het maar niks dat een jonger jochie even goed vocht als hij, zeker niet als dat jochie Tobin heette. Maar toen Alben Tobin met zijn elleboog een harde slag midden op zijn neus verkocht, kwam zijn boosheid weer helemaal terug, en hij voelde geen pijn meer toen hij zijn kling met kracht op Albens zwaard terecht liet komen.

Sakor was nog steeds met hem die dag, of misschien hadden de goden geen zin die arrogante kwast te laten winnen, want het lukte hem Alben beentje te lichten met hetzelfde trucje dat hij bij Lutha had gebruikt. Alben viel plat op zijn rug zodat hij even geen lucht meer kreeg. Tobin sprong erbovenop en zette de punt van zijn zwaard op zijn hart.

'Geef je je over?'

Alben keek op, maar zag dat hij geen schijn van kans maakte.

'Ik geef me over.'

Tobin krabbelde overeind en liep naar Korin en Ki die bij Porion stonden.

'Onze nieuwe Gezel bloedt,' merkte de wapenmeester op.

Tobin keek hem aan en toen naar de lap die Ki hem aanreikte.

'Je neus, Tobin. Van die ene keer dat hij jou te pakken had.'

Tobin nam de zakdoek aan en veegde zijn bloedende neus en kin af. Bij de aanblik van de bevlekte doek schoot hem een fragment uit een droom te binnen.

Jij ziet bloed, jij komt hier.

Hij schudde zijn hoofd toen Korin en een paar anderen hem op de rug sloegen en zeiden dat hij een puike zwaardvechter was. Dit was een eervolle bloedneus. Waarom zou hij nu naar huis rennen? Het was maar een domme droom geweest.

'Krijg nou wat! Dat kleine opdondertje heeft nu al de helft van de Koninklijke Gezellen verslagen,' zei Korin. Zijn ogen stonden helder en Tobin gloeide van trots bij zijn woorden. 'Wie heeft jou zo verdomd goed leren vechten, neefje? Toch niet Ki's zuster?'

'Mijn vader en heer Tharin waren mijn oefenmeesters,' vertelde hij. 'En met Ki heb ik natuurlijk het meest gevochten.'

'Als je uitgerust bent, willen jullie twee dan een partijtje voor ons vechten?' vroeg Porion.

'Natuurlijk, meester.'

Ki bracht hem een kroes cider uit een vat in de buurt, en ze keken naar Korin en Caliël die een oefenwedstrijd vochten, terwijl Tobin even uitpufte. Lutha en Nikides kwamen bij hem zitten, met hun schildknapen Barieus en Ruan. De anderen bleven op een afstandje naar hem gluren. Na al die lof van Korin en de wapenmeester voelde het raar aan om apart te staan.

'Heb ik iets verkeerd gedaan?' vroeg Tobin aan Lutha.

Die keek naar zijn voeten en haalde zijn schouders op. 'Alben houdt er niet van verslagen te worden.'

'Ja, maar jullie toch ook niet.'

Lutha haalde nogmaals zijn schouders op.

'Lutha zal jou de volgende keer in de pan hakken, nu hij weet hoe je vecht,' zei Nikides. 'Of misschien ook niet, maar hij maakt een kans en hij kan ertegen. Mij zal het nooit lukken, natuurlijk.'

'Je weet maar nooit,' zei Tobin, maar hij dacht ook dat de jongen gelijk had.

'Nee, tegen jou maak ik geen kans,' hield Nikides vol en het kon hem blijkbaar niet veel schelen. 'Maar dat maakt niet uit. We zijn hier niet bij elkaar omdat we allemaal zulke goede strijders zijn, Tobin.'

Voor Tobin kon vragen wat Nikides bedoelde, waren de oudere jongens klaar met hun kamp en Porion riep Ki en hem de ring in.

'Goed dan, we zullen ze eens wat laten zien,' fluisterde Ki vrolijk.

Ze legden hun houten zwaarden op de grond, trokken hun stalen zwaard en vochten als leeuwen, zonder restricties, want ze gebruikten ellebogen en knieën en hun gebutste helmen. Ze gilden hun strijdkreten en vochten tot het stof boven hun hoofd opwolkte en het zweet onder hun maliën over hun rug droop. Staal kletterde tegen staal terwijl ze elkaars verdediging probeerden te breken en Ki had bijna Tobins zwaardhand geraakt. Tobin gaf hem een slag met de platte kant van zijn zwaard op zijn helm terug, maar geen van beiden gaf op. Nu ze vochten deed niets er meer toe en Tobin vergat alles om zich heen, want dit was bekend terrein. Ze hadden dit zo vaak gedaan en waren zo goed op elkaar ingespeeld dat ze uiteindelijk allebei niet meer konden en Porion uitriep dat het gelijkspel geworden was.

Hijgend en opgewonden deden ze een paar stappen achteruit en ze werden meteen omringd door een menigte toeschouwers. Een stuk of wat meiden die eerst Albens bewonderaars waren geweest keken nu naar hen. Ki merkte dat wel en struikelde haast over zijn eigen voeten. Aliya draaide zich naar een tenger blond meisje en ze giechelden allebei. Achter hen stond een meisje met bruin haar en ernstige donkere ogen Tobin op te nemen. Hij dacht niet dat hij haar eerder gezien had. Ze zag dat hij naar haar keek en verdween in de menigte.

'Bij de Vlam!' schreeuwde Korin. 'Nou geloof ik eindelijk dat je daar in die bergen niets anders deed dan vechten!'

Zelfs Alben kon niet op de achtergrond blijven, nu Korin hen zo duidelijk prees. De twee mochten weer een poosje rusten, maar de verdere middag moesten ze tegen de jongere Gezellen en schildknapen hun kunsten vertonen.

Maar niet tegen prins Korin, merkte Tobin. Korin vocht enkel met Caliël en Porion en versloeg hen vrijwel altijd. Tobin was blij dat hij het niet tegen hem op hoefde te nemen. Alben verslaan was al moeilijk genoeg geweest. Maar hij zag Lutha als zijn voornaamste uitdaging. Die was net zo moeilijk te pakken te krijgen als Alben, maar Tobin mocht hem graag en dat kon hij over de ander niet zeggen.

41

Ki was blij dat er de tweede avond in Ero geen groots feest werd gegeven. Hij begon met zijn taken in de gemeenschappelijke eetzaal van de Gezellen. Die was kleiner dan de feestzaal en de maaltijd werd geserveerd volgens de bekende regels. Er waren een paar muzikanten en af en toe kwamen er koeriers binnengerend die de laatste stand van zaken van de oorlog en de uitslagen van veldslagen bekendmaakten.

Elke schildknaap had een vaste taak. Tanil was de voorsnijder van het vlees bij iedere gang, en Caliëls schildknaap Mylirin was hoofd bediening, met zijn vier messen voor de verschillende soorten brood. Dit waren de taken met het meeste aanzien.

Garol had de alchemistische taak van wijnkelner, die de wijn met kruiden en water mengde. Deze taak was niet gespeend van risico's, want de kelner moest altijd voorproeven om de kwaliteit van de wijn vast te stellen en eventueel vergiftigde wijn kwam dus altijd bij hem terecht als iemand probeerde de kroonprins te doden. Maar volgens Ruan was het aannemelijker dat Garol de rest van de aanwezigen zou doden omdat hij er een handje van hand de wijn behoorlijk aan de sterke kant te serveren.

De schildknaap van Orneus, een rustige, elegante jongen die Lynx genoemd werd, was de baas over de houten, in zilver gevatte drinkbekers, en hij moest ze dus gedurende alle gangen constant gevuld zien te houden. Ruan was de aalmoezenier, verantwoordelijk voor de restjes en kliekjes die aan de bedelaars bij de Palatijnse poorten werden uitgedeeld. Ki en de anderen waren de loopjongens die de schotels uit de keukens haalden en over de tafel verdeelden; Zusthra's schildknaap Chylnir was hun chef. Helaas kwam Ki op die manier bij de minst vriendelijke collega's terecht.

Al hielp de gemoedelijke Barieus hem, Ki was toch vaak net iets te langzaam en vergat ook nogal eens wat. De andere jongens die serveerden, Mago en Arius, hadden het te druk met minachtend en arrogant naar hem te kijken om hem af en toe aan iets te herinneren. En Chylnir had weinig geduld met wie dan ook.

Het stak Ki wel dat hij Tobin voor de anderen zo'n slecht figuur liet slaan. Hij speelde het die eerste avond klaar om twee sauskommen om te stoten en liet bijna een zwanenhalspastei op Korins hoofd vallen, toen Mago tegen zijn elleboog stootte. Aan het eind van de avond zat hij vol vetspatten en pruimensaus, en moest daarna nog al het gegniffel van de anderen rond de haard doorstaan. Korin maakte zich van de kwestie af met een grap en Tobin maakte zich helemaal nergens druk om, want hij bleek zich absoluut niet in zijn eer aangetast te voelen. Ki bleef die avond liever in de schaduw zitten en voelde zich terneergeslagen en niet op zijn gemak.

Tobin vermoedde wel dat Ki iets dwarszat, maar hij had geen idee wat het kon zijn. Tobin was tijdens de maaltijd heel trots op hem geweest; zelfs Korin had hem gecomplimenteerd.

Ki's stemming leek er niet beter op te worden toen Porion en de oudere jongens nog meer verhalen over de paleisgeesten begonnen te vertellen, die avond rond de haard, terwijl ze elkaar overtroefden in het vinden van de plekken waar je die hoogstwaarschijnlijk kon tegenkomen. In elke gang waren wenende dienstmeisjes en onthoofde minnaars te vinden, maar de griezeligste geest was die van de Waanzinnige Agnalain zelf.

'Onze grootmoeder zwerft 's nachts door deze zalen,' vertelde Korin die vlak naast Tobin zat. 'Ze draagt een gouden kroon en daar druipt bloed uit dat over haar gezicht en japon stroomt – het bloed van alle onschuldigen die ze naar de martelkamers, galg en kraaienkooien heeft gestuurd. Ze heeft een bloedig zwaard in haar hand en een gouden gordel waaraan de pikken bungelen van alle minnaars en gemalen die ze heeft gehad.'

'Hoeveel zijn dat er dan?' vroeg iemand en het klonk alsof die vraag al vaker gesteld was.

'Honderden!' riep iedereen in koor.

Tobin kreeg het idee dat dit een test was om te zien of de nieuwe Gezellen bang te maken waren, want men wisselde grijnzend blikken met elkaar. Tobin had vrijwel zijn hele leven in een spookkasteel doorgebracht, dus kende hij het gevoel dat daar heerste; tot dusverre was hij hier nog geen geesten tegengekomen, zelfs niet in de koninklijke grafkelder naast het paleis.

Hij wierp een blik op Ki, die op de biezen buiten het verlichte deel van de kring lag. Hij deed of het hem allemaal maar verveelde, maar in zijn ogen zag Tobin te veel onbehaaglijke flikkeringen om daar in te trappen. Misschien was hij ondanks die paar jaar met Broer toch niet van zijn angst voor geesten genezen.

Terwijl de verhalen over drijvende hoofden en handen zonder lichaam en onzichtbare lippen die elke nacht je kaars uitbliezen de ronde deden, kreeg zelfs Tobin een wat onrustig gevoel. Toen ze naar hun enorme, schaduwrijke kamer teruggingen was hij blijer dan gewoonlijk dat Ki en de kleine page Baldus bij hem waren.

'Heb jij ooit een geest in het paleis gezien?' vroeg hij, toen de andere bedienden zich teruggetrokken hadden. Molay sliep op een stromatras op de gang om te waken, Baldus had een matrasje bij de deur aan de binnenkant.

'O, jee, ja! Zoveel,' antwoordde de jongen vrolijk.

Tobin trok de gordijnen van het hemelbed helemaal toe en wisselde een benauwde blik met Ki.

Het bed mocht dan groot genoeg zijn voor een heel gezin, ze kropen toch maar zo dicht tegen elkaar aan als hun schouders het toelieten.

Een tijdje later werden ze gewekt door een onheilspellend geschuifel en klakkende geluiden die uit alle hoeken leken te komen.

'Baldus, wat is dat?' riep Tobin uit. Iemand had alle lampen uitgedaan. Hij kon niets zien.

De geluiden werden sterker en kwamen overal vandaan in de richting van het bed. De jongens gingen rug aan rug op hun knieën zitten.

Het onnatuurlijke licht van lichtsteentjes schitterde toen dode witte handen de zwarte bedgordijnen openrukten.

Tobin smoorde een kreet. De kamer was vol haveloze gebochelde figuren die kreunden en lange witte beenderen tegen elkaar aan sloegen, terwijl ze om het bed marcheerden.

En toen begon Tobin te grinniken. Zelfs bij dit beetje licht herkende hij Korin en Caliël onder de witte en zwarte verf op hun gezicht. Ze droegen lange zwarte capes en pruiken die van uitgeplozen touw waren gemaakt. Het licht werd verspreid door lichtsteentjes die op lange stokken waren vastgemaakt en die door de anderen werden gedragen. Er waren zoveel 'geesten' dat ze niet alleen uit de Gezellen konden bestaan; toen hij beter keek zag hij ook een stel meisjes en jongens van adel die toeschouwers bij het trainen waren geweest. Tobin merkte ook dat de wijn weer rijkelijk gevloeid had. Baldus zat op zijn matrasje bij de deur, met zijn handen over zijn mond geslagen, maar hij leek eerder van het lachen dan uit angst te schudden.

'Bent u allen geesten?' vroeg Tobin en hij probeerde een neutraal gezicht op te zetten.

'Wij zijn de geesten van het Oude Paleis!' riep Caliël weeklagend. 'Ge moet bewijzen dat ge het waard zijt Gezel te zijn! Gij en uw schildknaap zullen de Verboden Troonzaal binnen moeten komen en plaatsnemen op de troon van de Waanzinnige Koningin!'

'Uitstekend. Kom op, Ki.' Tobin liet zich uit bed glijden en deed zijn broek aan die nog op een hoopje naast het bed lag.

Hun spookachtige escorte blinddoekte hen, nam hen plotseling op hun schouders en zo droegen de 'geesten' de jongens een eind weg naar een koude stille ruimte waar het naar verrotting en de zee stonk.

Toen Tobin weer op de grond was gezet en de blinddoek was weggenomen, stond hij naast Ki in een gang zoals alle andere in het Oude Paleis, behalve dat deze geheel vervallen was. De visvijver was leeg, op wat dode bladeren na, en sterren schitterden zwak door de gaten in het dak. Wat er nog over was van de muurschilderingen op de door regen aangetaste muren bladderde en de kleuren waren uitgelopen. Ze stonden voor een dubbele deur die gelijk was aan die voor in het paleis, maar deze panelen waren verguld en verzegeld met grote loden pennen langs de rand en er zaten officieel uitziende zegels op.

Op deze plek vielen hun ontvoerders eigenlijk helemaal niet uit de toon.

'Dit is de oude troonzaal, de verboden kamer,' sprak Korin plechtig. 'Hier liet de Waanzinnige Agnalain binnen één dag honderd verraders executeren, terwijl ze hun bloed dronk. Hier trouwde ze tientallen gemalen, en leidde hen naar hun ondergang. Op de troon die je aanstonds zult aanschouwen beval ze dat er vijfhonderd kraaienkooien langs de hoofdweg opgehangen moesten worden, en dat elke kooi gevuld moest worden met een ongelukkige die daarin in weer en wind dood kon hongeren. Ze waart nog steeds rond in deze kamers en zit nog regelmatig op haar troon.' Hij hief een witte hand en wees op Tobin. 'Hier, in de aanwezigheid van al deze getuigen, moeten jij en je schildknaap haar ontmoeten. Je zult de kamer binnengaan en op de schoot van de koningin kruipen, of je zult je recht om een van ons te zijn verspelen, en nimmer strijder worden!'

Hun begeleiders trokken hen door een zijdeurtje een lange zaal in waar een smal raampje openstond. Daar moesten ze doorheen om via een smalle richel, hoog boven de tuinen, een ander gebroken raam door te klimmen waarna ze in de troonzaal kwamen.

Er binnenkomen was niet al te ingewikkeld, maar toen ze er eenmaal waren was het of ze in een zwarte put terechtgekomen waren. Ze konden niets zien en de echo van elk geschuifel of gefluisterd woord leek opgeslokt te worden door de eindeloze ruimte voor hen.

Tobin hoorde de anderen op de richel aan de buitenkant en wist dat iedereen hen kon horen. Iemand wiep een gloeiend steentje naar binnen, maar het schijnsel bereikte nauwelijks een voet rondom. Maar het was beter dan niets.

'Tobin, zoon van Rhius!' klonk opeens een fluisterende stem in de duisternis.

Tobin schrok terwijl Ki zijn pols haast fijnkneep.

'Hoorde je dat?' vroeg Ki piepend.

'Ja.'

'Zou dat 'r zijn? Koningin Agnalain?'

'Weet ik niet.' Hij probeerde zijn zintuigen in te stellen op het gevoel dat hij had als Broer in de buurt was, maar hij voelde alleen tocht en leegte.

'Kom op, ze halen een geintje met ons uit. Als hier echt een geest was die ons wilde vermoorden, zouden ze ons heus niet naar binnen sturen, wel?'

'Weet je dat zeker?' mompelde Ki, maar hij volgde Tobin de duisternis in terwijl die hem de lichtsteen in handen drukte.

Even leek het of ze van een klif afstapten, maar met het lichtsteentje achter zich en het licht van de sterren dat door de ramen rechts van hem binnenviel, onderscheidde Tobin al snel de zuilenrijen die aan beide kanten van de zaal naar achteren liepen.

Dit was koningin Agnalains troonzaal geweest. Hij stopte en zag de troonzaal van het Nieuwe Paleis even voor zich. Daar was de troon op een verhoging helemaal tegenover de deuren geplaatst. De deuren hier zouden rechts van hem moeten zijn, dus moest de troon helemaal links staan.

'Prins Tobin!' riep een holle stem. Die kwam echter van rechts.

Weer stond hij stil en riep zich het speelgoedpaleis van zijn vader in de herinnering. Het was een simpele doos met een dak dat eraf getild kon worden, maar binnenin had een troontje gestaan. Het stelde deze zaal voor. En de troon had in het midden gestaan, niet aan het eind, met de gouden plaquette ernaast. Toen hij naar rechts tuurde, zag hij inderdaad een donker geval dat een verhoging kon zijn. En opeens wilde hij dolgraag de troon zien en de gouden plaquette aanraken. Want al zat daar een geest, ze was familie van hem.

Hij draaide zich om en botste tegen Ki aan, die naar achteren sprong, maar hem meteen weer vastgreep. 'Wat is er? Zag je iets?' Hij tastte naar de schouder van zijn vriend; ja, hoor, Ki stond te trillen op zijn benen.

Hij bracht zijn mond vlak bij Ki's oor en fluisterde: 'Er zijn hier geen geesten. Korin en de anderen probeerden ons vanavond alleen maar bang te maken zodat we goed opgejut zouden zijn voor deze vertoning. Ik bedoel maar, je zag toch wel hoe ze eruitzagen? Wie weet nu beter dan ik hoe een echte geest eruitziet.'

Ki grinnikte en heel even had Tobin zin om Broer op te roepen om de anderen te laten zien waartoe een echte geest in staat was. Maar hij koos er toch maar voor om de anderen niet in spanning te laten en zei: 'Kom op Ki, de troon is daar al. Laten we mijn grootmoeder maar een handje geven.'

Hun voetstappen echoden in de onzichtbare koepel boven hun hoofd, en verstoorden de slaap van enkele wezens die de nachtlucht met hun zachte vleugels opzweepten. Misschien waren het de geesten van de doden, maar hoe dan ook, ze kwamen niet naderbij.

Zoals hij vermoedde stond de troon op een breed, hoog podium middenin de zaal. Je besteeg hem door twee trapjes op te gaan en hij werd bedekt door een donker kleed.

'We moeten op de troon gaan zitten,' bracht Ki hem in herinnering. 'Na u, Hoogheid.'

Tobin beantwoordde Ki's spottende buiging met een knikje en liep de treden op. Toen hij zich vooroverboog om de doek die hem bedekte op te tillen, werd het donkere materiaal uit zijn handen getrokken en sprong er een bleke, naargeestige gestalte op hen af, zwaaiend met een zwaard en een ijselijke kreet uitstotend: 'Verrader! Verrader! Zijn hoofd eraf!'

Hoewel hij eerder geschrokken dan bang was, was hij van het trapje naar beneden gestruikeld als Ki hem niet had opgevangen en hem weer overeind had gekregen. Ze herkenden de stem onmiddellijk, al was hij verdraaid.

Het was Aliya.

'Goeden– goedenavond, grootmoeder,' kon hij uitbrengen, terwijl de rest van de geestenbrigade met hun lichtjes naderbij kwam. Hij probeerde haar hand te pakken om te kussen, maar ze trok hem met een ruk terug.

'O, hij verpest het helemaal!' riep Aliya en ze stampte driftig met haar voet.

'Ik zei toch al dat hij er niet voor terug zou deinzen!' Korin omhelsde Tobin zo hevig dat hij opgetild werd. 'Waar blijven die tien sestertiums, Alben? Bij de Vlam, niemand van mijn geslacht is een lafaard. En jij ook niet, Ki, al zag ik je trillen als een espenblad toen je naar binnen ging. Maak je geen zorgen; je had Garol moeten zien.' Korin griste de pruik van het hoofd van de andere schildknaap. 'Hij viel van het trapje en bijna hadden zijn hersens door de hele zaal gelegen.'

'Ik struikelde,' gromde Garol.

'Ik ook, bijna,' gaf Tobin toe. 'Maar alleen omdat Aliya zich zo goed verstopt had. Dat kan ze beter dan me als geest de stuipen op het lijf jagen.'

'O, daar weet jij dan zeker alles van?'

'Toevallig wel. Korin, mag ik de gouden plaquette zien?'

De kroonprins keek hem verbaasd aan. 'De wat?'

'De gouden plaquette met de Profetie van Afra erop. Hij moet hier in de buurt van de troon liggen...'

'Nou, hier in elk geval niet.' Korin nam Tobin bij zijn arm en ze liepen om de verhoging heen. Zoals hij zei, was er geen plaquette te bekennen. 'Kom mee, we moeten jullie overwinning van deze avond vieren!'

Zo blij als hij was dat hij de test doorstaan had, zo teleurgesteld was hij dat hij de profetie niet gevonden had. En hoe kon Korin daar nou nooit van gehoord hebben; hij was hier toch opgegroeid? Had zijn vader dan een fout gemaakt?

Toen ze terugliepen naar het raam keek hij nog eenmaal om en trok zijn arm uit die van de prins. 'O, kijk! Korin, kijk!' riep hij uit.

Er was uiteindelijk wél een geest in deze zaal. De met fraai houtsnijwerk versierde troon was ontdaan van de donkere doek en er zat een vrouw op. Het gelach en de herrie van de andere Gezellen stierven weg terwijl Tobin haar aankeek. Hij herkende haar niet, maar wist wie ze was: een van de Zij Van Vroeger – geen poppetje in een doosje meer, of een naam in een verhaal, of een van Korins malle vermommingen. Dit was een geest zo echt als zijn tweelingbroer.

Ze had een gouden kroon op en droeg een wapenrusting van ouderwetse snit. Ze keek hem aan met ogen die net zo donker waren als die van Broer; ze knipperde niet. Toen stond ze op en ontblootte het zwaard dat in een schede aan haar zij hing, en stak het hem toe als een offer, plat op haar handpalmen.

En daar aan de voet van de verhoging stond de gouden plaquette, zo groot als Tobin zelf. Hij ving het licht als een spiegel en de belettering bewoog en schitterde alsof de letters in vuur waren geschreven. Hij kon de tekst niet lezen, maar die kende hij uit zijn hoofd.

Hij wilde teruglopen en met de koningin praten, haar naam horen en het zwaard dat ze naar hem uitstak aanraken, maar hij stond als versteend.

Hij keek om zich heen en schrok toen hij zag dat iedereen hem met een bezorgde blik aanstaarde. Toen Tobin weer naar de troon keek zag hij slechts duisternis. Geen troon, geen koningin, en geen plaquette. Hij was te ver weg om wat dan ook te zien.

Toen grijnsde Ki en zei: 'Je had ze mooi te pakken, mijn prins. Zelfs ik keek om!'

Korin barstte in lachen uit. 'Bij de Vier, neef, wat een rotzak ben jij! Je liet ons in de kuil vallen die we zelf gegraven hadden!'

'Wat een grapjurk!'

Aliya pakte Tobin bij zijn hemd en drukte een kus op zijn lippen. 'Engerd! Ik schrok me wild!'

Tobin kon er niets aan doen, maar keek nog één keer om terwijl ze doorliepen. En hij was niet de enige.

Zijn overwinningsfeestje werd in de tuinen gevierd, met wijn en taartjes die de Gezellen uit de keuken gestolen hadden.

De oude troonzaal was verboden terrein, de zegels op de deur waren echt, al wist niemand waarom. Korin en Caliël hadden het spel jaren geleden verzonnen en speelden het nog steeds, al hadden de koning en Porion het verboden.

Korin en zijn kompanen namen Tobin en Ki mee naar een overdekt bankje onder een rozenhaag. Liggend op het zachte, licht vochtige gras, gaven ze elkaar de wijnzakken en de taartjes door.

'Dus je was geen moment bang?' vroeg Alben smalend.

'Was jij dat dan wel toen jij het moest doen?' kaatste Tobin terug.

'Ja zeker! Al zal hij dat nooit bekennen natuurlijk,' zei Aliya.

Iedereen lachte, op Alben na, die snoof en zijn lange zwarte haar beledigd over één schouder gooide.

'Dat komt zeker omdat je alles van geesten weet, hè,' vroeg Lynx, die met een slok op een beetje vrijpostig werd. 'Ik wil niet onbeleefd zijn, prins Tobin, maar we hebben het verhaal allemaal gehoord. Ze zeggen dat je tweelingzus doodgeboren werd, met haar ogen open, of met de helm op, en dat ze een demon werd zodat jullie gezin de stad moest verlaten. Ze zeggen dat die geest jullie helemaal volgde naar de bergen. Is dat zo? Was jij een van een tweeling, en is die ander een geest?'

Tobin haalde zijn schouders op. 'Het stelt niet zoveel voor. Gewoon een klopgeest.'

Ki begon tegen te sputteren, maar Tobin stootte zijn voet aan en hij was meteen stil.

'Mijn vader zegt: "Dat komt ervan als je je met tovenaars inlaat",' zei Zusthra. 'Wie zich met magie bemoeit eindigt vroeg of laat met allerlei vreemde wezens die je nooit meer kwijtraakt ook.'

'Dat zou ik heer Niryn maar niet laten horen,' zei iemand, en Tobin kreeg nu pas in de gaten dat Moriël de hele tijd in de buurt was geweest. Hij had hem onder die pruik en verf niet opgemerkt. 'Heer Niryn denkt dat tovenaars kunnen helpen de troon van Skala op zijn plaats te houden. Wat denk jij, Korin? Je zit vaak genoeg bij hem.'

Korin nam een flinke teug uit de wijnzak en legde zijn hoofd in Aliya's schoot. 'Mijn vaders magiër heeft ogen als twee geelbruine stenen die geslepen zijn door de branding. Ik kan met geen mogelijkheid zeggen wat er achter die twee bollen omgaat. Zolang hij ons lichtsteentjes en trucjes levert, heb ik niks tegen die man, maar als ik koning ben is het afgelopen met tovenaars die oorlogen voor me winnen, of mijn troon beschermen. Daar heb ik jullie toch voor!' Hij zwaaide met de wijnzak en de inhoud daalde als regen neer op hen die dicht bij hem lagen. 'Skalaans staal en een Skalaan om ermee te zwaaien!'

En dat motto leidde weer tot een strijdlied, en het zingen tot nog meer drinken. Zelfs Tobin liet zich een beetje gaan met de wijn. Mopperend moest Ki hem naar bed slepen.

42

Een paar dagen later verlieten Ki en Tobin het oefenveld al voor ze klaar waren, omdat Tharin met een stuk of vijf soldaten hen op stond te wachten. Tobin kende hen nauwelijks terug. Koni en de anderen droegen uniformen als de Koninklijke Gardisten, met zilveren emblemen in plaats van gouden. Tharin ging als een heer gekleed in somber bruin met een zwarte rand, en droeg een zilveren ketting.

'Mijn prins,' zei Tharin. 'De hofmeester heeft me verzocht u te vragen of u misschien vanmiddag uw huis wilt inspecteren. Alles is voor u in gereedheid gebracht.'

Tobin deed een stap om hem te omhelzen, zo blij was hij een bekend gezicht te zien, maar Tharin hield hem op afstand en schudde nauwelijks merkbaar zijn hoofd. Ki deinsde terug omdat hij hetzelfde als Tobin had willen doen.

Ze kregen vrij van de wapenmeester en volgden Tharin in het doolhof van herenhuizen die tussen de twee paleizen in waren gebouwd.

Het huis dat van Tobins moeder was geweest, was eigenlijk een vleugel van het Oude Paleis, maar met zijn eigen muren en binnenplaatsen. De tuin van de grootste binnenplaats was goed onderhouden, maar toen Tobin eenmaal in het huis stond voelde hij zich omringd door een grote leegte, al was de hal fraai ingericht en waren er helder gekleurde muurschilderingen. Zes bedienden in livrei bogen voor hem toen hij binnenkwam. De hofmeester was een man van middelbare leeftijd die Tharin voorstelde als Uliës, de zoon van de oude Mynir.

'Ik betuig mijn deelneming met uw verlies,' zei Tobin zacht.

Uliës boog nogmaals. 'En ik met het uwe, mijn prins. Het is me een eer dat mijn vader u en uw gezin diende, en ik hoop dat ik hetzelfde mag doen.'

Tobin draaide zich langzaam in het rond en nam de grote hal met zijn oude lambriseringen, draperieën en het fijne houtsnijwerk in de balken in zich op. Een brede trap leidde naar boven.

'Je vader droeg je die trap af op de dag dat je je naam ontving,' vertelde Tharin hem. 'Je had de hal toen eens moeten zien; alle edelen van Skala waren aanwezig. De koning stond daar met prins Korin op zijn schouders. Bij de Vier, we waren allemaal zo trots op je!'

Tobin keek hem aan. 'En waar was mijn moeder? Was... was ze toen in orde?'

Tharin zuchtte. 'Nee Tobin, dat was ze niet. Vanaf de nacht dat je geboren werd, was ze in de war, maar dat is niet jouw schuld. Ze bleef altijd in haar slaapkamer.'

'Mag ik die zien?'

'Natuurlijk. Dit is nu jouw huis en je mag gaan en staan waar je wilt. Maar de kamers boven zijn niet meer bewoond geweest sinds je moeder vertrok. Je vader en ik gebruikten alleen de kamers beneden wanneer we in Ero moesten zijn en de mannen hebben hun kazerne op de achterste binnenplaats. Kom mee.'

Tobin keek waar Ki bleef. 'Kom op!'

Toen ze halverwege de trap waren, stond Broer opeens boven op de overloop.

Daar had hij niet moeten staan. Tobin had hem niet opgeroepen.

Hij had hem eigenlijk nooit meer opgeroepen sinds die eerste nacht, bedacht hij schuldbewust. Er was zoveel te zien en te doen dat het hem compleet ontschoten was.

Hoe het ook zij, daar stond Broer en hij staarde hem met een sombere, beschuldigende blik aan. Tobin zuchtte inwendig en liet hem blijven.

'Heb je het andere kindje gezien, Tharin?' vroeg hij. 'Dat gestorven is?'

'Nee, ik was die nacht op Atyion. Toen ik terugkwam was alles al voorbij.'

'Waarom had vader het er eigenlijk nooit over? Waarom vertelde hij me nooit wie de demon echt was?'

'Dat weet ik niet.' Tharin bleef boven aan de trap staan en besefte niet dat zijn hand over Broers schouder streek. 'Misschien uit respect voor je moeder? Ze wilde er niets over horen, zeker die eerste weken niet. Dan sloeg ze helemaal door. En dan al dat gefluister over geesten en spookhuizen. Na een tijdje sprak niemand er meer over.' Hij schudde het hoofd. 'Ik nam aan dat hij je wel iets verteld had. Ik had er niks mee te maken.'

Hij deed de grendel van de deur die tegenover de trap lag. 'Dit is hem, Tobin, de kamer waar je bent geboren.'

De vloer van de overloop lag vol nieuwe biezen, en hij geurde naar kruiden en lampenolie. Maar de kamer rook muf en bedompt. De luiken stonden open, maar het vertrek was naargeestig en kil. Hij kreeg kippenvel toen hij er binnen stapte.

Het was een slaapkamer van een rijke dame geweest. Er hingen nog wat wandtapijten – verschoten taferelen van schepselen in de zee en van jachtpartijen in het bos. In de schoorsteenmantel waren vreemde vissen gesneden, erg mooi, maar er stonden geen beeldjes of poppen op en de haard lag vol roet.

Aan de andere kant van de kamer stond Broer aan het voeteneind van een hemelbed met een kale matras. Hij was naakt en Tobin kon de lijnen van de met bloed omzoomde steekjes op zijn borst goed zien. Terwijl Tobin toekeek, klom hij op het bed en ging op zijn rug liggen. Toen verdween hij.

'Weet je hoe mijn broertje gestorven is?' vroeg Tobin zacht en hij bleef naar het bed kijken.

Tharin hem ernstig aan. 'Nari zei dat hij doodgeboren is. Dat hij nooit adem heeft gehaald. Maar het was geen jongetje, Tobin, het was een meisje.'

Ki keek hem vragend aan. Maar ineens was Broer er weer, hij stond met een vinger tegen zijn lippen tussen hen in. Tobin schudde zijn hoofd en Ki zei niets.

Tobin draaide zich om en probeerde een aandenken aan zijn moeder te zoeken. Als ze in de nacht dat hij geboren was, zo ontzettend veranderd was, dan was hier misschien nog iets wat liet zien wie ze geweest was – iets wat hem kon helpen begrijpen waarom ze veranderd was.

Maar hij kon niets vinden en plotseling wilde hij zo gauw mogelijk uit de kamer weg.

De andere kamers op de overloop waren van hetzelfde laken een pak: sinds lang niet meer in gebruik en alleen de grootse meubelstukken stonden er nog. Hoe meer hij zag, hoe eenzamer hij zich voelde, als een vreemdeling die ergens liep waar hij niet hoorde te zijn.

Tharin voelde dat aan, want hij sloeg een arm om Tobins schouders en zei: 'Kom maar mee naar beneden. Daar is een plekje dat je waarschijnlijk meer aanspreekt.'

Ze liepen de hal door en toen een gangetje in naar een knusse slaapkamer met donkere panelen waar zijn vader vaak geslapen moest hebben.

Rhius was er in geen maanden geweest en zou er ook nooit meer terugkeren, maar toch had deze kamer iets levendigs over zich. De zware donkerrode bedgordijnen waren hetzelfde als die op de burcht. Een paar bekende schoenen stonden op een kist. Een half afgeschreven brief met een krullerig handschrift lag op het schrijftafeltje naast een ivoren portretje van Tobin. Tobin ademde het mengsel van geuren in: zegellak, geolied leer, roest, kruiden en zijn vaders eigen mannelijke lucht. Op een plank bij het schrijftafeltje ontdekte Tobin een deel van zijn wassen en houten beeldjes – die hij zijn vader door de jaren heen cadeau had gedaan – netjes op een rij, precies zoals Tobin zijn vaders geschenken bewaard had.

Plotseling golfde de pijn en het verdriet dat hij zo lang weg had kunnen stoppen over hem heen. Hij kneep zijn lippen op elkaar, maar de hete tranen kwamen toch en verblindden hem toen hij ineenzakte. Sterke armen werden om hem heen geslagen; niet van zijn vader, maar van Tharin die hem stevig vasthield en hem op de rug klopte. Op zijn andere schouder lag een andere hand, en deze keer schaamde hij zich er niet meer voor dat Ki hem op een zwak moment zag. Nu geloofde hij hem eindelijk: zelfs strijders moesten rouwen.

Hij snikte tot zijn borst er pijn van deed en zijn neus liep, maar uiteindelijk voelde hij zich heel wat lichter, bevrijd van een treurige last die hij zo lang gedragen had. Hij trok zich terug uit hun armen en veegde zijn neus aan zijn mouw af. 'Ik zal mijn vader eer aandoen,' zei hij en hij keek dankbaar de kamer rond. 'In zijn naam zal ik de strijd aanbinden en net zo'n groot strijder worden als hij.'

'Dat wist hij,' zei Tharin. 'Hij straalde altijd van trots als hij het over jou had.'

'Mag ik in deze kamer slapen als ik hier ben?'

'Dat hoef je niet te vragen, Tobin. Het is allemaal van jou.'

'En dragen Koni en de anderen daarom andere uniformen?'

'Ja. Je bent de enige erfgenaam van je ouders, daarom erf je de stand van je moeder en al je vaders leengoederen worden van jou.'

'Leengoederen,' mijmerde Tobin. 'Welke zijn dat precies?'

Tharin maakte een kast open en nam daar een kaart uit. Tobin herkende de omtrek van het Skalaanse schiereiland en de noordelijke gewesten. Een kroontje op de oostkust gaf Ero aan. Hij had wel vaker zulke kaarten gezien, maar op deze waren meerdere plaatsen met rode inkt aangegeven. Atyion lag in het noorden en Cirna was een stip op de smalle strook die Skala met het vasteland verbond. Er waren rode stippen in de gewesten en over de bergen aan de noordwestelijke kustlijn waar haast geen andere plaatsen lagen. Welke zou Ki het leukste vinden, vroeg hij zich af.

'Deze worden allemaal door de Kroon beheerd, tot je meerderjarig bent natuurlijk,' zei Tharin en hij keek peinzend naar de kaart.

'Maak je je daar zorgen over?'

'Ja, maar we hoeven ons daar het hoofd nog niet over te breken.' Tharin glimlachte moeizaam toen hij de kaart wegborg. 'Kom mijn kamer maar bekijken.'

De volgende deur in het gangetje was van Tharins kamer.

Deze kamer was sober op het ascetische af, met gewitte wanden en streng meubilair. Tharins enige frivoliteiten waren een indrukwekkende verzameling wapens die aan één van de wanden hing, bijeengegaard op vele slagvelden, en een verzameling van Tobins figuurtjes op een tafel bij het raam. Tobin liep ernaar toe en pakte een niet helemaal juist geproportioneerd mannetje met een houten splinterzwaard in zijn ene gebalde vuist op. Hij trok zijn neus op. 'Ik weet nog dat ik deze maakte; ik wilde hem weggooien.'

Tharin grinnikte vriendelijk. 'En ik redde hem; het is het enige portret dat ooit van me gemaakt is. Die andere heb ik van je gekregen, weet je nog?' Hij haalde het ruwhouten Sakorpaardje aan een touwtje tevoorschijn uit de hals van zijn tuniek. 'Dit is de eerste die je ooit voor me maakte. Alle andere mannen hebben er ook een. Ze brengen geluk.'

'Je zou hem een nieuwe moeten vragen,' lachte Ki. 'Hij kan het nu stukken beter.'

Tharin schudde het hoofd. 'Het was een geschenk uit het hart. Ik zou dit beestje nog niet voor alle paarden van Atyion willen ruilen.'

'Wanneer mag ik nu eens naar Atyion?' vroeg Tobin. 'Ik hoor er al mijn hele leven verhalen over. Zelfs Ki is er al eens geweest, en ik nog nooit! En Cirna en de andere kastelen en landerijen?'

Weer keek Tharin peinzend voor zich uit. 'Daar moet je toestemming van heer Orun voor hebben,' zei hij. 'Hij regelt alle reizen buiten de stad.'

'O.' Tobin deed geen moeite zijn lange gezicht te verbergen. 'Wanneer zou de koning weer terugkomen? Ik wil hem om een nieuwe voogd vragen voor hij weer vertrekt. Kan me niet schelen hoe rijk of machtig Orun is, maar ik walg van die man!'

'Tja, daar wilde ik het al eerder met je over hebben. En daarom heb ik je vandaag hier mee naartoe genomen.' Tharin sloot de deur, leunde er tegenaan en wreef met zijn hand over zijn stoppelbaard.

'Je bent jong, Tobin, en je hebt geen ervaring met het hofleven. Ondanks dat ben je een flinke knul geworden, maar nu je hier toch bent, kan het allicht tegen je werken dat je niet weet hoe het hoort. Illior weet dat het allemaal heel plotseling kwam dat je hiernaartoe moest komen. Maar nu we hier op deze manier ingedeeld zijn, jullie daar, ik in een andere hoek van de Ring, zijn er een paar dingen die je goed moet begrijpen. Ik heb je vader gezworen dat ik over je zou waken, en ik ken niemand anders die je dit beter kan vertellen dan ik. Ki, luister je ook, en denk eraan dat je je mond houdt.'

Hij gebaarde dat de jongens op de rand van het bed moesten gaan zitten en trok een stoel bij.

'Ik heb het ook niet zo op heer Orun, maar dat moet onder ons blijven. Hij is een vriend van de koning en een van zijn hoogste ministers, dus zou het niet zo verstandig zijn als de koning meteen je oordeel over Orun hoort wanneer hij je ontmoet. Begrepen?'

Tobin knikte. 'Korin zegt dat ik voorzichtig moet zijn, omdat hij een machtig man is.'

'Dat klopt. Aan het hof moet je altijd minder zeggen dan je denkt en de waarheid spreken voorzover je dat te pas komt. Ik ben bang dat we je zo niet hebben opgevoed, maar je kon altijd nogal goed geheimen bewaren. Wat Ki betreft...'

Ki bloosde. 'Ik voel 'm al. Ik doe mijn mond op slot.'

'Het is voor Tobin. Nu, het kost me nogal wat om het te zeggen, maar ik wil dat jullie allebei zo goed mogelijk met heer Orun omgaan zolang dat nodig is.'

'Het lijkt wel of je bang voor hem bent!' flapte Ki eruit.

'Zo kun je het noemen. Orun was al een machtig heerschap toen Rhius en ik Gezellen waren. Hij was slechts de derde zoon van een hertog, maar zijn vader was rijk en de waanzinnige koningin luisterde naar hem. Ik wil niet oneerbiedig zijn, Tobin, maar je grootmoeder was zo gek als een deur en het lukte Orun toch om er levend en met flink wat macht vandaan te komen. Erius mag hem ook graag en dat zul je van mij en van je vader nooit kunnen beweren. Dus als je Orun tegen je hebt, kom je er niet ongeschonden vanaf. Jaag hem niet tegen je in het harnas. En...' Hij zweeg even, alsof hij niet zeker wist hoe hij het moest brengen.

'Nou ja, als een van jullie tweeën last met hem krijgt, kom dan meteen naar me toe. Dat moeten jullie beloven.'

'Je weet heus wel dat we dat doen,' antwoordde Tobin, al leek het of

Tharin het meer voor Ki dan voor hem had bedoeld.

Er werd op de deur geklopt en Tharin moest een koerier ontvangen die net was aangekomen. Tobin dacht even na over wat hij zojuist had gehoord, en stond toen op om naar de hal te lopen. Toen hij door het gangetje liep, pakte Ki hem bij zijn schouder. 'Ik denk dat onze vriend hier is. Sinds we boven zijn voel ik hem om me heen.'

Tobin draaide zich verrast om, toen hij bedacht dat Ki Broer bedoelde. 'Voel je hem echt?' fluisterde hij terug. Hij was Broer boven kwijtgeraakt en had hem sindsdien niet meer gezien.

'Soms. Klopt het?'

Tobin keek rond en ja hoor, Broer stond achter hen en wenkte Tobin om hem te volgen in de richting waar ze net vandaan waren gekomen. 'Ja, hij is daar. Maar ik heb hem niet geroepen.'

'Waarom zou hij zich hier dan anders gedragen?' mompelde Ki.

Ze volgden Broer door een reeks steeds nauwere gangetjes naar een kleine, vervallen binnenplaats, omgeven door een hoge muur. Er lag hier een verwilderde moestuin, en het bemoste dak van de stenen oven was jaren geleden ingestort en nooit gerepareerd. In het midden van het plaatsje stond een grote, dode kastanjeboom. Zijn kronkelige takken strekten hun gebroken vingers over de binnenplaats uit als een enorm net, grijs en grillig tegen de blauwe lucht. Zijn knobbelige wortels kwamen hier en daar uit de aarde naar boven als slangen die een weg over de grond zochten.

'Zie je hem nog?' fluisterde Ki.

Tobin knikte. Broer zat aan de voet van de boom tussen twee dikke wortels. Zijn benen had hij tegen zijn lichaam opgetrokken en zijn hoofd rustte op zijn knieën. Verward zwart haar hing naar beneden en bedekte zijn gezicht. Hij zag er zo verloren uit dat Tobin dichterbij kroop, en zich afvroeg wat er aan de hand kon zijn. Hij was nog maar twee voet van hem verwijderd toen de geest opeens een betraand gezicht ophief en met een schor, triest stemmetje dat Tobin nog nooit had gehoord zei: 'Dit is de plaats.' En weg was hij weer.

Perplex staarde Tobin naar de boom, zijn hoofd brekend over wat er zo bijzonder aan de boom kon zijn. Zijn houding op het bed had hij inmiddels begrepen; Broer was daar doodgeboren op terechtgekomen en hij leek zich dat te herinneren. Maar waarom zou hij zich dit plaatsje, deze boom herinneren? Hij keek weer naar de plek waar Broer gezeten had en zag een kleine opening tussen de wortels. Hij hurkte neer en bekeek het gat nauwkeuriger. De opening was groter dan hij dacht; bijna een halve voet breed en diep. Het deed Tobin denken aan de holletjes in het bos waarin hij zijn pop eventueel had willen verstoppen.

De grond was hier zanderig en hard, zo direct onder de boom. Nieuwsgierig reikte hij met zijn hand naar binnen om te zien of het daaronder net zo droog was als boven.

'Pas op, er kunnen slangen in zitten,' waarschuwde Ki, die naast hem hurkte.

Het was binnen ruimer dan hij gedacht had, groot genoeg voor de pop als hij hem door het gat kon krijgen. Zijn vingers vonden geen slangen, alleen een paar scherpe kastanjebolsters onder wat dood blad. Toen hij zijn hand wilde terugtrekken, voelde hij echter een glad dingetje. Hij tastte nog eens, en kreeg er genoeg grip op om het uit de aarde los te wurmen. Toen hij hem eruit haalde zag hij dat het een gouden ring met een bewerkte steen was, zoals heer Orun hem had gegeven. Hij wreef hem schoon aan zijn mouw. De grote platte steen was net zo dieppaars als het binnenste van een iris. In de steen waren de profielen van een man en een vrouw gekerfd, naast elkaar, met die van de vrouw op de voorgrond.

'Bij de Vlam, Tobin, is dat niet je vader?' vroeg Ki die over zijn schouder gluurde.

'En mijn moeder.' Tobin draaide de ring om en vond een A en een R in het goud achter de steen gegraveerd.

'Ik mag een boon wezen als Broer niet wilde dat jij hem vond. Ligt er misschien nog wat?'

Tobin voelde nog een keer, maar er lag niets bijzonders meer.

'O, hier zitten jullie!' riep Tharin die het plaatsje op stapte. 'Wat zitten jullie op die vieze grond te doen?'

'Kijk maar eens wat Tobin onder die dooie boom heeft gevonden,' zei Ki. Tobin liet hem de ring zien en Tharin zette grote ogen op. 'Dat is jaren geleden...Hoe is die hier terechtgekomen?'

'Was hij van mijn moeder?'

De lange kapitein knielde neer, pakte de ring van hem aan en staarde naar de twee profielen op de steen. 'O, ja. Het was haar lievelingsring die je vader haar gegeven had toen hij zich met haar wilde verloven. Het is werk van Aurënfaiers. We zeilden meteen naar Virésse, want hij wilde de beste graveurs voor dit werkje hebben. Ik herinner me nog hoe ze keek... We merkten dat hij zoek was toen ze ziek werd, net als een stel andere zaken trouwens.' Hij keek naar het gat. 'Hoe zou hij hier terecht zijn gekomen? Nou ja, doet er niet toe. Hij is gevonden en hij behoort jou toe. Ik zou hem maar dragen als herinnering aan hen.'

Hij was te groot voor Tobins ringvinger dus hing hij hem aan het gouden kettinkje waaraan zijn vaders zegelring hing, en keek nog een keer naar de profieltjes. Zijn ouders zagen er jong en knap uit, zeker niet als de gekwelde mensen die hij gekend had.

Tharin nam de ringen in zijn handpalm. 'Nu kun je iets van hen beiden dicht bij je hart dragen.'

43

De weken die volgden gleden in een glinsterend waas voorbij. Het leven in de burcht had de jongens niet voorbereid op een gezelschap als dit, al wilde geen van beiden dit aan de ander toegeven.

Elke morgen renden de Gezellen in looppas naar de tempel om hun offergaven te brengen en gingen dan onder Porions bezielende leiding tot halverwege de middag hard aan de slag op het oefenveld.

Hier staken Ki en Tobin tenminste boven de rest uit. Porion was een strenge meester, maar hij deelde net zo makkelijk pluimpjes als standjes uit. Hij leerde de Gezellen de fijne kneepjes van het werken met een beukelaarschild en hoe je te paard vocht en schoot, maar ze leerden ook speer en bijl hanteren, en ze worstelden en vochten met messen.

'Jullie edele heren zullen de dag dan wel in het zadel beginnen, maar alleen Sakor weet hoe lang je daarin zult blijven,' vertelde Porion hun grijnzend en hij paste een hele reeks methodes toe om hen op een vrij ontnuchterende manier uit het zadel te wippen.

Na de oefeningen op het veld mochten de knapen zich amuseren en doen waar ze zin in hadden tot ze naar de eetzaal gingen. Soms reden ze de stad in om een wagenspel of acrobaten te zien, of om hun favoriete handwerkslieden en kleermakers te bezoeken. En soms trokken ze de heuvels in om te jagen of met hun valk te werken, of naar zee om te zwemmen in die laatste warme dagen van de zomer.

Tijdens die geneugten werden ze gewoonlijk vergezeld door een groep jonge edelen, en soms ook minder jonge. Heer Orun ging regelmatig met hen op stap, met zijn eigen clubje geparfumeerde heren met oorhangers, die nog geen dag op het slagveld hadden doorgebracht. Vrouwen en meisjes reden meestal ook mee.

Ki had al snel door dat meisjes zoals de knappe Aliya en haar vriendinnen niet binnen zijn bereik lagen en dat een aardig gezichtje niet noodzakelijkerwijs een aardig hart betekende. Aliya was Albens nichtje en bleek net zo hatelijk als haar familielid. Kroonprins Korin mocht Aliya desondanks graag en dankzij het roddelcircuit van de schildknapen kwam Ki al gauw te weten dat ze een van zijn maîtresses was en regelmatig het bed met hem deelde, omdat Korin hoopte dat ze hem een erfgenaam zou schenken, zodat hij zich eindelijk in de strijd kon werpen. Wat de koning daarvan zou zeggen, daar had men het maar liever niet over.

Er waren echter meer dan genoeg meisjes bij wie Ki tijdens het flirten zijn beste beentje voor zette. Vooral Mekhari had hem verschillende aanmoedigende blikken toegeworpen terwijl ze probeerde hem wat danspasjes bij te brengen. Zo handig als hij en Tobin op het oefenveld waren, zo onhandig waren ze op de dansvloer, laat staan dat ze een muziekinstrument bespeelden, en al Arkoniëls pogingen ten spijt zongen ze nog steeds als een stel schorre kraaien. Zij die hun vijandig gezind waren genoten van hun gebrek aan sociale en artistieke vaardigheden en deden hun best hen uit te nodigen voor allerlei gelegenheden waarbij ze zichzelf voor schut zouden zetten.

Het lukte Tobin zijn tekortkomingen goed te maken door op een avond, waarop hij zich mateloos verveelde, een van zijn figuurtjes uit een blok kaas te snijden. Al spoedig dromden de meisjes om hem heen om bedeltjes en speeltjes voor hen te maken, waarvoor hij als dank kussen en andere gunsten tegemoet kon zien. Tobin wees betaling bescheiden van de hand terwijl hij blozend het ene na het andere beeldje te voorschijn toverde, blijkbaar niet wetend wat hij met die attenties aan moest.

Dit stelde Ki voor raadsels. Tobin was bijna twaalf en had zo langzamerhand meer dan genoeg uitleg over het hoe en waarom van meisjes van hem gekregen. Hij mocht dan misschien niet oud genoeg zijn om er al een te willen, maar daarom hoefde hij toch niet zo uit de hoogte te doen. Twee in het bijzonder leken hem lastig te vallen. De bleke Lilyan, de zus van Urmanis, flirtte als een dolle met hem, al was Ki er zeker van dat ze het alleen deed omdat ze wist dat ze hem hopeloos in verlegenheid bracht.

Maar de andere aanbidster, een slanke brunette die Una heette, was een geval apart. Ze kon goed met de boog overweg, reed en joeg uitstekend en was nogal rustig in de omgang wat Ki wel aardig vond, maar wat hem ook een beetje van zijn stuk bracht; ze kon je aankijken alsof ze je gedachten kon lezen en ze nog grappig vond ook. Maar in haar aanwezigheid was Tobin nog stunteliger en zwijgzamer dan bij de andere meisjes. Hij had haast een van zijn vingers afgesneden terwijl hij een katje voor haar uit een stukje hout sneed.

'Wat héb jij in Bilairy's naam!' gaf Ki hem op zijn donder, terwijl hij de jaap voor ze naar bed gingen in een bak koud water schoonmaakte. 'Volgens mij wil die Una niets liever dan dat je haar kust, maar je doet alsof ze een besmettelijke ziekte heeft!'

'Maar ik wíl haar helemaal niet kussen!' beet Tobin hem toe en hij trok zijn hand weg voor Ki hem kon verbinden. Hij stapte in bed en kroop onder de dekens zover van Ki weg als hij kon. Hij weigerde nog een woord tegen hem te zeggen.

Dat was de eerste keer dat Tobin echt kwaad op hem was geweest. Ki voelde zich zo ellendig dat hij de halve nacht wakker lag en zwoer Tobin nooit meer over meisjes lastig te vallen.

Hij had zo al genoeg aan zijn kop.

Prins Korin had sinds hun aankomst al verscheidene van zijn overvloedige banketten gegeven, liet ze organiseren wanneer hij er zin in had en dacht Porions misprijzen aan te kunnen. Hoewel dit voor Ki betekende dat hij geen tafeldienst had en zelf bediend werd, had hij er een hekel aan. Iedereen dronk veel meer, vooral Korin, en Ki mocht de kroonprins graag, maar niet als hij dronken was.

Tobin vond zijn neef gewoon altijd aardig, maar Ki had niet zo veel op met Tobins oordeel. Ki vond Korin een slappeling die zich aan de anderen van het gezelschap aanpaste, wanneer hij dronken was in plaats van voor zijn eigen opvattingen uit te komen. Hij plaagde ook veel meer, waarbij hij niet inzag hoe kwetsend hij soms kon zijn.

En gekwetst werd er, al werd er gedaan of het maar een geintje was. De vaardigheid op het oefenveld had de oudere Gezellen jaloers gemaakt en Tobins vreemde gedrag die nacht in de troonzaal had een paar tongen in beroering gebracht. Maar het bleef bij besmuikt geroddel.

Toch dacht Ki vaak aan het begin van hun vriendschap, hoe vreemd hij Tobin toen had gevonden omdat die over geesten, heksen en tovenaars praatte, alsof het de gewoonste zaak van de wereld was. En soms kon hij je gedachten lezen zoals anderen het weer konden voorspellen door naar de wolken te kijken. Hij was dan wel een beetje veranderd sinds Ki in zijn leven was gekomen, maar hij had nog steeds van die oudemannetjesogen, en ging met edellieden en bedienden, hoge en lage standen op dezelfde manier om. Hij behandelde iedereen vriendelijk. Daar was Ki tijdens die rustige jaren op de burcht wel aan gewend geraakt. Maar hier tussen de andere heren bleek des te meer hoe ongewoon het was, en dat Tobin niet helemaal goed scheen te begrijpen wat belangrijk was.

Maar Ki had het wel door, net als de Gezellen – zelfs degenen die hem wel goedgezind waren. Tobin begreep niet dat Ki zich schaamde toen een dronken Korin hem gekscherend met een zwaard tot 'grasridder' had geslagen en hem voortaan 'heer' noemde. Hij mocht zoveel lessen van Arkoniël hebben gekregen en hij mocht nog zo netjes praten, iedereen hier wist wie zijn vader was en had gezien hoe hij zijn 'titel' had verdiend.

Nee, Tobin begreep niet hoe het in elkaar zat en Ki hield zijn mond, want dat had hij Tharin nu eenmaal beloofd. Trots als hij was vertelde hij ook Tharin niet wat hem dwarszat, al zochten ze hem zo vaak mogelijk op.

Hij hield zichzelf voor dat er toch ook leuke kanten aan de zaak waren. Tobin was als een slok zoet regenwater in een moeras en er waren genoeg mensen die goed met hem konden opschieten. Korin bijvoorbeeld, vooral als hij nuchter was, en ook de aardigsten onder de Gezellen; Caliël, Orneus, Nikides en kleine Lutha. Het gevolg was dat hun schildknapen ook beleefd tegen Ki waren, en met sommige raakte hij zelfs bevriend.

Daartegenover stonden Mago en zijn maten; Ki had al snel doorgehad dat zij iedere gelegenheid zouden aangrijpen om hem dwars te zitten. Ze lieten geen kans voorbijgaan hem eraan te herinneren dat hij een grasridder was, oftewel zoon van een heer die geen cent bezat. Als ze hem buiten het gehoor van de prins tegenkwamen – in de stallen, bij het baden, of zelfs als ze hem tijdens het oefenen met zwaarden in een hoek konden drijven – sisten ze het hem als slangen toe.

Tot overmaat van ramp was Moriël, de jongen wiens plaats Ki had ingenomen, dik bevriend met Mago, en hij was een neef van Quirions schildknaap Arius. Ki blokkeerde dus zijn wens om het via schildknaap tot Gezel te schoppen.

Er was iets helemaal mis, vond Ki. Korin leek ook niet op al zijn Gezellen gesteld, al werden ze door iedereen aangeprezen als een onbreekbaar verbond van de beste knapen uit het land, de elite die de generaals en adviseurs van de toekomstige koning zouden worden. Ki vond dat Korin zich het beste van een heel stel kon ontdoen wanneer hij oud genoeg was om zelf zijn beslissingen te nemen.

'Maar dat zijn mijn zaken niet,' herinnerde hij zichzelf eraan. Hij was

Tobins schildknaap en wat dat betreft was hij tevreden. De anderen konden zeggen wat ze wilden, daar zou niets tussen kunnen komen.

Dat dacht hij tenminste.

Rhythin liep ten einde en Ki kreeg vaardigheid in het bedienen aan tafel. Hij kon elk soort schotel gedurende een banket van twaalf gangen serveren zonder een druppel te knoeien, kende al het bestek en alle soorten borden en voelde zich een hele piet.

Die avond waren alleen de Gezellen en Porion in de eetzaal aanwezig. Tobin zat tussen de wapenmeester en Zusthra. Van de oudere jongen kon hij nog steeds niet goed hoogte krijgen; hij leek wat sloom, maar Porion behandelde hem met het grootste respect en dat was een goed teken voor Tobin.

Tobin was wat stil, maar leek het naar zijn zin te hebben. Korin dronk meer dan hij at en had het onophoudelijk over de laatste berichten uit Mycena. Blijkbaar had de koning de Plenimaranen een verpletterende nederlaag toegebracht en iedereen dronk op de overwinning. Naarmate ze zatter werden, werden ze ook chagrijniger, want de knapen waren ervan overtuigd dat er geen gevechten meer geleverd hoefden te worden als zij eindelijk aan de beurt kwamen.

Ki liep naar de keuken om nog meer gerechten te halen, en tegen de tijd dat hij terugkwam waren Caliël en Korin in een woordenstrijd verwikkeld waarom honden het niet op Tobin hadden begrepen en valken wel. Ki wenste ze geluk bij die discussie; zelfs Arkoniël had nooit een afdoende verklaring voor die hondenkwestie gehad. Ze hadden Tobins honden, die hij als geschenk gekregen had, weg moeten geven, maar met valken kon hij prima overweg. Caliël bracht heel wat tijd met hem door, en leerde Tobin alles over het aanbrengen van de huif over hun kop, riempjes aan hun poot en de verschillende fluitsignalen. Als dank had Tobin een prachtige ring van was in de vorm van een valk met gespreide vleugels gemaakt, en die aan een goudsmid gegeven om hem te laten gieten. Caliël was apetrots op de ring en alle Gezellen benijdden hem erom. Door dat succes was Tobin van houtsnijden overgestapt op sieraden ontwerpen en hun kamer lag vol schetsen en wasklompjes. Tobin kende inmiddels de helft van alle goudsmeden op de Palatijnse Heuvel en viel regelmatig binnen bij de graveurs van edelstenen oftewel gemmen. Korin noemde hem de Kunstenaarsprins.

Ki mijmerde vrolijk over deze zaken terwijl hij twee halflege sauskommen terug naar de keuken bracht. Hij was bijna bij de keukentafel toen

Mago en Arius hem in een hoek dreven. Hij keek snel om zich heen, maar Barieus was nergens te bekennen. De koks en keukenhulpjes waren allemaal druk bezig.

'Nee, we zijn helemaal alleen met zijn drietjes,' grijnsde Arius die raadde waar hij aan dacht. Hij gaf hem een por aan de ene kant en Mago gaf hem een peut met zijn elleboog tot hij geen kant meer uitkon. Ki kon nog net de sauskommen op tafel zetten voor ze overhelden en alles eruit liep.

'Goed gedaan, grasriddertje,' sneerde Arius.

Ki zuchtte en wachtte tot ze er genoeg van hadden en weer verdergingen met hun werk. Maar dat deden ze niet.

'Goed gedaan voor de zoon van een paardendief,' smaalde Mago die niet eens moeite deed zijn stem te dempen.

Ki voelde dat zijn gezicht begon te gloeien. 'Mijn vader is geen dief.'

'O nee?' Mago keek hem met grote ogen van verrassing aan. 'Nou, dan ben je toch die bastaard voor wie ik je altijd al gehouden heb. Die ouwe Larenth steelt de paarden van mijn oom al sinds ze in dezelfde streek wonen en iedereen weet dat. Hij zou je broertje Alon allang hebben opgehangen als hij niet halsoverkop de oorlog in was gevlucht.'

Ki stak zijn neus in de lucht en hield zijn gebalde vuisten tegen zijn dijen aangedrukt. 'Hij is geen dief! En mijn vader ook niet!'

'Dan is hij niet je vader,' zei Arius, net of hij een redelijk gesprek met hem wilde voeren. 'Kom op nou, koekoeksjong, of weet je soms niet wie je echte vader is?'

Het hinderde niets. Ki balde zijn vuisten zo stevig dat zijn nagels hem in de handpalmen drukten. Het ging om de eer. Hij mocht Tobin niet onteren door een driftaanval te krijgen.

'Wat doet een prins toch met zo'n grasriddertje als jij als schildknaap, vraag ik me wel eens af,' zei Mago.

Arius boog zich nog verder voorover. 'Ach, je weet toch wat ze over hém vertellen...'

Ki kon zijn oren haast niet geloven. Begonnen ze nu ook Tobin nog te beledigen? Beide jongens draaiden zich om en waren verdwenen voor de verbijsterde Ki iets terug had kunnen zeggen.

'Ki, sta daar niet te niksen, breng die pruimentaart naar binnen!' beet Chylnir hem toe die net binnenkwam.

Eer. Ki riep Tharins stem in zich op terwijl hij de zware schotel op zijn schouder zette. *Wat een schildknaap doet, weerspiegelt zich in de heer die hij dient. Houd dat altijd voor ogen, wat er ook gebeurt, dan doe je altijd het juiste.*

Hij kalmeerde altijd als hij aan Tharin dacht. Toen hij de eetzaal bereikte, konden Mago en Arius doodvallen en hij had er niet eens behoefte aan ze vernietigend aan te kijken.

In plaats daarvan kwamen al zijn woede en verontwaardiging tot uiting op de oefenvelden, niet alleen de volgende dag, maar alle dagen erna. Wanneer hij de kans kreeg nam hij plaats tegenover zijn vijanden bij het zwaardvechten of het worstelen en liet zijn lichaam voor zich spreken. De andere jongens waren ook goede vechters en hij won het niet altijd van ze, maar na een tijdje gingen ze hem toch liever uit de weg.

Hij en Tobin werden als besten van de groep gezien, op de oudere jongens na dan, en Ki vermoedde dat ze ook een paar van hen wel aan zouden kunnen, maar Porion wilde daar niets van weten. Het publiek stroomde toe als de nieuwe prins moest vechten. Een aantal schildknapen en zelfs Lutha begonnen eenvoudiger kleding op het oefenveld te dragen, al kon niets op tegen Tobins versleten kuras. Ki was het zelfs met Molay en heer Orun eens dat hij zijn kleding toch wel een beetje aan zijn stand moest aanpassen, maar Tobin deed of hij doof was. Hij droeg de duurste kleding met toeters en bellen bij festiviteiten en een rit door de stad, maar op het oefenveld was hij zo koppig als een ezel, zelfs toen hij de omstanders lachend hoorden grappen dat ze hem en Ki in dat kloffie niet uit elkaar konden houden. Eigenlijk voelde hij zich daar best trots op.

Pas veel later besefte Ki dat Tobin het best doorhad en geraakt werd door al die pesterijtjes die op hen gericht waren; maar hij had zijn eigen manier om terug te vechten.

44

De herfst brak aan met een reeks verschrikkelijke onweersbuien die vanaf zee binnendreven. Het bliksemde onophoudelijk en gebouwen en soms zelf mensen werden erdoor getroffen. De regen stroomde in watervallen van de daken, golfde door de straten en voerde het afval van een heel jaar terug naar zee.

Het slechte weer hield de Gezellen de hele dag binnen. Ze oefenden met hun zwaarden in de grote hal, joegen elkaar na in de gangen en dreven de edellieden die ze tegenkwamen tot wanhoop. Sommigen belandden dan ook nog in de visvijver.

Korin hield hof in zijn eigen hal, te midden van minstrelen en artiesten. Hij haalde steeds nieuwe groepen toneelspelers binnen en eiste om het uur verslag over de strijd in het buitenland. En hij dronk.

Ki en Tobin spanden zich bezweet in om een nieuwe dans onder de knie te krijgen toen een page van heer Orun met een gele livrei onder zijn druipende mantel in de zaal verscheen en voor prins Korin bleef staan.

'Neef!' riep Korin tegen Tobin. 'Je voogd wil dat we hem vanmiddag gezelschap houden. Daar kunnen we niet onderuit. Jij ook, Caliël. Ik weet zeker dat Orun nog wel een stoeltje voor jou heeft.'

'Verdikkeme,' zuchtte Ki.

'Je zult hier hoe dan ook meer lol hebben dan daar,' gromde Tobin. 'Wat wil hij nu weer van me? Ik was er drie dagen geleden nog.'

Onafgebroken verschenen er die regenachtige middag steeds nieuwe koeriers die weer andere jongens wegriepen. Opperkanselier Hylus liet Nikides halen, die Ruan met zich meenam. Lutha lag ziek in zijn kamer en Barieus verzorgde hem. Het zag ernaar uit dat Ki zich met Mago en zijn maten zou moeten vermaken, maar daar had hij toevallig geen zin in.

Hij ging naar hun kamer, maar Molay had alles al opgeruimd, dus was er ook weinig te doen. Zelfs Tobins werkbankje was voor de verandering eens geen chaos. Hij besloot een ritje te maken, al regende het pijpenstelen. Met oude laarzen aan en een dikke mantel om vertrok hij naar de stallen. 'Zal ik vragen of uw paard gezadeld wordt, heer Ki?' riep Baldus hem na.

'Nee hoor,' antwoordde Ki die blij was met de wandeling naar het stallencomplex na de hele dag verplicht binnen te zijn gebleven.

De regen begon iets te minderen, maar een straffe wind blies zijn mantel om zijn benen toen hij de beschutting van de paleistuin verliet. Zijn laarzen waren spoedig doorweekt, maar het kon hem niet schelen. Het ranselen van de wind en de koude, doordringende zeelucht lieten zijn bloed sneller stromen en zijn hart sprong op. Hij hief zijn gezicht en liet de wind erlangs stromen. Het was nog licht genoeg; misschien kon hij Tharin overhalen een ritje langs de kust te maken.

De stallen waren verlaten, op de paar paardenknechts en staljongens na. Ze kenden hem en bogen terwijl hij in de zure stank van de mesthokken langsliep. Honderd glanzende rompen stonden aan beide zijden van de gang; Draak en Gosi stonden halverwege de linkerkant.

Hij was nog niet ver gekomen toen hij merkte dat hij hier helemaal niet alleen was.

Hij draaide zich om en Mago en Arius bleken achter hem aan te slenteren. Het geluid van de storm had hen de kans gegeven hem onopgemerkt vanuit het paleis te volgen. Dat en zijn eigen onoplettendheid dacht hij, en de moed zonk hem in de schoenen. Geen paardenknecht in zicht natuurlijk. Die hadden ze zeker omgekocht.

'Kijk nou 'ns wie we daar hebben: de grasridder,' riep Mago jolig uit. 'En hoe gaat het met u op deze schitterende middag?'

'Prima, op het gezelschap na dan,' was het weerwoord. Ze zouden hem niet laten gaan, zoveel was duidelijk. Aan het andere eind van de stal was een deur, maar dat betekende dat hij met zijn staart tussen zijn benen zou wegrennen, en dat was hem ook te min. Liever in elkaar geslagen worden, al zouden zelfs zij toch niet zo stom zijn.

'Ik dacht dat het jou niet zoveel uitmaakte in welk gezelschap je verkeert,' zei Arius draaiend aan een zware ring om zijn vinger. 'Je hebt zo lang in die door ratten bezeken oude burcht van de hertog gewoond, met een geest en Tharins naar mest stinkende boerensoldaten. En nou kan ik het haast niet geloven...' Arius hield niet op de ring rond te draaien. 'Maar misschien kan jij het me vertellen, want jij hebt er tenslotte gewoond. Is het waar wat ze over heer Rhius en Tharin zeggen? Jij als schildknaap van zijn zoon zou daar toch wel iets van gemerkt moeten hebben.'

Het bloed begon in Ki's oren te bonzen. Hij had geen flauw idee waarover Arius het had, maar de manier waarop hij het zei was al beledigend genoeg.

'Misschien is het erfelijk, net als waanzinnigheid,' viel Mago met een vilein glimlachje in. 'Doen Tobin en jij het soms ook?'

Ki begon te voelen waar Mago op doelde en hij verkilde meteen. Niet om de daad waarover ze het hadden, maar om de gedachte dat deze twee puisterige klootzakken twee heren door hun gore opmerkingen met modder besmeurden, en Tobin erbij.

'Dat neem je terug,' gromde hij en hij deed een stap naar Mago toe.

'Waarom zou ik? Jullie slapen toch in één bed? Dat hebben we allemaal gezien toen we naar de oude troonzaal gingen.'

'Dat doet iedereen waar ik vandaan kom,' zei Ki.

'En we weten allemaal waar jij vandaan komt, hè, grasriddertje?' zei Arius.

'Twee in één bed,' zei Mago peinzend. 'Heer Orun vertelde me dat Tharin zich van achteren liet nemen. En jij? Stopt Tobin hem...'

Ki's vuist schoot uit voor hij er ook maar een gedachte aan had gewijd. Hij kon die woorden alleen niet aanhoren en op het moment dat zijn vuist de neus van de oudere schildknaap raakte, voelde hij zich even geweldig. Mago vloekte erop los toen hij met zijn rug in de verse paardenmest terechtkwam, terwijl het bloed uit zijn neus spoot. Arius greep Ki bij de arm en riep om hulp, maar Ki schudde hem af en liet het stel alleen.

Zijn jubelstemming duurde maar kort. Tegen de tijd dat hij bij de deur aan het andere eind van de stal was, begreep hij dat hij een ernstige fout gemaakt had en begon te rennen. Hij wist dat er maar één plaats was waar hij heen kon gaan. Niemand kwam hem achterna.

Hij had Tobins eer geschonden, raasde het door zijn hoofd toen hij besefte wat een vreselijke blunder hij had begaan. Zowel Tharins als Tobins eer was aangetast. Om over zijn eigen eer maar niet te spreken. En hij begon zijn kwelgeesten voor rotte vis uit te maken, want Korin had gelijk gehad: rot waren ze en rot zouden ze blijven. Vuilbekken met weke handjes; gluiperige gladakkers als zij zouden het op het slagveld nog geen dag tussen de echte strijders uithouden. Maar dat veranderde niets aan het feit dat hij Tobin onteerd had. En het ergste moest nog komen.

De wolken braken open, de regen viel striemend neer en Ki rende maar door.

Tobin had een hekel aan de bezoekjes aan heer Oruns huis. De kamers waren te warm, het eten te zoet, en de bedienden – een stelletje kruiperige jongelingen die met ontblote bovenlijven rondliepen – overdreven gedienstig. Orun stond erop dat Tobin naast hem zat en van zijn bord mee at. De aanblik van de vettige rimpelige worstvingertjes benam hem meestal alle trek.

Vandaag was het nog een graadje erger. Tobin had al sinds hij opstond barstende hoofdpijn en hij had een rare pijn in zijn onderbuik waardoor hij zich vreemd moe voelde. Hij had die middag een dutje willen doen zodat hij 's avonds weer in vorm zou zijn, tot zijn plannen op deze manier gedwarsboomd werden.

Orun nodigde ook altijd Moriël uit. Hoewel Tobin hem nog steeds niet echt mocht, moest hij toegeven dat de bleke jongeman erg zijn best deed om aardig te zijn wanneer ze zoals nu in hetzelfde schuitje zaten. Maar iedereen leek het aan Oruns dis altijd heel gezellig te vinden.

Er waren dertig edellieden uit het hele land aanwezig en de ereplaats, aan Tobins linkerzijde, was voorbehouden aan de magiër van de koning, heer Niryn. Tussen de gangen door vermaakte hij het gezelschap met grappige trucs en illusies, zoals een gevulde kapoen te laten dansen, of sauskommen als schepen in een haven rond te laten varen. Tobin zag hoe Korin en Caliël met hun ogen rolden van ellende.

Hij zuchtte en zakte een beetje onderuit. Die magie van Niryn was nog stompzinniger dan die van Arkoniël.

Het lukte Ki zich in te houden toen Uliës hem binnenliet en hem naar de hal bracht. Tharin zat in zijn hemdsmouwen bij het vuur. Koni en een stel andere soldaten zaten in de buurt te dobbelen of repareerden een hoofdstel en ander paardentuig. Ze begroetten Ki zoals gewoonlijk, maar Tharin fronste zijn voorhoofd zodra hij hem zag.

'Wat is er aan de hand?' vroeg hij.

'Kan ik je onder vier ogen spreken?'

Tharin knikte en nam hem mee naar zijn kamer. Hij sloot de deur, draaide zich om en vroeg: 'Wat is er gebeurd?'

Ki had wel tien verschillende manieren om het voorval uit te leggen gerepeteerd op weg hierheen, maar nu leek zijn tong wel vastgelijmd aan zijn verhemelte.

Er was geen vuur en het was ijskoud in de kamer. Rillend van de kou luisterde hij naar de druppels die uit zijn doorweekte mantel lekten terwijl hij naar woorden zocht.

Tharin ging op een stoel naast het bed zitten en gebaarde Ki bij hem te komen. 'Vertel het nou maar, kom op.'

Ki deed zijn natte mantel uit en liet hem op de grond glijden; hijzelf knielde aan Tharins voeten. 'Ik heb Tobin en mezelf onteerd,' bracht hij tenslotte uit, terwijl de tranen van schaamte hem over zijn wangen biggelden. 'Ik heb een andere schildknaap een bloedneus geslagen. In de stallen. Daarnet.'

Tharins bleekblauwe ogen keken hem verontrust aan. 'Wie was het?'

'Mago.'

'Waarom?'

'Hij zei dingen tegen me.'

'Beledigende dingen?'

'Ja.'

'Waren er getuigen?'

'Alleen Arius.'

Tharin snoof verachtelijk. 'Dat arrogante pestkereltje. Nou, voor de draad ermee. Wat zei hij waarvoor je niet weg kon lopen.'

Ki ging rechtop staan. 'Ik ben voor zoveel weggelopen! Sinds we hier zijn noemen ze me grasridder en bastaard en zoon van een paardendief. En elke keer draaide ik me om. Maar nu was ik alleen in de stallen en ze stonden tegenover me en ze... ze...'

Hij verkrampte bij de gedachte te moeten herhalen wat ze over Tharin hadden gezegd. 'Ze beledigden Tobin. En hertog Rhius. En jou. Ze vertelden allemaal gore leugens en ik werd zo woedend en ik sloeg Mago. Toen ben ik hierheen gerend.' Hij liet het hoofd hangen, en wou dat hij dood was; dan was het allemaal voorbij. 'Wat moet ik nu beginnen, Tharin?'

'Je krijgt morgen je straf zoals iedere andere schildknaap. Maar nu wil ik eerst horen wat ze zeiden dat je zo kwaad werd dat je je niet kon inhouden. En waarom die andere dingen je minder pijn deden. Laten we daar maar mee beginnen.'

Tharin trok Ki op bij zijn schouders, zette hem op het bed en schonk een kleine beker wijn voor hem in. Ki nam een grote slok en rilde toen zijn maag plotseling heel warm werd. 'Ik weet het niet. Misschien omdat het merendeel van wat hij zei over mij en mijn familie natuurlijk waar was. Ik bén een grasridder, maar voor Tobin maakt dat niets uit, en voor jou en Porion ook niet, dus dat raakt me niet zo. En ik wéét dat ik geen bastaard ben. En dat over mijn vader? Daar weet ik niks van. Misschien is hij een paardendief, maar Tobin maakt dat niets uit, zolang ik er geen ben... En dat ben ik niet! Dus dat kon ik allemaal wel hebben.'

'En wat kon je dan beslist niet hebben?'

Ki hield de beker met beide handen stevig vast. 'Mago zei dat heer Orun hem had verteld dat jij en hertog Rhius... Dat jij...' Hij kon het niet uitspreken.

'Dat we bedgenoten waren toen we jong waren? Minnaars?'

Ki staarde mismoedig in de rode diepten van zijn beker. 'Hij zei dat Tobin en ik het ook deden. Maar zo zei hij het niet – zoals jij het zei.'

Tharin zuchtte, maar Ki merkte dat hij kwaad was. 'Nee, dat zal wel niet.'

'Dat doen Tobin en ik niet!'

'Ik heb ook nooit gedacht dat het zo was. Maar het komt wel vaker voor tussen jonge strijders, en ook tussen anderen. Ik zou Mago het een en ander over zijn eigen vader kunnen vertellen zodat hij nooit meer een mond tegen jou zou durven opendoen. Voor sommigen is het iets wat voorbijgaat. Anderen blijven hun hele leven lang bij mannen rondhangen. Bij Rhius ging het voorbij.'

Hij pakte Ki bij zijn kin zodat hij hem in zijn ogen kon kijken. 'Ik zou het je allemaal zo verteld hebben als je het me gevraagd had. Het is niet oneervol als het iets tussen vrienden is, en anders zou half Ero zich nu kapot moeten schamen, inclusief een paar Gezellen, als je het mij vraagt.'

Ki was met stomheid geslagen.

'Dus hier plaagden ze je mee en dit kon je niet over je kant laten gaan?'

Ki knikte.

'Ze wroetten gewoon in de rondte tot ze de zwakke plek gevonden hadden waarmee ze je konden ophitsen. Nou, jij bent er mooi klaar mee. Wat me het meest interesseert is dat Mago zei dat hij het van heer Orun had, Tobins eigen voogd. Ik denk dat het niet Oruns bedoeling was dat dat verder verteld werd.'

'Maar waarom zou hij het Mago dan verteld hebben?'

'Gebruik die hersens van je, jongen. Wie wilde Moriël als Tobins schildknaap? Wie heeft geen enkel voordeel van jou sinds je hier bent? Wie kreeg het lid op de neus toen Porion Moriël uit de kring van Gezellen verdreef omdat jij erbij moest?'

'Orun.'

'Bij wie heeft Tobin toevallig een dineetje vanavond?'

Ki liet de beker vallen en sprong overeind. 'O goden! Kan hij me ontslaan? Ik heb mezelf laten ontslaan hè? Ouwe Schijtebroek zal me meteen de laan uitsturen!'

'Hij kan je niet de laan uitsturen, niet zomaar. Maar misschien denkt hij dat Tobin jou geen discipline kan bijbrengen zoals het hoort, en dat stelt jullie allebei in een kwaad daglicht. Misschien hoopt hij zoiets te kunnen meedelen in zijn volgende rapportage aan de koning.'

'Maar waarom? Wat maakt het Orun nou uit wie Tobins schildknaap is?'

'Wie is er constant in Tobins nabijheid? Wie zou Orun nu beter als spion kunnen gebruiken dan de schildknaap van de prins?'

'Wil Orun hem dan kwaad doen?'

'Nee, het betekent dat hij hem in zijn macht wil hebben. En wie heeft Orun in zijn macht, denk je?'

'De koning?' fluisterde Ki.

'Precies. Je bent er te jong voor, Ki, maar nu ze achter je aan zitten, moet je het weten. We staan met zijn allen op een groot speelbord, en de pot bestaat uit Atyion en alle andere gebieden en rijkdommen die Tobin erft. Jij en ik zijn de pionnen rond Tobin en ze willen ons van het bord vegen.'

'Maar Tobin is toch trouw aan de koning? Hij wil hem alleen maar steunen in de strijd. Waarom kan Erius hem niet met rust laten?'

'Ja, daar ben ik ook nog niet helemaal achter. Maar dat hoeven wij niet uit te zoeken, we hoeven hem alleen maar te beschermen en achter hem te staan. En daarom moet je Tobin beslist zien te overtuigen dat hij je morgen een flinke afranseling geeft. En je moet hem ook vertellen wat Mago zei.'

'Nee.' Ki klemde zijn kaken op elkaar. 'Ik weet wel dat wat jij me verteld hebt de ware gang van zaken is, maar ik wil niet dat Tobin weet dat een of andere schildknaap op zo'n manier over hem en zijn familie praat.'

'En toch moet het gebeuren, Ki. Je zult worden voorgeleid omdat Porion de strafmaat moet bepalen, en hij zal ook vragen stellen.'

'Maar dan zal iedereen het weten!'

'Waarschijnlijk wel.'

'Dat doe ik niet, Tharin. Dat gaat me veel te ver! Sommigen maken hem al achter zijn rug om belachelijk vanwege mij en omdat hij geesten ziet. Ik heb geen idee wat Tobin zou doen als het allemaal uitkwam. Hij is niet zoals wij. Dat weet jij ook wel.' Ki stond weer te trillen op zijn benen. 'En dat zou ik ook niet willen ook. Ik houd van hem zoals hij is. Dus je zult me dit op mijn manier moeten laten doen en ik beloof je dat heer Orun nooit meer een woord over mij aan de koning zal hoeven schrijven. Ik zeg wel dat het vanwege de belediging van mijn vader was en ik zal afgeranseld worden en dat is dan dat. Als Mago me als leugenaar te kijk wil zetten, zal hij moeten opbiechten wat hij werkelijk zei, en dat lijkt me niet waarschijnlijk. Niet waar Porion bij is in elk geval.'

Gespannen stond hij voor Tharin terwijl deze zijn gedachten over Ki's plan liet gaan; het was duidelijk dat hij er klaar voor was om er nog de hele nacht over te redetwisten, als het moest.

Maar Tharin knikte. 'Goed dan. Maar wees voorzichtig, mijn jongen. Sommige fouten, daar kom je nog wel onderuit; waarschijnlijk lukt het hier wel mee. Maar met andere kom je niet zo makkelijk weg. Eer, Ki, altijd weer die eer. Ik wil dat je veilig bent. Jullie allebei.'

Ki greep zijn hand, dankbaar als hij was. 'Ik zal het nooit meer vergeten. Ik zweer het.'

Er kwamen toneelspelers binnen nadat het feestmaal voorbij was, maar ze speelden een of ander romantisch verhaal dat Tobin niet begreep. Hij steunde met zijn kin op zijn hand en doezelde wat terwijl hij probeerde de steken in zijn buik te negeren, toen een boodschapper arriveerde en iets in Oruns oor fluisterde.

Orun klakte met zijn tong en boog zich naar Tobin. 'Hemeltje, het schijnt dat je schildknaapje iets heel naars heeft uitgehaald!'

Degenen die het gehoord hadden keken op. Korin was er een van, en Caliël ook.

Tobin stond op en maakte een haastige buiging. 'Heer Orun, het spijt me verschrikkelijk, maar wilt u mij alstublieft excuseren?'

'Als het zo dringend is... Maar persoonlijk zou ik mezelf niet zo druk maken.'

'Toch zou ik graag gaan.'

Tobin voelde aller ogen op zich gericht terwijl hij zich naar buiten haastte. De steken in zijn buik waren heviger dan ooit.

Baldus wachtte hem al op in de paleispoort en barstte in tranen uit zodra hij hem zag. 'Snel, prins Tobin! Meester Porion en de anderen zijn al in de Hal van de Gezellen. Ki heeft Mago geslagen!'

'O goden! Waarom?' vroeg Tobin geschokt toen ze de gang door liepen.

'Ik weet het niet, maar ik hoop dat hij al zijn tanden kwijt is!' riep de jongen snikkend. 'Hij is altijd zo gemeen tegen de pages.'

Een paar lampen aan één wand verlichtten de hal. Ki zat op een bank, en keek uitdagend voor zich uit. Porion stond nors naast hem.

Op een andere bank zaten Alben en Mago, die er evenmin vrolijk uitzag. De neus van de schildknaap was fiks opgezwollen en zijn lip was gespleten. Quirion en Arius stonden bij hen. De rest van de Gezellen stond in de houding aan een kant van de zaal.

'Hij heeft dit op zijn geweten!' schreeuwde Alben tegen Tobin en hij wees beschuldigend naar Ki.

'Zo is het wel genoeg,' beet Porion hem toe.

'Wat is er gebeurd?' vroeg Tobin die zijn ogen niet kon geloven.

Ki haalde zijn schouders op. 'Mago heeft me beledigd.'

'Maar waarom heb je niets gezegd? Waarom heb je niet op me gewacht zodat we het in de Kring konden brengen zoals het hoort?'

'Hij deed het zo plotseling, heer, en ik verloor mijn zelfbeheersing. Het spijt me zeer dat ik schande over uw goede naam heb gebracht en ik sta gereed om de straf uit uw hand in ontvangst te nemen.'

Porion zuchtte. 'En dat is alles wat hij te zeggen heeft, prins Tobin. Hij wil niet eens herhalen wat Mago heeft gezegd.'

'Het maakt niet uit,' mompelde Ki.

'Ja, dat doet het wel,' zei Porion streng. 'Als hij alleen jou beledigde is het één ding. Als hij ook iets zei over je heer of een ander' – hij wierp een onheilspellende blik op Mago – 'dan is het een heel andere kwestie. Prins Tobin, beveel hem te spreken.'

'Ki, alsjeblieft.'

Ki wierp Mago een giftige blik toe. 'Hij noemde me een bastaard en een grasridder. En mijn vader een paardendief.'

Porion staarde hem ongelovig aan. 'En daarom sloeg je hem?'

'Hij zei het op een vuil toontje.'

Tobin keek de anderen aan en vroeg zich af waarom Ki de kalmste was van iedereen.

De wapenmeester keek Mago en Arius in de ogen. 'Is dit waar?'

De twee jongens krompen ineen bij die onderzoekende blik. 'Ja, wapenmeester. Dat hebben we gezegd.'

Ze liegen, dacht Tobin. Maar waarom zou Ki hen beschermen?

Porion hief zijn handen in de lucht. 'Nou, goed dan. Prins Tobin, jij mag Ki de rekening presenteren. En Alben doet het bij Mago. Voor de offerplechtigheid van morgenochtend zal prins Tobin de straf op de trappen van Sakor ten uitvoer brengen. Ik veroordeel hem tot tien slagen met de zweep en een dag en een nacht vasten en waken. Mago, dat laatste geldt ook voor jou om die onbeschaamde tong van je eens in bedwang te leren houden. En nu ingerukt!'

Toen ze weer in hun kamer waren, stuurde Tobin de bedienden weg en wendde zich tot Ki. 'Wat is er gebeurd? Hoe kon je dat nou doen?'

'Ik ben maar een stomme grasridder, dat weet je toch.'

Tobin greep zijn vochtige tuniek stevig beet en schudde hem door elkaar. 'Waag het niet jezelf nog één keer zo te noemen! Dat ben je helemaal niet!'

Ki legde zijn handen op die van Tobin en schoof ze opzij. 'Ik heb gedaan wat zij zeiden, Tob. Ik werd gewoon zo driftig. Maar dat was wat ze wilden. Ik denk dat ze me expres zaten op te fokken om jou belachelijk te maken. Dus werk daar niet aan mee.'

'Waar heb je het over?' vroeg Tobin. 'En hoe kan ik dat nou doen? Als ik erbij was geweest, had ik hem zelf in elkaar geslagen en dan hadden ze ons samen de straf kunnen geven!'

'Ja, dat zou je vast hebben gedaan. Maar daar gaat het niet om. Ze jutten me op, ze zorgden ervoor dat ik iets deed wat ik niet wilde, en nu denken ze: wie het laatst lacht, lacht het best.'

Hij ging op het bed zitten. 'Ik heb Porion niet alles verteld. Dit was niet de eerste keer en Mago is heus niet de enige die me uitscheldt. Ik hoef je niet te zeggen wie nog meer. Voor hem ben ik gewoon een grasridder die op een mestvaalt is grootgebracht.' Hij keek op en glimlachte moeizaam. 'Dat kan wel waar wezen ook, maar de goeie kant daarvan is dat je er sterk van wordt. Sterker dan zij. Ruan vertelde me dat Arius moest janken toen hij een tijdje geleden zijn afranseling kreeg. Jij bent vast niet sterk genoeg om mij aan het huilen te krijgen.'

Tobin staarde hem verbluft aan. 'Maar ik kan jou geen pijn doen!'

Ki schudde het hoofd. 'Dat moet je toch maar proberen. We moeten ze waar voor hun geld geven, zoals altijd. Als zij namelijk denken dat jij een watje bent en me niet onder de duim kunt houden, dan zal de koning zich wel twee keer bedenken voor hij me als jouw schildknaap laat blijven. Dat zei Tharin tenminste. Ik heb al met hem gesproken. Dus gooi alles erin wat je in je hebt en laat ze zien dat we zo sterk zijn als bergeiken.'

Tobin begon nu te beven. Ki stond op en legde zijn handen op zijn schouders. 'Je doet het voor óns, Tob, zodat we bij elkaar kunnen blijven. Of wil je soms met Moriël opgezadeld worden, in plaats van met mij?'

'Nee,' zei Tobin die met moeite zijn tranen kon binnenhouden. Als

Tharin had gezegd dat ze Ki nog steeds konden wegsturen, dan zat er niets anders op. 'Maar Ki, ik wil je niet...'

'Weet ik toch. Het is allemaal mijn eigen schuld.' Hij knielde neer voor Tobin zoals hij bij Tharin had gedaan. 'Kun je me vergeven?'

Tobin kon het niet langer aan. Snikkend trok hij Ki omhoog en omhelsde hem.

Ki drukte hem stevig tegen zich aan, maar zijn stem trilde niet toen hij zei: 'Luister nou naar me, Tobin. Zo kun je je morgen echt niet gedragen, hoor je me? Dit willen ze zien, die klootzakken! Waag het niet ze hun zin te geven!'

Tobin deed een stap naar achteren en keek Ki aan: dezelfde warme bruine ogen, gouden huid, en vooruitstekende tanden onder het dons, maar Ki leek opeens bijna een man geworden te zijn. 'Ben je niet bang?'

Ki stond op en grijnsde naar hem. 'Ik heb je toch gezegd, je kunt mij geen pijn doen. Je had die afrossingen van mijn vader eens moeten zien! Bij de ballen van Bilairy, ik val waarschijnlijk in slaap voor je klaar bent. Trouwens, het was een heerlijk gevoel om Mago eindelijk eens zijn vuile bek te laten houden!'

Tobin probeerde met hem mee te lachen, maar het leek nergens naar.

45

De volgende morgen regende het nog steeds. Ze holden naar de tempel onder een kil, grijs wolkendek. Tobin hield de zware zweep onder het rennen stevig in zijn handen. Hij probeerde zich op de doorweekte grond onder zijn voeten te concentreren en niet te denken aan het hete, stekende kloppen onder zijn navel, of aan Ki die als een stille schaduw naast hem voort rende.

Geen van beiden had goed geslapen en toen Tobin 's ochtends wakker werd, zag hij tot zijn ontzetting dat Ki in een deken gerold in de bedstee had geslapen – hij was bijna vergeten dat die bestond. Ki mompelde iets over zijn gewoel en ze hadden zich zwijgend aangekleed.

Ze waren vrijwel de eersten die op waren en Porion nam Tobin even terzijde terwijl ze in de hal op de rest wachtten.

De wapenmeester legde een harde leren karwats in Tobins handen. Hij was ongeveer vier voet lang en zo dik als zijn duim, met een stijve kern en een handvat als dat van een zwaard.

'Dit is geen speeltje,' waarschuwde hij. 'Ki's spieren zijn nog niet uitgehard, hij is nog geen man. Wanneer je te hard of te vaak op dezelfde plaats slaat, dan ligt hij tot op het bot open en zal het weken duren eer hij genezen is. Dat wil niemand. Ga vijf slagen lang aan zijn linkerkant slaan en loop dan naar de rechterkant voor de rest. Neem ruimte tussen de slagen. Sla je ongeveer zo hard...,' en Porion klapte het handvat losjes tegen Tobins handpalm, '...dan komt het eind ongeveer tien keer zo hard aan. Wanneer je klaar bent moet hij je hand kussen, en je op zijn knieën om vergeving vragen.'

Tobin werd al misselijk bij de gedachte alleen.

De Tempel van de Vier doemde op uit het gordijn van regen, vierkant en onwrikbaar boven aan zijn steile treden. Hij stond centraal op de Palatijnse Heuvel en was een centrum voor zowel handel als godsdienst. Zo vroeg werd hij voornamelijk bezocht door vrome lieden die hun offerandes naar de altaren binnenin brachten.

Brede trappen leidden de bezoekers naar de vier kanten van tempel. Het Altaar van Sakor stond op het westen en op deze trappen verzamelden zich de Gezellen voor Ki's beproeving nadat ze hun offers hadden gebracht. De priester van Sakor stond in de open ingang boven aan de trap. 'Wie heeft de orde van de Gezellen verstoord en schande over de naam van zijn heer gebracht?' vroeg hij, waarop een aantal toeschouwers nieuwsgierig kwam aangelopen.

Tobin keek om zich heen. Er stonden vooral soldaten, maar Aliya en haar vriendinnen waren er ook, met sluiers en dikke mantels om tegen de regen. Heer Orun en Moriël zag hij eveneens. Het laatste spoortje welwillendheid dat Tobin nog voor hem kon opbrengen verdween spoorslags toen hij zag hoe de jongen zich stond te verkneukelen. Tharin was niet aanwezig, noch leden van Tobins personeel.

'Ik heb de orde verstoord,' antwoordde Ki met luide stem. 'Ik, Kirothius van Larenth, onwaardige schildknaap van prins Tobin, ben schuldig aan het slaan van een collega-Gezel. Ik sta gereed om mijn straf in ontvangst te nemen.'

De andere Gezellen vormden een carré op de trappen terwijl Ki zijn borstkuras en hemd uitdeed. Hij knielde neer en liet zijn handen op de tree voor hem steunen. Tobin ging aan Ki's rechterzijde staan en greep de zweep goed vast.

'Ik vraag u vergeving, mijn prins,' zei Ki en zijn stem klonk helder en duidelijk in de ochtendlucht.

Tobin liet de zweep tegen Ki's rug leunen, en verstarde toen hij even geen adem meer kon halen. Hij wist wat er van hem werd verwacht, dat Ki geen wrok tegen hem zou koesteren en dat de zaken niet meer konden worden teruggedraaid. Maar de aanblik van die zo bekende rug, met de gouden lijn van haartjes langs de ruggengraat en de schouderbladen van een bergleeuw die bewegingloos onder de zongebruinde huid lagen, deed hem verstijven en hij dacht werkelijk dat hij nooit meer zou kunnen bewegen. Toen fluisterde Ki: 'Kom op, Tob. We zullen ze weer eens wat laten zien!'

Tobin probeerde de slag in te schatten zoals Porion hem had laten voelen, bracht de zweep omhoog en liet hem neerkomen over Ki's schouders.

Ki gaf geen kik, maar een vurig rode striem kwam op waar de zweep hem had geraakt.

'Een,' zei Ki, duidelijk hoorbaar.

'Niemand verwacht dat je de slagen telt,' zei Porion rustig.

Tobin liet de zweep weer neerdalen, nu een paar duim lager. Het was te hard; Ki rilde deze keer en er welden druppels bloed op uit de striem.

'Twee,' verkondigde Ki, net zo helder.

Iemand mompelde onder de toeschouwers. Tobin dacht dat hij Oruns stem herkende en zijn weerzin tegen de man verdiepte zich alleen maar.

Nog driemaal liet hij zijn zweep op die kant van Ki neerdalen, en hij eindigde net boven Ki's middel. Ze zweetten allebei, maar Ki's stem bleef vast terwijl hij de slagen aftelde.

Tobin wisselde van plaats, begon weer bij Ki's schouders en probeerde tussen de vorige striemen in te slaan.

'Zes,' zei Ki, maar dat kwam er sissend uit. Tobin had hem weer laten bloeden. De zweep beet in het gezwollen vlees waar de twee striemen elkaar raakten en een stroompje bloed liep langzaam naar Ki's oksel.

Jij ziet bloed?

Tobins lege maag draaide zich om. De zevende maakte hij te zacht, toen acht en negen te snel zodat Ki de telling hijgend uitbracht. Bij 'Tien' was zijn stem helemaal schor, maar het was voorbij.

Ki ging langzaam op zijn hielen zitten en reikte naar Tobins hand. 'Vergeef me, mijn prins, dat ik u onteerd heb.'

Voor hij de hand kon kussen, hees Tobin hem overeind en greep zijn hand op de strijdersmanier. 'Ik vergeef je, Ki.'

Verward door de breuk van het ritueel, zakte Ki onzeker door zijn knieën en drukte alsnog zijn lippen op Tobins hand. Er ging geroezemoes op. Tobin zag dat prins Korin en Porion hen verbaasde maar goedkeurende blikken toewierpen.

De priester was minder blij met de verstoring van de normale gang van zaken. Zijn stem klonk nors toen hij riep dat Ki boven moest komen om gewassen en gezuiverd te worden.

De Gezellen gingen zwijgend uiteen en Ki beklom de resterende treden met geheven hoofd, de tien ongelijke striemen als vuur op zijn bloedende rug. Mago volgde hem om zijn strafwake uit te zitten, en zag er heel wat minder heroïsch uit.

Toen zij binnenin verdwenen keek Tobin naar de zweep die hij nog steeds vasthield, waarna zijn blik naar Alben gleed die verderop met Quirion en Urmanis stond. Wat stonden ze daar zelfgenoegzaam te lachen? Was het omdat wat hij net had gedaan? Hij smeet de zweep neer. 'Ik daag je uit, Alben. Ik zie je in de oefenring. Tenzij je bang bent dat je mooie kleertjes vies worden.'

Hij raapte Ki's oude kuras en hemd op, draaide zich op zijn hakken om en liep weg.

Alben kon haast niets anders dan op Tobins uitdaging ingaan, al leek hij er niet bijster content mee.

De regen was inmiddels veranderd in een zwak motregentje tegen de tijd dat ze zich naar de stenen ring begaven. Een groep toeschouwers was hen vanaf de tempel gevolgd, omdat ze deze strijd uit wrok niet wilden missen.

Tobin had sinds zijn aankomst in Ero vaak met Alben gevochten, maar had hem minder vaak kunnen verslaan, want Alben had snel geleerd voor zijn trucjes op te passen. Maar vandaag dreef opgekropte woede hem voort en zijn jaren van keiharde training met Ki kwamen hem goed van pas. Hij sloeg Alben keer op keer van zich af; meerdere malen kwam zijn tegenstander in de koude modder terecht. Zwaaiend met zijn houten zwaard leek het wel of hij de zware zweep hanteerde die hij maar al te graag eens op Albens rug wilde proberen. Maar in plaats daarvan brak hij door de verdediging van de oudere knaap en sloeg hem met zo'n kracht op het neusstuk van zijn helm, dat het bloed eronder door droop. Alben ging op de knieën en gaf zich over.

Tobin bukte zich om hem overeind te helpen. Hij fluisterde net hard genoeg: 'Ik ben een prins, Alben, en ik zal aan je denken als ik volwassen ben. Leer die schildknaap van je voortaan alleen beschaafde taal uit te slaan. En zeg dat ook maar tegen heer Orun.'

Alben schudde de hand van zich af, boog en verliet woedend de kring.

'Jij daar.' Tobin wees met zijn zwaard naar Quirion. 'Wat dacht je ervan?'

'Ik heb niets tegen je en wil geen ruzie. Noch wens ik een ziekte op te lopen hier in die nattigheid.' Hij hielp Alben terug naar het paleis en hun vrienden volgden hen.

'Ik wil nog wel met je vechten,' zei Korin en hij stapte de kring binnen.

'Korin, nee...' waarschuwde Porion, maar Korin wuifde zijn bezwaren weg.

'Het is al goed, wapenmeester. Kom op, Tobin. Laat zien wat je waard bent.'

Tobin aarzelde. Hij wilde vechten met iemand op wie hij kwaad was, niet met zijn neef. Maar Korin salueerde al, dus ging hij tegenover Korin staan en hief zijn zwaard.

Met Korin vechten was alsof je tegen een muur vocht. Tobin vocht met alles wat hij in zich had om te laten zien wat hij waard was, maar Korin sloeg elke aanval van zich af met een blokkade als een ijzeren staaf. Maar hij viel zelf niet aan, hij liet Tobin zichzelf uitputten tot hij hijgend achterovervиel en zich overgaf.

'Zo, voel je je nu een beetje beter?'

'Een beetje, misschien.'

Korin leunde op zijn zwaard en grijnsde naar hem. 'Jullie tweeën doen altijd alles op jullie eigen manier, niet?'

'Wat bedoel je?'

'Nou, die kus, bijvoorbeeld. Je wilde niet dat Ki die knielend gaf.'

Tobin haalde zijn schouders op. Hij had er niet over nagedacht. Maar hij deed dat gewoon toen het moment daarom vroeg.

'Dat doen alleen gelijken.'

'Ki is mijn gelijke.'

'Dat is hij niet en dat weet je best. Jij bent een prins.'

'Hij is mijn vriend.'

Korin schudde het hoofd. 'Wat ben je toch een rare. Ik denk dat ik je maar Opperkanselier maak als ik koning ben. Kom op. Laten we wat gaan eten. Ki en Mago moeten hongerlijden om zich van hun zonden te zuiveren, maar dat hoeven wij niet.'

'Ik wil graag nog even buiten blijven, als je het niet erg vindt.'

Korin keek Porion aan en lachte. 'Koppig als zijn vader! Of de mijne. Zie maar, neefje, maar vat geen kou. Ik zal je nodig hebben, zoals ik je net liet weten.' Korin en de oudere Gezellen beenden weg, gevolgd door hun schildknapen.

Lutha en Nikides bleven bij hem rondhangen. 'Behoefte aan wat gezelschap?' vroeg Lutha.

Tobin schudde van nee. Hij wilde juist alleen zijn om Ki te missen. Hij zou naar zee gereden zijn als dat mogelijk was geweest, maar de Gezellen mochten niet alleen de Heuvel af en hij had de moed niet om Tharin onder ogen te komen. Dus bleef hij de rest van de dag door de citadel wandelen, hoe regenachtig het ook bleef. Het was een treurige bezigheid die bij zijn trieste stemming paste.

Hij meed de Tempel en vertelde zichzelf dat hij Ki niet in verlegenheid wilde brengen door zijn wake te verstoren, maar in werkelijkheid durfde hij zijn vriend niet onder ogen te komen. De herinnering aan die bloedrode striemen op die gladde bruine rug was voldoende om een bittere smaak in zijn mond te krijgen.

Dus liep hij nog maar eens om de oevers van koningin Klia's grote vijver en zag de zilveren vissen springen als regendruppels. Vervolgens maakte hij de lange wandeling naar het heilige bos van Dalna boven het noordelijke talud. Het was maar een bos van een paar morgen, maar de bomen waren zo oud als de stad zelf en heel even kon hij zich thuis wanen, op weg naar Lhels eik. Hij miste de kleine heks ontzettend. Hij miste Nari en de bedienden in de burcht. Zelfs Arkoniël miste hij.

Midden in het bos stond een altaar met een brandend offervuur; Tobin vond een houtsnijwerkje in zijn buideltje en wierp het met een paar heimweetranen in de vlammen, terwijl hij smekend bad om toch maar gauw weer naar huis en haard te mogen terugkeren.

Er werden fakkels aangestoken in de citadel toen Tobin de koninklijke grafkelder passeerde. Sinds de avond waarop hij aangekomen was, was hij hier nooit meer geweest. Verkleumd en met pijnlijke voeten ging hij naar binnen om zichzelf aan het vlammetje van het altaar te warmen.

'Vader, ik mis u zo!' fluisterde hij terwijl hij in het vuur staarde. Was het werkelijk nog maar een paar maanden geleden dat hij gestorven was? Dat kon toch niet, het leek wel of hij hier al jaren was.

Hij trok de ketting over zijn hoofd en nam zijn vaders zegel en zijn moeders ring in zijn hand. Door tranen verblind keek hij naar het dubbele profiel. Hij miste hen allebei. Op dit moment zou hij zelfs blij zijn om zijn moeder in een van haar slechte buien te zien, als hij alleen maar thuis kon zijn en alles weer zo was als het geweest was.

Hij had er geen behoefte aan de doden in de tombe te bezoeken. Hij stelde zich tevreden met een lang gebed voor hun zielenheil. Toen hij dat gedaan had voelde hij zich iets beter.

Het was weer harder gaan regenen. Hij draaide zich om en bestudeerde de beelden van de Skalaanse koninginnen terwijl hij wachtte tot de regen minder werd, en zocht de geest die hij in de oude troonzaal had gezien.

Met zijn kunstenaarsoog bekeek hij de verschillende stijlen van de beelden. De eerste, Ghërilain de Grondlegger, was een stijve, levenloze figuur met een vlak gezicht en al haar kleren en kenmerken van waardigheid lagen dicht tegen haar lichaam aan, alsof de beeldhouwer niet erg vaardig was haar bloot te leggen uit de steen waaruit ze was ontstaan. Hoe dan ook, hij herkende het Zwaard van Ghërilain in haar gehandschoende handen – hetzelfde zwaard dat alle andere figuren bij zich hadden. Nu droeg zijn oom dat zwaard.

Was het misschien hetzelfde zwaard dat de geest naar hem had uitgestoken? Hij liep langzaam de beeldenrij langs. Wie was ze geweest? Want ze was beslist een koningin. En als het dit zwaard was dat ze vasthield, waarom zou ze het hém dan hebben aangereikt?

Hij keek snel om zich heen om te zien of de altaarpriester niet aanwezig was en fluisterde toen: 'Bloed mijn bloed, vlees mijn vlees, bot mijn bot.'

Broer verscheen; in het licht van de vlam zag hij er doorzichtig uit. Hoe lang geleden had hij hem ook alweer opgeroepen, vroeg Tobin zich schuldbewust af. Drie dagen? Een week? Misschien nog wel langer. Er waren feesten, bals en veel oefensessies geweest, en dan dat gedoe met Ki. Wat zou Lhel daar wel niet van zeggen? Daar kon hij maar beter niet te lang bij stilstaan.

'Het spijt me dat ik je vergeten ben,' fluisterde hij. 'Kijk, hier heb je de grote koninginnen. Weet je nog, net als in de doos thuis. Dit is hun graftombe. Ik heb een van hen gezien – haar geest tenminste. Weet jij wie dat was?'

Broer begon de beelden af te tasten en bekeek hen allemaal nauwkeurig. Ten slotte stopte hij voor een van hen en hij scheen niet van plan daar vandaan te gaan.

'Is dat haar? Is zij degene die ik in het paleis zag?'

'Pardon, prins Tobin?'

Tobin draaide zich met een ruk om en daar stond de tovenaar van de koning, achter het altaar. 'Heer Niryn! U laat me schrikken!'

Niryn maakte een buiging. 'Ik zou haast hetzelfde zeggen, mijn prins. Ik hoorde u praten, maar ik zie hier verder niemand.'

'Ik... ik dacht dat ik in het Oude Paleis een geest had gezien en ik vroeg me af of het een van hen was geweest.'

'Maar u sprak hardop.'

Als Niryn Broer kon zien, liet hij dat niet merken. Tobin paste goed op dat hij zelf niet in Broers richting keek toen hij antwoord gaf. 'Praat u dan nooit eens in uzelf, heer?'

Niryn kwam naderbij. 'Misschien, maar hebt u uw geest al gevonden?'

'Ik weet het niet zeker. Ze zijn niet zo geweldig geportretteerd, vindt u ook niet? Misschien die wel.' Hij wees naar degene waar Broer bij stond. 'Weet u wie ze is?'

'Koningin Tamír, dochter van koningin Ghërilain de Eerste, meen ik.'

'Nou, die had dan ook wel recht om te spoken,' zei Tobin die het luchtig wilde houden. 'Die werd vermoord door haar broer,' ging hij voort en hij ratelde zenuwachtig het aloude lesje af. 'Pelis ging tegen de uitspraak van het Orakel in en ontroofde haar de troon, maar Illior Lichtdrager strafte het land en doodde hem.'

'Stil, kind!' riep Niryn uit en hij maakte een gebaar in de lucht. 'Koning Pelis vermoordde zijn zuster niet! Ze stierf een natuurlijke dood en hij was de enige erfgenaam. In Skala is nog nooit een koningin vermoord, mijn prins. Het brengt ongeluk dat soort dingen zelfs maar uit te spreken. En trouwens, hij is vermoord door ordinaire moordenaars, niet door de goden. Uw leraren hadden het helemaal bij het verkeerde eind. Bijles in geschiedenis lijkt me geen slecht idee.'

'Neem me niet kwalijk, tovenaar,' zei Tobin snel, verlegen met die plotselinge uitbarsting. 'Ik wilde niemand op deze heilige plek beledigen.'

De tovenaar leek door deze verontschuldiging wat te kalmeren. 'Ik denk dat de schaduwen van uw voorouders hun jongste afstammeling wel willen vergeven. U bent tenslotte de eerste troonopvolger na prins Korin.'

'Ik?' Dit was een grote verrassing.

'Maar natuurlijk. De broers en zusters van de koning zijn dood; u bent het enige familielid, op zijn zoon na.'

'Maar Korin zal toch wel zijn eigen erfgenamen krijgen.' De gedachte dat hij ooit op de troon van Skala zou kunnen belanden was nooit in hem opgekomen; hij had gedacht de troon alleen maar te dienen.

'O zeker. Maar hij is nog maar een jonge knaap, en geen van zijn minnaressen is zwanger geraakt. Tot dat moment bent u de volgende troonopvolger. Hebben uw ouders het er nooit over gehad?'

Niryn glimlachte, maar zijn ogen lachten niet mee en Tobin voelde een vreemd, wriemelend gevoel diep vanbinnen, alsof iemand met een benige vinger in zijn ingewanden roerde.

'Nee, heer. Vader zei alleen dat ik ooit een groot strijder zou worden en mijn neef zou dienen zoals hij de koning gediend had.'

'Een nobel streven. Wees altijd op je hoede voor lieden die je willen laten afwijken van het pad dat Sakor voor je heeft uitgestippeld.'

'Wat bedoelt u, heer?'

'We leven in onzekere tijden, mijn beste prins. Er zijn verraderlijke krachten aan het werk die iemand anders dan Agnalains zoon op de troon willen hebben. Als wie dan ook van die partij u zou benaderen, dan hoop ik dat u uw plicht doet en mij dat onverwijld zult melden. Zulke trouweloosheid kan niet getolereerd worden.'

'Is dat wat u en de Haviken doen, heer?' vroeg Tobin. 'Verraders ontmaskeren?'

'Ja, prins Tobin.' De stem van de tovenaar werd lager en leek de hele ruimte te vullen. 'Als een dienaar van de Lichtdrager heb ik gezworen de kinderen van Thelátimos veilig en wel op de troon van Skala te krijgen. Iedere ware Skalaan moet hen dienen. Alle leugenaars en bedriegers zullen met het Vuur van Sakor te maken krijgen.'

Niryn reikte in het altaarvuur en pakte een handvol vlammen op. Het vuur lag als water op zijn handpalm.

Tobin deed een stap achteruit, want hij griezelde van de weerspiegeling van dit onnatuurlijke vuur in de barnsteenkleurige ogen van de man.

Niryn liet de vlam als water tussen zijn vingers wegglijden en het vuur loste op in het niets. 'Vergeef me, Hoogheid. Ik was even vergeten dat magie u niet boeit. Maar ik hoop dat u zich mijn woorden zult herinneren. Zoals gezegd, we leven in onzekere tijden en veel te vaak lijken onbetrouwbare lieden heel eerlijk. Het is lastig voor jonge mensen zoals u om het verschil te zien. Ik bid dat het teken dat u op uw arm draagt een waar teken van wijsheid is, en dat u mij altijd tot uw goede adviseurs zult willen rekenen. En nu, goedenacht, mijn prins.'

Het kriebelende, roerende gevoel golfde weer door hem heen, iets minder hevig deze keer, en verdween plotseling toen Niryn de tombe verliet.

Tobin wachtte tot de man uit het zicht verdwenen was, ging toen aan de voet van het altaar zitten en sloeg zijn armen om zijn knieën om de kou die hem ineens beving buiten te houden.

De toespelingen over verraders maakten hem bang. Het leek net of hij van iets beschuldigd werd, maar hij wist dat hij niets had gedaan waar de tovenaar verbolgen over kon zijn. Hij was met hart en ziel trouw aan Korin en de koning.

Broer hurkte naast hem neer. *Er is geen Pelis hier.*

Tobin keek de beeldenrij langs. Nadat hij nauwkeurig gekeken had kwam hij tot de conclusie dat Broer gelijk had. Geen beeld van Pelis tussen de Koninklijke Doden. Niryn had het fout; de lessen van zijn vader en Arkoniël hadden de waarheid verteld. Maar waarom legde de tovenaar dan zoveel nadruk op zijn versie?

Hoe dan ook, Niryn had hem de naam onthuld van de koningin die Broer had gekozen – precies degene die door koning Pelis was vermoord.

Tobin ging voor de tweede koningin van Skala staan en legde zijn hand op het stenen zwaard dat ze vasthield. 'Hallo, grootmoeder Tamír.'

46

De volgende dag was de zon terug en Porion riep de jongens op om weer buiten te trainen.

Tobin merkte nauwelijks dat de pijn in zijn buik weer de kop had opgestoken terwijl ze naar de Tempel renden, want hij was te veel bezig met de vraag hoe het nu met Ki gesteld was. Alle spanning viel van hem af toen Ki hongerig maar ongebroken opdook. Mago zag er nog het slechtst uit van de twee en Ki vertrouwde hem later toe dat hij de andere schildknaap 's nachts uren achtereen had aangestaard, gewoon om het hem in zijn broek te laten doen van angst. Het had blijkbaar effect gehad.

De priesters hadden een speciale zalf op Ki's striemen gedaan en zonder een kik te geven deed hij mee met de training. Hij grapte met zijn vrienden, negeerde zijn vijanden en deed die avond ook tafeldienst. Tobin besloot dat alles weer liep zoals het moest lopen tot het bedtijd werd en Ki de gordijnen van zijn bedstee openschoof.

'Slaap je nu alweer daar?'

Ki ging op de rand van het smalle bed zitten en legde zijn handen in zijn schoot. Tobin zag wel dat Ki meer pijn had dan hij liet merken. 'Baldus?'

De page stond op van zijn stromatrasje. 'Ja, prins Tobin?'

'Ga eens naar de keuken en vraag de kok of hij misschien een slaapdrankje voor heer Ki kan maken.'

Baldus was al weg. Tobin deed de deur achter hem op slot en kwam naast Ki zitten. 'Waar slaat dat nou op?'

Hij haalde zijn schouders op. 'Ik heb begrepen dat de meeste schildknapen apart slapen en... Nou ja... De mensen kijken nu al zo vreemd naar ons. Ik vond dat we ons wat een paar dingen betreft maar aan moesten passen aan Ero.'

'Korin vindt het wel leuk zoals wij met elkaar omgaan. Dat heeft-ie gezegd. Hij was heel trots op je gisteren.'

'O, ja? Nou ja, Korin is niet iedereen. En ik ben geen prins.'

'Je bent kwaad op me.'

'Op jou? Natuurlijk niet. Maar...'

En toen begon Ki's stoere façade eindelijk af te brokkelen. Tobin zag de uitgeputte, verslagen plattelandsjongen weer voor zich, met zijn schouders in een rare hoek om de pijn minder te voelen.

Hij keek naar de rug van Ki's hemd. Er zaten allemaal bloedvlekjes op.

'Je bloedt nog steeds. Dat doet het morgen nog als je er niets aan doet. Kom, laat me je helpen.'

Hij haalde Ki over het hemd uit te doen en gooide het op het bed. De pijn in zijn buik was verergerd, maar hij negeerde hem. Het was Ki die verzorgd moest worden, niet hij.

De striemen waren nu paars en zwart in plaats van rood, en de korsten trokken en gingen open wanneer Ki bewoog. Tobin slikte moeizaam toen hij terugdacht aan al die keren dat Nari Ki een mep had verkocht. Nu had hij het gedaan, en hoe.

'Ik vind het hier vreselijk,' biechtte hij op.

Ki knikte en een traan viel van het puntje van zijn neus op de rug van Tobins hand.

'Ik wou dat we hier gewoon samen met vader waren gekomen. Of dat we morgen met zijn allen op zoek gingen naar de koning. En ik zou het liefste willen dat ik volwassen was en mijn eigen landgoederen zou bezitten en jou heer kon maken. Ik zweer dat dat nog gebeurt, Ki. En dan kan niemand jou meer een grasridder noemen.'

Ki hikte even van het lachen en hief met moeite een arm die hij om Tobins schouders legde. 'Ik wil...' Een luid kabaal kwam uit de hoek van de kledingkast en ze schrokken zich rot. Tobin sprong overeind en Ki kroop achteruit en pakte zijn hemd.

Korin en een stuk of vijf oudere Gezellen en schildknapen stommelden via het verborgen paneel naar binnen.

'Neef, we komen je uitnodigen!' riep Korin en Tobin nam aan dat hij gewoon doorgedronken had sinds hij en Ki naar boven waren gegaan. Urmanis en Zusthra hadden ook opvallend rode gezichten en grijnsden stompzinnig. Orneus had een arm om Lynx geslagen en fluisterde wat in zijn oor. Caliël zag er redelijk helder uit, maar Korins schildknaap, Tanil, was de enige die echt nuchter was. Hij boog voor Tobin en het was duidelijk dat hij zich geneerde.

'We gaan in de stad de bloemetjes buitenzetten en jij gaat met ons mee,' ging Korin verder terwijl hij naar het midden van de kamer waggelde. 'En uiteraard ook de formidabele Ki. Doe je kleren aan, knul, en ik betaal een hoer voor je zodat je de pijn in je rug glad vergeet!'

Garol liep wankelend van zijn maten weg en gaf luidkeels over, terwijl de anderen hem uitjouwden.

'Hé, Urmanis, het ziet ernaar uit dat jullie de volgende twee zijn voor de Tempeltrappen,' zei Korin hoofdschuddend. 'Die schildknaap van je heeft je te schande gemaakt door over de vloer van mijn arme neef te kotsen. Maar waar was ik gebleven? O, ja. Hoeren. Je bent toch oud genoeg, ja toch, Ki? Ik heb je wel naar de grietjes zien kijken! Bij de Vlam, je bent de enige echte kerel van deze club! We gaan zuipen en schoppen die puistenkop Mago uit zijn nest. En Alben ook, die zakkenwasser!'

'Nee, neef. Ki is doodmoe.' Tobin ging tussen zijn vriend en de kroonprins staan, en vroeg zich af wat hij moest doen als Korin hem dwong opzij te stappen. Zo dronken had hij Korin nog nooit meegemaakt.

Gelukkig stond Tanil vanavond aan zijn kant. 'Ze zijn te jong voor uw braspartijen, Hoogheid. Trouwens, Ki heeft zo'n pijn dat een hoertje voor hem zonde van het geld zou zijn. Laten we snel naar buiten gaan voor meester Porion u te pakken krijgt en u weer naar bed stuurt.'

'Kolere! En dat kunnen we nu niet hebben! En nou koppen dicht allemaal, verdomme-nog-an-toe!' brulde hij. 'Kom op, neefje. Geef me een smakkerd, dat brengt geluk. En jij ook, fordierare...fornimarele.. nou ja.. Kirothius! Weltruste! Weltruste!'

Korin was niet tevreden tot iedereen Tobin en Ki op beide wangen welterusten had gekust en iedereen een kus terug had gekregen, maar ten slotte stommelden ze weer terug zoals ze gekomen waren.

Zodra Tobin er zeker van was dat ze weg waren, sleepte hij de zwaarste stoel die hij vinden kon de inloopkast binnen en zette hem tegen het paneel, riep Broer en zette hem op wacht.

Hij liep de kamer weer in en zag dat Ki zijn gezicht bij de waskom aan het wassen was. Hij liet Baldus en Molay binnen en ze gromden tegen elkaar terwijl ze Garols zuur stinkende braaksel opdweilden.

'Zo erg is het nooit wanneer de koning thuis is,' mopperde Molay. 'Toen Korin jonger was kon Porion hem nog wel aan, maar nu! Ik zal wat wierook aansteken om de stank te verdrijven. Baldus, ga eens wat kruidenwijn halen voor de prins.'

'Nee, nee, geen wijn,' zei Tobin zwakjes.

Toen de bedienden klaar waren en Tobin ze voor de nacht had weggestuurd, trok hij Ki in zijn grote bed. 'Nou zie je wat ervan komt als je je aan de gebruiken van Ero aanpast. Ga nou maar slapen.'

Met een zucht gaf Ki toe en ging op zijn buik aan de andere kant van het bed liggen.

Tobin leunde achterover tegen de peluws en probeerde de stank te negeren die ondanks de wierook nog steeds te ruiken was. 'Wat was Orneus met die arme Lynx aan het doen?'

Ki snoof in zijn kussen. 'Wat heb jij gisteren gedaan toen ik mijn knieën met Mago aan het platdrukken was?'

Tobin dacht terug aan die lange grauwe dag. 'Gewandeld. Verder niets eigenlijk. O, ja, ik kwam Niryn tegen in de grafkelder.'

'Vossenbaard? Wat wou hij?'

'Hij zei dat ik de volgende erfgenaam na Korin ben tot hij een eigen erfgenaam krijgt.'

Ki keek hem bedachtzaam aan. 'Dat kan wel kloppen. En als Korin zo doorgaat als vanavond, kan het er best heel snel van komen ook.'

'Let op je woorden!' waarschuwde Tobin. 'Als de Haviken je over zoiets ook maar een grapje horen maken, dan zijn ze er als de kippen bij om je op te pakken. Ik krijg kippenvel van Niryn. Steeds als hij bij me staat, lijkt het of hij aan me snuffelt, of ik iets verstopt heb wat hij zoekt.'

'Zo doet hij bij iedereen,' murmelde Ki en hij doezelde in slaap. 'Al die tovenaars doen dat... Ik blijf mooi bij ze uit de buurt. Maar wij hoeven toch niet bang te zijn? Wie is nou trouwer dan wij...' En hij begon zacht te snurken.

Tobin lag nog lang wakker en herinnerde zich het vreemde gevoel dat hij bij de tovenaar had gehad, en de geheime vijanden over wie hij gesproken had. Een verrader kon beter niet in zijn buurt komen; hij had weinig op met de roodgebaarde magiër, maar hij zou zeker zijn belofte nakomen als iemand hem zou vragen de rechtmatige heerser van Skala te verraden.

47

'Zou het de moeite waard geweest zijn?' fluisterde Ki de volgende ochtend tegen Tobin toen Korin met zijn maten strompelend en kreunend tevoorschijn kwam om in looppas naar het oefenterrein te gaan. Porion zag ze ook aankomen en keek als een donderwolk die op barsten staat.

De inwendige schoonmaak had Garol geen goed gedaan; hij zag zo groen als een prei en stond te zwaaien op zijn benen. De anderen stonden iets vaster op de been, maar ze waren opvallend stil. Alleen met Korin, die toch straalbezopen was geweest, was niets aan de hand. Schuldbewust trad hij Ki en Tobin tegemoet.

'Ik neem niet aan dat je ook maar één aardige gedachte voor ons over hebt gehad nadat we vertrokken waren?' vroeg hij schaapachtig aan Tobin.

'Hebt u het nog naar uw zin gehad in de stad, Hoogheid?' vroeg Ki.

'We zijn maar tot de poort gekomen, toen greep Porion ons al in de kraag. We moeten na de training allemaal een strafwake doen om de gifstoffen te laten zakken, zoals hij het omschreef. En er komt een maand geen wijn op tafel.' Hij zuchtte. 'Ik weet ook niet waarom ik het doe. Je vergeeft me toch wel, hè, Tob?'

Tobin was eigenlijk helemaal niet kwaad geweest en anders was hij direct door de knieën gegaan voor de glimlach van Korin die ijs kon laten smelten op Sakorsdag. 'Ik zou alleen liever hebben dat je voortaan door de voordeur kwam.'

Korin sloeg hem op zijn schouder. 'Dus we zijn weer vrienden? Mooi. Kom op, laten we deze lapzwansen naar de Tempel jagen!'

Tobin en Ki renden voorop, maar Korin kon hen makkelijk bijhouden, terwijl hij aan één stuk door lachte. Tobin wist dat Ki zijn twijfels over de kroonprins had, maar zijn neef was hem lief, ondanks zijn fouten en misschien ook een beetje om zijn fouten. Zelfs als hij ladderzat was, kwam hij nooit wreed of bot uit de hoek zoals sommige anderen, en van katers scheen hij wonderlijk genoeg geen last te hebben. Ook nu was hij zo fris als een hoentje, alsof hij de hele nacht lekker geslapen had.

Toen ze klaar waren met hun gebeden en offers stuurde Porion hen regelrecht naar de schietbanen. Het was een heldere, windstille ochtend en Tobin zag ernaar uit eindelijk Urmanis te verslaan, die even vaak midden in de roos schoot als hij.

Toen hij op de streep ging staan en de eerste pijl naast zijn oor legde, overviel de buikpijn die hem nu al een paar dagen had geplaagd hem alweer. Een felle, plotselinge steek in zijn onderbuik die als een mes door hem heen trok deed hem naar adem happen en hij liet de pijl los zonder te mikken. Hij vloog recht op een groep meisjes af die dichtbij stonden te kijken. Ze renden piepend als vogeltjes weg.

'Tobin, heb je vanmorgen soms vergeten je ogen open te doen?' baste Porion korzelig.

Tobin mompelde een verontschuldiging. De pijn verdween, maar de spanning wilde niet wijken.

'Wat is er aan de hand, prins Bergleeuw?' grinnikte Urmanis, die met zijn boog naar voren kwam. 'Kroop er een slang over je schaduw?' Zijn pijl bleef midden in de roos steken.

Tobin ging niet op die opmerking in en legde een tweede pijl aan. Voor hij los kon laten klapte hij bijna dubbel van de pijn, die als een beest met gloeiendhete klauwen toesloeg. Tobin slikte de pijn weg en bleef overeind alsof er niets aan de hand was, omdat hij in het bijzijn van andere Gezellen geen zwakheid wilde tonen. Hij mikte en schoot hem midden in de roos, waar Broer plotseling voor ging staan, toen hij de pijl losliet.

De geest was verschenen zonder dat hij opgeroepen was. Net als de dag dat hij zijn moeders ring vond.

Broers mond bewoog alsof hij iets wilde zeggen, maar Tobin begreep de boodschap niet. Weer kreeg hij vreselijke kramp, nog erger dan de laatste keer. Het duizelde hem en hij klapte tegen de grond.

'Tobin?' Urmanis maakte geen grapjes meer toen hij Tobins wasbleke gezicht zag. 'Meester Porion, ik geloof dat Tobin ziek is!'

Ki en Korin stonden onmiddellijk naast hem.

'Het is gewoon kramp,' hijgde Tobin. 'Ik heb te hard gerend en...'

Porion voelde zijn voorhoofd. 'Geen koorts, maar je ziet wel erg pips. Ben je gisteren misselijk geweest?'

Broer stond nu zo dichtbij dat hij hem aan kon raken. 'Nee. Het kwam nu pas, na het rennen.'

'Nou, dan zou ik maar even op bed gaan liggen. Ki, stop de prins in bed en kom daarna maar terug om verslag uit te brengen.'

Broer bleef bij Tobin, de hele weg terug naar hun kamer, en keek naar hem met zijn zwarte ogen waaruit niets op te maken viel.

Molay en de kleine Baldus stonden erop hem in bed te helpen. Tobin liet hen zijn borstkuras en laarzen uittrekken, en rolde zich op als een bal toen een nieuwe golf pijn zich aankondigde.

Ki stuurde de anderen naar achteren en klom naast hem. Hij legde de rug van zijn hand tegen Tobins voorhoofd en klakte met zijn tong. 'Je hebt geen koorts, maar je zweet als een otter. Baldus, ga heer Tharin halen.'

Tobin kon Broer nu achter Ki zien opdoemen, langzaam met zijn hoofd schuddend. 'Nee, laat me maar even met rust,' zei hij schor. 'Het zal die pudding van gisteren wel zijn. Ik kan niet tegen vijgen.' Hij grijnsde quasizielig naar Ki. 'Maar laat de pot wel hier. Goed? Ga maar terug en zeg ze maar dat ik zo wel weer in orde ben. Ik wil niet dat die dronken idioten me uitlachen.'

'Is dat alles?' Ki lachte opgelucht. 'Geen wonder dat je er zo snel vandoor ging. Goed dan. Ik zal de boodschap overbrengen, dan zie ik je zo weer.'

'Nee, blijf maar daar en oefen flink. Ik kom er zo aan. Porion heeft genoeg mensen om kwaad op te zijn vandaag.'

Ki kneep hem in zijn schouder en trok de bedgordijnen dicht.

Tobin hoorde hem naar buiten gaan. Hij lag heel stil en vroeg zich af wat dat vreemde gevoel in zijn buik was. De steken waren niet zo scherp meer en leken in golfjes te komen, als eb en vloed op het strand. Toen de pijn wegtrok, kreeg hij een ander, verwarrender gevoel. Hij stond op en keek of er echt niemand in de kamer of de inloopkast was. Toen trok hij de gordijnen helemaal dicht en maakte zijn broek los. Hij trok hem naar beneden en vond een kleine natte vlek in het kruis. Hij staarde er verbaasd naar. Hij wist zeker dat hij zijn plas niet had laten lopen.

Broer zat nu naast hem en staarde naar de vlek.

'Ga toch weg,' fluisterde Tobin met zwakke stem, maar Broer bleef. 'Bloed mijn bloed...'

Hij zweeg opeens, want zijn keel werd dichtgeschroefd toen hij de plaats van de vlek nader bekeek. Met trillende vingers voelde hij aan zijn geslachtsdelen, die nog zo klein en onbehaard waren in vergelijking met die van de andere Gezellen. Op de gerimpelde onderkant van zijn zak voelde hij een kleverig nat plekje. Hij keek geschrokken naar zijn vingertoppen; zelfs in dit gedempte licht kon hij zien dat het bloed was. Hij schrok zo dat zijn adem in zijn keel stokte toen hij zich nogmaals betastte, op zoek naar een zweer of een wond.

De huid was nog heel. Het bloed lekte als zweet uit hem.

'O, goden!' Hij wist wat dit betekende.

De pest. De Rood-Zwarte Dood.

Alle wagenspelen en pantomimes die hij op markten en pleinen gezien had kwamen hem weer voor ogen, net als de verhalen die de jongens elkaar rond de haard vertelden. Je begon bloed te zweten, dan ontstonden er enorme zwarte zweren onder je oksels en in je liezen. En ten slotte kreeg je zo'n verschrikkelijke dorst dat je de goot in zou kruipen om goor spoelwater te drinken, voor je het laatste restje bloed dat je nog in je had uitbraakte.

Vlak daarop schoten Lhels woorden hem weer te binnen. *Jij ziet bloed? Jij komt hier, naar mij.* Dat was dus toch een voorspellende droom geweest.

'Wat moet ik nu doen?' fluisterde hij naar Broer. Maar hij wist het antwoord al.

Jij ziet bloed, niemand vertellen. Jij houdt van vriend, jij zegt niks.

Hij mocht het Ki niet vertellen. En Tharin ook niet. Niemand van wie hij ook maar enigszins hield. Dan zouden ze hem willen helpen en zouden ze aangestoken worden.

Hij keek rond op het bed waarin Ki en hij sliepen. Had hij zijn vriend al ziek gemaakt?

Jij houdt van vriend, jij zegt niks.

Tobin deed zijn broek weer dicht en klom uit bed. Ki zou hem nooit alleen laten vertrekken. En heer Orun en Porion en Tharin ook niet. Hij vond zijn tuniek op de tast en trok hem aan voor de pijn weer met roodgloeiende vingers in zijn buik begon te wroeten, waardoor hij op zijn tanden moest bijten om het niet uit te gillen. Hij kromp ineen en de ringen klingelden tegen elkaar onder zijn hemd. Hij trok ze naar buiten en kneep ze fijn in zijn hand, als amuletten, en hij voelde zich vreselijk alleen. Hij moest bij Lhel zien te komen.

Toen de pijn wegtrok ging hij de kleedruimte in en gespte zijn vaders zwaard om. Hij was bijna groot genoeg om het te dragen, en nu ging hij dood, dacht hij verbitterd. Dan kon hij er toch op zijn minst mee verbrand worden. Er was niemand aan wie hij het over kon dragen.

Hij hoorde bedienden op de gang praten; via die weg kon hij niet ongezien ontsnappen. Hij gooide een oude mantel om, knielde en tastte naar het paneel dat naar de kamer van zijn neef leidde. Zoals Korin had gezegd kon hij het van deze kant niet openmaken, maar Broer kon erdoor en opende het vanuit Korins kamer.

Die zag er hetzelfde uit als de zijne, maar de draperieën waren wat rijker uitgevoerd in goud en rood. Hij had ook een trap van zijn balkon naar de tuinen en zo kon Tobin onopgemerkt ontsnappen.

Waar Ki al bang voor was geweest, gebeurde: Porion hield hem de halve middag bezig met boogoefeningen. De schaduwen van de dennen vielen al in hun kamer toen hij daar eindelijk weer terugkwam.

'Tobin, hoe gaat het ermee?'

Geen antwoord. Hij ging naar het bed en trok de zware gordijnen opzij om zijn vriend wakker te maken. Maar het bed was leeg.

Verrast keek Ki de kamer rond. Daar lag het oude leren borstkuras; Tobins zwaard en boog hingen aan het houten rek waar hij ze opgehangen had. Er waren tientallen plekken waar zijn vriend zou kunnen zijn en meestal zou Ki gewoon gewacht hebben tot Tobin bij het avondeten in de hal kwam opdraven, maar nu de prins plotseling zo ziek was geworden, voelde hij zich ongerust.

Op dat moment hoorde hij geschuifel op het balkon, draaide zich om en zag Tobin met het felle tegenlicht achter zich in de deuropening staan. 'O, ben je daar!' riep hij opgelucht uit. 'Dan voel je je zeker wat beter.'

Tobin knikte, liep snel naar de inloopkast en gebaarde hem te volgen.

'Hoe voel je je? Je ziet nog wel een beetje bleek.'

Tobin zei niets terwijl hij naar de bovenkant van de oude kast klom die daar stond.

'Wat doe je nou weer?' Tobin was zichzelf niet, dacht Ki. Misschien was hij zieker dan ze dachten. Zelfs de manier waarop hij bewoog was vreemd, maar waar dat aan lag kon Ki niet zeggen.

'Hé Tob, wat is er met je, joh? Wat zoek je toch?'

Tobin draaide zich om en liet een vieze zak in Ki's handen vallen. Die beweging zorgde dat ze voor het eerst sinds die ochtend oog in oog kwamen te staan.

Ki keek in zwarte, uitdrukkingsloze ogen en begon te beven. Dit was Tobin niet.

'Broer?'

In een oogwenk stond de ander op een neuslengte afstand van hem. Het gezicht van de geest leek wel een masker – het leek wel of een of andere beeldhouwer Tobins gezicht had uitgehakt, maar hij was vergeten er wat warmte en vriendelijkheid in te leggen. Ki dacht meteen aan zijn eigen dode moeder die bevroren op de hooizolder had gelegen; hij had de deken een keer weggetrokken en in haar gezicht gestaard, maar de liefde die ze altijd had uitgestraald was verdwenen. Zo was het ook nu, terwijl hij in het gezicht van de demon naar de trekken van Tobin zocht.

Al was hij doodsbang, hij vond zijn stem terug. 'Ben je Broer?'

De geest knikte en er speelde een vaag glimlachje rond zijn lippen. Niet dat het er geruststellender uitzag.

'Waar is Tobin?'

Broer wees op de zak. Zijn mond bewoog niet, maar Ki hoorde een huiveringwekkend gefluister als wind die over een bevroren meer blies. *Hij gaat naar Lhel. Breng hem dit en snel!*

Broer verdween, en Ki bleef alleen in de lengende schaduwen achter. In zijn ene hand hield hij een vieze meelzak met iets erin.

Lhel? Was Tobin naar huis? Maar waarom? En waarom zou hij zonder hem vertrokken zijn? Ki's hand vond het houten paardje dat om zijn hals hing terwijl hij het pijnlijke gevoel probeerde te verdringen dat zulke gedachten bij hem opwekten. Als Tobin zonder hem weg was gegaan, dan was er iets vreselijks gebeurd en als dat zo was, moest Ki aan zijn zijde staan.

Maar was zonder hem weggegaan...

'Tharin. Ik moet het Tharin vertellen, misschien zelfs Porion...'

Nee!

Ki sprong op toen Broer hem vanuit de schaduwen naast de deuropening toesiste. Het was een teken, dat hij Broer eindelijk kon zien. Tobin moest wel in groot gevaar verkeren als de geest zich vertoonde. Hij kon beter meteen doen wat de geest hem bevolen had.

En wat dat betrof had hij geluk. In de uren tussen training en avondeten mochten de jongens immers doen waar ze zin in hadden. Niemand zou het vreemd vinden als een schildknaap van het paleis naar de stallen liep met zijn meesters wapens in zijn armen om ze te laten repareren.

Met alleen hun zwaarden en de raadselachtige zak liep hij naar de stallen. Hier werd zijn vrees bevestigd. Gosi was verdwenen. Als Tobin te paard vertrokken was, had hij geen kans hem in te halen. Hij kon er alleen achter aan rijden.

'Je had jezelf wel wat eerder mogen vertonen,' mompelde hij terwijl hij Draak zadelde en hoopte dat Broer dicht genoeg in de buurt stond om het te horen.

De paleiswacht nam genoegen met zijn smoes dat hij voor zijn meester een boodschap in de stad moest doen en aan de wachters bij de stadspoort vertelde hij een soortgelijk verhaal. De avond viel nu snel en Broer was nergens te bekennen, maar er was voldoende maanlicht om de weg te vinden. Hij keerde de neus van Draak naar het westen, spoorde het gevlekte paard aan en galoppeerde de weg af, biddend dat de hoeven in het duister niet in kuilen terecht zouden komen.

'sNachts waren er maar een paar ruiters op pad en er waren er maar heel weinig die in de verste verte op Tobin leken, maar toch kon Ki het niet laten elke ruiter die hij passeerde nauwgezet op te nemen.

Rond middernacht stopte hij bij een beekje om zijn paard te laten bijkomen. En toen pas kwam het in hem op om eens te kijken wat er in de zak zat.

Tegelijkertijd hoorde Tharin een zeer verontruste Molay op zijn deur bonzen.

48

De maansikkel leidde Tobin naar huis. Hij liet de zee achter zich en volgde de rivieren en wegen die naar de westelijke bergen leidden. Misschien wist Gosi de weg nog wel, want ze namen geen enkele verkeerde afslag, al was het pikdonker.

Tobin was zo bang dat hij klaarwakker bleef, en de pijn die steeds weer opwelde droeg daar ook een steentje aan bij. Soms voelde hij helemaal niets en reed hij mijlen in galop voort. Dan overviel de kramp hem weer en liep Gosi zo gelijkmatig mogelijk stapvoets over de grasrand om de vurige pijn boven zijn onderbuik niet te verergeren. Hij kneep zijn ogen halfdicht, hij dacht aan Niryn en zijn handvol vlammen in de koninklijke graftombe.

Terwijl de nacht hem omsloot, scheurde de pijn hem vaak in tweeën, steeg hij op tegen zijn borstbeen en vloeide hij uit onder zijn huid. Het bloed in zijn broek was opgedroogd, maar tegen middernacht begon zijn hete vlees tussen de tepels te jeuken en te branden. Toen hij wilde krabben werden zijn vingertoppen opnieuw warm en nat.

Pest, pest, pest! Het dreunde in zijn hoofd op het ritme van zijn hartslag. Pestverspreider.

Lhel zou vast wel een medicijn hebben. Daarom had ze de voorspellende droom naar zijn gedachten gestuurd. Misschien wisten heuvelheksen een middeltje dat de drysianen en de koninklijke helers van Skala niet kenden.

Ze kenden de verhalen. In de havensteden spijkerden de doodsvogels de huizen van pestverspreiders dicht, al zaten er anderen binnen die nog niet waren aangestoken. Als iemand de ziekte overleefde, konden ze dat alleen aantonen door uit te breken.

Hij was een pestverspreider.

Dat had Lhel geweten.

Zouden ze het Oude Paleis dichtspijkeren?

In de duisternis doemde in zijn hoofd een leger doodsvogels op die als aasgieren op het paleis neerstreken met hun hamers en zakken met spijkers over hun schouders, als de werklui die op de burcht hadden gewerkt.

Zouden ze hem volgen en ook de burcht dichtspijkeren?

Ze zouden hem in de toren kunnen opsluiten. Hij zou hun masker opzetten en een vogel zijn zoals de enige vrienden van zijn moeder toen ze daar woonde...

Zijn gedachten joegen in eindeloze cirkels door zijn hoofd. Hij was haast verbaasd toen hij de scherpe bergtoppen voor hem tegen de met sterren bezaaide hemel zag opdoemen.

Het eerste ochtendgloren verwarmde de hemel achter zijn rug toen hij door het dommelende Alestun reed. Gosi kon haast niet meer en blies onophoudelijk stoomwolken uit. Tobin was van vermoeidheid in een half dromende toestand gekomen en begon zich af te vragen of hij, wanneer hij zijn ogen opendeed, misschien weer in Ero zou zijn, in een dichtgespijkerde kamer. Of misschien was hij eindelijk op weg naar die ondergrondse kamer uit zijn droom, en zou hij zo de herten zien die het gat in de grond aanwezen.

Hij liet de stad achter zich en reed stapvoets over de bekende weg tussen de bomen die nu nog herfstkleuren droegen. Het zag er eigenlijk net zo uit toen zijn vader hem de eerste keer meenam naar Alestun, een half leven geleden. Hij was blij hier weer te zijn, zelfs al was dit de allerlaatste keer. Hij wilde liever hier sterven dan in Ero. Hij hoopte dat ze zijn lichaam ergens in het bos zouden achterlaten. Hij wilde niet op die akelige stenen planken onder de stenen koninginnen liggen. Hier hoorde hij thuis.

Op het moment dat hij een glimp van het dak opving, stapte Lhel tussen de bomen vandaan. Tranen van opluchting brandden in zijn ogen.

'Kiesa, jij komt,' zei ze en ze liep vlug de weg op.

'Ik zag het bloed, Lhel.' Zijn stem klonk zo zwak als die van Broer. 'Ik ben ziek. Ik heb de pest.'

Ze greep zijn voet en tuurde omhoog naar zijn gezicht. Ze gaf een geruststellend klopje op zijn laars. 'Nee, kiesa. Geen pest.'

Ze trok zijn voet uit de stijgbeugel, klom achter op het paard en nam de teugels.

Hij herinnerde zich later maar weinig van de rit behalve de warmte van haar lichaam tegen zijn rug. Dat was zo heerlijk geweest.

En toen hielp ze hem uit het zadel met handen zo koel als rivierwater.

Daar was de huiseik, met de manden en rekjes, en de ronde bron als een groen met gouden spiegel op de grond.

Voor de deur knapperde een vrolijk vuurtje. Ze leidde hem naar een boomstam die als bankje diende, wikkelde hem in een cape van bont en duwde hem een kop hete kruidenthee in handen. Tobin nipte ervan, dankbaar voor de warmte. Het zachte bont was geelwit en lichtbruin – bergleeuwenbont. Ki's bergleeuw, dacht hij en hij wou dat zijn vriend hier naast hem zat.

'Wat is er dan met me?' vroeg hij schor.

'Laat bloed zien.'

Tobin trok de hals van zijn tuniek naar beneden om de sijpelende plek op zijn borst te laten zien. 'Jij zegt dat ik niet ziek ben, maar kijk dan! Wat zou het anders moeten zijn?'

Lhel raakte de vochtige plek aan en zuchtte. 'Te veel van Moeder gevraagd. Te veel, ik denk.'

'Mijn moeder?'

'Haar, ja. Maar Godinmoeder is van wie ik spreek. Heb je pijn hier?'

'Een beetje, maar vooral in mijn buik.'

Lhel knikte. 'Ander bloed ook?'

Verlegen liet Tobin het kruis van zijn broek zien waarin een ovale bloedvlek zat.

Lhel legde haar handen op zijn hoofd en sprak zacht een paar woorden die hij niet verstond.

'Ach, te vroeg, kiesa. Te vroeg,' zei ze droevig. 'Misschien heb ik fout gemaakt, door Broers hekkamari zo dicht bij jou te houden. Ik moet halen Arkoniël. Jij eet terwijl ik ga.'

'Mag ik niet mee? Ik wil Nari zien!' bedelde Tobin.

'Later, kiesa.'

Ze gaf hem een bord warme pap, bessen en brood. Toen beende ze weg tussen de bomen.

Tobin trok de bontmantel nog dichter om zich heen en nam een hap van het brood. Ongetwijfeld gestolen uit Kokkies keuken. Door de eerste hap kreeg hij nog meer heimwee dan hij al had. Hij had zo'n zin om achter Lhel aan te hollen om bij het keukenvuur te zitten met Kokkie en Nari. Het leek zo dichtbij en hij had zijn oude kleren aan, dus voelde het eigenlijk net aan of hij nooit was weggeweest.

Behalve dat Ki er niet bij was. Tobin liet zijn vingers langs de rand van de bergleeuwenhuid glijden en wist niet wat hij moest zeggen wanneer hij hem terug zou zien. Wat moesten Ki en Tharin en de anderen wel niet van hem denken?

Hij verdrong die gedachte en betastte het opgedroogde bloed op zijn borst opnieuw. Hij was dan wel geen pestverspreider, maar er was duidelijk iets mis. Misschien wel iets ergers dan de pest.

De ochtend brak bijna aan toen Ki de afslag naar Alestun bereikte, maar hij miste hem toch, want hij had hem maar één keer eerder gezien. Hij was er allang voorbij toen Broer opeens midden op de weg voor hem stond en zijn paard liet steigeren van schrik.

'O, ben je daar weer!' mompelde Ki, en hij trok de teugels van Draak aan om hem te kalmeren.

De geest wees naar de weg waarop hij al een eind gevorderd was. Ki draaide en ontdekte de wegwijzer die hij op de kruising niet had gezien. 'Bedankt, Broer.'

Hij was al zo'n beetje aan de geest gewend. Of misschien was hij gewoon te moe, te hongerig en te bezorgd om wat hij na de lange nachtelijke rit zou vinden. Hij was in elk geval blij dat Broer bij hem bleef en hem de weg naar Arkoniël wees.

Het was een warme ochtend voor half Erasin. Mist verdampte van de druipende bomen, wat in het zwakke ochtendlicht een spookachtig gezicht was.

'Is alles goed met Tobin?' vroeg hij, want hij nam aan dat Broer wel iets zou weten van de toestand waarin zijn tweelingbroer verkeerde. Maar Broer reageerde helemaal niet en ging maar voort met die vreemde zwevende gang van hem. Toen hij een tijdje naar hem gekeken had, begon Ki te denken dat hij zich in zijn eentje misschien toch prettiger gevoeld had.

Arkoniël keek op naar Lhels gezicht dat voor hem zweefde terwijl hij boven de waskom gebogen stond.

'Jij komen nu,' zei ze en het klonk dringend. 'Tobin is bij mij. Magie werkt niet meer.'

Arkoniël droogde haastig zijn gezicht af en rende naar de stallen. Hij liet het zadel hangen, pakte het hoofdstel en sprong op de telganger; hij stormde de bergweg op om de heks te ontmoeten.

Ze wachtte op hem bij de bosrand, zoals altijd. Hij bond het paard vast aan een boom en volgde haar gehaast te voet tussen de bomen door; hij had het idee dat ze een kortere weg namen dan normaal. Twee jaar lang was hij nu haar leerling en haar minnaar geweest en nog steeds had ze de weg naar haar huis niet aan hem toevertrouwd.

Op de open plek vond hij Tobin die bij het vuur zat, gewikkeld in een bergleeuwenhuid. Zijn gezicht was vertrokken van pijn en had een grauwe tint. Er zaten donkere kringen onder zijn ogen. Hij had zitten doezelen, maar was meteen klaarwakker toen ze naderden.

'Tobin, hoe voel je je?' vroeg Arkoniël terwijl hij voor hem neerknielde. Speelde zijn verbeelding hem parten of waren de bekende trekken van dat gezicht al aan het verschuiven, al was het maar een beetje?

'Een beetje beter,' antwoordde Tobin met een bange blik. 'Lhel zei dat het niet de pest is.'

'Nee, natuurlijk niet!'

'Maar zeggen jullie dan eens wat er met me aan de hand is!' Tobin liet hem de bloederige veeg op zijn platte gladde borst zien. 'Het blijft er maar uit sijpelen en nou doet het ook weer pijn. Het moet de Rood-Zwarte Dood wel zijn. Wat anders?'

'Magie,' zei Arkoniël. 'Je hebt een magische behandeling ondergaan, heel lang geleden, en die is nu uitgewerkt. Te vroeg uitgewerkt. Het spijt me verschrikkelijk. Het was niet de bedoeling dat je het op deze manier te weten zou komen.'

Zoals hij had gevreesd keek Tobin alleen nog maar banger toen hij dit hoorde. 'Magie? Bij mij?'

'Ja. Lhels magie.'

Tobin voelde zich duidelijk door haar verraden. 'Maar waarom? Wanneer is dat gebeurd? Toen je mijn bloed in de pop stopte?'

'Nee, kiesa. Veel ouder tijd. Wanneer jij geboren. Iya en Arkoniël kwamen naar mij, vragen mij. Zeggen jouw maangod wil dat. Jouw vader wil dat. Deel van jouw strijdersweg. Kom, is beter jij ziet dan jij hoort.'

Ki had bedacht dat hij het best meteen naar de burcht kon gaan om Arkoniël te halen, maar daar wilde Broer niets van weten.

Volg, beval de geest met zijn hese, fluisterende stem. Ki waagde het niet om daar tegenin te gaan.

Broer leidde hem naar een wildspoor dat langs de wei liep en de rivier bij een voorde verder stroomopwaarts kruiste.

Ki keek nog eens naar de oude pop terwijl hij reed. Hij had zich er al uren het hoofd over gebroken waarom zo'n prul van belang kon zijn voor de geest. Maar dat was het blijkbaar, want Broer stond plotseling op zijn stijgbeugel en Ki rilde opeens van de kou.

Niet voor jou! siste Broer en hij greep met ijzige vingers zijn been vast.

'Ik wil dat vod niet eens!' Ki trok de zak dicht en propte hem tussen zijn been en het zadel.

Het pad aan de overkant steeg nu behoorlijk en kwam hem bekend voor. Ki herkende een grote steen die ze op een zomerse dag tijdens een picknick met Arkoniël en Lhel als tafel hadden gebruikt. Veel verder kon het niet zijn.

Al was hij doodop en voelde hij zich niet op zijn gemak met Broer, Ki moest heimelijk grinniken als hij eraan dacht hoe verrast iedereen zou zijn als ze hem zagen.

Tobin rilde toen hij zich over het gladde oppervlak van de bron boog. Lhel had gezegd dat hij zijn tuniek en hemd uit moest doen. Hij keek in het water en zag zijn gezicht en een rode veeg op zijn borst. Hij vroeg zich af of hij die af kon wassen, maar hij durfde het niet te proberen. Lhel en Arkoniël keken hem zo vreemd aan.

'Kijk naar bron,' zei Lhel en ze rommelde wat rond achter hem. 'Arkoniël, zeg jij het.'

De tovenaar knielde naast hem neer. 'Eigenlijk had je vader het je moeten vertellen, of Iya. En je zou ouder moeten zijn en klaar om je plaats in te nemen. Maar het ziet ernaar uit dat de goden andere plannen hadden.

Je hebt wel eens gehoord dat er mensen waren die vertelden dat het dode kind een meisje was. Nou, dat is eigenlijk ook zo.'

Tobin keek op en zag een grote droefheid in Arkoniëls ogen.

'Je moeder schonk die nacht het leven aan twee kinderen: een jongen en een meisje. Een is er gestorven, dat weet je. Maar weet je, het kind dat bleef leven was het meisje. Jij, Tobin. Lhel heeft een bijzondere vorm van magie gebruikt...'

'Huidbinding,' zei Lhel.

'... huidbinding, om jou op een jongen te laten lijken, en het dode jongetje – Broer – op een meisje.'

Heel even dacht Tobin dat hij zijn stem weer kwijt was, net als toen zijn moeder stierf. Maar hij kon nog net met schorre stem: 'Nee!' uitbrengen.

'Het is de waarheid, Tobin. Je bent een meisje in jongensgedaante. En er komt een tijd dat je die nepgedaante af zult leggen en je plaats als vrouw in deze wereld zal opeisen.'

Tobin beefde nu ontzettend en dat lag niet aan de kou. 'Maar... maar waaróm?'

'Om je te beschermen tot je koningin kunt worden.'

'Beschermen? Voor wie?'

'Voor je oom en de Haviken. Ze zouden je vermoorden als ze dit wisten. De koning zou je de nacht dat je geboren werd al gewurgd hebben als wij niet gedaan hadden wat we hebben gedaan. Hij had al zoveel meisjes doodgemaakt, zo vreselijk veel, omdat hij bang was dat ze hun recht op de troon zouden opeisen en Korin geen koning zou kunnen worden.'

'Niryn zei... Maar dat noemde hij verraders!'

'Nee, dat waren onschuldigen. En ze hadden veel minder recht op die troon dan jij, het kind van zijn zuster. Je kent de Profetie van Afra. Je bent een ware dochter van Thelátimos, de laatste van een rechte lijn. Deze huidbinding – alleen op die manier konden we jou snel beschermen. En tot nu toe werkte het.'

Tobin staarde naar het gezicht in het water – zijn ogen, zijn haar, het litteken op het puntige kinnetje. 'Nietes! Je liegt maar wat! Ik wil zijn wie ik ben! Ik ben een strijder!'

'Je bent nooit anders geweest, en dat zul je ook blijven,' zei Arkoniël rustig. 'Maar Illior heeft je voorbestemd voor heel wat meer. Dat heeft hij aan Iya laten zien toen jij nog in je moeders buik zat. Ontelbaar veel tovenaars en priesters hebben van jou gedroomd. Je zult een groot strijder en een grote koningin zijn, zoals Ghërilain zelf.'

Tobin drukte zijn handen tegen zijn oren en schudde woedend zijn hoofd. 'Nee! Vrouwen zijn geen strijders! Ik ben een strijder! Ik ben Tobin! Ik weet wie ik ben!'

De geur van muskus en groene kruiden zweefde over hem heen toen Lhel aan zijn andere kant ging zitten en haar sterke armen om hem heen sloeg.

'Je bent ook wie je bent. Ik laat jou zien.'

Ze bedekte de bloederige plek op zijn borst met haar hand en de pijn kwam terug alsof het een langzame duizendpoot was. Toen ze haar hand weghaalde zag hij een korte verticale naad op zijn borst, net als die van Broer, met minieme steekjes van spinrag dichtgenaaid. Maar zíjn wond was geheeld en het litteken was bleek. Alleen het uiteinde was bloederig, als Broers wond.

'De magie is bijna uitgewerkt, de binding houdt het niet. Moet nieuwe magie maken,' zei Lhel. 'Het is nog niet tijd je ware gezicht te laten zien, kiesa.'

Tobin drukte zich dankbaar tegen haar aan. Hij wilde ook niet veranderen.

'Maar hoe...' begon Arkoniël.

Lhel legde hem met één vinger het zwijgen op. 'Later. Tobin, jij moet zien jouw ware gezicht.'

'Dat wil ik niet!'

'Ja. Is goed te weten. Kom, kiesa, kijk.'

Lhel legde een vinger op de naad op zijn borst en toen ze weer sprak hoorde hij haar stem in zijn hoofd, helder en absoluut niet krom zoals gewoonlijk.

'Godin-Moeder, ik maak deze steken los in uw naam, genaaid in de nacht van uw wassende maan, opdat ze weer heel gemaakt kunnen worden onder deze maansikkel om dit kind te beschermen met de binding van de ene met de andere gedaante. Laat deze dochter genaamd Tobin haar gezicht in uw spiegel zien. Wijk terug, draad onder de rode maan geweven, hier.' Terwijl ze dit zei streek ze met haar hand langs Tobins ogen en liet hem nogmaals vooroverbuigen naar het glasachtige oppervlak van de bron.

Bevreesd, tegenstribbelend, keek hij naar de onbekende die hem aan zou kijken.

Ze was niet zo anders.

Het was een meisje – dat was een ding dat zeker was – maar ze had zijn donkerblauwe ogen, zijn rechte neus en puntige kinnetje, en zelfs hetzelfde litteken. Hij was bang geweest dat ze zo'n mollig, dom dingetje zou zijn, als die meisjes aan het hof, maar dit meisje zag er niet zacht uit. Haar jukbeenderen zaten wat hoger dan die van hem, de lippen waren ietsje voller, maar zij keek hem met diezelfde bedachtzaamheid aan als hij zo vaak in zijn spiegel thuis gezien had – en met dezelfde vastberadenheid.

'Niet "zij", Tobin,' fluisterde Arkoniël. 'Jij. Jij bent háár. Je hebt al deze jaren naar Broer gekeken als je voor de spiegel stond. Maar niet alles was van hem. Je ogen waren altijd al van jou.'

'Dat kan geen binding veranderen. En dit ook niet.' Lhel raakte zijn moedervlek aan en weer hoorde hij de stem van de heks in zijn hoofd. 'Dit is sinds jouw geboorte niet veranderd. Dat is altijd al van jou geweest. En deze...' Ze raakte het litteken aan. 'Deze was jou gegeven, en die houd je dus. Je hele leven heb je geleerd Sakor te volgen, maar Illior was aanwezig bij jouw geboorte. En zo is het ook met je herinneringen, je training, je kunst, je ziel. Alles wat je bent, zul je behouden. Maar je zult meer zijn dan dat alleen.'

Tobin rilde, en dacht terug aan de geest van de koningin die hem het zwaard had aangereikt. Had zij het geweten en hem haar zegen willen geven?

'Kun jij me zien, Arkoniël?'

'Ja. O, ja!' Er sprak grote vreugde uit de stem van de tovenaar. 'Ik ben zo blij dat ik je eindelijk zie, na al die jaren, vrouwe!'

Vróúwe.

Tobin bedekte haar oren tegen het woord, maar kon haar ogen niet van de weerspiegeling afhouden.

'Ik weet waar je bang voor bent, Tobin,' zei Arkoniël tegen haar en hij zei het zacht. 'Maar je kent de geschiedenis. Voor je oom aan de macht kwam, waren de koninginnen van Skala de grootste en dapperste strijders van allemaal, en er bestonden vrouwelijke generaals, vrouwelijke kapiteins, schildknapen en wapenmeesters.'

'Zoals Ki's zuster.'

'Ja, zoals Ki's zuster. En zoals Kokkie, toen ze in het leger zat. Er zijn er nog steeds een aantal in de legers. Je zult hen weer aan het hof ontvangen en hen in ere herstellen. Maar dat kan alleen als je je veilig verbergt tot de tijd is aangebroken. Om dat te doen moet je terug naar Ero waar iedereen je kent als Tobin de prins. Nari en Iya zijn de enigen die de waarheid kennen, behalve wij tweeën. Niemand anders mag het weten, zelfs Ki en Tharin niet.'

'Maar waarom?' vroeg Tobin. Ze had nu wel genoeg geheimen gehoord. Hoe kon ze dit allemaal in haar eentje dragen?

'Ik heb je vader mijn woord gegeven dat niemand van je ware identiteit zou weten tot het teken gegeven wordt.'

'Wat voor teken?'

'Ja, dat weet ik nog niet. Maar Illior zal het geven. Dus we kunnen niet anders doen dan geduldig afwachten.'

Vanwege het incident met de pop voelde Ki zich nu niet meer zo op zijn gemak met de geest of de demon of wat voor eng spook Broer ook mocht zijn.

Desondanks schrok hij zich lam, toen Broer ineens op hem afkwam terwijl ze de steile, rotsachtige oever beklommen. Broer raakte hem niet aan, maar liet Draak weer steigeren van angst zodat hij werd afgeworpen. Hij rolde halsoverkop van de helling. Gelukkig kwam hij tussen varens en mos terecht, maar hij raakte toch wat stenen en stammen voor hij overeind kon krabbelen.

'Verdomme, waar was dat nou weer voor nodig?' zei hij hijgend. Hij zag Broer boven aan de helling staan. De geest had de meelzak in zijn hand en glimlachte op die griezelige manier van hem. Het paard was ervandoor.

'Wat wil je nou eigenlijk?' schreeuwde Ki naar hem.

Broer zei niets.

Ki probeerde naar hem toe te klimmen. Toen hij weer opkeek, was Broer verdwenen.

Hij klom naar boven en zag Broer naar hem staren vanaf een wildspoor, een paar voet verderop. Ki deed een stap in zijn richting en Broer zweefde verder, lokte hem mee.

Omdat hij ook niet wist wat hij anders moest doen, volgde Ki hem en liet de geest de weg wijzen. Tenslotte had die nou de pop in handen.

Lhel had Arkoniël een tijdje geleden meegenomen achter de eik, en Tobin alleen bij de bron achtergelaten. Ze zat nog steeds geknield te kijken en de wereld leek wel op zijn kop te staan.

Haar gezicht, zei ze tegen zichzelf.

Meisje. Vrouwe. Prinses.

De wereld draaide weer een slag.

Koningin.

Zij.

Ze raakte haar wang aan en merkte dat hij net zo anders aanvoelde als hij er in het water uitzag. Voor ze het gevoel kon omschrijven spatte het beeld uiteen met een plons die haar tot haar knieën kletsnat maakte.

Een meelzak dreef in de bron voor haar.

Een meelzak.

'De pop!' riep ze en ze haalde hem uit het water voor hij kon zinken. Ze had hem vergeten in Ero. Broer zat aan de andere kant van de bron gehurkt en keek haar met zijn hoofd een beetje schuin aan, alsof hij verbaasd was haar zo te zien.

'Kijk, Lhel!' riep ze. 'Broer heeft hem helemaal van de stad naar hier gebracht.'

Lhel en Arkoniël kwamen aangerend en trokken haar bij de bron vandaan. De heks wikkelde haar van top tot teen in de leeuwenhuid, zelfs haar gezicht.

'Nee, dat kan Broer niet gedaan hebben. Niet in zijn eentje,' zei Arkoniël en hij speurde met angst en beven de rand van de open plek af.

'Dan zal Broer Ki wel meegenomen hebben,' zei Tobin en hij probeerde de huid af te werpen en te ontkomen. 'Ik was zo bang toen ik dat bloed zag dat ik wegrende en de pop vergat. Broer zal hem wel aan Ki hebben laten zien en gezegd hebben hem hier te brengen.'

'Ja, de geest kent de weg,' zei Lhel, maar ze keek naar Arkoniël en niet naar de geest. 'En Ki kende de weg naar de burcht...'

De tovenaar was al tussen de bomen verdwenen voor ze was uitgesproken. Ze stuurde haar stem zijn kant uit en vond zijn geest moeiteloos.

'Nee, je moet hem geen kwaad doen.'

'Je weet wat ik heb gezworen, Lhel.'

Lhel was hem bijna achternagegaan, maar ze kon Tobin nu niet alleen laten.

'Wat is er aan de hand?' vroeg Tobin en hij greep haar arm vast.

'Niets, kiesa. Arkoniël gaat je vriend zoeken. We beginnen met magie, nu hij weg is.'

'Nee, ik wil op Ki wachten.'

Lhel glimlachte en legde haar hand op Tobins hoofd en sprak de spreuk uit die ze in gedachten gevormd had. Tobin viel slap in haar armen neer.

Lhel ving haar op en hield haar dicht tegen zich aan terwijl ze naar de bomen staarde. 'Moeder, bescherm hem.'

Broer bleef een eind voor Ki uit naar de eik van Lhel zweven, nooit dicht genoeg bij hem om vragen te kunnen stellen, maar hij bleef zichtbaar. Toen was hij verdwenen en vanaf de plek waar hij stond zag hij tussen de bomen door iemand die eruitzag als Tobin.

Hij opende zijn mond om hem te roepen toen Arkoniël plotseling voor hem oprees. Zonlicht schitterde op het ding dat Arkoniël in zijn hand hield en alles werd zwart.

Tobin werd wakker op een stromatras in de eik. Het was er heet en zijn naakte huid glinsterde van het zweet. Het leek wel of hij warme modder in zijn hoofd had, te zwaar om op te tillen.

Lhel zat in kleermakerszit tegenover hem met de lappenpop in haar schoot.

'Jij wakker, kiesa?'

Een pijnscheut wekte Tobin pas goed en hij ging met een kreet rechtop zitten. 'Ki? Waar is Ki?'

Er was iets veranderd aan zijn stem. Hij was te hoog. Het klonk als...

'Nee!'

'Ja, dochter.'

'Waar is Ki?' vroeg Tobin opnieuw.

'Zal buiten zijn. Tijd om jou te leren iets waarover ik jou hele tijd geleden verteld heb. Toen jij hekkamari bracht.' Ze hield de pop omhoog. 'De Skala maangod heeft pad voor jou gestippeld. Jij meisje, maar jij moet nog tijd als jongen uitzien. Wij doen nu andere binding.'

Tobin keek naar beneden en zag dat ze er beneden nog steeds als een jongen uitzag – hoekig met een kleine penis als een muisje tussen haar dijen genesteld. Maar er zaten ook een paar nieuwe bloedvlekken.

'Waarom bloed ik daar toch?'

'Binding werd zwak toen maantijd voor jou kwam. Vocht met magie.'

'Maantijd?' Tobin kreeg het onbehaaglijke gevoel dat Lhel die maandelijkse bloeding van vrouwen moest bedoelen. Ki had hem daar wel eens over verteld.

'Vrouw heeft tij in haar buik als zee, gestuurd door de maan,' zei Lhel tegen haar. 'Geeft jou bloed en pijn. Geeft jou magie om baby in buik te laten groeien. Soms krijgt ook ander magie door, zoals ik. En jij ook. Soms jij hebt dromen, soms het oog. Sterke magie. Heeft steken stukgemaakt.'

Lhel klakte met haar tong terwijl ze een smal zilveren mesje tevoorschijn haalde en een paar steekjes uit de zijnaad van de pop lostornde. 'Nooit binding gedaan voor zo'n lange tijd. Misschien niet bedoeld zo lang te houden. Huid sterk, maar bot sterker. Deze keer wij gebruiken bot.'

'Wat voor bot?'

Lhel trok een handvol vergeelde wol en uitgedroogde kruiden uit het poppenlijfje en voelde met haar vinger tot ze vond wat ze zocht. Ze schudde het lijfje boven haar hand uit: drie ivoorkleurige stukjes lagen erop. Een gebogen splintertje van een rib, een komvormig stukje schedel zo dun als eierschaal, en een heel botje, klein en fijn als een vleugelbotje van een zwaluw. 'Broers bot,' zei ze.

Tobin keek haar met grote ogen aan. 'Zijn botten zitten in de pop?'

'Meeste wel. Liggen nog kleine stukjes in grond bij mamma's huis in stad. Onder grote boom, bij keukentuin.'

Tobin liet Lhel de ring zien die hij aan de ketting om zijn nek had hangen. 'Die vond ik in een gat onder een dode boom bij de oude keuken. Tharin zegt dat hij van mijn moeder was. Is hij daar begraven?'

Lhel knikte. 'Ik roep om botten van aarde en vlees los te maken. Jouw mamma...' Ze deed of ze in de aarde groef met haar vingers als klauwen gebogen. 'Zij maakte ze schoon en naaide ze in de pop zodat ze voor geest kon zorgen.'

Tobin keek met walging naar de pop. 'Maar waarom?'

'Broer boos; hij dood maar wel huidbinding met jou. Zijn geest zou demon zijn, erger dan die jij kent als mamma niet hekkamari had gemaakt. Wij nemen deze kleine botjes en stoppen in hekkamari. Ik bind haar hiermee, net als ik bind jou. Weet je nog?'

'Met haar en bloed.'

Lhel knikte. 'Zij ook zijn bloed. Zijn mamma. Toen zij dood, pop naar jou. Jij kent de woorden. "Bloed mijn bloed. Vlees mijn vlees. Bot mijn bot." Heel waar.'

Lhel brak een stukje van het gebroken ribbetje af en hield het omhoog. 'Ik stop dit in jou, jij hebt weer binding, houdt Broers gezicht tot jij haalt het botje eruit en jij vanbuiten meisje wordt. Maar jij kent meisje vanbinnen nu al, kiesa.'

Tobin knikte mistroostig. 'Ja, dat weet ik. Kun je me nu weer op mijn oude ik laten lijken, alsjeblieft?'

Lhel duwde Tobin weer plat op de stromatras en legde de pop naast haar. Toen begon ze fluisterend te zingen. Tobin voelde zich opeens heel slaperig worden, al bleven haar ogen open. Broer kwam de eik binnen en ging op de plaats van de pop liggen. Hij voelde net zo stevig en warm aan als Ki. Ze keek naar hem en glimlachte, maar hij staarde strak naar boven, zijn gezicht zo onbeweeglijk als een masker.

Lhel liet de jurk van ruwe stof van haar schouders glijden. Door het licht van de vlammen leken de tatoeages op haar handen, borsten en buik over haar huid te bewegen terwijl ze met het zilveren mes en een naald maanbleke patronen beschreef. Een web van licht hing boven Tobin en Broer toen ze klaar was.

Tobin voelde de koude aanraking van metaal tussen haar dijen en een scherpe naald prikte onder haar jongenszakje. Toen schilderde Lhel rood licht in de lucht zodat de patronen deden denken aan

... bloed op rivierijs.

Tobin wilde de andere kant opkijken, maar het lukte niet.

Zacht zingend liet Lhel het kleine stukje babybot op de punt van haar mes balanceren en bewoog het door de vlammen naast haar tot het bleekblauw opgloeide. Broer zweefde naar boven en draaide zich om in de lucht, zodat hij oog in oog met Tobin kwam te hangen. Lhel stak haar hand door zijn doorzichtige lichaam en stak het hete botje in de bloedende wonde in Tobins borst.

De vlam van brandend bot schoot door haar huid en hulde haar in hitte.

Ze probeerde het uit te schreeuwen van angst en pijn, omdat ze zeker wist dat het vlees van haar botten gekookt zou worden, maar Lhels stem hield haar vast op haar plaats. Even werd ze verblind door wit licht, toen tilde de pijn haar van de grond en zij en Broer dreven samen het rookgat van de eik in en hoger en hoger boven de bomen. Als een havik kon ze alles mijlenver in de rondte zien. Ze zag Tharin en zijn soldaten galopperend uit Alestun aankomen. Ze zag Nari en Kokkie bezig met de was op het keukenerf van de burcht. En ze zag Arkoniël neerknielen bij Ki, die een eindje buiten Lhels open plek uitgestrekt op zijn rug lag, terwijl hij met lege ogen naar de lucht staarde. De tovenaar hield één hand op Ki's voorhoofd, de andere over zijn bruine ogen alsof hij huilde.

Tobin wilde dichterbij komen, om te zien wat er aan de hand was, maar iets trok haar omhoog, tot ze in westelijke richting over de bergen vloog naar een diepe haven onder aan een klif. Lange rotsachtige armen omvatten de havenmond, en eilanden hielden de wacht. Ze kon de golven tegen hun steile wanden horen breken, en de eenzame kreten van de grijsgevleugelde zeemeeuwen...

Hier, fluisterde een stem naar haar. Het witte licht nam weer toe en vulde haar blikveld. Toen: *Je moet teruggaan*, en ze viel, viel terug in de eik, in haarzelf.

Ze sloeg haar ogen op. Broer zweefde nog steeds boven haar, maar Lhels gezang was anders van toon. Ze had het mes voor een naald verruild en naaide de bloederige randen van de wond in Tobins borst net zo zorgvuldig dicht als Nari scheurtjes in tunieken herstelde.

Nari had het al die tijd geweten...

Maar nu was Tobin de tuniek en moest hij toekijken hoe de zilveren naald in het flakkerende licht omhoog en omlaag ging, met een nauwelijks zichtbare draad zo schitterend als het spoor van een slak door de lucht – recht door haar huid. Niet dat het pijn deed. Met elke haal voelde Tobin hoe de stukjes bijeengebonden werden, hoe ze heel gemaakt werd.

Hersteld, dacht ze soezerig.

Bij iedere steek schudde Broer boven haar zacht en zijn gezicht vertrok zich tot een masker van echte pijn. Ze kon de ongeheelde wond op zijn borst onderscheiden en zag hoe het bloed druppel voor druppel viel, bij elke steek van Lhel door Tobins levende vlees. Zijn lippen trokken weg van zijn witte tanden en tranen als bloed verschenen in zijn ooghoeken. Tobin verwachtte ieder ogenblik dat ze op haar zouden vallen, maar vreemd genoeg losten ze op in de lucht tussen hen in.

Houd op! probeerde ze tegen Lhel te schreeuwen. *Je doet hem pijn. Zie je dan niet dat je hem pijn doet?*

Broer sperde zijn ogen open en staarde op haar neer. *Laat me gaan!* Hij gilde het uit in haar hoofd.

'Stil maar, kiesa. Doden kennen geen pijn,' mompelde Lhel.

Dat heb je mis! riep Tobin in stilte terug. *Broer, het spijt me zo!*

Lhel hechtte de laatste steek af en Broer viel langzaam op Tobin neer, toen door haar heen, en heel even voelde ze de kou van zijn aanwezigheid in elk deeltje van haar skelet.

Je moet teruggaan?

Toen was Broer verdwenen en Tobin was vrij, rolde ineen tot een balletje, weg van Lhels bevlekte handen, rolde ineen in de zoetgeurende zachtheid van de bergleeuwenhuid en snikte het uit met de hese, rauwe stem van een jongen.

Dankbetuiging

Zoals altijd bedank ik mijn man, Doug, en onze jongens voor hun liefde, steun en commentaar. Matt vond dit boek 'Gestoord, maar op een goeie manier.' Prima omschrijving, vind ik.

Ik dank ook mijn ouders – daarom. En Pat York en Anne Bishop voor hun commentaar op de eerste hoofdstukken. Dank aan Anne Groell en Lucienne Diver, voor hun hulp en geduld. Aan Nancy Jeffers, voor haar eindeloze enthousiasme voor dit project. Aan alle aardige mensen van de Internet Fantasy Writer's Association, voor hun snelle en waardevolle antwoorden op de vragen die op het laatste nippertje in me opkwamen. Aan wijlen Alan M., omdat hij zo'n fijne vriend voor alle schrijvers was, al kende ik hem helaas maar kort.

Aan Mike K., waar hij ook is, omdat hij bestaat.